9783110063769

GASTEIGER · AUGENHEILKUNDE

AUGENHEILKUNDE

LEITFADEN FÜR STUDIUM UND PRAXIS

VON

DR. MED. HUGO GASTEIGER

em. ord. Prof. der Augenheilkunde der Freien Universität Berlin

3., neubearbeitete Auflage

Mit 288 zum großen Teil mehrfarbigen Abbildungen

WALTER DE GRUYTER & CO.

vormals G. J. Göschen'sche Verlagshandlung · J. Guttentag, Verlagsbuchhandlung

Georg Reimer · Karl J. Träbner · Veit & Comp.

BERLIN 1970

MEINEM LEHRER,

HERRN PROF. DR. RUDOLF THIEL

IN FRANKFURT A.M.,

IN DANKBARKEIT GEWIDMET

Vorwort zur 1. Auflage

Vor mehreren Jahren wurde ich von Herrn Kollegen ZADEK aufgefordert, die Bearbeitung des Abschnittes „Augenheilkunde" in dem alle Fächer umspannenden Sammelwerk „Der Kliniker" zu übernehmen. Der ursprüngliche Plan, das Werk in Lieferungen erscheinen zu lassen, mußte aus äußeren Grunden fallengelassen werden. Die nun vorgelegte Darstellung bleibt aber dem alten Ziel, welches sich aus dem Text vorangestellten Vorbemerkungen ergibt, treu. Es soll dem Studenten helfen, jenes Maß von Wissen, Verständnis und Überblick bezüglich der Augenheilkunde zu erwerben, welches er als praktischer Arzt und Facharzt anderer Disziplinen benötigt. Die Darstellung schließt sich eng dem an, was in Vorlesung und Untersuchungskurs gelehrt und gezeigt wird und zum bleibenden Besitz werden soll, der bei Bedarf durch Nachschlagen aufgefrischt werden kann. Dabei mußte die bedauerliche Tatsache berücksichtigt werden, daß die dem Unterricht in der Augenheilkunde in Deutschland zur Verfügung stehende Stundenzahl eine recht beschränkte ist. Daher wurde eine gut gegliederte, straffe Darstellung angestrebt, die trotz der gebotenen Kürze einen möglichst klaren Überblick vermitteln soll, ohne zu umfangreich zu werden. Der Student hat meines Erachtens Anspruch darauf, daß der Umfang eines Lehrbuches in angemessenem Verhältnis zu dem des tatsächlich vorgetragenen Lehrstoffes steht.

Bei Besprechung der Therapie wurden die alten bewährten Methoden nicht vernachlässigt. Es ist keineswegs nötig oder angezeigt, jede banale Konjunktivitis oder jedes Hordeolum mit Penicillin u. a. zu behandeln. Diese neuen Mittel haben bei vielen Erkrankungen unerhörte Fortschritte gebracht, bei anderen sind sie unnötig. Es macht sich, wie zu erwarten war, gegenwärtig in allen Fächern eine Abkehr von der vielfach kritiklosen Anwendung der modernen Mittel (Sulfonamide, Antibiotika usw.) bemerkbar. Bei Angaben über diese modernen Pharmaka wurde, wie auch in den Abhandlungen anderer Autoren, oft auf genaue Dosierungsvorschriften verzichtet. Dies hat seine Gründe darin, daß diese Präparate oft wechseln und daß den Originalpackungen stets Dosierungsvorschriften beigegeben sind.

Von den insgesamt 252 Abbildungen sind 17 mit Zustimmung des Herausgebers dem ausgezeichneten Atlas von R. THIEL entnommen (Bilder Nr.: 37, 43, 44, 45, 48, 60, 68, 75, 77, 78, 84, 85, 113, 125, 139 und 142a). Einzelne Bilder danke ich dem Entgegenkommen der Herren Kollegen CLAUSEN (Bild Nr. 57), MEESMANN (Bild Nr. 40) und PILLAT (Bild Nr. 41). Ich möchte allen Herren für ihr Entgegenkommen bestens danken. Die große Mehrzahl der eigenen Bilder verdanke ich der Künstlerhand von Herrn ORTWIN MÜLLER, Dozent an der Hochschule für bildende und angewandte Kunst in Berlin, der seit Jahren mit Sachkenntnis, Eifer und Erfolg für die Klinik tätig ist. Weiterhin schulde ich Herrn Oberarzt Dr. MEYERRATKEN, Frl. Dr. RZEHULKA, Frl. cand. med. SCHUSTER und Frau L. KRAUSE für ihre Unterstützung bei Bearbeitung der Korrekturen und des Sachregisters aufrichtigen Dank.

Schließlich gilt mein Dank dem Verlag Walter de Gruyter & Co. für seine Bemühungen um die Drucklegung und bildmäßige Ausgestaltung des Buches.

Berlin, im April 1956   H. GASTEIGER

Vorwort zur 2. Auflage

Die günstige Aufnahme, die die 1. Auflage gefunden hat, zeigt, daß der Grundgedanke des vorliegenden Buches richtig war. Bei der Neuauflage ergab sich daher keine Änderung in Anordnung und Aufbau. Einzelne an mich herangetragene Wünsche und Anregungen wurden erfüllt.

Sämtliche Kapitel wurden durchgesehen und die neuesten Erkenntnisse der Wissenschaft eingearbeitet. Die Zahl der Abbildungen, insbesondere der farbigen Abbildungen, ist wesentlich erhöht.

Während die Gestaltung der meisten Kapitel nicht grundlegend geändert zu werden brauchte, schien es doch notwendig, den Fragen der Begutachtung im Hinblick auf Unfall, Berufskrankheiten, aber auch im Hinblick auf die Anforderungen des modernen Verkehrs (Verkehrsmedizin) etwas ausführlicher darzustellen.

Wenn auch die gutachtlichen Entscheidungen von Augenärzten zu treffen sind, so ist es doch wichtig, daß der Nichtaugenarzt über die Grundzüge der Begutachtung und die wichtigsten Anforderungen, die im Straßenverkehr an das Sehorgan gestellt werden müssen, orientiert ist. Es wurde daher ein neues Kapitel eingefügt, welches diesen Fragen gewidmet ist.

Für ihre Hilfe bei Bearbeitung der Korrekturen und des Sachregisters habe ich Frau L. Krause sowie den Herren Dr. Gerhard Fischer und cand. med. Wolfram Gasteiger zu danken. Weiterhin gilt mein Dank dem Verlag Walter de Gruyter & Co. für sein auch bei dieser Auflage bewährtes Entgegenkommen.

Berlin, im April 1963   H. GASTEIGER

Vorwort zur 3. Auflage

Da die letzte Auflage vergriffen ist, ergibt sich die Notwendigkeit der Neuauflage. Dabei werden die Grundgedanken beibehalten, die das Buch für den Studenten und den praktischen Arzt bestimmt haben. Die Auflage wurde aber neu durchgesehen und entsprechend neuen Anschauungen und Erkenntnissen geändert und ergänzt. Dabei wurde vorwiegend das Interesse der Nicht-Augenärzte im Auge behalten, besonders auch im Hinblick auf die Beziehungen zwischen Augenheilkunde und Allgemeinmedizin. Außerdem wurde eine größere Anzahl von neuen, meist farbigen Abbildungen eingefügt und ältere Abbildungen durch bessere ersetzt.
Dem Verlag Walter de Gruyter & Co. gebührt auch dieses Mal mein Dank für sein Entgegenkommen.

Berlin, im Frühjahr 1970   H. GASTEIGER

Inhaltsübersicht

Augenheilkunde

I. Vorbemerkungen

Entsprechend der Zielsetzung des Buches werden im folgenden die einzelnen Kapitel der Augenheilkunde in kurzer, auf das für den Studierenden und praktischen Arzt Wesentliche beschränkter Form behandelt. Dabei wird bewußt der Schwerpunkt der Darstellung auf die für den praktischen Arzt wichtigen Erkrankungen des äußeren Augenabschnittes und seiner Adnexe gelegt. Die Erkrankungen des Augenhintergrundes treten demgegenüber zurück, da sie vorwiegend Aufgabengebiet des Facharztes sind, an welche sich diese Darstellung nicht wendet. Eine wirklich sichere Diagnostik auf diesem Gebiet erfordert dauernde Übung in der Untersuchungstechnik und große Erfahrung. Für den praktischen Arzt ist es aber von großer Wichtigkeit zu wissen, bei welchen Allgemeinerkrankungen Veränderungen des Fundus vorkommen, wo daher fachärztliche Hilfsuntersuchung in Anspruch genommen werden muß und welche Unterstützung für seine Arbeit er von diesen Untersuchungen erwarten darf. Diese Zusammenhänge werden daher klar herausgestellt, während die Befunde nebst Differentialdiagnose und Therapie nur kurz umrissen zu werden brauchen. Dasselbe gilt für das Gebiet der Refraktionslehre. Auch die operative oder sonstige rein fachärztliche Therapie wird nach dem Grundsatz abgehandelt, daß es für den praktischen Arzt vor allem darauf ankommt zu wissen, in welchen Fällen der chirurgische Ophthalmologe helfen kann und welche Resultate dabei zu erwarten sind. Auf Erörterungen über Technik der Operationen, Diskussionen über den Wert verschiedener Verfahren usw. wird daher verzichtet. Ebenso müssen leider Darlegungen über pathologische Anatomie unterbleiben. Damit soll keineswegs der medizinisch bildende Wert auch solcher Kenntnisse für den praktischen Arzt unterschätzt werden. Sie müssen aber größeren Werken (Lehr- oder Handbüchern) entnommen werden. Es erscheint unzweckmäßig, den notgedrungen beschränkten Raum dieser Ausführungen mit derartigen Angaben zu belasten, weil dies — da der Gesamtumfang feststeht — nur auf Kosten der für den praktischen Arzt wichtigen Dinge geschehen könnte.

II. Das Sehorgan als Ganzes

Das Auge dient der Aufnahme von Seheindrücken. Entsprechend seiner wichtigen Funktion ist es durch seine Lage weitgehend gegen äußere Schädlichkeiten geschützt. Diesem Schutze dient die Lage in der knöchernen Augenhöhle[1]), die lediglich gegen vorn offen ist (Abb. 1). Den Schutz nach dieser Richtung übernehmen die Schutzorgane, die *Augenlider*, deren regelmäßiger Lidschlag für gleichmäßige Befeuchtung und Reinigung sorgt (Scheibenwischerfunktion) und die bei Gefahr für den Bulbus sowie im Schlafe geschlossen werden. Durch das Septum orbitale (Fascia tarso-orbitalis) wird der Abschluß der Augenhöhle nach vorn vervollständigt. Zu den Schutzorganen gehören auch die *Wimpern* (Zilien) und *Augenbrauen*, die kleine Fremdkörper, Staub, Schweiß usw., vom Auge abhalten.

---

[1]) An dieser Stelle erfolgt nur eine kurze Aufzählung der verschiedenen Teile des Sehapparates; weitere anatomische Angaben finden sich zu Beginn der einzelnen Abschnitte.

Zur Erfüllung seiner Aufgabe bedarf das Auge der **Beweglichkeit** und damit der Fähigkeit, sich in verschiedener Richtung einzustellen; dies gewährleisten die sechs *äußeren Augenmuskeln.*

Der **Augapfel** (Abb. 2) selbst ist von einer derben Schutzhülle, der **Lederhaut** (Sklera) umgeben, in welche vorn uhrglasartig die durchsichtige Hornhaut, hinten der Sehnerv, eingefügt sind.

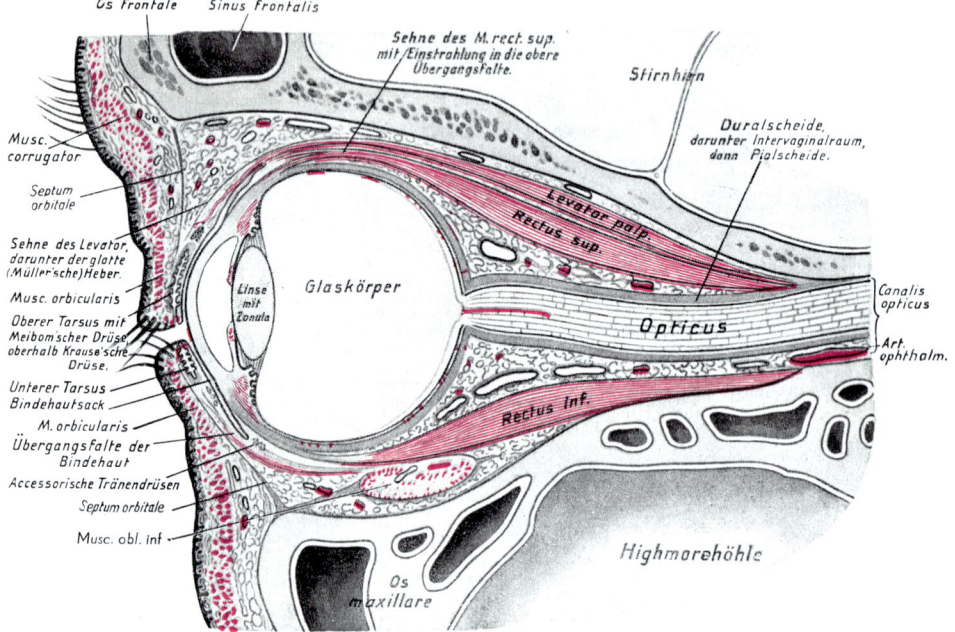

Abb. 1. Senkrechter Schnitt durch die Orbita (nach SATTLER)

Der Übergang von Hornhaut zur Lederhaut vollzieht sich anatomisch nicht völlig scharf; klinisch tritt er deutlich in Erscheinung und wird als *Limbus corneae* bezeichnet. Am Limbus setzt die *Bindehaut* an, die den in der Lidspalte sichtbaren Teil der Sklera bedeckt und die sich noch ein Stück hinter die Lider erstreckt. Sie schlägt sich dann faltenartig um *(Übergangsfalte)* und überzieht die Innenfläche der Lider. Bei Lidschluß entsteht ein geschlossener Sack *(Bindehautsack)*, der bei Lidöffnung von vorn zugänglich ist.

Die wesentlichen Teile des Bulbus sind der **lichtbrechende (optische)** und der **aufnehmende Apparat.** *Der optische Apparat besteht aus Hornhaut, Vorderkammer, Linse und Glaskörper. Den bildaufnehmenden Teil bildet die Netzhaut.* Beim rechtsichtigen (emmetropen) Auge ist der lichtbrechende Apparat so gebaut, daß scharfe Bilder der Dinge der Außenwelt auf der Netzhaut entworfen werden. Dieser Zustand setzt ein bestimmtes Verhältnis zwischen Brechkraft des optischen Apparates (der brechenden Medien) und der Lage der Netzhaut voraus. Abweichungen der Brechkraft können, ebenso wie nicht entsprechender Abstand der Medien von der Retina, Sehfehler (Refraktionsanomalien) bedingen, welche in einem eigenen Abschnitt abgehandelt werden.

Die Verwertung der aufgenommenen Bilder geschieht zentral in der Hirnrinde, und zwar in jenem Gebiet, welches wir um den *Sulcus calcarinus (Fissura calcarina)* zu lokalisieren haben. Die Verbindung zwischen der Netzhaut und diesem Gebiet erfolgt zunächst durch die Sehnerven, die im Chiasma eine Halbkreuzung erfahren; diese geht in der Weise vor sich, daß die von den nasalen Netzhauthälften kommenden Fasern sich kreuzen, während die von den temporalen Netzhautteilen stammenden Fasern ungekreuzt an den Außenseiten des Chiasmas verlaufen. Hinter dem Chiasma, im Tractus opticus, sammeln sich also rechts die ungekreuzten, vom rechten Auge stammenden, und die gekreuzten, vom linken Auge stammenden Fasern, während im linken Tractus die ungekreuzten Fasern des linken und die gekreuzten des rechten Auges verlaufen. Der Tractus opticus reicht bis zum gleichseitigen Corpus geniculatum laterale. Hier beginnt die intrazerebrale Bahn, die über den Thalamus und den Tractus geniculocorticalis (GRATIOLETsche Sehstrahlung) zur Hinterhauptrinde zieht.

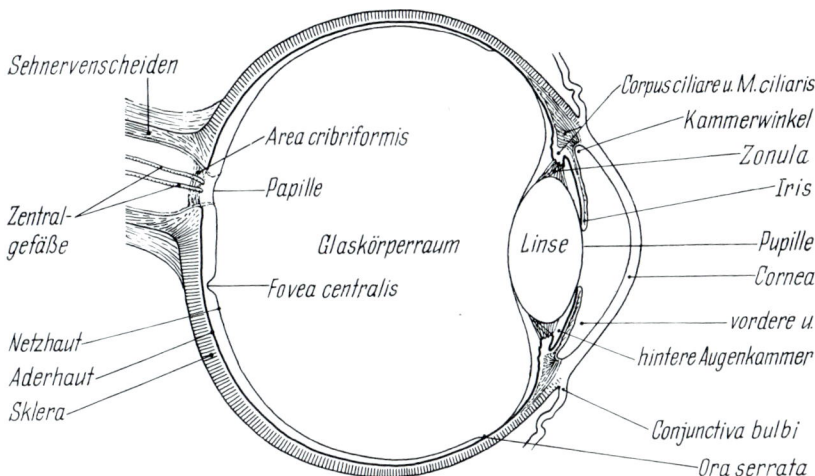

Abb. 2. Waagerechter schematischer Durchschnitt durch den rechten Augapfel
(von oben gesehen)

Einen wichtigen Bestandteil des Auges bildet die der Innenfläche der Sklera anliegende **Gefäßhaut oder Uvea;** sie besteht aus **Regenbogenhaut** (Iris), **Strahlenkörper** (Corpus ciliare) und **Aderhaut** (Chorioidea). Die Iris, die durch ihre Muskulatur das Pupillenspiel regelt, wirkt als Blende des optischen Systems. Der sich daran anschließende Strahlenkörper, mit welchem die Linse mittels eines Aufhängebandes, dem Apparatus suspensorius lentis (Zonula Zinnii) verbunden ist, beeinflußt durch diese Verbindung und seine Muskulatur den Akkommodationsvorgang, welcher außerdem von der Elastizität der Linse abhängig ist. Die Einzelheiten dieses Vorganges werden in entsprechenden Abschnitten dargestellt. Der Ziliarkörper verflacht gegen rückwärts allmählich und geht in die Aderhaut über. Neben der Regelung der Akkommodation spielt der Strahlenkörper eine wichtige Rolle als Quelle des Kammerwassers, welches von den Ziliarfortsätzen produziert wird. Die Aderhaut, die vermöge ihres Blutgefäßgehaltes für die Ernährung des Auges von hoher Bedeutung ist, nimmt außerdem durch Drosselung oder Vermehrung der Blutzuführung an der Regulierung des intraokularen Druckes teil.

Durch die genannten Gebilde werden im Auge drei Räume umgrenzt, die **vordere Kammer,** die **hintere Kammer** und der **Glaskörperraum,** welche miteinander in Verbindung stehen und so den **intraokularen Flüssigkeitswechsel** ermöglichen. Die Flüssigkeit

1*

in den Augenkammern befindet sich in ständiger, sehr langsamer Bewegung, die durch Flüssigkeitsproduktion und Abfluß im Gleichgewicht gehalten wird. Der Abfluß der Flüssigkeit vollzieht sich im Bereiche der vorderen Augenkammer, und zwar zum wesentlichen Teile durch den *Sinus venosus sclerae (SCHLEMMschen Kanal)*; dieser findet sich im Bereiche des Kammerwinkels, also in jener Gegend, in welcher durch das Ligamentum pectinatum der Umschlag von Iriswurzel zur Hornhauthinterfläche gebildet wird. Außerdem spielt auch eine Flüssigkeitsaufnahme und -abführung durch die gefäßreiche Iris eine Rolle bei diesem für die Funktion des Auges überaus wichtigen Vorgang. In neuerer Zeit ist der Abfluß von intraokularer Flüssigkeit durch sog. Wasservenen klinisch bewiesen worden.

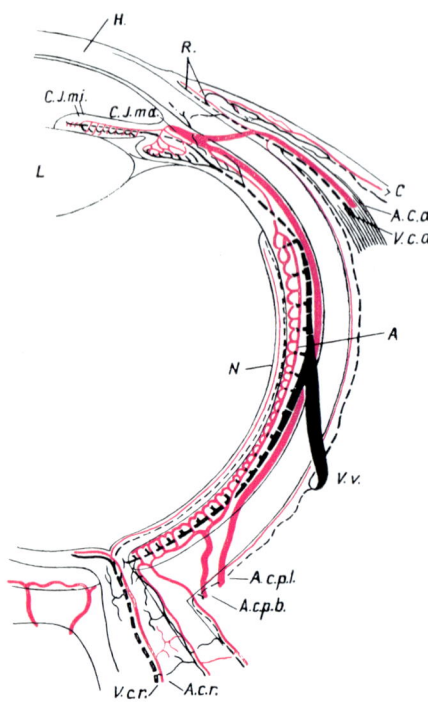

Abb. 3. Gefäßverteilung im Auge (n. Leber). *H* = Hornhaut, *R* = Randschlingennetz, *C.J.mi.*=Circulus arteriosus iridis minor, *C.J.ma.*=Circulus arteriosus iridis major, *C* = Conjunctiva, *A.c.a.* = Art. ciliares anteriores, *V.c.a.* = Venae ciliares anteriores, *L* = Linse, *A* = Aderhaut, *N* = Netzhaut, *V.v.* = Venae vorticosae, *A.c.p.l.* = Arteriae ciliares posteriores longae, *A.c.p.b.* = Arteriae ciliares posteriores breves, *V.c.r.* = Vena centralis retinae, *A.c.r.* = Arteria centralis retinae

Die **Blutversorgung des Auges** (Abb. 3) erfolgt durch die **Arteria ophthalmica,** die der Arteria carotis interna entstammt und durch den *Canalis fasciculi optici* (Foramen opticum) neben dem Sehnerv in die Orbita gelangt. Zu ihren wichtigsten Ästen gehört die *Arteria centralis retinae*, die 6 bis 12 mm hinter dem Bulbus in den Sehnerv eintritt und zur Papille zieht, wo sie sich in die Netzhaut verteilt, deren innere Schicht sie versorgt, während die äußeren Netzhautschichten aus der Aderhaut ernährt werden. Die Netzhautarterien sind Endgefäße, d. h., sie haben keine Verbindungen zu anderen Gefäßgebieten. Weiterhin gibt die Arteria ophthalmica die *Arteriae lacrimales* zur Tränendrüse ab, die Verzweigungen zu den Lidern und zur Bindehaut schicken (Arteriae palpebrales laterales, Arteriae conjunctivales posteriores laterales), sowie die nach vorn zur Stirne ziehende Arteria frontalis lateralis (supraorbitalis) und die der Versorgung der äußeren Augenmuskeln dienenden Arteriae musculares. Für die Durchblutung des Bulbus besonders wichtig sind die *Arteriae ciliares posteriores*. Diese treten als *Arteriae ciliares posteriores breves* um den Sehnerv in den Bulbus ein, nach dem sie vorher Zweige zur Sklera und TENONschen Kapsel abgegeben haben. Sie verzweigen sich zu dem dichten Gefäßnetz der Aderhaut und bilden den ZINNschen Gefäßkranz um den Optikuseintritt. Die *Arteriae ciliares posteriores longae* kommen entweder aus der Schar der hinteren, kurzen Ziliargefäße oder direkt von der Arteria ophthalmica; sie ziehen innerhalb der Skleralkapsel unverzweigt nach vorn zu Ziliarkörper und Iris, wo sie sich am Aufbau des Circulus arteriosus iridis beteiligen. Die **Arteriae ciliares anteriores** entstammen den Augenmuskelgefäßen und treten im Bereiche der Ansatzstellen der geraden Augenmuskeln in den Bulbus ein, nachdem sie Zweige an die Sklera abgegeben haben und mit den

Bindehautgefäßen Verbindungen eingegangen sind. Innerhalb des Bulbus bestehen Kommunikationen mit den hinteren Ziliargefäßen, die z. T. durch rückläufige Äste der Arteriae ciliares anteriores besorgt werden. Klinisch wichtig ist das sog. **Randschlingennetz der Hornhaut,** ein aus dichte Gefäßschlingen rund um die Hornhaut gebildetes Gefäßnetz, welches bei Entzündung deutlich sichtbar wird. Es wird durch die Ziliargefäße und die Bindehautgefäße gespeist, welch letztere zum wesentlichen auf dem Wege über die verschiedenen Gesichtsgefäße der Arteria carotis externa entstammen. Bevor die Arteria ophthalmica die Orbita nasal verläßt, gibt sie noch die Arteriae palpebrales mediales an die Lider ab, die wieder die Arteriae conjunctivales posteriores mediales entsenden. Schließlich spaltet sich der Arteria ophthalmica in die Arteria frontalis und die Arteria dorsalis nasi auf und verläßt so die Orbita.

Die **Venen** der Augenhöhle verlassen diese durch die Fissura orbitalis superior: wir unterscheiden die **Vena ophthalmica superior und inferior.** Die erstere, die mit den Venae frontalis, angularis und supraorbitalis in Verbindung steht, nimmt den Abfluß aus den Venae lacrimales, Venae ethmoideae, Venae conjunctivales und den Venen aus einem Teil der Augenmuskeln auf, welche letztere ihrerseits den Zufluß aus vorderen Ziliarvenen und vorderen Bindehautvenen empfangen haben. Auch die oberen Venae vorticosae, die Vena centralis retinae und Venae ciliares fließen zur Vena ophthalmica superior ab, die sich zum Sinus cavernosus wendet. Ebendorthin mündet auch die Vena ophthalmica inferior, die ihren Zufluß aus dem Gebiet der Unterlider und mehrerer Augenmuskeln empfängt und auch die unteren Venae vorticosae aufnimmt. Ihre Mündung in den Sinus cavernosus erfolgt entweder direkt oder über die Vena ophthalmica superior, mit der sie sich oft vorher vereinigt.

Sämtliche Venen der Augenhöhlen sind klappenlos und stehen in inniger Verbindung mit den Venen des Gesichts, der Dura, der Nase usw. Daraus ergibt sich die praktisch außerordentlich wichtige Tatsache, daß sowohl die Gefahr der Verschleppung orbitaler Erkrankungen in die Nachbargebiete wie auch die der Miterkrankung der Orbita bei Prozessen der Umgebung gegeben ist. Das venöse Blut der Uvea sammelt sich in die schon erwähnte **Venae vorticosae,** die etwas hinter dem Äquator bulbi den Augapfel verlassen. Die venösen Gefäßchen der Uvea vereinigen sich sternartig zu den Wirbelvenen, bevor diese in schräger Richtung die Sklera durchsetzen.

Von den in die Orbita eintretenden Nerven ist der Fasciculus opticus **(Nervus opticus)** der durch den Canalis fasciculi optici geht, kein eigentlicher Nerv, sondern, ebenso wie die Netzhaut, ein *vorgeschobener Gehirnteil.* Die nervöse Versorgung der Orbita gliedert sich in eine motorische, sensible und sympathische Innervation. Die **motorischen Nerven** sind der **Nervus oculomotorius,** der **Nervus trochlearis** und der **Nervus abducens.** Sie treten durch die Fissura orbitalis cerebralis (superior) in die Orbita. Der Nervus oculomotorius zerfällt nach seinem Eintritt in einen oberen Ast für den Levator palpebrae superioris und den Musculus rectus superior und einen unteren Ast für die Musculi rectus inferior, rectus nasalis (medialis) und obliquus inferior; außerdem gibt dieser untere Ast die *Radix brevis (motorica)* für das *Ganglion ciliare* ab. Der Nervus trochlearis versorgt den Musculus obliquus superior und der Nervus abducens den Musculus rectus temporalis (lateralis). Die **sensible Versorgung** der Orbita und ihrer Gebilde leistet der **Nervus trigeminus,** und zwar in der Hauptsache der **1. Ast** (n. ophthalmicus); der 2. Ast (n. maxillaris) beteiligt sich nur in untergeordneter Form durch einen die Fissura orbitalis sphenomaxillaris (inferior) passierenden Zweig, der an die Tränendrüse herantritt. Der 1. Ast spaltet sich noch vor oder bei seinem Durchtritt durch die Fissura orbitalis superior in 3 Äste, den Nervus frontalis, Nervus lacrimalis und den für das Auge wichtigsten, den Nervus nasociliaris. Von diesem stammt die *sensible Wurzel (Radix longa)* des *Ganglion ciliare;* außerdem gibt er neben anderen Ästen (Nervi ethmoidales anteriores

et posteriores, Nervus infratrochlearis) die *Nervi ciliares longi* ab, die gemeinsam mit
den aus dem Ganglion ciliare kommenden *Nervi ciliares breves* die Uvea, insbesondere
das Corpus ciliare, versorgen; auch die sensible Innervation der Hornhaut geschieht auf
diesem Wege. Selbstverständlich erfolgt auch die sensible Innervation der Bindehaut
und Lider aus dem 1. und zum kleineren Teil aus dem 2. Ast des 5. Gehirnnerven. Die
sympathischen Nerven für die Augenhöhle entstammen dem *Ganglion cervicale craniale
(supremum)* bzw. Plexus caroticus und bilden die *Radix media (sympathica)* des Ganglion ciliare. Dieses Ganglion entsteht also aus 3 Wurzeln (motorisch, sensibel, sympathisch) und liegt etwa 15—18 mm hinter dem Bulbus außen zwischen Sehnerv und
Musculus rectus temporalis. Es entsendet die schon erwähnten Nervi ciliares breves
zum Bulbus, die in der Umgebung des Sehnerveneintritts die Sklera durchbohren.

Nach diesen kurzen Bemerkungen über Lage, Aufgabe und Bau des Sehorganes, die
noch durch Einzelangaben im Rahmen der verschiedenen Abschnitte ergänzt werden,
sollen nun die krankhaften und sonstigen, von der Norm abweichenden Zustände besprochen werden. Dies geschieht in den einzelnen Kapiteln, da diese Veränderungen

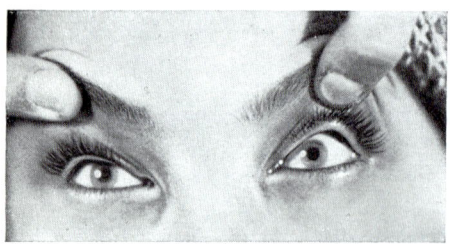

meist auf einen Teil des Auges beschränkt
sind bzw. von dort ihren Ausgang nehmen.
Immerhin gibt es auch krankhafte und
von der Norm abweichende Zustände, die
nicht einem Teilgebiet zugeordnet werden
können, sondern das Auge als Ganzes betreffen. Hierher gehören z. B. die Anomalien der Brechkraft und des Wachstums sowie von den Erkrankungen das Glaukom
und die Hypotonie und z. T. auch die Ver-

Abb. 4. Angeborener doppelseitiger Mikrophthalmus mit Mikrocornea

letzungen. Auch diesen Zuständen sind
aber eigene Abschnitte gewidmet. So bleiben hier noch bestimmte Anomalien der Entwicklung und des Wachstums zu besprechen; aus Gründen der Zweckmäßigkeit
(Differentialdiagnose) erscheint es aber richtig, die Mißbildung einzelner Teile im Zusammenhang mit den erworbenen Veränderungen dieser Teile zu erörtern. Hier sollen
nur die **Mißbildungen** besprochen werden, die sich nicht auf einzelne Teile beschränken,
sondern **das Auge als Ganzes betreffen.**

Dazu gehört der angeborene **Mikrophthalmus** — die abnorme Kleinheit des Auges
(Abb. 4). Dieser Zustand ist in seltenen Fällen rein ausgeprägt, d. h. ohne sonstige
Veränderungen im Auge. Es kann dann brauchbare, ja sogar gute Sehschärfe bestehen,
meist allerdings bei höherer Hypermetropie. In den weitaus meisten Fällen bestehen
aber gleichzeitig noch verschiedene Defektbildungen, wie Kolobome der Iris und Aderhaut, angeborene Linsentrübungen oder angeborene Hornhauttrübungen. Die Sehschärfe solcher Augen ist schlecht, oft besteht Blindheit. Behandlung kommt höchstens gelegentlich bei Linsentrübungen in Betracht, doch ist auch hier die Prognose
wenig günstig. Der Mikrophthalmus congenitus ist in der Mehrzahl der Fälle als Erbleiden anzusehen und kommt einseitig wie doppelseitig vor.

Dasselbe gilt für den seltenen angeborenen **Anophthalmus.** In diesen Fällen fehlt der
Bulbus entweder vollkommen oder es sind rudimentäre Reste der verschiedenen Bulbus-
gewebe vorhanden, die als kleine Kügelchen in der Tiefe erkennbar sind. Nach neuen
Forschungsergebnissen können auch Toxoplasmose sowie Erkrankung der Mutter wäh-
rend der Gravidität an Rubeola und anderen Erkrankungen als Ursache derartiger
Mißbildungen in Frage kommen.

Mikrophthalmus und Anophthalmus treten manchmal auch in Verbindung **mit
Zysten in der Orbita auf,** die meist das Unterlid vorwölben. Eine sehr seltene Mißbil-

dung, die bei nicht lebensfähigen Früchten zur Beobachtung kommt, ist die **Zyklopie**. Das zyklopische Auge liegt meist in der Mitte, also etwa in der Gegend, die im normalen Gesicht der Nasenwurzel entspricht. Diese Veränderung ist oft mit Rüsselbildung (rudimentäre Nase) verbunden. Bei Zyklopie ist entweder wirklich nur ein Auge vorhanden oder es besteht eine Verschmelzung zweier Augen bzw. ihrer Teile.

Mißbildungen verschiedener Art können sich auch in verschiedener Weise kombinieren, z. B. Mikrophthalmus oder Anophthalmus einer Seite mit Kolobombildungen des zweiten Auges oder Mikrophthalmus einer Seite und Anophthalmus der anderen usw.

III. Die Erkrankungen der Lider

A. Anatomie

Die Lider (s. Abb. 1) bilden den Schutz des Augapfels gegen vorn und den Abschluß der Augenhöhle nach dieser Richtung; diese Wirkung wird vervollständigt durch das *Septum orbitale*, das eine Verbindung zwischen Lidern und Orbita herstellt, und seitlich mit dem äußeren und inneren Lidbändchen (Ligamentum palpebrale temporale [laterale] und nasale [mediale]) verbunden ist. Das Septum geht vom Periost der Orbita aus und steht mit dem Tarsus in Verbindung. Die Lider selbst bestehen aus zwei Platten, die sich, wenn man an einer feinen im Lidrand sichtbaren Linie eingeht, zu operativen Zwecken leicht voneinander trennen lassen. Das äußere Blatt besteht aus *äußerer Haut* und *Muskulatur*, das innere aus *Lidknorpel (Tarsus)* und *Bindehaut*. Der sog. Lidknorpel ist kein wirklicher Knorpel, sondern eine derbe Bindegewebsplatte. Im Lidknorpel eingebettet liegen die Glandulae tarseae *(MEIBOMschen Drüsen)*, Talgdrüsen, die für Einfettung des Lidrandes sorgen. Das äußere und innere Blatt vereinigen sich am Lidrand zum intermarginalen Teil, der mittels der scharfen hinteren Kante und der leicht abgerundeten vorderen Kante in die beiden erwähnten Platten übergeht. Am Lidrande sind die *Zilien* angeordnet. Hier finden sich auch die Glandulae sudoriferae ciliares (sog. MOLLschen *Schweißdrüsen*) und die *ZEISSschen Talgdrüsen*, während im oberen Teil des Tarsus einzelne *KRAUSEsche Schleimdrüsen* liegen. Erwähnt sei noch, daß sich an der Bindehautseite des Oberlides, kurz über dem Lidrand, eine feine Furche — *Sulcus subtarsalis* — findet, welche als Lieblingssitz kleiner, in das Auge gelangter Fremdkörper praktisch wichtig ist. Die Muskulatur ist durch die Fasern des *Schließmuskels* (M. orbicularis oculi) gebildet, der hufeisenförmig die Lidspalte umgibt und nasal am Knochen ansetzt; er ist vom Nervus facialis innerviert. Im Oberlid findet sich außerdem der die Lidhebung bewirkende *Levator palpebrae*, der vom Nervus oculomotorius versorgt wird. Ferner liegt im Ober- und Unterlid dem Sympathikus unterstehende *glatte Muskulatur*, der MÜLLERsche Lidmuskel (Musculus tarseus superior und inferior). Die sensible Innervation der Lider erfolgt durch den 1. und 2. Ast des Trigeminus.

B. Untersuchungsmethoden

Bei Untersuchung der Augenlider steht die Inspektion an erster Stelle, die niemals auf das erkrankte oder sonst veränderte Lid allein gerichtet sein darf; nur bei vergleichender Betrachtung beider Augen und ihrer Umgebung wird es möglich sein, auch geringfügige Unterschiede, z. B. in Weite der Lidspalten oder Stellung der Lider zu erkennen und richtig zu deuten. Auch der Eindruck der Gesamtpersönlichkeit ist dabei zu beachten; in Zweifelsfällen kann dem weniger Erfahrenen auch der Vergleich mit einer gesunden Person nützlich sein. Dieser Grundsatz gilt natürlich nicht nur für die

Betrachtung der Lider, sondern auch für alle anderen Teile des Auges (z. B. Erkennung von Unterschieden in der Lage des Augapfels — Exophthalmus — Enophthalmus — oder Farbe der Iris, Weite der Pupillen usw.). Hochgradige Abweichungen werden auch bei isolierter Betrachtung eines Auges auffallen, geringfügige aber nur bei Vergleich der beiderseitigen Verhältnisse. Prüfung der Beweglichkeit (Lidschluß!), Häufigkeit des Lidschlages, der Berührungsempfindlichkeit haben sich anzuschließen. Die Methode zur Untersuchung der Lidinnenseite (Ektropionierung) wird bei Besprechung der Bindehauterkrankungen geschildert.

C. Erkrankungen der Lider
1. Abweichungen der Stellung, Form und Beweglichkeit der Lider

Wir wollen zunächst jene Anomalien betrachten, die durch eine Verengung der Lidspalte (Blepharophimosis) gekennzeichnet sind. Hier steht an erster Stelle die **Ptosis** (Abb. 5). Diese ist durch ein zu starkes Herabhängen der Oberlider bedingt. Dabei kommen graduell verschiedene Stadien vor. Von kaum merkbarem Tieferstand bis zum völligen Verschluß der Lidspalte durch das schlaff herabhängende Lid kennen wir alle Übergänge. Dabei erscheint die Lidhaut oft ganz schlaff, glatt ohne Andeutung der sog. Deckfalte, die normalerweise einige Millimeter über dem Lidrand zu sehen ist. Bei manchen Patienten, besonders bei solchen mit doppelseitiger Ptosis, fällt eine starke Faltung der Stirnhaut auf, die durch Kontraktion des Musculus frontalis verursacht wird, um auf diese Weise den Ausfall des Musculus levator palpebrae zu kompensieren. Bei anderen Fällen beobachtet man die Neigung, den Kopf etwas nach rückwärts zu legen, um besser aus den verengten Lidspalten heraussehen zu können.

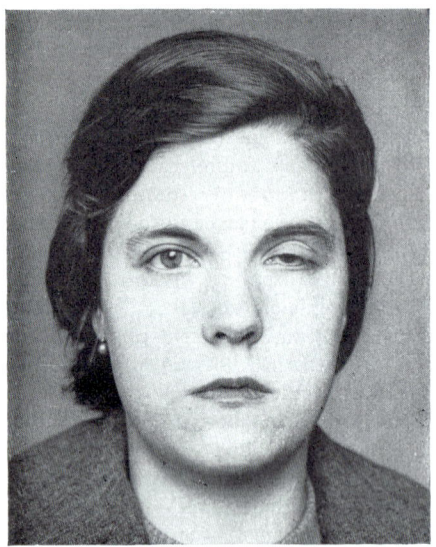

Abb. 5. Angeborene Ptosis links

Die häufigste Ursache der Ptosis ist eine Lähmung des Musculus levator palpebrae superioris. Sie kann einseitig oder doppelseitig sein. Die Ätiologie des Leidens ist verschieden:

a) die *angeborene Ptosis* tritt einseitig oder doppelseitig meist familiär auf. Sie ist manchmal mit einer Lähmung der Bulbushebung oder mit *Epicanthus* (s. w. u.) verbunden.

b) *Ptosis als Symptom einer Oculomotoriuslähmung* kann bei den verschiedensten Krankheiten des Zentralnervensystems (Lues, Hirntumoren, Vergiftungen, Infektionskrankheiten) auftreten.

c) *Ptosis durch Traumen* kann durch direkte Verletzung der Lider und ihrer Muskulatur mit nachfolgender Narbenbildung oder durch Nervenschädigung (Schädelbasisbrüche usw.) hervorgerufen werden.

d) *Eine Ptosis* kann auch *rein mechanisch* durch Tumoren im Lid (z. B. bei Neurofibromatose) oder entzündliche Zustände (Ödeme, Lidekzem, Trachom usw.) *vorgetäuscht werden*.

Neben dieser Ptosis durch Levatorlähmung gibt es noch eine *Ptosis sympathica* durch Lähmung des glatten Lidhebers. Sie erreicht keine so hohen Grade, wie die erstgenannte Form der Ptosis, und ist häufig mit Verengung der Pupille **(Miosis)** und Tieferliegen des Bulbus **(Enophthalmus)** verbunden. Man bezeichnet diese Kombination von Symptomen als **Hornerschen Symptomenkomplex;** er kommt durch Halssympathikusschädigung (Beispiele: Druck einer Struma, Zangengeburt, Halsoperationen) zustande; in vielen Fällen ist aber eine solche grobe Schädigung nicht nachweisbar; trotzdem ist auch für diese Fälle das Vorliegen einer sympathischen Störung als sicher anzunehmen. Die Miosis ist durch Schädigung des sympathisch innervierten Dilatator pupillae, der Enophthalmus durch

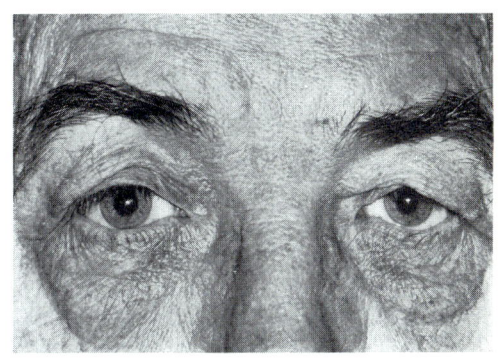

Abb. 6. Blepharochalasis

Schwächung einer glatten Muskelpartie in der Augenhöhle, des Musculus orbitalis (über der Fissura sphenomaxillaris) bedingt. Der Enophthalmus ist oft sehr schwach ausgeprägt und kann auch fehlen. Die Diagnose des Hornerschen Symptomenkomplexes kann durch den Cocain-Versuch erleichtert werden. Er besteht darin, daß man in beide Augen eine 2%ige Cocainlösung einträufelt. Während am gesunden Auge rasch eine Erweiterung der Pupille und auch eine Erweiterung der Lidspalte eintritt, oft von einem leichten Hervortreten des Augapfels begleitet, unterbleiben am vom Horner befallenen Auge diese Veränderungen.

Die *Behandlung der Ptosis* richtet sich bei den unter b) und d) genannten Fällen gegen das verursachende Grundleiden. Bei angeborener Ptosis muß operativ eingegriffen werden. Ist die Ptosis durch eine traumatische Schädigung erfolgt, ist auch in der Regel operative Behandlung erforderlich. Grundsatz ist, daß bei Ptosen durch erworbene Lähmung niemals zu früh operiert werden soll; erst wenn andere Behandlungsverfahren versagen und seit Eintritt der Lähmung etwa 1 Jahr verstrichen ist, kann auch hier chirurgisch eingegriffen werden. Es stehen dazu dem Facharzt verschiedene Operationsverfahren zu Gebote.

Hier können nur ihre Grundgedanken angeführt werden.

Diese sind die Heranziehung des Musculus frontalis zur Lidhebung (HESS), die Verkürzung und Vornähung des Levator (ELSCHNIG, v. BLASKOVICS) und die Verwendung des Musculus rectus superior zur Verbesserung der Lidstellung (MOTAIS, BARDELLI, NIDA).

Eine weitere Ursache von Lidspaltenverengung ist der **Orbikulariskrampf.** In den weitaus meisten Fällen beobachten wir diese Erscheinung sekundär als Folge von Reizzuständen der Augen, so bei Fremdkörpern in Bindehautsack und Hornhaut und bei Entzündungen; in besonders schwerer Form begegnen wir ihr oft bei schweren Fällen von Keratoconjunctivitis phlyktaenulosa. Neben diesem symptomatischen Lidkrampf gibt es auch eine essentielle Form dieser Erkrankung, z. B. Hysterie. Eingehende Allgemeinuntersuchung ist bei essentiellem Blepharospasmus erforderlich. Neben dem neurologischen Befund (Encephalitis, Lues cerebri u. a.) ist auch die Berücksichtigung der Nasennebenhöhlen wichtig. Die *Behandlung* richtet sich bei symptomatischen Fällen gegen das Grundleiden; bei essentiellem Krampf kommen neben Faradisieren Alko-

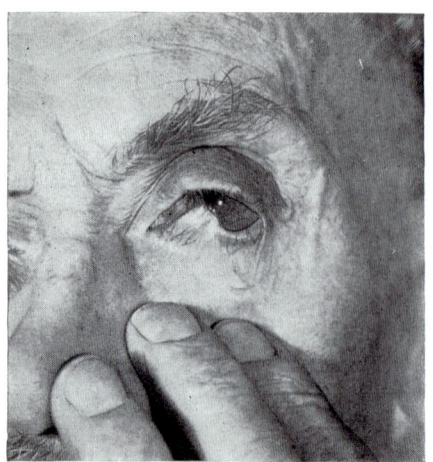

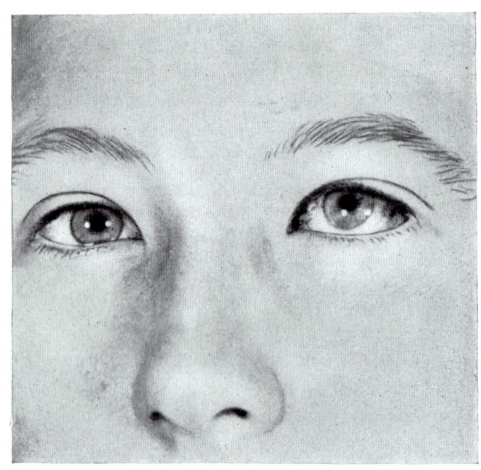

Abb. 7. Symblepharon   Abb. 8. Epicanthus beiderseits

holinjektionen in die Lider in Betracht (2 ccm 80%igen Alkoholes nach vorheriger Betäubung mit Novocaininjektion). In sehr schweren Fällen können auch chirurgische Maßnahmen durch den Facharzt angezeigt sein (Kanthotomie, Kanthoplastik). Verengung der Lidspalte kann weiterhin durch die **Blepharochalasis** (Abb. 6) verursacht werden; darunter verstehen wir eine abnorme Erschlaffung und meist Verdünnung der Lidhaut, die, wenn das Oberlid befallen ist, als Falte über den Lidrand nach unten hängt und so die Lidspalte einengt. Ausschneidung der überflüssigen Haut führt zur Beseitigung dieses Zustandes.

Schließlich seien noch kurz *Verwachsungen von Ober- und Unterlid* (**Ankyloblepharon**) und *Verwachsungen zwischen Lid- und Bulbusbindehaut* (**Symblepharon**) (Abb. 7) erwähnt, die angeboren vorkommen oder auch nach Verätzungen, Verbrennungen sowie

Abb. 9. Lagophthalmus rechts durch Fazialislähmung; normaler Lidschluß links

bei bestimmten Erkrankungen der Bindehaut (Pemphigus) entstehen. Eine seltene, schwere Mißbildung ist das völlige Fehlen der Lidspalten und Verwachsung der Lidhaut mit dem Bulbus, so daß die ganze Augenhöhle gegen vorn durch Haut kontinuierlich überzogen ist (**Kryptophthalmus**). Eine Verengung der Lidspalten in seitlicher Richtung kann durch den **Epicanthus**, Mongolenfalte (Abb. 8) (oft mit angeborener Ptosis verbunden) verursacht werden; es handelt sich dabei um angeborene Hautfalten, die nasal Ober- und Unterlid verbinden und den medialen Lidwinkel in verschieden starkem Grade überdecken. Epicanthus im äußeren Lidwinkel ist extrem selten. Die Behandlung dieser Zustände ist Aufgabe des Facharztes und kann hier nicht erörtert werden. Bei Kryptophthalmus ist jede Behandlung zwecklos.

Wir wenden uns nun anderen **Lidveränderungen** zu, **die eine Erweiterung der Lidspalte und mangelhaften Schluß** derselben bedingen, und besprechen zuerst den **Lagophthalmus** (Abb. 9). Dieser Zustand ist dadurch charakterisiert, daß ein Schluß der Lidspalte nicht möglich ist. Dies hat zur Folge, daß ein Teil des Augapfels des Lidschutzes entbehrt und äußeren Schädlichkeiten preisgegeben ist (Staub, Luftzug, Schmutz usw.). Bei geringen Graden, die erst beim Lidschluß bemerkt werden, klafft nur ein kleiner Spalt, in dem Bindehaut freiliegt; in höhergradigen Fällen bleibt auch der untere oder sogar mittlere Hornhautteil bei Lidschlußbestrebung unbedeckt. Dies bedeutet eine erhebliche *Gefahr für das Auge*, da sich in solchen Fällen oft schwere *Hornhauterkrankungen (Keratitis e lagophthalmo)* entwickeln, die zum Verlust des Auges führen können. Auch bei geringen Graden mit noch erhaltenem Hornhautschutz machen sich meist chronische Bindehaut- und Lidrandentzündungen störend bemerkbar. Das *Unterlid* hängt bei diesen Zuständen, sofern sie durch Lähmung des Orbicularis bedingt sind, oft herab und zeigt eine *Umwendung gegen außen (Ektropium paralyticum)*. Die häufigste *Ursache des Lagophthalmus* ist eine *Lähmung des Nervus facialis*, der den Musculus orbicularis versorgt. Häufig, aber nicht immer, sind gleichzeitig andere Folgen der Fazialisparese, wie Herabhängen des Mundwinkels usw., vorhanden. Ursache der Orbicularislähmung sind in der Regel periphere oder nukleare Schädigungen des 7. Gehirnnerven, die bei Schädelbasisbrüchen, Tumoren, Ohr- und Felsenbeinerkrankungen, Lues und anderen Infektionskrankheiten und auf rheumatischer Basis vorkommen. Die Fazialisparese ist aber nicht die einzig mögliche Ursache des Lagophthalmus; als solche kommen weiterhin in Betracht: starkes *Vortreten des Bulbus (Exophthalmus)*, als Folge von Tumoren in der Orbita oder bei endokrinem Exophthalmus; in diesen Fällen reichen die Lider bei normaler Funktion ihrer Muskulatur nicht aus, um den vorgetriebenen Augapfel zu bedecken. Dasselbe kann bei normaler Augapfellage infolge abnormer *angeborener Kürze der Lider*

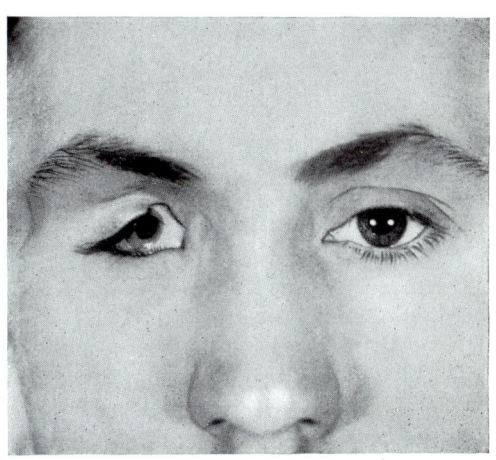

Abb. 10. Traumatisches Oberlidkolobom rechts

(Mikroblepharie) eintreten. Diese Fehlbildung ist sehr selten. Schließlich kann eine Behinderung der Lidbewegung durch *Vernarbungs- und Schrumpfungsprozesse* im Bindehautsack (Trachom, Pemphigus der Bindehaut u. a.) bestehen. In allen diesen Fällen droht ebenfalls die schon erwähnte Schädigung der Hornhaut.

Die *Behandlung des Lagophthalmus* ist bei Fazialisparese eine auf das Grundleiden gerichtete konservative; oft ist der zeitweise Schutz des Bulbus durch einen Uhrglasverband nötig. Bei ausbleibendem Erfolg und bei den anderen Formen müssen operative Maßnahmen getroffen werden, die in der Regel auf Verengung der Lidspalte (Tarsorrhaphie) abzielen, wobei allerdings eine Verkürzung derselben in Kauf genommen werden muß. Bei narbigen Prozessen und starkem Exophthalmus erweisen sich oft größere Eingriffe als notwendig.

Eine Veränderung der Lidspaltenweite, wenigstens an umschriebener Stelle, wird durch **Lidkolobome** (Abb. 10) hervorgerufen. Wir verstehen darunter Defekte von verschiedener Ausdehnung und Form (rechteckig, dreieckig), die als *angeborene Mißbil-*

dung und als *Folgen von Verletzungen der Lider* (traumatische Kolome) vorkommen. Die angeborenen Kolobome sind oft mit verschiedenen anderen Mißbildungen, wie Dermoiden des Bulbus, Mikrophthalmus usw., vergesellschaftet. Bei traumatischen Kolobomen, die besonders häufig nach Kriegsverletzungen gesehen werden, liegen vielfach noch andere schwere Schädigungen der Lidumgebung und des Bulbus vor.

Die Beseitigung aller Kolobome kann nur durch Operation geschehen; meist sind dazu umfangreiche Lidplastiken erforderlich.

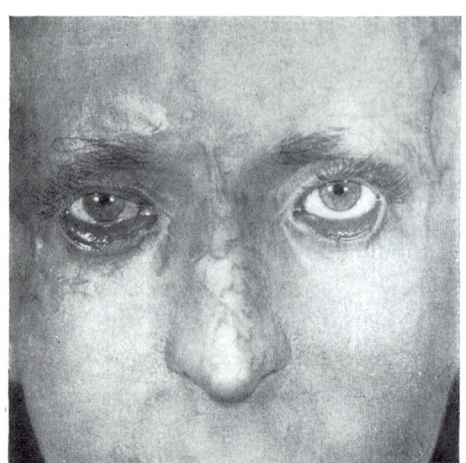

Abb. 11. Narbenektropium beiderseits nach Gesichtsverbrennung

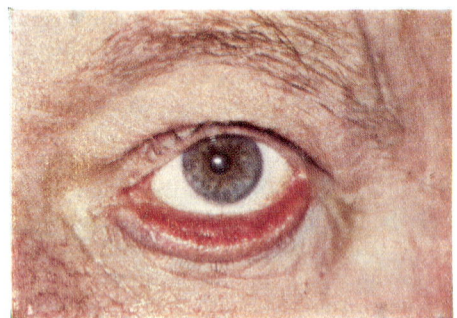

Abb. 12. Seniles Ektropium

Eine wichtige und häufige Stellungsanomalie der Lider stellt das **Ektropium** dar. welches in der Regel das Unterlid betrifft. Der Zustand ist dadurch gekennzeichnet. daß das betroffene Lid dem Bulbus nicht anliegt, sondern davon absteht bzw. gegen außen umgewendet ist. Wir sehen dabei graduell verschiedene Zustände. Vom geringen Grade — einem leichten Abstehen des Unterlides — bis zur starken Umkehrung mit Freiliegen der Bindehaut in großem Umfang gibt es alle Übergänge. Dieser Zustand bedingt zunächst eine Störung der Tränenabfuhr, da die Tränen nicht mehr planmäßig in das Tränenröhrchen gelangen, im weiteren Verlauf beträchtliche chronische Entzündungen der Bindehaut und der Lidränder. Durch diese Veränderungen können Hornhautkrankheiten hervorgerufen oder begünstigt werden. Die Ursachen des Ektropiums sind verschiedenartig; wir unterscheiden:

a) Das *Ektropium senile* (nur am Unterlid) verdankt seine Entstehung einer altersmäßig bedingten Erschlaffung von Lidhaut und Muskulatur; das Lid sinkt daher, der Schwere folgend, immer mehr nach unten; chronische Entzündungen der Lidränder und Bindehaut, die bei alten Leuten oft vorhanden sind oder im Verlauf der Ektropiumbildung entstehen, vermehren das Gewicht des Lides und fördern so das Entstehen oder die Weiterentwicklung des Prozesses.

b) Das *Ektropium spasticum*, welches unter bestimmten Voraussetzungen, meist bei Entzündungen des Bulbus, durch Krampf des M. orbicularis entsteht; manchmal wirken diese Faktoren mit den Entstehungsbedingungen des senilen Ektropiums zusammen. so daß beide Formen bei alten Individuen nicht immer scharf zu trennen sind.

c) Das schon erwähnte *Ektropium paralyticum* bei Fazialisparese, welches ebenfalls durch die für das Altersektropium maßgebenden Ursachen begünstigt und verstärkt werden kann.

d) Das *Narbenektropium* (Abb. 11) (Ektropium cicatriceum) entsteht durch Narbenbildungen nach Verletzungen, insbesondere Verbrennungen und Verätzungen im Bereich der Lidhaut und ihrer Umgebung.

e) *Angeborenes Ektropium* ist selten.

Die *Behandlung des Ektropiums* ist meist operativ. Lediglich beim spastischen Ektropium durch Entzündungszustände des Bulbus vermag eine kausale konservative Behandlung manchmal Erfolg zu bringen. Die typischen operativen Verfahren (SZYMANOWSKI — KUHNT — MÜLLER) streben eine Verkürzung des inneren Lidblattes durch Ausschneiden eines Dreieckes (Basis an der Lidkante) und eine Raffung des äußeren Lidblattes in der Richtung gegen bzw. über den äußeren Lidwinkel nach temporal an, wozu ein Hautdreieck temporal vom temporalen Lidwinkel ausgeschnitten wird, an dessen Stelle die verschobene Lidhaut zu liegen kommt. Spaltung im intermarginalen Saum muß diesen beiden Operationsakten vorausgehen. Beim Narbenektropium reichen diese Verfahren nicht aus; hier sind oft umfangreiche plastische Operationen erforderlich.

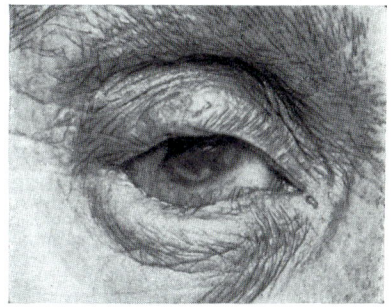

Abb. 13. Entropium bei Trachom

Im Gegensatz zum Ektropium stellt das **Entropium** (Abb. 13) eine Umwendung des Lides bzw. Lidrandes nach innen, also gegen das Bulbus zu, dar. Diese Einrollung des Lidrandes führt zu einem Scheuern der Zilien am Bulbus, besonders an der Hornhaut. Dieser Zustand ist nicht nur außerordentlich lästig und schmerzhaft, sondern bringt auch die *Gefahr der Schädigung des Hornhautepitheles und damit der Ulcusbildung* mit sich. Wir unterscheiden:

a) das *Entropium spasticum*, welches durch einen Krampf im Lidschlußmuskel ausgelöst wird. Begünstigende Vorbedingungen sind schlaffe Lidhaut, Fehlen oder Verkleinerung des Bulbus, Hypotonie des Augapfels sowie starke Reizzustände; außerdem spielen schwache Entwicklung von Tarsus und Bandapparat dabei eine Rolle. Wie schon erwähnt, kann unter anderen Voraussetzungen (straffe Lidhaut, Vordrängung der Lidkante durch vergrößerten Bulbus [Staphylom u. a.], Bindehautschwellung) der Krampf im Orbicularis auch zum gegenteiligen Effekt (Ektropium spasticum) führen. Das rein spastische Ektropium ist seltener als das Entropium;

b) das *Narbenentropium (Entropium cicatriceum)*, welches durch Narbenzug nach innen, also von der Bindehautstelle her, hervorgerufen wird. Ursache sind Vernarbungszustände, wie wir sie bei bestimmten Bindehauterkrankungen (Trachom, Pemphigus) oder Verätzung der Bindehaut zu sehen bekommen;

c) das *angeborene Entropium (Entropium congenitum)*.

Bei der *Therapie des Entropiums* ist zu bedenken, daß spastische Entropien nach Abklingen der Ursachen (Reizzustände) spontan wieder verschwinden können; die Heilung kann dadurch gefördert werden, daß man Heftpflasterstreifen auf die Haut klebt, die am Lidrand ansetzen und einen Zug gegen die Wangenhaut in der Gegend des knöchernen unteren Orbitalrandes ausüben. In hartnäckigen Fällen leistet die GAILLARDsche Naht gute Dienste, wobei Fäden, die an jedem Ende eine Nadel tragen, in der Nähe des Lidrandes eingestochen und unter der Haut etwa in die Gegend des unteren Orbitalrandes geführt werden; dort erfolgt Ausstich der Nähte nach außen und die Knüpfung derselben über einer Perle oder einem Gazeröllchen. Durch entsprechend kräftiges Anziehen der Fäden kann eine Drehung des Lidrandes nach außen erreicht und oft ein Dauererfolg erzielt werden. Man benützt in der Regel zwei Fäden. einen im äußeren und einen im inneren Lidteil. Bei Versagen dieser Methode kommen Lidoperationen gegen das Entropium in Betracht. Bei kongenitalen und narbigen Entropien ist stets operatives Vorgehen erforderlich.

Eine Stellungsanomalie der Zilien bei normaler Lidstellung ist die **Trichiasis;** dabei besteht falsche Wachstumsrichtung einzelner oder vieler Zilien; wenn diese nach innen gerichtet sind, so verursachen sie (wie das Entropium) durch Scheuern am Bulbus Beschwerden und *Gefahren für die Hornhaut* (Epithelschädigung — Ulcusbildung). Als Ursache kommen auch hier durchgemachte Entzündungsprozesse, wie Hordeola, Lidrandentzündungen, Bindehautentzündungen oder kleine Eingriffe an den Lidern, in Betracht. Auch seitliche Sprossung aus normalen Follikeln ist beschrieben.

Die Beschwerden sind durch Ausziehen (Epilation) der schlecht stehenden Zilien rasch und leicht zu beseitigen; dabei wird allerdings keine Dauerheilung erzielt, da die Zilien wieder nachwachsen und die Epilation oft wiederholt werden muß. Daher ist meist die Zerstörung der Haarwurzel auf elektrolytischem Wege vorzuziehen. Falls die Trichiasis große Bezirke des Zilienbodens betrifft, empfiehlt sich die operative Korrektur des Zustandes.

Ähnliche Beschwerden wie bei Trichiasis entstehen bei der sog. **Distichiasis,** worunter eine Anomalie, die Anlage mehrerer Zilienreihen (meist zwei), zu verstehen ist. Bezüglich der Behandlung gilt das über die Trichiasis Gesagte.

2. Erkrankungen der Lidränder und Liddrüsen

An den Lidrändern kommen charakteristische Entzündungszustände vor, die zu den häufigsten Erkrankungen im Bereiche der Lider gehören. Es sind dies:

a) die **Blepharitis squamosa.** Bei dieser Erkrankung besteht Juckreiz und manchmal geringe Rötung der Lidränder. Im Vordergrund steht der Befund feiner, oft glänzender grauweißer Schüppchen, die manchmal leicht, manchmal auch ziemlich fest am Lidrande haften. Vielfach wird über Verkleben der Lider während des Schlafes und störende Tränen sowie besondere Empfindlichkeit gegen Wind, Staub, Rauch usw. geklagt. Die Erkrankung befällt in der Regel alle Lider ziemlich gleichmäßig.

Bei der Entstehung dieses Zustandes spielen zweifellos konstitutionelle Momente eine wesentliche Rolle; die Erkrankung wird als Seborrhoe der Lider aufgefaßt. Wichtig ist, daß sie häufig bei Personen auftritt, die mit Refraktionsfehlern, besonders Hypermetropie und Astigmatismus behaftet sind, und daß die Korrektion dieser Brechungszustände den Prozeß günstig beeinflußt. Ein bestimmter Menschentyp, meist mit rötlichblonder Haarfarbe, ist besonders zur squamösen Blepharitis disponiert.

Die Erkrankung ist sehr hartnäckig und bereitet der Therapie oft große Schwierigkeiten. Besondere Gefahren sind mit ihr nicht verbunden. Zur *Behandlung* kommen neben der Korrektion evtl. vorhandener Brechungsfehler folgende Maßnahmen in Betracht:

Regelmäßiges, am besten 2mal täglich durchgeführtes Reinigen der Lidränder von den haftenden Schuppen, wozu mit Watte umwickelte Glasstäbchen besonders geeignet sind, die in 3%ige Borlösung zu tauchen sind. Wenn dabei Zilien ausfallen, so ist dies ein Zeichen, daß diese erkrankt sind; sie sind sorgfältig zu entfernen. Nach Reinigung der Lider erfolgt Auftragung von 5%iger Noviformsalbe (Noviform 0,5, Vasel. alb. ad 10,0), Irgamidsalbe (sulfonamidhaltig) oder 2%iger gelber Präzipitatsalbe

(Hydrarg. praec. flav. 0,2, Vasel. alb. ad. 10,0) auf die Lider unter gleichzeitigem Einstreichen dieser Salbe in den Bindehautsack. Von mancher Seite wird auch Einfetten
der Lidränder mit weißer Präzipitatsalbe (1—2%) empfohlen. Günstig, besonders auf
die subjektiven Beschwerden, wirken auch 1—2mal täglich durchgeführte Augenbäder
mit Ophtopuraugenbad (Originalpräparat der Firma Dr. Winzer-Konstanz). Die Bäder
müssen natürlich der Salbenanwendung vorausgehen, da sie sonst zur Ausspülung der
wirksamen Salbe führen müßten.

b) Die **Blepharitis ulcerosa.**

Im Gegensatz zum Schuppenbesatz der Lider bei Blepharitis squamosa finden wir
bei der ulcerösen Form den Lidrand mit einer größeren oder kleineren Zahl von ein-
getrockneten Borken besetzt; dabei ist der Lidrand verdickt und gerötet. Nach Entfernung der Borken werden an ihrer Stelle Ulcerationen sichtbar, die schmierig belegt
sind und oft leicht bluten. Manchmal sind auch kleine Eiterpusteln vorhanden. Die
Zilien können im Bereich der Ulcerationen ganz fehlen oder sie haften nur sehr locker,
so daß sie sich schon bei ganz zartem Pinzettenzug entfernen lassen. Bei längerem Bestand der Krankheit kommt es zu einem oft weitgehendem Zilienverlust **(Madarosis).**
Die Ursache der Erkrankung ist eine Infektion (meist Staphylokokken), die Talgdrüsen und Haarbälge ergreift und so den Zilienverlust herbeiführt. Die Erkrankung befällt oft nur einzelne Lider, kann aber auch alle vier Lider betreffen. Sie ist gewöhnlich
mit einer Entzündung der Bindehaut und oft mit Neigung zu häufiger Bildung von Hordeola verbunden. Als Folgezustände entwickeln sich neben der Madarosis Abrundung
und Verdickung der Lidränder, die zur Ektropiumbildung führen können. Auch Trichiasis der verbleibenden Zilien kann entstehen.

Die Erkrankung bedarf energischer und meist lange fortgesetzter *Behandlung.*
Diese hat zunächst die Entfernung der Borken zum Ziele. Das Abziehen derselben mit
der Pinzette ist schmerzhaft und unterbleibt daher besser. Zweckmäßiger ist es, die erkrankten Lidränder dick mit 3% Borsalbe zu bestreichen und diese 5—10 Minuten
einwirken zu lassen. Es kommt dabei zur Erweichung der Borken, die dann mit einem
feuchten Tupfer ohne Schwierigkeit abgewischt werden können. Die nun freiliegenden
Lidrandteile, die mit kleinen Defekten, die auch zu größeren wunden Flächen konfluieren können, besetzt sind, werden mit einem in 2% Lösung von Argentum nitricum
getauchten watteumwickelten Stäbchen energisch bestrichen, nachdem man locker
sitzende Zilien und evtl. der Erweichung trotzende Borken mit einer Pinzette entfernt
hat. Im Anschluß daran ist die Anwendung von 5% Noviformsalbe oder 2% gelber
Präzipitatsalbe wie bei squamöser Blepharitis angezeigt. Auch Sulfonamid- und Anti-
biotikasalben sind zu empfehlen.

c) **Blepharitis angularis.**

Unter diesem Namen wird eine dritte typische Form der Lidrandentzündung verstanden, die im Zusammenhang mit der Diplobazillenkonjunktivitis entsteht; sie wird
im Abschnitt Bindehauterkrankungen ausführlicher besprochen.

Wir wenden uns nun den häufigen **Erkrankungen der im Lide gelegenen Drüsen** zu.

Wir unterscheiden hier:

a) das **Hordeolum oder Gerstenkorn** (Abb. 14); je nach Lage desselben sprechen wir von
Hordeolum externum oder **Hordeolum internum.** Das erstere entsteht durch Infektion einer
Talgdrüse oder Schweißdrüse des Lidrandes und entleert sich entsprechend seiner Lage
gegen die äußere Haut. Beim Hordeolum internum liegt eine Infektion einer Glandula
tarsea (MEIBOMschen Drüse) vor. Der Prozeß spielt sich also im inneren Lidblatt ab und

führt zur Entleerung gegen den Bindehautsack. Ursache der Hordeola ist eine Infektion mit Eitererregern, meist Staphylokokken. Entsprechend dieser Entstehung kommen Hordeola häufig mit Lidrandentzündungen vom Typ der ulcerösen Blepharitis kombiniert vor. Die Erkrankung beginnt akut mit Schmerz- und Druckgefühl „im Auge". Im Anfang besteht oft nur leichte diffuse Verdickung der Lidrandgegend, welche sich rötet. Allmählich grenzt sich die Stelle der Infektion deutlicher ab und es wird eine umschriebene Vorwölbung sichtbar, in deren Bereich schließlich ein Eiterpunkt auftritt. Dieser gehört entweder der äußeren Haut (H. externum) oder der Bindehaut (H. internum) an. Schließlich kommt es zum spontanen Durchbruch des Eiters, welcher die Abheilung einleitet, die im allgemeinen in 2—4 Tagen beendet ist. Bei großen Hordeola werden aber oft ausgedehnte kollaterale Schwellungen sichtbar, die für den wenig Erfahrenen die sonst einfache Diagnose schwierig gestalten und Verwechslungen mit Tränendrüsenentzündung (s. d.) oder Lidabszessen verursachen können. In solchen Fällen besteht oft sehr starke Anschwellung des ganzen Lides, welche auch auf die um-

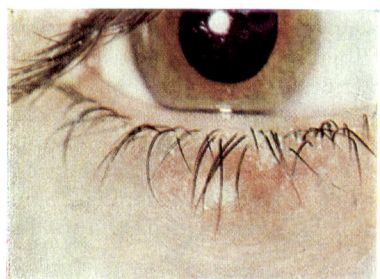
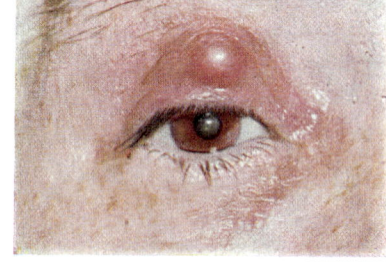

Abb. 14. Hordeolum am Unterlid   Abb. 15. Chalazion am linken Oberlid

gebende Haut übergreifen kann, und entzündliche Chemose (Schwellung) der Bindehaut; auch Schwellung der präaurikularen Lymphdrüsen wird beobachtet. Beim Abtasten des Lides ist der eigentliche Herd auch vor Sichtbarwerden des Eiterpunktes durch besondere Empfindlichkeit meist unschwer zu ermitteln.

Das Hordeolum ist als eine harmlose Erkrankung bekannt, welche keine ernstlichen Gefahren mit sich bringt. Wohl aber haftet ihm eine Neigung zu Rezidiven bzw. zum Auftreten immer neuer Gerstenkörner an; in manchen Fällen reiht sich Gerstenkorn an Gerstenkorn, und es kann viele Wochen dauern, bis der Patient die Beschwerden endlich verliert. Diese ständigen Neuinfektionen kommen durch Verschleppung von Keimen zustande, welche bei Öffnung eines Hordeolum zur Infektion anderer Liddrüsen führen. Durch unzweckmäßiges Reiben an den Lidern werden derartige Vorgänge begünstigt. In extrem seltenen Fällen kann ein Hordeolum auch Ausgangspunkt für schwere Infektionen der Orbita und septische Thrombose des Sinus cavernosus mit tödlichem Ausgang werden. Exophthalmus und Beweglichkeitsbeschränkung des Bulbus deuten auf derartige Komplikationen hin.

Die *Behandlung* besteht in der Anwendung von feuchter oder trockener Wärme, welche durch feuchtwarme Umschläge oder Heizkissen erreicht wird. Außerdem wird die Anwendung von Noviformsalbe oder antibiotischen Salben empfohlen, um Neuinfektionen anderer Drüsen zu verhindern. Inzision von Hordeola ist in der Regel nicht erforderlich.

b) Das **Chalazion oder Hagelkorn** (Abb. 15) ist eine einem Lide angehörige umschriebene Verdickung von meist kugeliger Gestalt, welche dem Tarsus angehört und die Lidhaut vorwölbt; diese ist dabei in der Regel reizlos und über der Geschwulst verschieblich. Bei Umstülpung des Lides erkennt man an der Innenseite eine durch die Bindehaut meist graugelblich schimmernde Stelle, die manchmal auch nach dieser Richtung etwas vorgewölbt ist. Das Chalazion ist eine chronische Entzündung der Glandulae tarseae (MEIBOMschen Drüsen) und entwickelt sich aus seiner Sekretverhaltung oft völlig reizlos. In anderen Fällen aber bestehen zu Beginn auch leichte entzündliche Erscheinungen, so daß man geneigt ist, an ein beginnendes typisches Hordeolum zu denken; dann verschwinden aber diese entzündlichen Veränderungen, und es verbleibt die geschilderte Geschwulst. Auf der anderen Seite kann es auch später zur Vereiterung schon lange bestehender Chalazien kommen. Der Inhalt des Chalazions besteht aus einem Granulationsgewebe mit Riesenzellen, welches, wie wir heute entgegen alten Anschauungen sicher wissen, mit Tuberkulose nichts zu tun hat. Bei längerem Bestehen zerfallen manchmal die inneren Teile zu einer trüben Flüssigkeit. Auch spontaner Durchbruch kommt vor; man findet dann an der Bindehautseite oder auch schon am Lidrand pilzförmig aussehende Granulationen. Auch völlige Rückbildung ist bei kleineren Chalazien möglich.

Die Beschwerden bestehen in einem lästigen Druck gegen den Augapfel und einer kosmetischen Störung, welche die erbsengroßen und oft noch größeren Gebilde verursachen, besonders, wenn sie — wie häufig — in größerer Zahl auftreten. Die Behandlung besteht in Eröffnung des Hagelkornes von der Bindehautseite und Auskratzen des Granulationsgewebes; um Rückfällen vorzubeugen, empfiehlt sich die Ausschälung des bindegewebigen Geschwulstbalges.

c) Unter **Infarkten der Glandulae tarseae (Meibomschen Drüsen)** verstehen wir Einlagerungen in die Drüsen, die durch eingedicktes Sekret zustande kommen und verkalken können; sie verursachen manchmal durch Scheuern an den Bulbi Beschwerden, besonders dann, wenn sie sehr hart sind und das Niveau der Bindehaut vorwölben. Sie sind bei Inspektion der Lidinnenfläche als gelbliche, oft grießartige Klümpchen leicht sichtbar, die den parallelen Verlauf der normalerweise als weißliche Bänder sichtbaren MEIBOMschen Drüsen unregelmäßig gestalten. Die Kalkkonkremente lassen sich durch Anritzen durch die darüberliegende Bindehaut mit einem kleinen Messerchen entfernen.

3. Erkrankung der Lidhaut

Die Lidhaut kann an den verschiedensten Erkrankungen der Gesichtshaut teilnehmen oder isoliert von gleichartigen Prozessen befallen werden. Die besondere Zartheit der Lidhaut und ihre lockere Verbindung mit der Unterlage bringt es mit sich, daß manche Prozesse, wie Ödeme, in besonders starker Form zur Ausprägung gelangen.

a) Ödeme, Blutungen und Emphysem der Lider

Beim **Lidödem** besteht eine oft pralle Schwellung, die mit starker Spannung verbunden sein kann. Die feine Fältelung der Lidhaut verschwindet dabei vollkommen. Bei hochgradigen Ödemen kann ein so vollständiger Verschluß der Lidspalte eintreten, daß die aktive Öffnung derselben überhaupt nicht und die passive nur sehr schwer möglich ist. Erwähnt sei, daß starke Ödeme keineswegs auf die Seite der Erkrankung beschränkt zu sein brauchen, sondern über den Nasenrücken auf die Lider der anderen Seite übergreifen können.

Wir finden *Ödeme bei entzündlichen Erkrankungen* der Lidhaut (Lidabszesse) oder direkten *Schädigungen* z. B. durch Insektenstich.

Ödeme der Lider, die oft auch bei geringfügigen Erkrankungen hohe Grade annehmen können, kommen als *Begleiterscheinungen* verschiedener Erkrankungen vor, z. B. *bei Hordeolum, Dakryoadenitis, Dakryophlegmone, entzündlichen Erkrankungen der Orbita, Vereiterungen des Augapfels (Panophthalmie), Bindehauterkrankungen (akute Konjunktivitis, Blennorrhoe u. a.), Furunkel im Gesicht.* Diese Ödeme sind mit entzündlicher Rötung verbunden und werden als entzündliche Ödeme bezeichnet. Daneben gibt es nichtentzündliche Ödeme, wie wir sie beispielsweise bei *Nierenerkrankung* zu sehen bekommen. Auch die flüchtigen *angioneurotischen Ödeme* (QUINCKE) sind hier zu nennen, ebenso wie die allergischen Ödeme bei Überempfindlichkeitserkrankungen (Arzneimittel, Blütenstaub, Genuß von bestimmten Speisen [Krebse usw.]). Sehr oft sind freilich die Übergänge zwischen entzündlichen und nichtentzündlichen Ödemen fließend; so z. B. bei den Ödemen, die manchmal als Begleiterscheinung von *Erkrankungen der Nasennebenhöhlen* oder auch der *Zähne* ihren Ausgang nehmen können. Auch die *Thrombose des Sinus cavernosus* pflegt zur Ödembildung zu führen; allerdings ist diese Form mit Vortreibung des Bulbus verbunden. Schließlich seien noch die mechanisch *durch Lymphstauung bedingten Ödeme* erwähnt, die manchmal nach *Lidverletzungen* und großen *plastischen Eingriffen* (Abb. 16) entstehen und sehr hartnäckig zu sein pflegen. Aus dieser Aufzählung ergibt sich, daß Lidödeme Ausdruck verschiedener, oft ernster Allgemeinerkrankungen sein können. Diese Kenntnis verpflichtet dazu, bei allen nicht einwandfrei lokal erklärbaren Ödemen eine genaue Allgemeinuntersuchung durchführen zu lassen (Nieren, Nasennebenhöhlen!). Die *Behandlung* richtet sich nach dem Grundleiden. Beim angioneurotischen und Überempfindlichkeitsödem bewähren sich oft intravenöse Kalziuminjektionen.

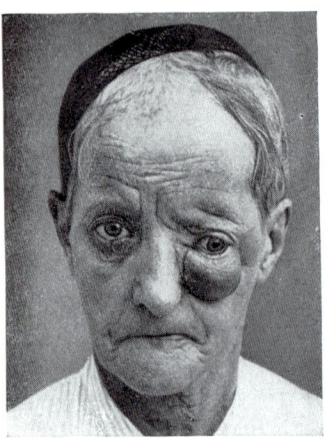

Abb. 16. Stauungsödem links
nach Oberkieferresektion

Blutungen in bzw. unter die Lider kommen bei *stumpfen Verletzungen* derselben (Abb. 17) und auch bei Verletzungen und Eingriffen in der Umgebung, z. B. manchmal nach Bulbusentfernungen, vor. Außerdem können sie bei *Schädelbasisbrüchen* entstehen. Gelegentlich kommen auch bei starkem *Husten (Keuchhusten), Erbrechen* oder anderen mit plötzlicher Blutdrucksteigerung verbundenen Ereignissen (Thoraxkompression durch Unfall) Lidblutungen vor, ebenso bei *Hämophilie* und bei *hämorrhagischen Diathesen* (Skorbut, MÖLLER-BARLOWsche Krankheit).

Besondere *Behandlung* ist in der Regel nicht erforderlich; unter Ablauf des bekannten Farbenwechsels verschwinden sie von selbst, lediglich bei prallen Lidhämatomen sind feuchte Verbände und Umschläge am Platze.

Unter **Emphysem** (Abb. 18) der Lider verstehen wir das *Eindringen von Luft unter die Lidhaut.* Die Lidhaut ist dabei gebläht, weich, beim Betasten hört man ein feines Knistern und fühlt ein Ausweichen der Luftbläschen vor dem palpierenden Finger. Ursache ist eine Verbindung zwischen dem subkutanen Lidgewebe und den Nasennebenhöhlen, die gewöhnlich auf eine Durchbrechung der Lamina papyracea des Siebbeines zurückzuführen ist. Diese kann durch Verletzungen oder auch durch heftiges Niesen oder Schneuzen entstehen. Die Abheilung erfolgt ohne besondere Maßnahmen.

b) Entzündliche Erkrankungen der Lidhaut

Furunkel der Lidhaut kommen besonders im Bereiche der Augenbrauen vor; sie können beträchtliche kollaterale Ödeme der Umgebung, besonders der Lidhaut, verursachen. Behandlung erfolgt nach allgemein chirurgischen Regeln.

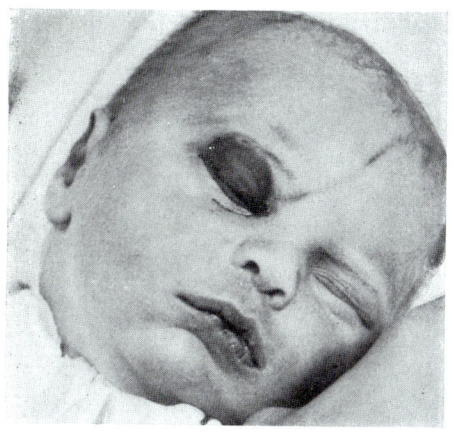

Abb. 17. Oberlidhämatom nach Schädigung bei Zangengeburt

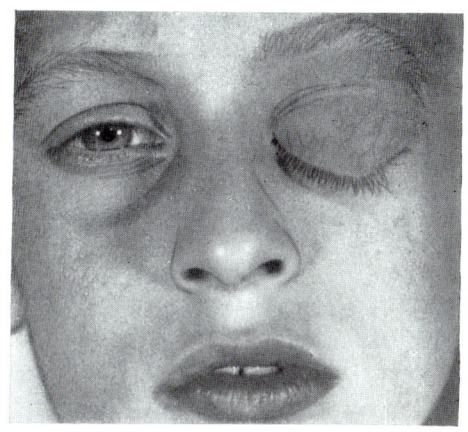

Abb. 18. Lidemphysem

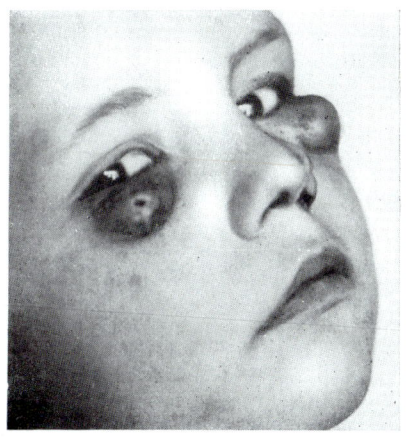

Abb. 19. Doppelseitiger Unterlidabszeß

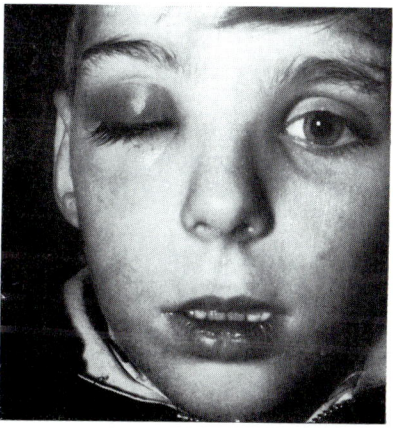

Abb. 20. Oberlidabzeß

Lidabszesse (Abb. 17) zeigen eine entzündliche Schwellung und Rötung der Lidhaut. Dabei ist das Lid bei Berührung sehr schmerzhaft und die Lidspalte verengt oder geschlossen; in späteren Stadien tritt Fluktuation auf. Ursache der Lidabszesse sind meist *kleine Verletzungen* der Lider, gelegentlich auch *metastatische Eiterungen*, z. B. bei Infektionskrankheiten. Auch als Komplikationen *orbitaler Eiterungen* und von *Nebenhöhlenerkrankungen* können Lidabszesse auftreten. Besonders bei Lokalisation der

Erscheinungen im Gebiete des inneren Lidwinkels ist stets an Erkrankungen der Nasennebenhöhlen zu denken und die entsprechende fachärztliche Untersuchung durchzuführen. Auf die Bedeutung der Nebenhöhlen für derartige Prozesse kann nicht eindringlich genug hingewiesen werden. Das Übersehen derartiger Zusammenhänge kann den Verlust kostbarer Zeit bedeuten und tödliche Komplikationen nach sich ziehen. Die *Behandlung* der Lidabszesse besteht zunächst in feuchten Umschlägen, bei Fluktuation in Eröffnung des Abszesses. Penicillinbäder und intramuskuläre oder intravenöse Anwendung von Antibioticis erleichtern in neuer Zeit die Behandlung. Bei Nebenhöhlenerkrankung steht deren fachärztliche Behandlung im Vordergrund.

Eine nicht seltene Erkrankung ist die **Vakzineinfektion der Lider** (Abb. 21), ihre Diagnose ist leicht, wenn an ihr Vorkommen gedacht wird; es kommt dabei zum Auftreten typischer Impfpusteln, vorwiegend an den Lidrändern, aber auch an der Lid-

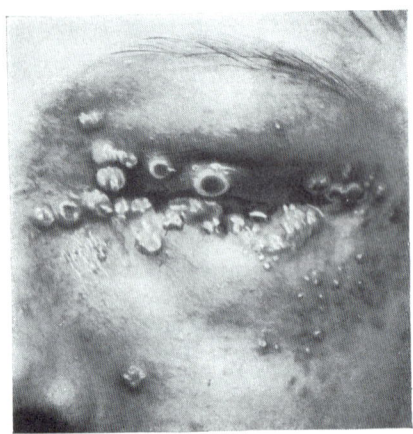

Abb. 21. Vakzineinfektion der Lider und Umgebung

haut. Es entstehen dabei zunächst wasserhelle Bläschen, die später platzen und gelblich belegten Geschwüren Platz machen, die von einem roten Entzündungshof umgeben sind. Dabei bestehen meist starke Schwellungen der Lider und auch starke Rötung der Bindehaut. Hornhautkomplikationen sind möglich, aber selten. Die Infektion erfolgt durch *Übertragung von Impfstellen aus.* Gefährdet sind also Geimpfte oder mit der Pflege Geimpfter betraute Personen. Die Erkrankung pflegt, sofern nicht Hornhautkomplikationen auftreten, in 10 bis 12 Tagen folgenlos abzuheilen. Hornhautkomplikationen (tiefe Keratitis, Ulcus corneae) können zu ernsten, dauernden Sehstörungen, ja in extrem seltenen Fällen sogar zur Erblindung führen. Die *Behandlung* dieser Liderkrankung besteht in Rivanolumschlägen (2⁰/₀₀), Anwendung von Noviformsalbe (5%) oder antibiotischen Salben. Bei Hornhauterkrankungen ist nach den für diese geltenden Regeln (s. d.) zu verfahren. Wichtig ist die Prophylaxe, also Schutz der Impfstelle durch Verbände und entsprechende Aufklärung.

Das **Erysipel** kann sowohl auf die Lider übergreifen wie auch von dort seinen Ausgang nehmen. Die Symptome entsprechen denen der Krankheit an anderen Hautpartien; dementsprechend kommen auch Blasenbildung und gangränöse Formen zur Beobachtung. Die Möglichkeit schwerer Komplikationen seitens der Orbita (Phlegmonen), Entstehung von Meningitis und Cavernosusthrombose ist gegeben. In selteneren Fällen wurden auch Hornhautentzündungen als Komplikationen gesehen. Im Anschluß an das Erysipel kann sich eine *Elephantiasis* der Lider entwickeln. Die *Behandlung* besteht lokal in Anwendung von Ichthyolsalbe und in Verabfolgung von Prontosil, anderen Sulfonamiden oder Antibioticis, die ausgezeichnete Dienste leisten. Bei phlegmonösen und gangränösen Prozessen ist chirurgisches Eingreifen (Spaltung) geboten. Auch **Herpes simplex** und **Zoster** können die Lider in Mitleidenschaft ziehen. Bei ersterem geschieht dies in Form von wasserhellen Bläschen, die in kleinen Gruppen auf der nur leicht entzündlich veränderten Haut auftreten und bald eintrocknen (Abb. 22). Gewöhnlich sind an dem Kranken auch Herpeseruptionen an anderen Stellen vorhan-

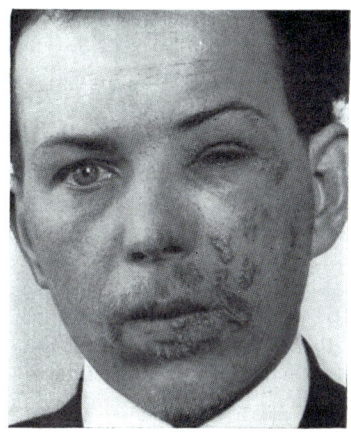

Abb. 22. Herpes simplex an den Lidern links und im Gesicht

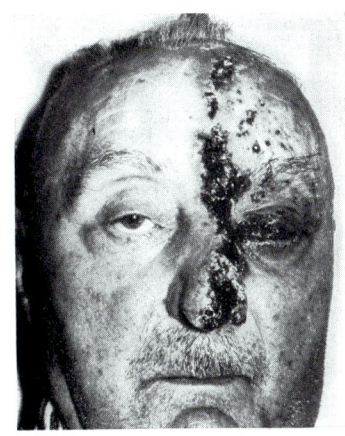

Abb. 23. Zoster im Gebiet des 1. Trigeminusastes rechts

den (s. unter Herpes corneae). Ursache ist eine Infektion mit dem Herpesvirus. Die *Behandlung* beschränkt sich auf Puderung der befallenen Hautstellen mit Zinkpuder. Für Schutz der Hornhaut durch Noviformsalbe oder Irgamidsalbe ist zu sorgen. Beim Zoster, der durch ein anderes, vermutlich dem Varizellen-Virus verwandtes Virus hervorgerufen wird (Abb. 23), treten oft sehr starke einseitige Kopf- und Gesichtsschmerzen und Fieber auf. Diese Allgemeinbeschwerden gehen dem Auftreten der Hauterscheinungen oft 1—2 Wochen voraus. Dann kommt es unter gleichzeitiger scharf abgegrenzter Rötung der Haut zum Aufschießen von Bläschen, die später platzen und zu Borken eintrocknen. Der Prozeß beschränkt sich bei Zoster ophthalmicus streng auf das Ausbreitungsgebiet des 1. Trigeminusastes. Dementsprechend besteht scharfe Abgrenzung, die besonders an der Stirn (Mittellinie) charakteristisch ist. Befallensein des 2. Trigeminusastes ist seltener, dementsprechend auch die Beteiligung des Unterlides. Der oft sehr schmerzhafte Prozeß dauert 3—4 Wochen und heilt selten glatt, meist unter Hinterlassung kleiner Narben, ab, die noch lange Zeit sichtbar sind. Schwellung der Lider (auch der nicht direkt betroffenen) und entzündliche Rötung der Bindehaut, ferner Lichtscheu, gehören zur Regel. Aber auch der Augapfel kann von mannigfachen Komplikationen befallen werden; in erster Linie kommen Hornhautentzündung in Betracht, daneben (aber seltener) auch Iritis und Nekrose der Iris, Augenmuskellähmungen und glaukomatöse Prozesse, sowie einfache Optikusatrophien. Die *Behandlung* beschränkt sich auf indifferente Salbenverbände (3% Borsalbe) oder Aufstreuen von Zinkpuder. Außerdem werden Salicylpräparate und Vitamin B_1 forte in hohen Dosen sowie Vitamin B_{12} (Docigram oder Docivit 1000) gegeben. Ebenso wird Aureomycin oder Erythromycin empfohlen. Bei starken Schmerzen sind schmerzstillende Mittel, unter Umständen sogar Morphin, erforderlich. Komplikationen sind symptomatisch zu behandeln.

Entzündliche Lidveränderungen kommen auch bei den **akuten Exanthemen** (Masern, Scharlach, Pocken, Varizellen) gelegentlich zur Beobachtung, ebenso bei **Arzneiexanthemen** und **Urticaria**. Sie entsprechen den bekannten Bildern dieser Krankheit. Größere Bedeutung für die Lider können lediglich Pockenerkrankungen wegen der Narbenbildung und ihrer Folgen (Ektropium, Trichiasis) erlangen.

Eine wesentlich ernstere Erkrankung ist die **Lidgangrän,** die stets zu schwerer Narbenbildung führt, deren Korrektur nur durch komplizierte Plastiken möglich ist. Diese kommen natürlich erst nach Eintritt fester Vernarbung in Betracht. Die Lidgangrän ist sehr selten. Sie kann *metastatisch* bei *schweren Infektionskrankheiten* (Sepsis, Masern, Scharlach, Typhus u. a.) oder im Anschluß an *Erysipel, Zoster* und *traumatische Lidinfektionen* entstehen. Symptome und Behandlung entsprechen den Verhältnissen bei Nekrose an anderen Körperstellen.

Zu den häufigen Liderkrankungen ist das **Ekzem der Lider** zu zählen, welches sowohl als Teilerscheinung eines ausgebreiteten Gesichtsekzems oder allgemeinen Ekzems, wie auch als isolierte Liderkrankung auftreten kann. Die häufigste Form ist das *impetiginöse Ekzem.* Die Lider sind dabei gerötet, oft geschwollen und mit Bläschen und Pusteln besetzt; durch Platzen derselben entstehen größere nässende Flächen und später durch eintrocknendes Sekret gebildete Borken. Die Haut der Lidwinkel ist oft besonders in Mitleidenschaft gezogen; ausgedehnte Rhagadenbildung in diesen Gebieten kann starke Schmerzhaftigkeit bei Lidbewegungen mit sich bringen. In späteren Stadien kommen sekundäre Infektionen mit Eitererregern vor. Bei *chronischen Ekzemen* ist Hyperämie und Absonderung nicht oder nur in geringem Ausmaße vorhanden. Schuppenbildung und Schwellung der Lider beherrschen das Bild. Die Mitbeteiligung der Bindehaut bildet die Regel. Hornhautkomplikation in Form von Randphlyktänen, Ulcusbildung und Keratitis kommen vor. Die Erkrankung ist sehr langwierig und zu Rückfällen neigend; ihre Überwindung stellt eine harte Geduldsprobe dar. Der Ausgang ist günstig; lediglich bei schweren Hornhautkomplikationen (selten) können dauernde Schädigungen zurückbleiben.

In ätiologischer Hinsicht ist zweifellos eine individuelle Disposition von großer Bedeutung. Bei empfindlichen Personen können verschiedene äußere Reize auslösend wirken: Heftpflaster, feuchte Umschläge, Atropingaben in den Bindehautsack u. a. Im übrigen ist hier wie auch hinsichtlich der *Therapie* das zu berücksichtigen, was in Lehrbüchern der Dermatologie bezüglich des allgemeinen Ekzemes ausgeführt wird. Empfohlen wurden: Zinksalbe, Hebrasche Salbe, Noviformsalbe, Fissansalbe. Nässende Flächen und Rhagaden sind mit 2% Argentum nitricum zu betupfen. Auch Umschläge mit Avillösungen (1:1000) und intravenöse Calciumgaben werden empfohlen. Bindehaut- und Hornhautkomplikationen erfordern die Anwendung von 5% Noviformsalbe neben der Ekzembehandlung. Wichtig ist es, Reiben und Kratzen an den ekzematös veränderten Gebieten zu verhindern. Bei Kindern kommen evtl. Pappmanschetten in

Betracht. Auch die Ernährung ist nach den von den Hautärzten empfohlenen Richtlinien zu regeln.

Die **Tuberkulose** tritt uns an Lidern vor allem in der Form des **Lupus** entgegen, der von der Gesichtshaut auf die Lider übergreifen kann. Das Bild des Lidlupus entspricht durchaus dem aus den dermatologischen Lehrbüchern bekannten. Die besonderen Verhältnisse der Lider bringen es mit sich, daß die Zerstörungen und Narbenbildungen zu hochgradigen *Ektropien* oft an allen 4 Lidern führen, die auch chirurgisch (durch Plastiken) nur schwer zu beeinflussen sind. Dies kommt daher, daß die umgebende Haut gewöhnlich stark verändert und deshalb zur Lappengewinnung nicht verwendbar ist. Manchmal helfen freie Übertragungen von Hautteilen aus gesunden Hautpartien (z. B. Oberarm). Die konservative *Behandlung* richtet sich nach den für Lupusbehandlung gültigen Regeln; sie ist in den dermatologischen Abhandlungen besprochen und Sache des Dermatologen. An sonstigen Veränderungen tuberkulöser Art sind noch **Fistelbildungen bei tuberkulösen Knochen- und Periosterkrankungen** zu erwähnen, während die seltenen Augenveränderungen bei anderen, der Tuberkulose zugeordneten Hauterkrankungen (BOECKsches Sarkoid, Erythema induratum Bazin, Lichen scrofulosorum u. a.) hier außer Betracht bleiben müssen.

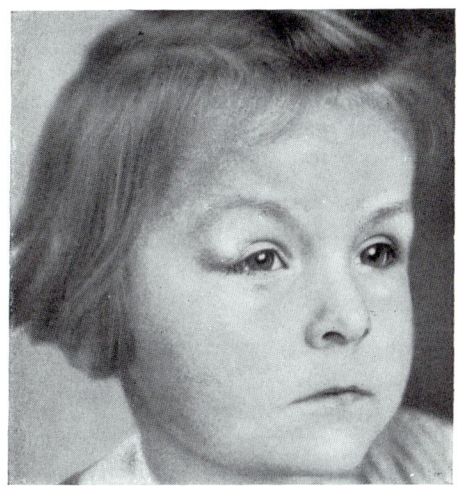

Abb. 24. Dermoidzyste im Gebiete des äußeren Lidwinkels rechts

Ebenso muß bezüglich der selten an den Lidern vorkommenden Veränderungen bei Lepra, Aktinomykose u. a. auf die dermatologischen Abhandlungen verwiesen werden.

Liderkrankungen durch Lues gehören heute zu den Seltenheiten. Primäraffekte, syphilitische Exantheme und auch Gummata kommen zur Beobachtung; die Diagnose ist oft schwierig, Verwechslungen mit Chalazien kommen vor allem bei der Tarsitis luica in Betracht. Anstellung der serologischen Reaktionen, die in ätiologisch unklaren Fällen von Liderkrankungen nie unterbleiben sollte, klärt oft rasch die Differentialdiagnose. Die *Behandlung* entspricht der allgemeinen Luesbehandlung.

Schließlich sei hier noch das **Molluscum contagiosum** erwähnt, kleine gelbliche Knötchen, die in der Mitte eine Eindellung zeigen; sie sind leicht übertragbar und daher oft in großer Zahl vorhanden. Sie werden vermutlich durch ein Virus hervorgerufen. Man findet sie häufig am Lidrand oder auch an anderen Stellen der Lid- und Gesichtshaut. Sie führen manchmal zu Bindehautentzündungen mit Follikelbildung. Die *Therapie* besteht in chirurgischer Entfernung, die keine Schwierigkeiten bietet; das einfache Ausdrücken schützt nicht vor dem Auftreten neuer Knötchen.

4. Geschwülste der Lider

a) Zystische Bildung

Das **Milium** präsentiert sich als kleines, oft in Mehrzahl auftretendes Knötchen von weißgrauer Farbe, welches oft am Lidrand sitzt. Diese nur kosmetisch störenden Veränderungen stellen kleine Retentionszysten von Talgdrüsen dar; sie lassen sich leicht durch Ausdrücken nach Anschlitzen mit einem kleinen Messerchen entfernen. Vorherige Einspritzungen von 2%iger Novocainlösung unter die Haut ist zu empfehlen.

Auch bei **Atheromen** handelt es sich eigentlich um Retentionszysten, die aber größere Ausmaße erreichen und besonders im Gebiet der Augenbrauen vorkommen. Sie bestehen aus einer derben Bindegewebshülle, welche einen grützeartigen Brei enthält. Die Haut ist darüber verschieblich. Die *Behandlung* besteht in Ausschälung der Geschwulst. Manche derartig beschaffene Gebilde gehen aber auf versprengte Epidermiskeime zurück und gehören damit eigentlich zu den Mißbildungen. Man bezeichnet sie als *Dermoidzysten* (Abb. 24); sie setzen sich bisweilen in Form eines Stieles tief in die

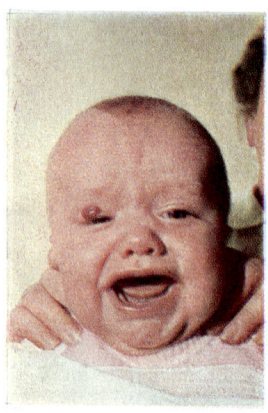

Abb. 25. Hämangiom am rechten Oberlid

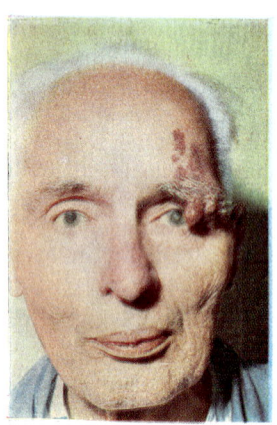

Abb. 26. Gestieltes Hämangiom

Orbita fort. In diesen Fällen erfordert die Entfernung Vorsicht, um Schädigung von Muskeln oder Nerven zu vermeiden.

Zysten der Mollschen Schweißdrüsen sind meist etwa erbsengroße Bläschen mit wasserklarem Inhalt, die an der Außenseite des Lidrandes zu finden sind, während von den **Zeissschen Haarbalgdrüsen ausgehende Zysten** einen weißlichen talgartigen Inhalt haben. Die Behandlung besteht in der chirurgischen Entfernung derselben.

b) Andere gutartige Geschwülste

Die häufigste gutartige Geschwulst der Lider ist das **Hämangiom** (Abb. 25 und 26), welches auf Grund angeborener Anlage entsteht und daher meist bei Kindern zur Beobachtung kommt. Es handelt sich dabei oft um erbsengroße, oft aber auch das ganze Gebiet eines Lides einnehmende Tumoren, die scharf abgegrenzt und in der Regel über die Haut erhaben sind. Die Farbe läßt den Charakter der Geschwulst leicht erkennen. Vielfach sind die größeren Geschwülste aus verschiedenen blutgefüllten Räumen zusammengesetzt (Kavernome). Kleinere Gefäßgeschwülste werden als **Naevi vasculosi** oder **Teleangiektasien** bezeichnet. Die Hämangiome zeigen vielfach Neigung zur spontanen Rückbildung. Es ist daher gerechtfertigt, zunächst von jeder Therapie Abstand zu nehmen.

Wenn es aber zu Wachstum kommt, ist Behandlung notwendig. Die besten Resultate gibt die Radium- und Röntgenbestrahlung. Operative Eingriffe, die sich wegen der Blutungsgefahr oft schwierig gestalten, sind kaum mehr erforderlich.

Naevi kommen auch im Bereiche der Lider vor, unter anderem auch an der Lidkante (Abb. 27). Wegen der Gefahr der malignen Entartung ist Entfernung mindestens dann unbedingt geboten, wenn Zeichen von Wachstum nachzuweisen sind. Häufig findet man an den Lidern das sog. **Xanthelasma,** welches meist in Mehrzahl an den verschiedenen Lidern auftritt und die Gegend der inneren Lidwinkel bevorzugt. Es handelt sich um gelbliche, kaum erhabene Gebilde verschiedener Größe, die aus sog. Xanthomzellen bestehen. Die Xanthelasmata stellen eine speziell den Lidern eigene Tumorform dar, die nur kosmetische Bedeutung besitzt. Ihre Entfernung geschieht am einfachsten durch Ausschneidung, die in Anbetracht der lockeren, reichlich zur

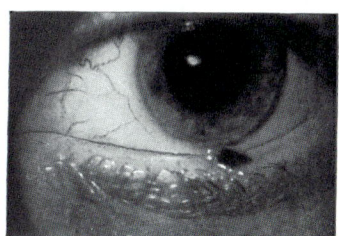

Abb. 27. Naevus an der Lidkante
des Unterlides

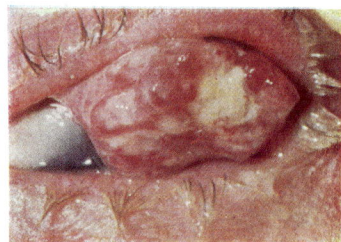

Abb. 28. Großes, gutartiges Papillom,
von der Innenfläche des Oberlides
ausgehend

Verfügung stehenden Lidhaut meist ohne umfangreiche Plastiken möglich ist. Auch Bestreichung mit Trichloressigsäure bringt Erfolge.

Neurofibrome, die häufig Teilerscheinung einer allgemeinen Neurofibromatose (RECKLINGHAUSEN) sind, bilden oft große Tumoren, die das Lid entstellen und es in eine elephantiasisartige Masse verwandeln, in deren Bereich vielfach derbe Stränge tastbar sind. Diese stehen mit dem Nervengewebe in Zusammenhang. Einzelheiten müssen hier wie auch bezüglich aller anderen Tumoren in Lehrbüchern und Leitfäden der pathologischen Anatomie nachgesehen werden. Als angeborene Veränderungen kommen sie meist bei Kindern zur Beobachtung. Auffallend ist, daß die Erkrankung sehr oft mit einer Vergrößerung der gleichseitigen Orbita und Sella (Röntgenbild!) verbunden ist. Außerdem werden manchmal gleichzeitig Veränderungen des Bulbus (Hydrophthalmus u. a.) beobachtet. Die *Behandlung* besteht in chirurgischer Entfernung, die aber wegen der unscharfen Abgrenzung der Tumoren oft sehr schwierig ist und nicht immer befriedigende Erfolge bringt.

Andere Tumoren, wie **Papillome, Hauthörner, Warzen, Fibrome, Lipome, Adenome der Liddrüsen, Lymphangiome** kommen an den Lidern vor; sie sind z. T. ohne weiteres kenntlich (Papillome, Warzen, Hauthörner), zum anderen Teil sehr selten, so daß von eingehender Erörterung hier abgesehen werden kann (Abb. 28). Die gelegentlich bei leukämischen und aleukämischen Lymphadenosen auch an Lidern vorkommenden Tumoren werden im Zusammenhange mit den einschlägigen Orbitalveränderungen erörtert.

c) Bösartige Geschwülste

Das **Lidkarzinom** (Abb. 29 bis 31) ist eine häufige Erkrankung. Die Krankheit beginnt als kleine höckerige Erhabenheit an der Lidhaut oder am Lidrand, die sich allmählich vergrößert und schließlich in ihren zentralen Teilen exulzeriert; es entstehen dann nässende oder mit Borken bedeckte Geschwüre, die beim Abziehen der Borken leicht bluten. Die Gegend des inneren Lidwinkels ist dabei bevorzugt. Das Karzinom breitet sich nur langsam aus, erreicht aber bei indolenten Patienten doch oft große Ausdehnung, bevor es zur Behandlung kommt. Im Laufe vieler Jahre entstehen so weitgehende Zerstörungen der Lider und ihrer Umgebung, und schließlich kommt es auch zum Übergreifen der Geschwulst auf Bulbus und Orbita. Die Prognose ist bei frühzeitiger Behandlung günstig, da das Lidkarzinom eine relativ gutartige Karzinom-

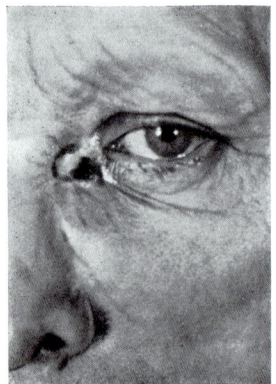 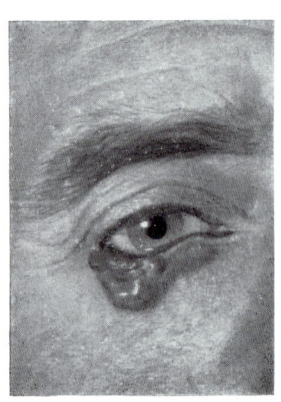 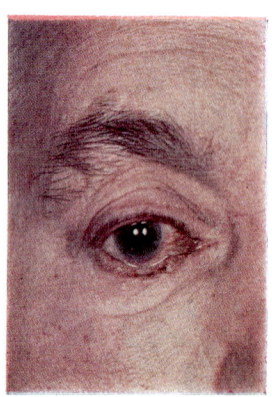

Abb. 29. Karzinom im inneren Lidwinkel links   Abb. 30. Karzinom am rechten Unterlid   Abb. 31. Zerstörungen am Unterlid durch Karzinom

form darstellt und nur selten zu Metastasen führt. Diese kommen bei den Spinaliomen vor, welche Hornperlen enthalten und Entdifferenzierungszeichen erkennen lassen. Bei den häufigeren Basaliomen pflegen sie zu fehlen. Durch destruktives Wachstum in die Umgebung erweisen sich aber auch die Basaliome klinisch als maligne Tumoren. Rezidive kommen bei Behandlung schon fortgeschrittener Tumoren nicht selten vor. Die *Behandlung* besteht entweder in Röntgen- oder Radiumbestrahlung, die bei noch oberflächlichen Tumoren gute Resultate bringen, oder in operativem Vorgehen. Bei letzterem ist stets daran zu denken, daß der Tumor meist schon Gewebsteile ergriffen hat, welchen dies klinisch nicht anzusehen ist. Daraus folgt, daß die Umschneidung der Tumoren weit im Gesunden erfolgen muß. Daran schließt sich ein Ersatz der geopferten Lidteile durch Lidplastiken, wobei sich besonders die Bogenlappen nach v. IMRE bewähren. Bei Übergreifen auf Bulbus und Orbita ist die Ausräumung der Orbita meist unerläßlich. Die Strahlenbehandlung ist mit höherem Risiko bez. der Rezidive belastet als die Operation. Letzterer gebührt daher der Vorzug.

Auch **Sarkome** kommen an den Lidern vor, allerdings wesentlich seltener als Karzinome. Sie können sich auf dem Boden von Naevi entwickeln. Bezüglich der Therapie gelten die für das Karzinom aufgestellten Regeln.

IV. Die Erkrankungen der Tränenorgane

A. Anatomie

Die Tränenorgane (Abb. 32) bestehen aus den *Tränenabscheidungsorganen (Tränen-drüsen)* und den *Abflußwegen.* — Wir unterscheiden eine orbitale und eine palpebrale Tränendrüse oder richtiger einen *orbitalen* und *palpebralen Teil der Tränendrüse.* Diese liegen über dem äußeren Lidwinkel. Die orbitale Drüse findet sich in einer kleinen flachen Grube des lateralen Teiles des Stirnbeines, der palpebrale Teil, davon durch Bindegewebe getrennt, in die Lidweichteile eingebettet. Bei starkem Umstülpen des Oberlides oder energischem Hochziehen der äußeren Teile des Oberlides wölbt sich die palpebrale Drüse unter der Bindehaut vor (Abb. 33). Außerdem gibt es noch *akzessorische Tränendrüsen,* das sind kleine Inselchen von Drüsengewebe, die ohne Verbindung mit den Hauptdrüsen im Bereiche der Übergangsfalten eingebettet sind. Die Innervation der Tränendrüsen erfolgt durch den 1. und 2. Ast des Trigeminus, welchem sekretorische Fasern aus dem Fazialis beigemischt sind. Die Ausführungsgänge der orbitalen Drüse ziehen durch die palpebrale Drüse und münden gemeinsam mit deren Gängen in der Nähe des äußeren Lidbändchens. — Die *Abflußwege* beginnen mit den oberen und unteren *Tränenpünktchen,* die den Eingang zu den *Tränenröhrchen* bilden. An die Pünktchen schließt sich ein kurzer vertikaler Teil der Röhrchen, der in einen längeren horizontalen Teil übergeht. Diese horizontalen Röhrchen münden

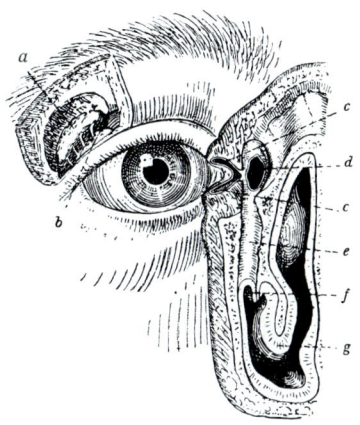

Abb. 32. Lage der Tränenorgane: *a* = orbitaler Teil der Tränendrüse, *b* = palpebraler Teil der Tränendrüse, *c* = von vorn eröffnete Tränenröhrchen, *d* = Tränensack oben von vorne eröffnet, *e* = häutiger Tränennasenkanal von Knochenteilen umgeben, *f* = Mündung des Tränennasenganges unter der unteren Nasenmuschel (*g*)

entweder getrennt in den *Tränensack* oder vereinigen sich kurz vorher zu einem Endstück. Der Tränensack liegt in der *Tränensackgrube,* so daß sich sein oberes Ende etwa in der Gegend des inneren Lidbändchens befindet. Nach unten geht er in den *häutigen Tränennasengang* über, der von dem knöchernen Kanal allseits umschlossen ist. Die Mündung erfolgt in der Nase unter der unteren Muschel. Die Tränensackgrube wird vorwiegend vom Tränenbein gebildet; ihre vordere Begrenzung aber bildet die *Crista lacrimalis anterior,* die dem Processus frontalis des Oberkiefers angehört. Diese Leiste ist durch die Haut unterhalb des inneren Lidwinkels zu tasten und leitet uns beim Aufsuchen des Sackes zu diagnostischen oder operativen Zwecken. Bei normaler Funktion erfolgt der Transport der von den Tränendrüsen gelieferten Tränen durch den Lid-

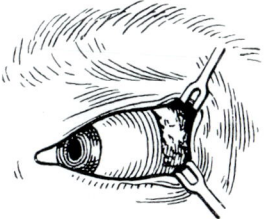

Abb. 33. Tränendrüse, vom Bindehautsack aus freigelegt

schlag zum inneren Lidwinkel, wo die Tränenpünktchen die Tränen aufnehmen und zur Nase ableiten; dabei spielt eine von Tränensack und -röhrchen ausgeübte aktive Saugwirkung eine wichtige Rolle.

B. Untersuchungsmethoden

Bei der Untersuchung ist die Inspektion wichtig, die stets unter Vergleich beider Augen zu erfolgen hat. Vorwölbungen im Bereiche der Drüsen oder des Tränensackes und evtl. entzündliche Rötung sind ebenso zu beachten wie vermehrtes Tränen. Der Stellung der Tränenpünktchen ist besondere Aufmerksamkeit zu widmen. — Zur Feststellung einer Abflußstörung ist der Fingerdruck auf den Tränensack geeignet; bei vorhandener erheblicher Abflußstörung sammelt sich schleimige Flüssigkeit, im späteren Stadium Eiter im Tränensack an, der bei richtig ausgeübtem Druck aus den Röhrchen austritt und so die Diagnose sichert. Zum Zwecke dieser Kompression des Sackes sucht man die erwähnte Crista lacrimalis anterior durch Abtasten auf und übt sodann auf den dahinter unterhalb des inneren Lidbändchens gelegenen Sack einen kräftigen Druck aus. — Feinere Störungen, die noch nicht zur Sekretstauung geführt haben, können durch die Fluoreszeinprobe nachgewiesen werden; zu diesem Zwecke werden 1—2 Tropfen einer 1—2%igen Lösung von Fluoreszeinnatrium oder Fluoreszeinkalium in den Bindehautsack getropft; nach wenigen Minuten erscheint bei normalen Abflußverhältnissen in der Regel Farbstoff in der Nase und färbt einen zu Beginn des Versuches dort eingeführten Tampon gelbgrün; falls kein Tampon eingeführt ist, kann der Nachweis der Durchgängigkeit auch dadurch geführt werden, daß man einige Minuten nach Eintropfen des Mittels den Patienten auffordert, sich in sein Taschentuch zu schneuzen; bei Besichtigung desselben ergibt sich dann gelbgrüne Färbung des Sekretes derselben Nasenseite. — Zur feineren Diagnostik stehen noch andere Methoden: Durchspülung des Sackes mit einer Spritze mit stumpfer Kanüle, Sondierung der Tränenabwege mit BOWMANschen Sonden und schließlich Röntgenaufnahmen des Sackes (Abb. 34) nach Füllung mit einem Kontrastmittel zur Verfügung. Ihre Ausführung erfordert aber besondere Fachkenntnis und soll dem Facharzt vorbehalten bleiben.

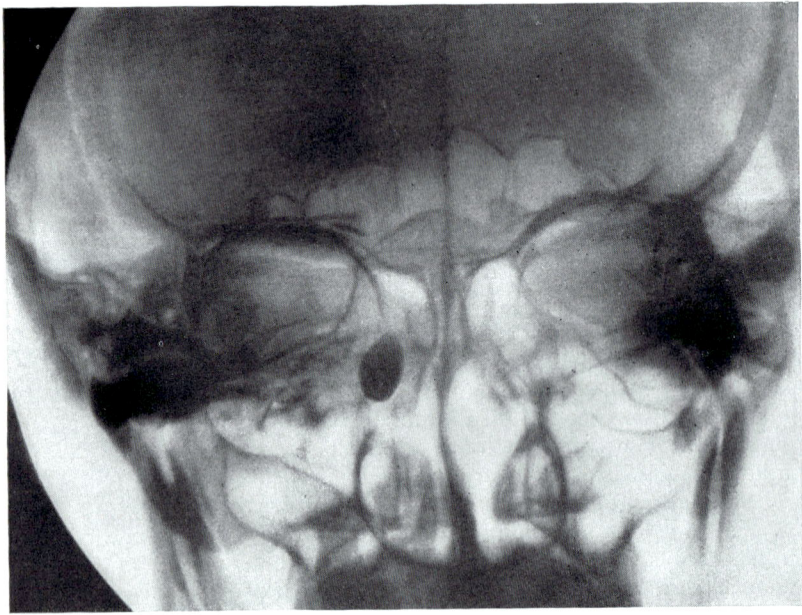

Abb. 34. Darstellung des Tränensackes im Röntgenbild bei Abflußstörung. Sack durch Kontrastmittel gefüllt. Kein Abfluß zur Nase

Die Funktion der Tränendrüsen kann durch den SCHIRMERschen Versuch geprüft werden. Zu diesem Zweck wird ein Fließpapierstreifen (0,5 cm breit, 3,5 cm lang) so in den Bindehautsack gelegt, daß 0,5 cm des Streifens in den Bindehautsack eintauchen und 3 cm (über der Lidkante umgebogen) außen auf der Haut liegen. Bei normaler Sekretion ist nach 5 Minuten mindestens 1,5 cm des außerhalb des Bindehautsackes liegenden Streifenteiles durchfeuchtet. Herabsetzung der Sekretion finden sich u. a. beim SJÖGRENschen Syndrom und bei seniler Involution der Drüse.

C. Erkrankungen der Tränendrüsen

1. Entzündliche Erkrankungen (Dakryoadenitis)

Wir kennen akute und chronische **Entzündungen der Tränendrüse.** — Die **akuten Erkrankungen** sind gekennzeichnet durch Rötung und Schwellung der Tränendrüsengegend, welche oft auf die Umgebung übergreifen und manchmal erheblichen Umfang annehmen können. Beim vorsichtigen Anheben des Oberlides am äußeren Teil sieht man eine Vorwölbung der Drüse bei gleichzeitiger Rötung und manchmal Schwellung der umgebenden Bindehaut. In manchen Fällen ist ein gelber Eiterpunkt erkennbar oder, wenn bereits Perforation erfolgt ist. Eiterentleerung an umschriebener Stelle. Die Lidspalte läßt oftmals infolge Verengung des lateralen Teiles durch Schwellung eine charakteristische Paragraphenform erkennen (Abb. 35). Dabei bestehen häufig beträchtlicher Spontan- und besonders Druckschmerz sowie manchmal Temperatursteigerung und allgemeines Krankheitsgefühl. Schwellung der präaurikulären Lymphknoten kommt vor.

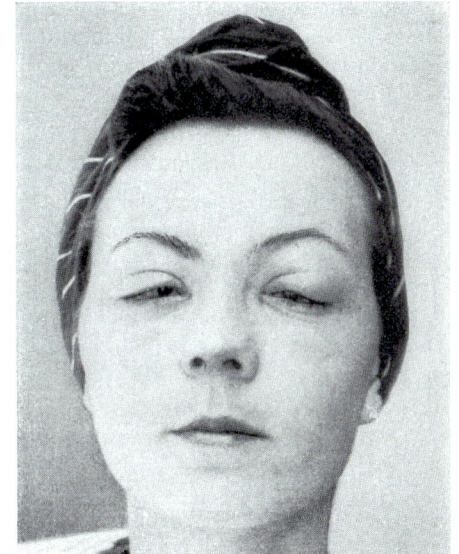

Abb. 35. Doppelseitige Dakryoadenitis mit Paragraphenform der Lider

Verwechslung mit einem großen Hordeolum am äußeren Teil des Oberlides kann vermieden werden, wenn man daran denkt. daß die Symptome des letzteren (Schwellung, Eiterpunkt, Druckschmerz) am oder in unmittelbarer Nähe des Lidrandes am deutlichsten ausgeprägt sind, während bei der Dakryoadenitis der Prozeß und damit die hervorstechendsten Symptome näher am oberen Orbitalrand lokalisiert sind.

Die Tränendrüsenentzündung ist eine relativ seltene Erkrankung; sie kommt einseitig und doppelseitig vor; sie entsteht in der Regel *metastatisch*, also durch Verschleppung der Erreger auf dem Blutwege. Als Ursache kommt oft Mumps in Betracht, aber auch bei anderen Infektionskrankheiten (Angina, Influenza, Masern, Scharlach usw.) kann es zur Miterkrankung der Tränendrüsen kommen. Manchmal wird die Erkrankung aber auch als selbständiger Prozeß beobachtet.

Die *Behandlung* ist zunächst konservativ: Umschläge mit Rivanol (2⁰/₀₀), Sauberhalten des Bindehautsackes durch Spülen mit Borwasser (3%) und antibiotische Salben genügen in der Regel. Inzision ist selten erforderlich; sie soll von der Bindehautseite aus erfolgen; nur bei Lokalisation des Prozesses in der orbitalen Drüse kann Eröffnung von außen nötig werden. Daneben hat natürlich die Behandlung des Grundleidens zu erfolgen. Die Prognose ist günstig.

Die **chronische Dakryoadenitis** verläuft ohne Reizerscheinungen (Rötung, Schmerz, Abszedierung), zeigt also Vergrößerung der Drüse, Paragraphenform der Lidspalte, geringe Ptosis. Sie kommt gemeinsam mit Speicheldrüsenschwellungen bei MIKULICZ-scher Erkrankung vor, wird aber auch als isolierte Erkrankung beobachtet. Als Ursache werden Lues und Tuberkulose angegeben. Wichtig ist bei derartigen Prozessen, auch immer an leukämische oder aleukämische Lymphadenosen zu denken und entsprechende Allgemeinuntersuchungen durchzuführen. Die *Therapie* richtet sich nach dem Grundleiden. Lokal bewähren sich in manchen Fällen Röntgenbestrahlungen. Dann und wann kommt auch Exstirpation der Drüsen in Frage.

2. Tumoren der Tränendrüsen

Tumoren der Tränendrüsen sind sehr selten; neben **Lymphomen** werden **Sarkome** und sog. **Mischgeschwülste** beobachtet. Letztere sind bezüglich ihrer Malignität nicht immer eindeutig zu klassifizieren, auf jeden Fall aber stets ernst zu beurteilen. Die Behandlung ist in der Regel eine chirurgische und gehört in die Hand des operativ erfahrenen Facharztes.

D. Erkrankungen und Störungen der Abflußwege

Störungen im Bereiche der Abflußwege äußern sich durch störendes Tränen und später durch Eiterabsonderung aus den Tränenpünktchen. Bevor wir aber auf die eigentlichen Abflußstörungen eingehen, muß erwähnt werden, daß **störender Tränenfluß (Epiphora)** auch aus anderen Gründen entstehen, also bei durch exakte Prüfung intakt befundenen Abflußwegen vorhanden sein kann. Solche Gründe sind:

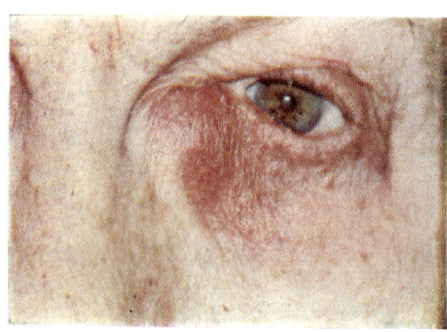

Abb. 36. Dakryozystitis

a) Überfunktion der Tränendrüse; dabei kann sich die Entfernung bzw. Verkleinerung der Tränendrüse (in der Regel der Pars palpebralis) als nötig erweisen.

b) Anomalien der Lidstellung (Lagophthalmus, Ektropium) und damit unrichtige Stellung der Tränenpünktchen (Eversio puncti lacrimalis), die dem Bulbus nicht richtig anliegen — nicht in den Tränensee tauchen — und so die Aufnahme der Tränen durch die Tränenröhrchen erschweren oder vereiteln. Diese Zustände und ihre Behandlung sind im Abschnitt über Erkrankungen der Lider abgehandelt.

c) Verstärkte Tränenabsonderung durch Reizung des Geruchsorganes und psychische Einflüsse (Weinen), sowie bei Reizzuständen des Bulbus.

Die eigentlichen **Abflußstörungen** können ihren Sitz an verschiedenen Stellen haben:

1. Verschluß der Tränenpünktchen oder -röhrchen. Diese kommen *angeboren* vor oder haben ihren Grund in *narbigen Verschlüssen nach Verletzungen*. Selten sind auch Pilzkonkremente im Röhrchen (Aktinomykose) Ursache von Stenosen. Auch *angeborenes Fehlen* oder *angeborene abnorme Stellung der Tränenpünktchen oder -röhrchen* kommen zur Beobachtung. Alle diese Veränderungen sind selten. Bei einfachem angeborenen häutigen Verschluß der Tränenpünktchen genügt oft ein einfaches Durchstoßen mit einer konischen Sonde zur Beseitigung der Störung; alle übrigen Veränderungen dieser Art sind nur durch größere Eingriffe zu beheben, die dem Facharzt vorbehalten sind. Die früher viel geübte Schlitzung der Tränenpünktchen stört deren Funktion bei der Tränenabfuhr und ist nur in seltensten Fällen gerechtfertigt.

2. **Verschluß oder Verengung des Tränennasenkanals.** Diese weitaus häufigste Erkrankung der Tränenwege verursacht zunächst störendes Tränen; bei längerem Bestande und völligem Verschluß kommt es zur eitrigen Entzündung des Tränensackes, der **Dakryozystitis** (Abb. 36).

a) *Dieser Verschluß des Tränennasenganges* hat seinen Sitz in der Regel am Übergang des häutigen Teiles des Tränennasenkanals (Tränensack) in den von Schleimhaut ausgekleideten knöchernen Kanal. Das wichtigste Symptom der Dakryozystitis ist die Entleerung von Schleim und Eiter aus den Tränenröhrchen, besonders bei Druck. Bei längerem Bestande wird der Sack ektatisch, und dann ist oft schon bei Inspektion eine Vorwölbung der Haut über der Sackgegend nachweisbar. Der Eiter im Tränensack enthält stets Pneumokokken. Daher stellt die Dakryozystitis nicht nur ein lästiges Leiden dar, sondern auch einen ständigen Gefahrenherd für den Bulbus, der besonders bei Entstehung des oft deletären Ulcus serpens der Hornhaut eine große Rolle spielt (s. unter Erkrankungen der Hornhaut). In jedem Falle dieser Erkrankung ist daher ebenso wie vor allen Eingriffen am Auge eine genaue Beobachtung der Tränenwege und rasche operative Behandlung bei gefundener Störung unerläßlich.

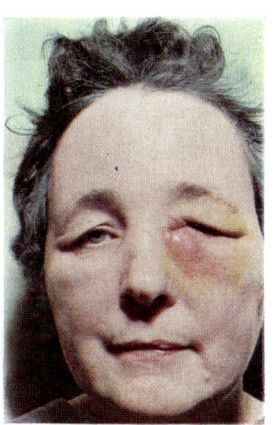

b) Es gibt auch eine Dakryocystitis congenita, die durch mangelhafte Entwicklung des Tränennasenkanals bedingt ist. Oft handelt es sich lediglich um einen Epithelpfropf an der Mündungsstelle (HASNERsche Klappe).

c) Bei längerem Bestehen einer Tränensackeiterung kann es zu phlegmonösen Entzündungen der den Sack umgebenden Weichteile (*Dakryocystitis phlegmonosa* = **Tränensackphlegmone**) (Abb. 37) kommen. Dieser Zustand ist durch heftige Entzündung und Schwellung der Tränensackgegend charakterisiert, die mit Schmerzen verbunden sind. Die Schwellung kann oft weit auf die Nachbarschaft (Lider, Wange, Nase) übergreifen, so daß der eigentliche Herd kaum sichtbar ist. Wenn in diesem Stadium nicht therapeutisch eingegriffen wird, so kann es zum spontanen Durchbruch und damit zur Fistelbildung kommen.

Abb. 37. Tränensackphlegmone links und Blepharochalasis beiderseits

In den weitaus meisten Fällen entstehen Tränensackleiden ohne nachweisbaren Zusammenhang mit anderen Erkrankungen. Bei Tränensackerkrankungen und Fisteln im jugendlichen Alter (Ausnahme Dakryocystitis congenita) muß aber stets an Tuberkulose gedacht werden. Auch Erkrankungen der Nasennebenhöhlen können eine ursächliche Rolle spielen.

Die *Behandlung* der Dakryozystitis ist vorwiegend operativ. Behandlungsversuche mit lange fortgesetzten Sondierungen, Injektionen von Jodtinktur oder PREGLscher Jodlösung in den Sack haben manchmal Erfolge. Häufige Rückfälle und Schmerzhaftigkeit der Sondenbehandlung haben aber dazu geführt, daß die Operation im Vordergrund des Interesses steht. Die ursprünglich weitverbreitete Entfernung des Tränensackes ist ein verstümmelnder Eingriff, der oft störendes Tränen, besonders im Freien bei Wind usw. hinterläßt. Wir ziehen jetzt daher die Wiederherstellung der

Tränenabfuhr durch Bildung eines durch den Knochen vom Tränensack zur Nase
gebildeten neuen Kanales vor. Dies geschieht in der Regel durch den Augenarzt von
der äußeren Haut aus (Verfahren nach Toti). Dem Rhinologen steht das Verfahren
nach West zur Verfügung, bei welchem von der Nase aus vorgegangen wird. Diese
Methode erfreut sich aber nicht derselben Verbreitung wie die Totische Operation.

Bei der Dakryocystitis congenita genügt oft ein energischer, auf den Sack in der
Richtung gegen die Nase zu ausgeübter Druck, um die zarte Stenose zu sprengen und
Heilung zu bringen. Genügt dies nicht, so bringt einmalige Sondierung fast immer
Heilung. Größere Eingriffe sind in diesen Fällen nur ganz ausnahmsweise erforderlich.

Bei der Tränensackphlegmone gelingt es meist, durch Rivanolumschläge $(2^0/_{00})$ und
Antibioticabehandlung oder feuchtwarme Verbände Rückgang der Phlegmone zu erzie-
len. Dann und wann ist aber Spaltung nach chirurgischen Regeln erforderlich, wobei der
Schnitt bis zur Tränensackgrube geführt werden soll. Mit dem Abklingen der Phleg-
mone ist aber die Stenose nicht beseitigt; sie muß vielmehr nach Schwinden der akuten
Entzündungserscheinungen nach Toti oder West behoben werden.

3. **Tumoren des Tränensackes** (*Polypen, Karzinome, Sarkome*) sind sehr selten. Die
Behandlung ist rein chirurgisch, evtl. Nachbestrahlung mit Röntgenstrahlen.

V. Die Erkrankungen der Bindehaut

A. Anatomie

Die Bindehaut (Conjunctiva) bildet bei Lidschluß einen allseits geschlossenen Raum,
den Bindehautsack, der bei Öffnung der Lider vorn zugänglich wird. Die Bindehaut setzt
an den Lidrändern an und bekleidet die Innenflächen der Lider, geht dann im Bereiche
der sog. *Übergangsfalten* auf den Bulbus über und überzieht den vorderen Abschnitt der
Lederhaut bis zum Hornhautrand *(Limbus)*. Während der Lidteil der Bindehaut *(Conjunctiva tarsi)* fest mit seiner Unterlage verwachsen ist, liegt der Bulbusteil *(Conjunctiva
bulbi)* der Lederhaut nur locker auf und ist durch das zarte subkonjunktivale bzw.
episklerale Gewebe lose damit verbunden. Lediglich am Limbus besteht eine feste Verwachsung mit der Unterlage. Diese lockere Verbindung im Bereiche der Conjunctiva
bulbi schafft die Voraussetzung dafür, daß bei entzündlichen Prozessen oder nach subkonjunktivalen Injektionen die Bindehaut durch Flüssigkeit blasenartig vom Bulbus
abgehoben werden kann *(Chemosis)*. Durch diese lockere Verbindung und den im Bereiche der *Übergangsfalten (Conjunctiva fornicis)* bestehenden Faltenreichtum wird auch
die Möglichkeit gegeben, die Bindehaut zur operativen Deckung der Hornhaut und
sonstigen plastischen Verschiebungen zu benützen. Die in den Übergangsfalten vorhandene Gewebsreserve gestattet derartige Maßnahmen, ohne zu einem Mangel an
Bindehautgewebe an anderer Stelle zu führen.

Die Farbe der Bindehaut ist blaßrosa, sie ist durchsichtig, weshalb darunterliegende
Teile, z. B. die Meibomschen Drüsen, gut durchscheinen. Im Bereiche des inneren Lidwinkels liegt eine *halbmondförmige Falte*, die *Plica semilunaris*, die beim Menschen keine
besondere Bedeutung hat, bei manchen Tieren aber (Kaninchen) als ,,drittes Lid"
(Nickhaut) von nasenwärts über den Bulbus vorgeschoben werden kann. Im inneren
Lidwinkel liegt ferner das *Tränenwärzchen (Caruncula lacrimalis)*, welches dickes Epithel mit Haarbälgen und Drüsen enthält.

Die *normale Bindehaut* erscheint *feucht, glänzend* und *glatt*. Die Conjunctiva bulbi
besitzt geschichtetes Plattenepithel, welches mit dem Hornhautepithel entwicklungs-
geschichtlich eine Einheit bildet. Die Conjunctiva tarsi ist mit geschichtetem Zylinder-

epithel besetzt und enthält zarte Papillen, die unter normalen Verhältnissen nicht
sichtbar sind, aber bei Schwellungszuständen als Papillarhypertrophie in Erscheinung
treten. Außerdem sind lymphfollikelartige Rundzellenhaufen in der Lidbindehaut
eingelagert.

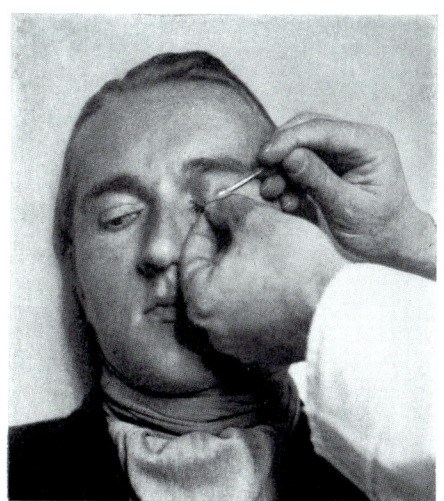

Abb. 38. Ektropionieren des Oberlides 1. Akt

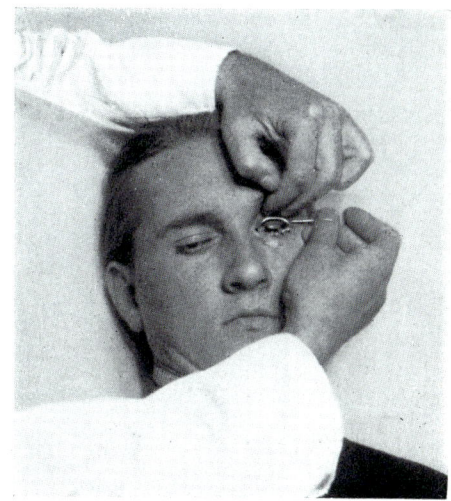

Abb. 39. Ektropionieren des Oberlides 2. Akt

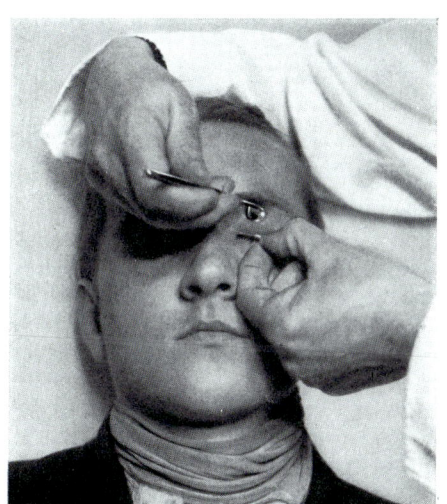

Abb. 40. Doppeltes Ektropionieren des Oberlides 1. Akt

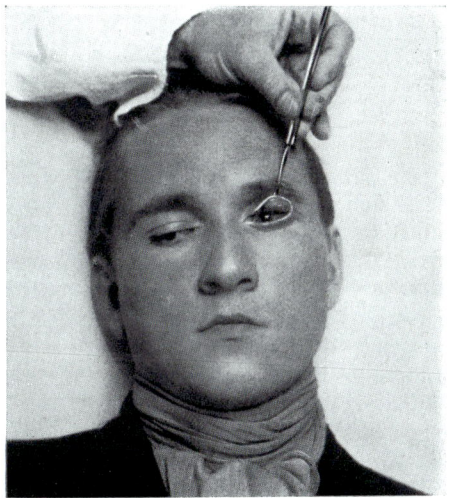

Abb. 41. Doppeltes Ektropionieren des Oberlides 2. Akt

Der Glanz und die Feuchtigkeit der Bindehaut ist neben der Tränensekretion durch
eine Reihe von kleinen Drüsen und Becherzellen bedingt, die eine regelmäßige Schleimsekretion gewährleisten. Bei Entzündungszuständen nimmt diese unter gleichzeitiger
Vermehrung der Becherzellen stark zu. Die Blutgefäße der Bindehaut entstammen dem

Arcus tarseus superior und inferior der Lider; sie gehen am Limbus die schon erwähnten Verbindungen mit den Ziliargefäßen ein und bilden so das Randschlingennetz.
Auch Lymphgefäße finden sich in der Bindehaut, deren nervöse Versorgung vom Trigeminus (1. und 2. Ast) bestritten wird.

B. Untersuchungsmethoden

Ein Teil der Conjunctiva bulbi ist im Lidspaltenbezirk ohne weiteres sichtbar; um
die gesamte Bulbusbindehaut zu beurteilen, ist es erforderlich, die Lider mit den Fingern zu fassen und kräftig auseinanderzuziehen, wobei man zweckmäßig das Auge nach
unten und oben blicken läßt. Auf diese Weise bekommt man auch die untere Übergangs-

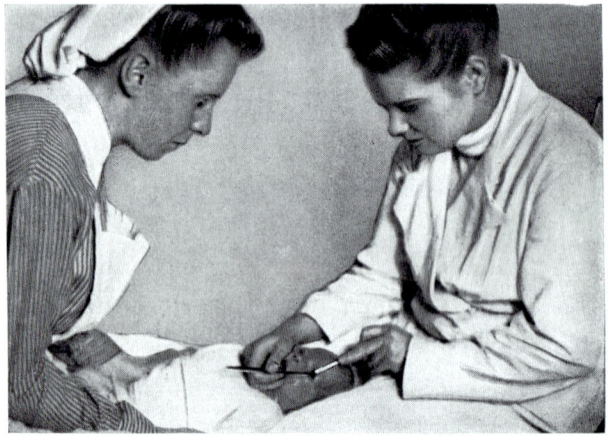

Abb. 42. Besichtigung des Bindehautsackes beim Kleinkind

falte und die Conjunctiva tarsi des Unterlides zu Gesicht. Die Beurteilung der Con-
junctiva tarsi des Oberlides erfordert aber die Umstülpung — Ektropionierung — des
Oberlides. Zu diesem Zwecke läßt man den zu Untersuchenden nach unten blicken,
faßt mit 2 Fingern die Zilien und zieht das Lid etwas nach unten und vom Auge ab
(Abb. 38). Gleichzeitig wird mit einem Finger oder einem Glasstäbchen ein schwacher
Druck gegen das Gebiet unmittelbar oberhalb des Tarsus (etwa 1½ cm oberhalb des
Lidrandes) ausgeübt und das Lid um diesen Stützpunkt gegen oben gedreht (Abb. 39).
Auf diese Weise gelingt es, das Oberlid umzustülpen und der Besichtigung zugänglich zu
machen. Noch ist aber die obere Übergangsfalte nicht sichtbar; um diese beurteilen zu
können, muß im Bereiche des Unterlides ein mäßiger Druck gegen den Bulbus ausgeübt
werden unter gleichzeitiger Fixierung des umgewendeten Oberlides gegen den oberen
Orbitalrand. Nunmehr wölbt sich die Übergangsfalte vor und kann leicht beurteilt
werden. Zum Zwecke der Sichtbarmachung des oberen Übergangsfaltengebietes kann
man auch so verfahren, daß man nach Fassen des Oberlides im Bereiche der Zilien
einen DESMARRES schen Lidhalter mit der offenen (konkaven) Fläche gegen das
Lid unter dem oberen Tarsusrand ansetzt (Abb. 40) und das Oberlid um diesen Lidhalter
in der früher geschilderten Weise nach oben umstülpt; der Lidhalter sitzt bei richtiger
Einführung und Einhaltung der Blickrichtung nach unten durch den Patienten nun fest

hinter dem Oberlid, das Tarsusgebiet liegt in der Wölbung des Instrumentes, und die gesamten oberen Bindehautteile liegen gut frei (Abb. 41). Schwierig kann die Umstülpung des Oberlides bei Patienten mit fehlenden Zilien sein. Hier hilft ein kleiner Kunstgriff, dessen Anwendung allerdings eine gewisse Übung voraussetzt. Man faßt das Unterlid des streng nach unten blickenden Auges mit einem Finger und legt einen Finger der anderen Hand am Oberlid knapp neben dem Lidrand fest an. Wenn nun unten ein mäßiger Druck gegen den Bulbus in der Richtung nach oben und gleichzeitig am Oberlid ein Zug auf die Lidkante gegen oben angewendet wird, dreht sich das Lid ruckartig gegen oben und die Ektropionierung ist erreicht; Festhalten des Oberlides und geringe Verstärkung des Druckes am Unterlid bringt die obere Übergangsfalte zu Gesicht.

Schwierig kann sich die Beurteilung der Bindehaut bei kleinen Kindern gestalten. Man nimmt bei unruhigen Kindern am besten den Kopf zwischen die Knie bzw. Oberschenkel des sitzenden Untersuchers, während eine gegenübersitzende Pflegeperson Körper und Extremitäten des Kindes fixiert. Der Kopf kann durch leichten Druck zwischen den Oberschenkeln des Untersuchers leicht festgehalten werden, so daß der Untersucher beide Hände frei hat und mit DESMARRESschen Lidhaltern die Lider offenhalten und ektropionieren kann (Abb. 42).

Bei Untersuchung der Bindehaut ist oft auch die Feststellung pathogener Mikroorganismen erforderlich. Voraussetzung dafür ist die Gewinnung von Untersuchungsmaterial. Diese geschieht mit einer Platinöse, wobei ängstlich jede Beschädigung der Hornhaut zu vermeiden ist. Man darf sich nicht darauf beschränken, Sekret abzustreichen, sondern soll durch leichtes Schaben mit der Öse an der Conjunctiva (bulbi) Epithelabstriche entnehmen, die dann auf einem Objektträger oder Deckglas ausgestrichen und nach GRAM gefärbt werden sollen. Färbe- und bakteriologische Untersuchungstechnik sind den bakteriologischen Lehrbüchern oder Leitfäden zu entnehmen.

Bei Untersuchung der Bindehaut ist zu beachten, daß diese blaß, feucht, glänzend und glatt ist. Einige Worte sind über die Art der am Augapfel vorkommenden Rötungen nötig; wir unterscheiden eine **konjunktivale** und eine **ziliare Injektion.** Die erstere entsteht durch vermehrte Gefäßfüllung des konjunktivalen Gefäßsystemes, letztere durch Hyperämie im Bereiche der Ziliargefäße. Dementsprechend ist die konjunktivale Injektion Zeichen einer Bindehauterkrankung, die ziliare Ausdruck von Entzündungen im Bereiche der Hornhaut, Lederhaut und Regenbogenhaut. Die Unterscheidungsmerkmale sind in folgender Tabelle dargestellt (s. Abb. 43).

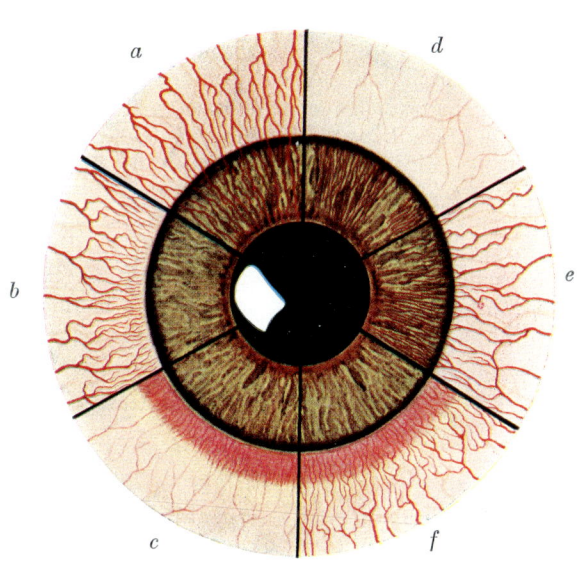

Abb. 43. Verschiedene Formen der Injektion und Hornhautvaskularisation

a = Konjunktivale Injektion, b = Ziliare Injektion, c = Gemischte Injektion, d = Oberflächliche Hornhautvaskularisation, e = Tiefe Hornhautvaskularisation, f = Oberflächliche und tiefe Hornhautvaskularisation

	Konjunktivale Injektion	Ziliare Injektion
Farbe	Hellrot — ziegelrot, da oberflächlich liegend	Bläulichrot; da von tieferliegenden Gefäßen stammend, erscheint Farbton (durch die darüberliegenden Schichten durchschimmernd) verändert
Beweglichkeit	Verschieblich; da in der über Sklera verschieblichen Bindehaut gelegen; durch leichtes Schieben mit dem Unterlid auf dem Bulbus feststellbar	Da in tieferen Schichten liegend, nicht verschieblich. Die darüberliegende Bindehaut kann über der Injektion verschoben werden
Ort	Meist gleichmäßig über ganzes Bulbusgebiet verteilt oder unregelmäßig herdförmig	In der Regel um den Limbus am deutlichsten ausgesprochen (perikorneale Injektion)
Beziehungen zu evtl. Gefäßen in der Hornhaut	Deutlich erkennbarer, unmittelbarer Übergang von Bindehautgefäßen in die oberflächlichen Hornhautgefäße	Endet am Limbus, keine Verbindung mit Hornhautgefäßen sichtbar

Die im Bereiche des Randschlingennetzes bestehenden Verbindungen zwischen ziliaren und konjunktivalen Gefäßen bringen es mit sich, daß starke Gefäßfüllung des einen Gefäßgebietes sich auch dem anderen mitteilen kann; auf diese Weise und durch gleichzeitige Erkrankung von Organen beider Gefäßgebiete (der Bindehaut und der Hornhaut) entstehen die *gemischten Injektionen*, die man oft als *vorwiegend konjunktival* oder *vorwiegend ziliar* bedingt bezeichnen kann.

Die engen klinischen und anatomischen Beziehungen zwischen Bindehaut und Hornhaut bringen es mit sich, daß viele pathologische Prozesse beide Teile ergreifen. Derartige zusammenhängende Erkrankungen werden in dem Kapitel besprochen, welchem sie vermöge des primären oder hauptsächlichen Sitzes der Erkrankung zugehören (z. B. trachomatöse Hornhautprozesse beim Trachom der Bindehaut usw.).

C. Erkrankungen der Bindehaut

1. Entzündliche Erkrankungen

a) Die akute Bindehautentzündung

Die Erkrankung tritt oft einseitig auf, kann aber auch doppelseitig entstehen oder später von einem Auge auf das andere übertragen werden. Sie beginnt, wie der Name sagt, ziemlich plötzlich, meist mit Druck- und Spannungsgefühl im Auge, dem sehr rasch eine starke Rötung der Bindehaut folgt. Die Kardinalsymptome einer Entzündung — Rötung, Schwellung, Sekretion — lassen sich deutlich erkennen. Die Rötung betrifft in leichteren Fällen vorwiegend die Lidbindehaut, während bei heftigen Entzündungen eine sehr starke konjunktivale *Rötung* der gesamten *Bindehaut* (Abb. 40) besteht. Bei schweren Entzündungen kann auch eine Mitrötung tieferer Gefäße entstehen, doch bleibt der vorwiegend konjunktivale Charakter der Injektion gewahrt. Gelegentlich treten auch kleine Blutungen in der Bindehaut auf. Die Schwellung tritt stets in Form einer Vergröberung (Anschwellung) der Papillen der Lidbindehaut hervor, die eine samtartige Beschaffenheit erhält, welche wir mit den Ausdruck *Papillarhypertrophie* (Abb. 44) bezeichnen. Auch die Übergangsfalten sind oft stark ver-

dickt und können sich dann beim Ektropionieren wulstartig vorwölben. In schweren
Fällen kommt eine Schwellung der Bulbusbindehaut zustande, die blasenartig von
ihrer Unterlage abgehoben wird *(Chemose)*; auch *Lidschwellungen* können auftreten,
ebenso wie gelegentlich Vergrößerungen der präaurikulären Lymphknoten. Die *Sekretion*
ist in der Regel *schleimig*, selten schleimig-eitrig und je nach dem Grade der Entzündung
verschieden heftig. Meist sind die Lidspalten morgens durch Sekret stark verklebt. Das
Abfließen des Sekretes verursacht auch untertags beträchtliche Beschwerden, die oft
mit schmerzhaften Mazerationen der Haut in den Lidwinkeln verbunden sind. Borken-
bildungen an Lidrändern und ihrer Umgebung sind häufig zu sehen. Dabei bestehen
meist beträchtliche Lichtscheu und oft Lidkrampf. Dadurch und durch Verunreinigung
der Hornhaut mit Schleimflocken, die sich darüber lagern, werden Sehstörungen hervorgerufen. Eine direkte Beteiligung der Hornhaut ist bei der akuten Konjunktivitis im

allgemeinen nicht zu befürchten. Gelegentlich werden allerdings kleine Randinfiltrate beobachtet, die
sich meist als harmlos erweisen und bei entsprechender Behandlung der Bindehaut wieder rasch
verschwinden.

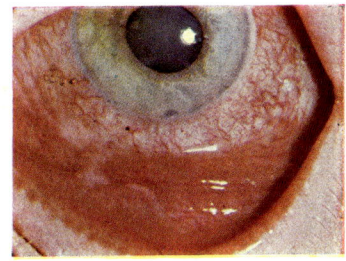

Abb. 44. Akute Konjunktivitis mit
Papillarhypertrophie

Ursache der akuten Konjunktivitis ist meist
eine *bakterielle* Infektion. *Pneumokokken* spielen
dabei eine große Rolle. Diese Erreger sind aber für
die Bindehaut keineswegs immer pathogen; sie können vielmehr oft auch als scheinbar harmlose Schma-
rotzer im Bindehautsack nachgewiesen werden;
ebenso sind sie bei Tränensackeiterungen stets vorhanden, ohne eine akute Konjunktivitis hervorzurufen. Trotzdem können Keime, die ohne Reiz-
erscheinungen im Bindehautsack vegetieren, unter bestimmten Umständen zu schweren Hornhauterkrankungen (Ulcus serpens) führen, während die Erreger der akuten
Konjunktivitis, wie erwähnt, so gut wie nie schwere Hornhautkomplikationen hervorrufen. Typenunterschiede der Pneumokokken dürften die Erklärung für diese Tatsache
abgeben.

Als häufige Erreger akuter Bindehautentzündungen sind auch die KOCH-WEEKS-
Bazillen anzusehen, die gelegentlich kleine Epidemien verursachen; von manchen Forschern wird ihre Identität mit den PFEIFFERschen Influenzabazillen angenommen.
Die KOCH-WEEKS-Konjunktivitis ist bei uns nicht häufig, spielt aber in anderen
Ländern, z. B. Ägypten, eine bedeutende Rolle. Neben diesen Keimen werden auch
andere Erreger bei akuter Konjunktivitis nachgewiesen (Streptokokken, Staphylokokken u. a.). Auch durch *mechanische Schädigungen* können akute Bindehautentzündungen entstehen, ebenso wie auf dem Boden *allergischer Prozesse* (Heuschnupfen).
Auch die Schwellungskatarrhe bei Skrophulose bieten das Bild der akuten Konjunktivitis dar.

Der Beginn der akuten Konjunktivitis ist stets rasch, der Verlauf erstreckt sich
über 6—10 Tage; nach Ablauf dieser Frist sind Keime in der Regel nicht mehr nach zu-
weisen; ein leichterer Reizzustand kann aber noch einige Zeit fortbestehen. Die
Prognose ist *günstig*.

Zur *Behandlung* der akuten Bindehautentzündung dient im Anfangs- und Höhestadium vorwiegend das *Argentum nitricum* (1%). Es wird in Form der *Touchierung*
(1mal tägl.) angewendet. Dieser soll eine Betäubung der Bindehaut durch Eintropfen
einer 1—3%igen Cornecainlösung vorausgehen. Die Touchierung geschieht, indem

man mit einem in die Lösung getauchten Wattestäbchen die durch Ektropionieren freigelegten Lidbindehäute bestreicht (Abb. 41). Im unmittelbaren Anschluß an diese Maßnahme folgt eine Bestreichung der behandelten Bindehäute mit einem in physiologische Kochsalzlösung getauchten Wattestäbchen. Dies hat die Neutralisierung des überschüssigen, vom Gewebe nicht gebundenen Argentum nitricum zum Ziele,

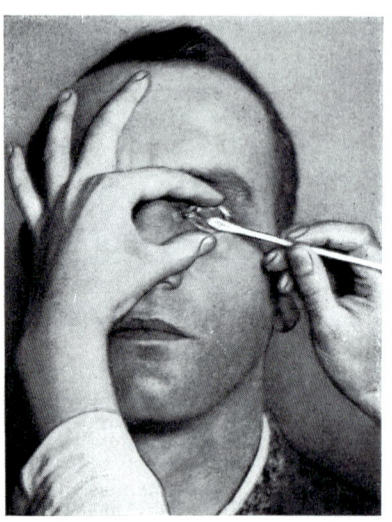

um eine zu starke Ätzwirkung zu vermeiden. Bei längerem Gebrauch von Argentum und anderen Silberpräparaten besteht die Gefahr der Argyrose (S. 55). Neben dem Argentum nitricum finden *Targesin* (5%), *Protargol* (5%), *Dulcargan* (1%) u. a. in Tropfenform Verwendung, die gleichzeitig mit den Touchierungen und nach Abklingen der akuten Erscheinungen zu empfehlen sind. Auch die Anwendung von 5% *Noviformsalbe*, 3% *Borsalbe*, 3% *Targesinsalbe* oder *Ophtopursalbe* ist zweckmäßig; diese sollen in den Bindehautsack und auf die Lider besonders nachts gestrichen werden und verhindern die Mazeration der Lidhaut durch das Sekret. Verbände sind nicht zu empfehlen. In sehr schweren Fällen leisten auch intramuskuläre Milchinjektionen (5—10 ccm) gute Dienste. An Stelle dieser Mittel können auch Antibiotica in Tropfenform oder als Augenbäder verwendet werden, doch ist im akuten Stadium das Argentum nitricum wohl überlegen.

Abb. 45. Touchierung der Bindehaut

b) Die Blennorrhoe

Die Blennorrhoe ist eine besondere Form der akuten Bindehautentzündung, deren Symptome bei ihr in aufs höchste gesteigertem Ausmaß anzutreffen sind. Die Besonder-

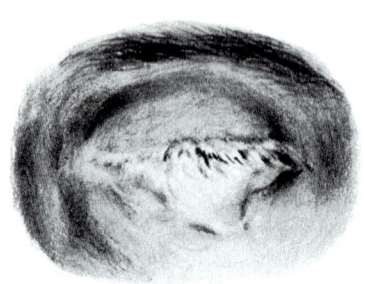

heit der Erreger und der Verlaufsform rechtfertigen jedoch ihre gesonderte Besprechung. Auch die häufig vorgenommene Einteilung in *Blennorrhoea adultorum* und *Blennorrhoea neonatorum* bedeutet keinen grundsätzlichen Unterschied. Es können daher zunächst die Symptome der Erkrankung gemeinsam besprochen werden, während Besonderheiten im Verlauf anschließend berichtet werden sollen.

Die *Rötung der Bindehaut*, die *alle Teile* betrifft, ist *hochgradigst*. Sie ist meist von ebensolchen Schwellungen begleitet; diese äußern sich in *Papillarhypertrophie* der Conjunctiva tarsi, die in

Abb. 46. Blennorrhoe

manchen Fällen mit graugelben, oft leicht blutenden Membranen behaftet ist. *Chemose der Bulbusbindehaut* und *starker Lidschwellung*. Dazu kommt eine äußerst *starke eitrige Sekretion*, die dem Krankheitsbild den Namen gab. Der Eiter „fließt" wirklich aus dem Auge und verunreinigt oft die Lider und Wangen. Da die Lider durch die starke Schwellung meist geschlossen sind, kommt es besonders nachts zum Verkleben derselben (Abb. 46). Wenn dann die Lider zum Zwecke der Behandlung und Untersuchung geöffnet werden, spritzt der Eiter oft im Strahl aus der Lidspalte. Dadurch kann eine Infektion der Augen der Pflegeperson zustande kommen. Es ist des halb das Tragen einer Schutzbrille bei Blennorrhoebehandlung zweckmäßig. Ist eine solche im Augenblick nicht vorhanden, so ist größte Vorsicht beim Öffnen der Lider und Vorhalten eines Wattebausches dringend zu raten. Unter entsprechender Behandlung (s. u.) heilt die Bindehauterkrankung ohne Narbenbildung ab.

Die große *Gefahr* der Blennorrhoe liegt in der Möglichkeit der *Hornhauterkrankung*. Die Erreger können ohne äußere Einflüsse auf die Hornhaut übergreifen und zu schweren, oft rasch fortschreitenden Geschwürsbildungen führen, die mit völliger Einschmelzung der Cornea enden können. Besonders gefährdet ist die Hornhaut, wenn die Bindehaut infolge starker Schwellung den Limbus wallartig umgibt und überlagert; in den dabei entstehenden Falten und Taschen häufen sich die Erreger besonders, und außerdem können dadurch auch Ernährungsstörungen im Randschlingennetz hervorgerufen werden, die die Gefahr für die Cornea erhöhen. Selbstverständlich können auch Schädigungen der Hornhaut durch ungeschicktes Umgehen mit den Lidhaltern oder durch direktes und starkes Aufgießen der Spülflüssigkeit auf die Hornhaut bei der Behandlung die Entstehung von Hornhautprozessen begünstigen. Der Strahl der Spülflüssigkeit soll daher nie auf die Cornea, sondern stets auf die Bindehaut gerichtet werden.

Erreger der Erwachsenenblennorrhoe sind stets *Gonokokken*. Die *Blennorrhoe der Neugeborenen* ist in vielen Fällen durch *denselben Erreger* bedingt; daneben gibt es Fälle, bei welchen keine Keime, wohl aber sog. *Einschlußkörperchen* (HALBERSTÄDTER-PROWAZEK) und LINDNERsche Initialkörperchen gefunden werden. Der Nachweis dieser Gebilde gelingt durch GIEMSA-Färbung oder LINDNERsche Kontrastfärbung. Sie werden von namhaften Forschern als belebte Vira und Erreger angesehen, während andere sie für Reaktionsprodukte der Zellen halten. Wir treffen auf diese Gebilde nochmals bei Besprechung des Trachoms. Die Infektion bei der Erwachsenenblennorrhoe erfolgt in der Regel durch mangelnde Reinlichkeit von genitalen Erkrankungen aus, seltener durch Zufälle (Berufsinfektion von Ärzten), bei Neugeborenenblennorrhoen während der Geburt von der Mutter aus. Dieser Weg gilt auch für die Einschlußblennorrhoen. Erkrankungen zwischen Neugeborenenalter und Geschlechtsreife sind ungemein selten, können aber gelegentlich, z. B. durch Benutzen gemeinsamer Betten mit Geschlechtskranken usw. entstehen.

Entsprechend der Entstehungsweise sind die Erkrankungen bei Neugeborenen meist doppelseitig, bei Erwachsenen in der Regel einseitig.

Die *Prognose* der Blennorrhoe ist wegen der *Hornhautgefährdung* stets *ernst*. Ihre Behandlung durch den praktischen Arzt über die ersten Maßnahmen hinaus ist unzulässig. Jede Blennorrhoe ist stationär in einer Augenklinik zu betreuen.

Wenn auch die Einschlußblennorrhoe gutartiger verläuft als die Gonoblennorrhoe, so ist sie doch nicht als ungefährlich anzusehen. Im allgemeinen gilt als Regel, daß bei Blennorrhoen, die mit noch intakten Hornhäuten in eine Fachklinik kommen, mit gutem Ausgang gerechnet werden kann. Sobald aber die Hornhaut ergriffen ist, wird die Prognose auch bei bester Pflege unsicher. Trotzdem gelingt es bei klinischer Behandlung, besonders bei Anwendung neuerer Methoden, oft noch Hornhautprozesse zur Ausheilung zu bringen. Manchmal können sich Narben in kindlichen Hornhäuten noch erstaunlich weitgehend aufhellen.

Die Krankheit zieht sich über einige Wochen hin, während die akuten Erscheinungen mit modernen Mitteln manchmal in wenigen Tagen beseitigt werden können. Genaue mehrfache Kontrolle der Bindehaut durch Abstriche ist erforderlich, bevor der

Prozeß als beendet angesehen wird, da nach Sulfonamidbehandlung Rückfälle nach raschem Schwinden der ersten Symptome und voreiliger Beendigung der Behandlung gesehen werden.

Eine wichtige Rolle spielt die *Prophylaxe* der Erkrankungen in Form der CREDÉ-*schen Eintropfung* von 1% Argentum nitricum (oder Argentum aceticum) in die Augen der Neugeborenen, die nie unterlassen werden darf. Auch Ophtopenöl (Penicillinpräparat der Firma Winzer) wird für diesen Zweck empfohlen. Erwachsene, die an Gonorrhoe erkrankt sind, sollen auf die Gefahren, die Unreinlichkeiten für die Augen mit sich bringen, nachdrücklich hingewiesen werden. Zu den prophylaktischen Maßnahmen zählt auch der Schutz des gesunden Auges durch einen Uhrglasverband, der die Verunreinigung dieses Auges mit Sekret verhindern soll. Er kommt nur bei Erwachsenen, nicht aber bei Neugeborenen in Betracht. Die *Behandlung* der Blennorrhoe gliedert sich in *Spülungen, medikamentöse Lokalbehandlung* und *Allgemeintherapie*. Die Spülungen haben die mechanische Reinigung vom Sekret zum Ziele. Die Hauptsache ist, daß gespült wird; in zweiter Linie steht erst die Wahl des Mittels; meist werden dazu schwache Lösungen von Kalium hypermanganicum (1:5000) oder schwaches Oxyzyanat ($\frac{1}{2}$ $^0/_{00}$) benützt; es kann aber auch leicht angewärmte physiologische Kochsalzlösung Verwendung finden. Die Zahl der Spülungen hängt von der Intensität der Sekretion ab. Zu häufige Spülungen (alle viertel oder halben Stunden) halte ich für nicht empfehlenswert. Es genügt, in frischen Fällen 2—3mal täglich zu spülen; bei Abnahme der Sekretion kann auch die Häufigkeit der Spülungen rasch weiter vermindert werden. Die medikamentöse Lokalbehandlung erfolgt durch Touchierungen mit 1% *Argentum nitricum* und nachfolgende Neutralisierung mit Kochsalzlösung wie bei der akuten Konjunktivitis. In Fällen mit Membranbildung auf der Bindehaut soll von Argentum nitricum abgesehen werden. An ihre Stelle tritt die Einträufelung von *Protargol* oder *Targesin* (3—5%), die nach Abklingen der akuten Erscheinungen in allen Fällen Verwendung findet. Daneben ist auch das Einstreichen von 5% *Noviformsalbe* oder 3% *Borsalbe* zu empfehlen. Zur Allgemeinbehandlung dienen *Milchinjektionen* (abgekochte Kuhmilch), wovon bei Erwachsenen 10 ccm, bei Neugeborenen 2 ccm intramuskulär verabfolgt werden; darauf tritt manchmal ein geradezu schlagartiger Umschwung des Krankheitsbildes ein: Abnahme der Sekretion, der Schwellung und Verschwinden der Keime. Oft sind auch 2—3 Injektionen erforderlich, mehr als 4 Einspritzungen sind zwecklos. Die Milchtherapie, die meist mit beträchtlichem Temperaturanstieg verbunden ist, versagt nur selten. In neuerer Zeit spielen die *Sulfonamide* eine große Rolle. Sie kommen am zweckmäßigsten in Form der *Stoßbehandlung* zur Anwendung (bei Erwachsenen 3mal 3 Tabletten, bei Neugeborenen 3mal $\frac{1}{3}$ Tablette in Milch). Empfohlen wurden Eleudron, Uliron, Cibazol, Orsulon und andere Präparate. Auch die lokale Anwendung (Eintropfung) von Globucid oder Cibazollösungen (10—20%) bewährt sich. Mißerfolge bei Sulfonamidtherapie, die in letzter Zeit mehrfach berichtet und auf Resistenzsteigerung der Keime zurückgeführt werden, zwingen aber dazu, den anfänglich bezüglich dieser Präparate bestehenden Optimismus zu dämpfen und auch die alten, bewährten Methoden fest im Auge zu behalten.

In neuester Zeit sind aber sowohl die alten Verfahren wie auch die Sulfonamide durch die Erfolge in den Schatten gestellt worden, die mit Antibioticis erzielt werden.

Die Anwendung dieser Medikamente erfolgt entweder in Tropfenform, oder durch intramuskuläre Injektionen. Silberpräparate und Milchinjektionen werden dadurch überflüssig.

Im Anschluß an die Erörterungen über Blennorrhoe sei noch beigefügt, daß wir auch eine — seltene — *metastatische gonorrhoische Konjunktivitis* kennen, die unter dem Bilde einer katarrhalischen Konjunktivitis abläuft und prognostisch günstig zu beurteilen ist.

c) Die Keratoconjunctivitis epidemica

Unter diesem Namen ist eine Erkrankung der Bindehaut bekannt, die seit 1938 in Form von Epidemien zunächst in West- und Süddeutschland beobachtet wurde und seither in unseren Arbeitsgebieten eine wichtige, über das spezialistische Interesse hinausgehende Rolle spielt. Die Erkrankung setzt *akut* ein und erreicht in wenigen Tagen ihr Höhestadium. Dieses ist gekennzeichnet durch starke Rötung und Schwellung der Bindehaut, also: *Papillarhypertrophie*, *wulstartiges Vortreten* der *Übergangsfalten* (Abb. 47), oftmals *Chemose und Lidödem*. Dabei sind die Erscheinungen im Bereich der unteren Bindehauthälfte in der Regel stärker ausgeprägt als in der oberen. Besonders fallen vielfach Schwellung und Rötung der Plica semilunaris und Karunkel auf. Typische Follikelbildung wird beobachtet, fehlt aber auch oft. Dabei ensteht eine starke, oft dünnflüssige Sekretion, die zu lästigem Verkleben der Lider führt. Zu dieser Zeit bestehen manchmal Schwellungen der präaurikularen Lymph-

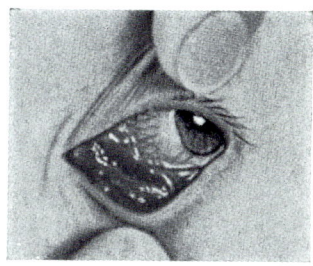

Abb. 47. Keratoconjunctivitis epidemica (Anfangsstadium)

knoten und allgemeines Krankheitsgefühl (Mattigkeit, Fieber). Die akuten Erscheinungen klingen nach einigen Tagen ab, und dann entstehen bei oft geringem oder kaum noch vorhandenem Reizzustand die typischen *Hornhautherdchen*. Zunächst besteht eine zarte Mattigkeit der Hornhaut mit zahlreichen feinen oberflächlichen Punkttrübungen, die bald verschwinden, worauf *rundliche*, *münzenförmige*, in den oberflächlichsten Schichten gelegene *Fleckchen* (Abb. 48) in großer Zahl auftreten. Sie verteilen sich oft gleichmäßig über die Cornea, während in anderen Fällen eine Bevorzugung der zentralen Partien der Cornea unverkennbar ist. Das Auftreten der Hornhautherdchen erfolgt etwa 10 bis 16 Tage nach Beginn der Bindehauterkrankung. Die Herdchen der Hornhaut überdauern die Bindehautentzündung lange; sie sind in der Regel nach vielen Wochen und Monaten, wenn auch in verminderter und abgeschwächter Form, noch nachweisbar, doch ist völlige Rückbildung möglich. Die dadurch bedingten Sehstörungen sind meist nicht sehr erheblich, doch klagen die Patienten oft, daß sie alles wie durch einen zarten Schleier sehen. In schweren Fällen mit starker zentraler Häufung der Fleckchen werden aber auch Visusherabsetzungen auf $5/20$ und weniger be-

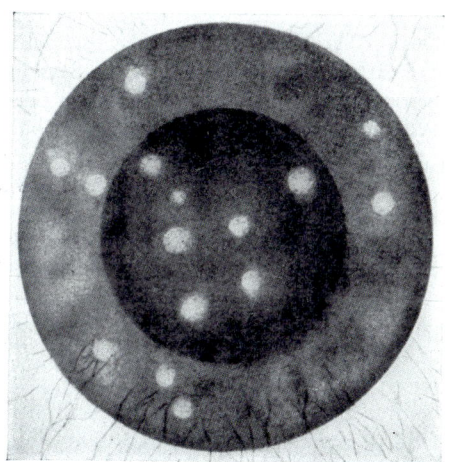

Abb. 48. Keratoconjunctivitis epidemica (Hornhautherdchen)

obachtet, die oft erst nach langer Zeit (1—2 Jahre) verschwinden. Schwere, deletäre Hornhautkomplikationen kommen nicht vor.

Die *Ätiologie der Erkrankung* ist noch *nicht geklärt*. Erreger sind bisher nicht nachgewiesen. Wahrscheinlich liegt eine Viruserkrankung vor. Kleine Verletzung des Auges oder daran vorgenommene Operationen, auch Druckmessungen mit dem Tonometer, schaffen einen günstigen Boden für das Auftreten der Erkrankung, die manchmal einseitig bleibt, oft aber beide Augen befällt. Die *Behandlung* ist symptomatisch. Wir haben den Eindruck, daß im akuten Stadium Argentumbehandlung (s. bei akuter Konjunktivitis) und Eintropfen von Targesin oder Protargol (3—5%) in Verbindung mit Einstreichen von 5% Noviformsalbe und Cortisonsalbe die besten Erfolge gibt. Auch Rekonvaleszentenserum wird empfohlen. Bei Hornhauterkrankung soll Cortison nicht verwendet werden. Zur Aufhellung der Hornhautherdchen wird später Massage mit 5% Noviformsalbe oder ½—1% Dioninsalbe angewendet. Verbände sind abzulehnen.

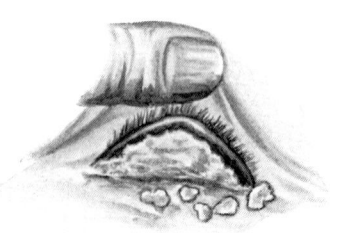

Schutzbrillen wegen der Blendungsbeschwerden oft nötig. Von verschiedenen Seiten wurde auch die Wirksamkeit der Sulfonamide (lokal und allgemein) gerühmt. Auch Röntgenbestrahlung (10% HED) wurde zur Behandlung der Hornhautherdchen empfohlen.

d) Die Conjunctivitis diphtherica und pseudomembranacea

Abb. 49. Conjunctivitis diphtherica

Charakteristisch für diese Krankheitsbilder ist die Bildung von den Lidbindehäuten aufliegenden *Membranen* (Abb. 49), die bei der *C. diphtherica fest* mit den darunterliegenden *Bindehäuten verbunden* sind, bei der *C. pseudomembranacea* hingegen *locker* aufliegen und relativ leicht (mit Wattestäbchen u. a.) entfernt werden können. Dabei wird entzündete, leicht blutende Bindehaut sichtbar.

Bei der *schweren Form*, die durch *Diphtheriebazillen* verursacht wird, bestehen außerdem *pralle*, oft blaurote *Lidschwellung* und trübe, meist dünnflüssige Sekretion. Die mit der gelblichweißen Membranbildung verbundene Nekrose greift auf die tieferen Teile über und führt schließlich zu *Narbenbildungen in der Bindehaut*, die zu Verkürzungen der Bindehaut und Stellungsanomalien im Bereiche der Lider (Trichiasis, Entropium) Anlaß geben können. Auch *Mitbeteiligung der Hornhaut* in Form von bösartigen Geschwüren kommt zur Beobachtung; sie kann mit Staphylombildung und Erblindung enden. Diese Form der Erkrankung ist oft mit Temperaturanstieg und schwer gestörtem Allgemeinbefinden verbunden. Auch gleichzeitiges Vorkommen von Nasendiphtherie wird beschrieben.

Bei der *C. pseudomembranacea* bestehen neben den Membranen Zeichen einer akuten Bindehautentzündung mittleren Grades. Als Erreger dieser leichten Form kommen verschiedene Keime, wie *Streptokokken*, *Staphylokokken* u. a. in Betracht.

Die Erkrankungen, besonders die echte Bindehautdiphtherie, sind heute sehr selten geworden. Die *Prognose* ist bei echter C. diphtherica stets ernst, bei C. pseudomembranacea günstig.

Zur *Behandlung* der Bindehautdiphtherie dient in erster Linie die Einspritzung von Diphtherieheilserum (4000—10000 Einheiten). Damit soll nicht gewartet werden, bis der bakteriologische Nachweis der LÖFFLERschen Bazillen erbracht ist; sie soll vielmehr stets sofort erfolgen, wenn Verdacht auf Diphtherie besteht. Daneben spielt die Lokalbehandlung eine sekundäre Rolle; sie erfolgt mit feuchten Umschlägen und Anwendung von milden Salben (5% Noviformsalbe, 3% Borsalbe). Auch Targesin- oder Protargoltropfen (3—5%) können gegeben werden; bei leichten Fällen, welche keinen Verdacht auf echte Diphtherie aufkommen lassen, kann man sich auf die Lokalbehandlung beschränken, wobei auch Antibiotika zu empfehlen sind.

e) Die chronische, katarrhalische Konjunktivitis

Auch bei chronischen Entzündungen der Bindehaut beherrschen Rötung, Schwellung und Sekretion das Bild, wobei das Ausmaß der Erscheinungen wesentlich geringer ist.

Wir finden eine *Rötung*, die sich oft auf die *Lidbindehaut* beschränkt, vielfach aber auch die *Lidränder* in Mitleidenschaft zieht. Die Schwellung äußert sich in einer *mäßigen Verdickung der Lidbindehaut* und auch *der Lidränder;* Papillarhypertrophie ist in vielen Fällen angedeutet. Die *Sekretion* ist *gering*, kann aber doch manchmal zu recht lästigem Verkleben der Lider, besonders der Lidwinkel, führen und mit *Mazeration der Haut* in den Lidwinkeln verbunden sein. Die Patienten klagen, daß die Lider, besonders morgens verklebt sind und manchmal mit den Fingern auseinandergezogen werden müssen. Dazu kommen subjektive Beschwerden: Fremdkörpergefühl (ohne vorhandenen Fremdkörper), Druckgefühl, Brennen und Jucken. Diese subjektiven Symptome werden je nach der psychischen Artung des Kranken sehr verschieden bewertet, also von robusten Personen, kaum beachtet, während vegetativ labile Personen sehr darunter leiden.

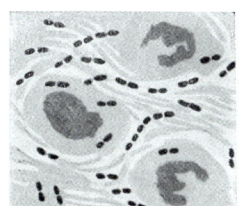

Abb. 50
Diplobazillen MORAX-AXENFELD

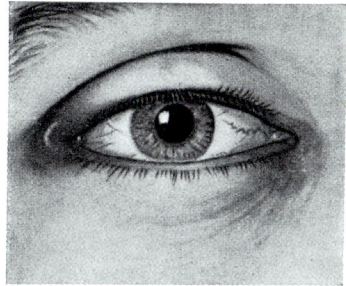

Abb. 51. Diplobazillenkonjunktivitis
(Conjunctivitis angularis)

Die *Ursachen* chronischer Bindehautentzündungen sind oft *äußere Schädlichkeiten*, wie Einwirkung von Rauch, Wind, Staub usw., wobei die individuelle Empfindlichkeit der Bindehäute sehr verschieden sein kann. Auch in Verbindung mit *Stellungsanomalien der Lider* und *Lidrandentzündungen* tritt chronische Konjunktivitis auf; in diesem Zusammenhang sei auf die Bedeutung nicht oder schlecht korrigierter *Refraktionsfehler* hingewiesen (s. auch unter Blepharitis). Gelegentlich spielen auch Erkrankungen der Nase und ihrer Nebenhöhlen eine ursächliche Rolle.

Auch bakterielle Infektionen sind als Ursache chronischer Konjunktivitis in Betracht zu ziehen, und zwar handelt es sich dabei um die besonders bei ländlicher Bevölkerung häufigen Erkrankungen durch den *Diplobazillus* MORAX-AXENFELD. Während die bisher erwähnten Keime aus der allgemeinen Medizin bekannt sind und daher nicht beschrieben zu werden brauchen, sind die Diplobazillen außerhalb der Augenheilkunde wenig bekannt. Es handelt sich um gramnegative, plumpe Doppelstäbchen mit stumpfen Enden, die meist in großer Zahl vorhanden und manchmal zu längeren Ketten angeordnet sind (Abb. 50). Diese Erreger bedingen ein charakteristisches Krankheitsbild, welches vielfach als *Conjunctivitis angularis* (Abb. 51) oder wegen Mitbeteiligung der Lider als *Blepharitis angularis* bezeichnet wird. Bei leichter Rötung der Lidbindehaut und oft auch der Bulbusbindehaut zeigen die Lidwinkel eine rote bis bläulichrote Verfärbung der Haut, die sich meist nur bis zu 1/2 cm vom Lidwinkel weg gegen die

Lidmitte erstreckt. Die Lidränder sind dabei leicht verdickt und manchmal auch, aber deutlich geringer als die Lidwinkelbezirke, gerötet. Dabei besteht mäßige Sekretion.

Die *Prognose* der chronischen Konjunktivitis, insbesondere der Diplobazillenkonjunktivitis, ist günstig, wenn auch oft mit längerer Dauer der Beschwerden zu rechnen ist und in manchen Fällen Rückfälle in Kauf genommen werden müssen. An möglichen *Komplikationen* sind *Ektropiumbildung* der Lider und *Diplobazillengeschwüre der Hornhaut* zu erwähnen. Letztere können als Randgeschwüre und auch in Form eines Ulcus serpens auftreten (s. bei Hornhauterkrankungen).

Zur *Behandlung* der Diplobazillenkonjunktivitis sind besonders Zincum sulfuricum ($^1/_5$—$^1/_3$%) oder die Greifswalder Farbstoffmischung (Mischung verschiedener Anilinfarbstoffe) zu empfehlen. Bei chronischen Konjunktividen anderer Genese werden Targesin- oder Protargoltropfen (3—5%), $2^0/_{00}$ige Privintropfen, Ophtopuraugentropfen, Ophtopurbäder, antibiotische Salben, sowie 5% Noviformsalbe oder Irgamidsalbe mit Erfolg verwendet. In hartnäckigen Fällen ist auf Korrektion von Refraktionsfehlern und auch Untersuchung der Nasennebenhöhlen Bedacht zu nehmen.

f) Die allergische Konjunktivitis

Der Typ der allergischen Konjunktivitis ist die bei Heuschnupfen auftretende Form. Sicherlich gehören aber auch manche anscheinend nicht erklärbare Konjunktividen mit teils subakutem, teils chronischem Ablauf hierher, bei welchen das Allergen nicht gefunden wird. Charakteristisch sind starker Juckreiz, oft leichte glasige Chemose und gelegentlich Follikelbildung. Zur Behandlung dienen Antistin-Privinaugentropfen, Avil (0,01 : 10) und Calciumgaben.

Daß auch bei wohlcharakterisierten anderen Krankheitsbildern allergische Faktoren mitspielen, ist bekannt (z. B. bei Keratoconjunctivitis scrophulosa und Frühjahrskatarrh); sie werden gesondert besprochen.

g) Das Trachom

Das Trachom — *ägyptische Augenkrankheit (Körnerkrankheit, Granulose)* — ist eine chronische Bindehautentzündung, die zur Narbenbildung in der Bindehaut und zum Übergreifen auf die Hornhaut führt. Durch diese beiden Eigenschaften wird sie zu einer sehr gefährlichen Erkrankung, die viele Fälle von Blindheit verursacht.

Das hervorstechendste *Symptom* in den Anfangsstadien ist eine *starke Follikelbildung der Bindehaut* (Abb. 52), die neben Rötung derselben und mäßiger Sekretion auftritt. Diese Follikel sind glasige bis sulzige Körner, die im Bereiche der Lidbindehäute und der Übergangsfalten in großer Zahl auftreten, meist später erweichen und platzen. Durch Follikelbildung wird das Eigengewicht des Oberlides vermehrt, und es kommt daher zu einem Herabsinken desselben, das manchmal als *Ptosis trachomatosa* bezeichnet wird. Wir treffen die Follikel aber nicht nur beim Trachom, sondern auch bei anderen noch zu besprechenden Krankheitsbildern (Conjunctivitis follicularis, Schwimmbadkonjunktivitis). Das Vorhandensein von Follikeln allein rechtfertigt daher niemals die sichere Diagnose auf Trachom, sondern bestenfalls einen Trachomverdacht. Das Leiden ist, wie schon erwähnt, chronisch. Das Vorkommen eines akuten Trachoms wird von erfahrenen Kennern des Leidens bestritten. Bei scheinbar akutem Auftreten liegen wohl stets Mischinfektionen mit anderen Erregern (z. B. KOCH-WEEKSsche Bazillen) vor, die in heißen Ländern (Ägypten!) häufig sind. In manchen Fällen sind auch keine Follikel erkennbar, sondern es besteht eine eigenartige sulzige Gewebsschwellung, die durch Konfluieren der Körner entsteht und die Bezeichnung *sulziges Trachom* rechtfertigt. In späteren Stadien kommt es unter Verschwinden der Follikel zur Ausbildung von *Narben in der Bindehaut* (Abb. 53), die schließlich allein das Bild beherrschen. aber auch gleichzeitig mit Follikelbildung vorkommen. Diese Narbenbildungen, die im Bereiche der Lidbindehaut als weiße Linien oder strahlige Gebilde zu sehen sind, führen zu schwerwiegenden Folgeerscheinungen, wie *Verkürzung der Übergangsfalten und Verkrümmungen des Tarsus*. Die erstere bedingt bei schweren Formen eine Hemmung der Lidbeweglichkeit und führt schließlich im Vereine mit der allmählich versiegenden Befeuchtung des Auges zu einer Austrocknung (Xerosis) der Bindehaut. Die Verkrümmung des Lides ist Ursache von Einwärtsdrehung der Lider und Trichiasis; sie entsteht nicht nur durch Druck und Zug der Bindehautnarben, sondern auch durch Übergreifen der trachomatösen Infiltration auf den Tarsus selbst.

Wie schon erwähnt, greift der trachomatöse Prozeß auch auf *die Hornhaut* über und führt hier zur Bildung des sog. *Pannus trachomatosus*. Unter Pannus verstehen wir das oberflächlich (unter Epithel und BOWMANscher Membran) erfolgende Einwachsen von Bindegewebe und Gefäßchen, die dem Gefäßnetz der Bindehaut entstammen und sich in großer Zahl unter Anastomosenbildung untereinander immer weiter vorschieben, bis schließlich das Pupillargebiet erreicht und überzogen ist. In

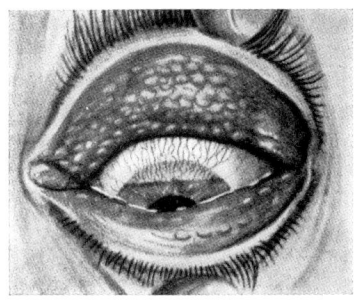

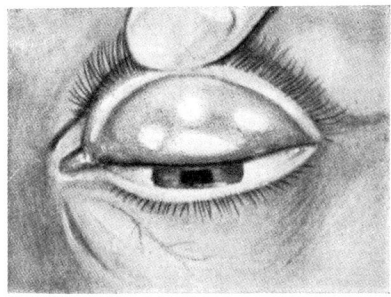

Abb. 52. Trachom (Follikelbildung) und Pannus

Abb. 53. Trachom (Narbenstadium)

der Regel beginnt der Pannus oben, doch kommt auch Gefäßeinstrahlung von anderen Seiten, besonders in späteren Stadien vor, so daß schließlich die ganze Hornhaut von Gefäßen dicht überzogen werden kann. Je nach der Dichte des Pannus spricht man von P. tenuis und P. crassus. Neben der Pannusbildung kommt auch *Geschwürsbildung*, besonders am Pannusrand, zur Beobachtung, die oft auch durch scheuernde Zilien begünstigt wird. Diese ernsten Hornhautveränderungen in Verbindung mit den ebenfalls die Hornhaut befallenden Austrocknungserscheinungen führen in schweren Fällen zur Erblindung.

Bindehautnarben und Pannus für sich allein können, ebenso wie Follikelbildung, bei nicht trachomatösen Prozessen vorkommen (z. B. Bindehautnarben bei Pemphigus, Pannus bei Keratoconjunctivitis ekzematosa). Die Gesamtheit der Symptome aber, die sich in verschieden starker Ausprägung miteinander verbinden, gibt das charakteristische Bild des Trachoms. Aber auch für den Erfahrenen gibt es immer wieder Fälle, in welchen namentlich im Anfangsstadium die Diagnose nur mit Wahrscheinlichkeit zu stellen ist; dabei kann natürlich auch der Umstand, ob ein Kranker aus einem trachomatösen Milieu stammt oder nicht, manchmal unterstützend mit herangezogen werden.

Die *Ätiologie* des Trachoms ist trotz außerordentlich umfangreicher und intensiver Forschungsarbeit noch nicht geklärt. Nach neuen Forschungen ist anzunehmen, daß es sich um eine Viruserkrankung handelt (Chlamydozoon trachomatis). Es steht fest, daß das Trachom eine Infektionskrankheit ist; sie unterliegt der Meldepflicht. Die Ansteckung erfolgt nicht auf dem Luftwege, sondern durch direkte Übertragung (gemeinsame Benützung von Handtüchern, Bettwäsche, Waschgelegenheit usw.). Bei nicht genügender Achtsamkeit ist die Ansteckungsgefahr sehr groß. Das Trachom wurde durch die napoleonische Armee aus Ägypten nach Europa eingeschleppt und dadurch hier bekannt (ägyptische Augenkrankheit). Es ist in vielen Ländern endemisch, während andere völlig trachomfrei sind. Innerhalb der gegenwärtigen deutschen Grenzen finden sich keine nennenswerten Trachomherde, wohl aber finden sich solche in Ost- und Westpreußen und auch in Schlesien. Verbreitet ist das Trachom in den östlichen und südöstlichen Ländern (Polen, Sowjetunion mit den eingegliederten ehemals baltischen Staaten, Ungarn, Jugoslawien). Auch in Italien gibt es Trachomgebiete. Eine sehr große Rolle spielt die Erkrankung in Ägypten, Algerien, Tunesien, Indien und anderen südlichen Ländern. Die in diesen Gebieten häufigen Mischinfektionen mit anderen Keimen (KOCH-WEEKS) wurden schon hervorgehoben.

Auf die HALBERSTÄDTER-PROWAZEKschen Zelleinschlüsse (Abb. 54) wurde schon bei der Einschlußblennorrhoe hingewiesen. Wir finden diese nebst den LINDNERschen

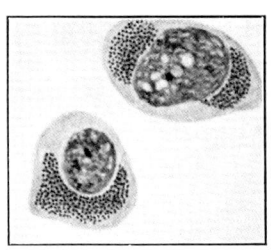

Abb. 54
HALBERSTÄDTER-PROWA-
ZEKsche Zelleinschlüsse

Initialkörperchen häufig bei frischem Trachom, während sie im Narbenstadium zu fehlen pflegen. Wie schon erwähnt, werden diese Gebilde auch bei Einschlußblennorrhoe gefunden. Außerdem sind sie bei Conjunctivitis follicularis und Schwimmbadkonjunktivitis nachgewiesen. LINDNER faßt alle diese Fälle mit Einschlußbefund unter der Bezeichnung Paratrachom zusammen.

Über die Erregernatur dieser Gebilde gehen, wie erwähnt, die Meinungen auseinander, In neuester Zeit hat POLEFF die korpuskulären Elemente in den Einschlüssen als die wahren Erreger bezeichnet. Auf jeden Fall sprechen diese Befunde aber dafür, daß Beziehungen zwischen diesen Erkrankungen bestehen, und es ist angenommen worden, daß alle diese Erkrankungen auf eine Infektion aus genitaler Quelle zurückgehen. Trotzdem ist an dem Begriff des Trachoms als klinisch selbständiges, von den anderen mit „Einschlußbefunden" einhergehenden Zuständen abzutrennendes Krankheitsbild vorläufig festzuhalten. Verschiedene Forscher messen einer bestimmten (lymphatischen) Konstitution Bedeutung für die Entstehung des Trachoms bei.

Die *Prognose* des Trachoms ist bei frühzeitiger Diagnose und sachgemäßer Behandlung meist nicht ungünstig, bei verschleppten alten Fällen aber schlecht. Erblindung ist in solchen Fällen häufig. Es gibt aber auch Fälle, in welchen trotz aller Bemühungen das Leiden unaufhaltsam zum schlechten Ende fortschreitet. Stets ist der Verlauf sehr langwierig; Neigung zu Rezidiven besteht.

Die *Behandlung* des Trachoms ist teils eine *medikamentöse*, teils eine *mechanische*, teils eine *operative*. Die medikamentöse Behandlung besteht in der Touchierung der Lidbindehäute mit 1% Argentum nitricum und anschließender Nachpinselung mit Kochsalzlösung (nach vorheriger Betäubung des Auges). Die Anwendung des Kupferstiftes zur Bestreichung der Lidbindehäute spielt nicht mehr dieselbe große Rolle wie früher; hingegen können Kupfersalbe (Terminolsalbe, Tracuminsalbe oder Cuprum citricum 0,1 Vasel. alb. ad 10,0) unterstützend Verwendung finden.

Sehr bewährt hat sich die Abreibung mit in Sublimatlösung (1:5000) getauchten Wattebäuschen oder mit Borsäurepulver. Zu diesem Zwecke wird ein mit Watte umwickeltes Stäbchen in Borsäurepulver getaucht und damit die follikelbesetzte Bindehaut täglich kräftig abgerieben. Auch der Pannus der Hornhaut kann nach Betäubung des Auges mit Cornecain (1—3%) mit diesen Abreibungen mit Borsäure gut und oft relativ rasch beeinflußt werden.

Diese Anwendung gehört schon zur Gruppe der mechanischen Verfahren. Weitere Verbreitung hat diese in Form der multiplen Stichelungen der follikelbesetzten Bindehaut und der Ausquetschung mit dem KUHNTschen Expressor oder der KNAPPschen Rollpinzette gefunden. Ziel dieser Verfahren ist die Entfernung des Follikelinhaltes; dementsprechend haben sie nur im Stadium der Follikelbildung Zweck.

Die vielfach vorkommenden Verkrümmungen des Tarsus mit Trichiasis usw. zwingen oft zur operativen Behandlung, die in Ausschälung des verkrümmten Tarsus oder Trichiasisoperation durch Lippenschleimhautplastik u. a. bestehen kann. Diese Verfahren, deren Ausführung und Indikationsstellung unbedingt Sache des Facharztes sind, leisten in vielen Fällen Gutes, vor allem dann, wenn der Tarsus Sitz trachomatöser Herde ist, von welchem aus immer wieder neue Schübe erfolgen.

In neuerer Zeit sind auch gute Erfolge mit peroraler Anwendung von Sulfonamiden (Cibazol, Albucid, Eubasin u. a.) erzielt worden. Sie erfolgt zweckmäßig in Form der bekannten Stoßtherapie (3mal tägl. 3 Tabletten durch 1 Woche); in Pausen von 1 Woche können die Stöße mehrfach wiederholt werden. Auch lokale Anwendung durch Eintropfen von 10—20% Lösungen wurde empfohlen. In unseren Gebieten, in welchen Trachom kaum vorkommt und auch dem Facharzt nur selten umfangreiche Erfahrungen zur Verfügung stehen, muß daran festgehalten werden, daß *jeder Fall von Trachom* oder Trachomverdacht zum *Facharzt* gehört. In Trachomgebieten hat es sich als zweckmäßig erwiesen, auch die praktischen Ärzte in der Trachombehandlung zu schulen und zu verwenden. Schwere Fälle gehören auch dort in die Hand des Facharztes bzw. der Fachklinik.

Eine wichtige Rolle in der Trachombekämpfung spielt die *Prophylaxe*; dazu gehört neben entsprechenden Aufklärungen und Erziehung der Bevölkerung die systematische ärztliche Untersuchung aller Schulkinder, aller Angehörigen der Umgebung von Trachomkranken usw. Genaue Erfassung und Meldepflicht aller Krankheitsfälle stellen die Grundlage für organisierte Krankheitsbekämpfung dar, die in vielen Gebieten zu ausgezeichneten Erfolgen geführt hat.

h) Conjunctivitis follicularis und Schwimmbadkonjunktivitis

Das Bild der Conjunctivitis follicularis ist durch Bildung von *Follikeln* (Abb. 55) gekennzeichnet, welche denen gleichen, die wir beim frischen Trachom kennengelernt haben; sie sitzen in der Lidbindehaut und finden sich oft in den Übergangsfalten. Außerdem besteht *Rötung der Bindehaut* und eine meist mäßige *Sekretion*. Im Gegensatze zum Trachom kommen Narbenbildung und Hornhautbeteiligung nicht vor. Vielfach wird als Unterschied zwischen Follikularkonjunktivitis und Trachom angegeben, daß bei ersteren die Follikel gleichmäßig groß seien und sich auf die Übergangsfalten beschränken, aber diese Unterscheidungsmerkmale sind nicht zuverlässig. Mehr Gewicht hat schon der Umstand, daß Trachomfollikel oft spontan oder bei leichtem Druckplatzen, während dies bei C. follicularis nicht zutrifft. Aber auch dieser Unterschied ist nicht durchgreifend. Daß Einschlußkörperchen bei beiden Erkrankungen vorkommen, wurde schon angegeben. Es bleibt also die Tatsache, daß oft eine Unterscheidung zwischen frischem Trachom (ohne Narben- und Hornhautkomplikationen) und Conjunctivitis follicularis nicht möglich ist. Erst länger dauernde Beobachtung gestattet in solchen Fällen die Entscheidung. Als *Erreger* vieler Fälle von Conjunctivitis follicularis wurde von LINDNER das *Bacterium granulosis* angesprochen, welches von anderer Seite irrtümlich für den Erreger des Trachoms gehalten worden war.

Ebenso bestehen zwischen Conjunctivitis follicularis und *Schwimmbadkonjunktivitis* weitgehende Ähnlichkeiten im klinischen Bild. Auch hier finden sich reichlich *Follikelbildung, Rötung und Sekretion* der Bindehaut sowie positive Befunde bezüglich der Einschlußkörperchen. Auch hier fehlen Hornhautbeteiligung und Narbenbildung. Die Ursache der Badekonjunktivitis ist meist Verunreinigung durch das Wasser ungenügend gepflegter Schwimmbäder. Es wird angenommen, daß das genitale Virus der Einschlußerkrankung durch das Badewasser verbreitet wird. Vereinzelt wurde die Erkrankung aber auch nach Seebädern beobachtet.

Die *Prognose* beider Zustände der Conjunctivitis follicularis und der Badekonjunktivitis ist durchaus günstig. Ihre *Therapie* bedient sich der üblichen Bindehautmittel: Targesin- oder Protargoltropfen (5%), Noviformsalbe (5%).

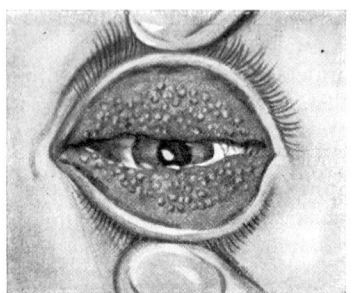
Abb. 55. Conjunctivitis follicularis

Es sei noch beigefügt, daß *follikuläre* Erkrankungen der Bindehaut auch durch *lange fortgesetzten Gebrauch* von *Atropin* hervorgerufen werden können, wenn eine Überempfindlichkeit gegen dieses Mittel besteht. Schließlich sei noch bei *Kindern* ohne jede Reizerscheinung gelegentlich vorkommende Follikelbildung erwähnt. Es handelt sich dabei um gleichmäßige *glasige Follikel* in verschiedener Zahl, die *in reizloser Bindehaut* auftreten. Sie sind Ausdruck einer lymphatischen Konstitution und ohne klinische Bedeutung. Gelegentlich klagen die Kinder über subjektive Beschwerden im Sinne einer Konjunktivitis.

i) Die Conjunctivitis vernalis (Frühjahrskatarrh)

Wie der Name besagt, ist diese Krankheit im allgemeinen an bestimmte Jahreszeiten gebunden. Sie pflegt meist bei jugendlichen Personen im Frühjahr Beschwerden zu verursachen, die über die Sommerzeit anhalten und im Herbst wieder zurückgehen. Ausnahmen von dieser Regel kommen aber vor.

Die Symptome verteilen sich auf Bindehaut und Hornhaut. Die *Bindehaut* zeigt einen *eigenartigen bläulichweißen Farbton*; sie sieht aus, wie mit Milch in dünner Schicht übergossen. In leichten Fällen ist dies neben einer Eosinophilie im an sich spärlichen Bindehautsekret das einzige Zeichen der Erkrankung. Häufig aber finden sich gleichzeitig an der Conjunctiva tarsi des Oberlides eigenartig durch Furchen voneinander getrennte, meist unregelmäßig große, erhabene Gebilde, die wie Pflastersteine aussehen und daher auch als *pflastersteinartige Wucherungen* (Abb. 56) bezeichnet werden. Am Unterlid finden sich derartige Pflastersteine nur selten und vereinzelt.

Die Beteiligung der *Hornhaut* an dem Prozeß erfolgt nur in einem Teil der Fälle in Form sog. *Limbuswucherungen* (Abb. 57). Darunter verstehen wir manchmal kaum erkennbare, manchmal auch beträchtlich erhabene graugelbliche Wucherungen. Diese finden sich oft nur im Lidspaltenbereiche, gelegentlich aber auch um die ganze Hornhaut angeordnet. Meist überschreiten sie den Limbus cornealwärts nur wenig, selten aber erstrecken sie sich tumorartig weit in die Cornea hinein.

Die *Ursache* der Erkrankung ist nicht sichergestellt; Einwirkung von Licht oder Luft wurden ebenso wie lymphatische Diathese und allergische Faktoren in Erwägung gezogen. Die *Prognose* ist günstig; die Erkrankung pflegt durch einige Jahre die Kranken zu befallen, um eines Tages genau so zu verschwinden, wie sie gekommen war.

Eine kausale *Therapie* ist in Anbetracht der ätiologischen Unklarheit nicht bekannt. Das Tragen von Schutzbrillen lindert die subjektiven Beschwerden. Außerdem werden Adrenalintropfen, Noviformsalbe und Cortison empfohlen. Von stärker reizenden Mitteln, wie Argentum nitricum und Zincum sulfuricum, sind keine Erfolge zu erwarten. Von mehreren Seiten wurden intravenöse Gaben von Kalziumpräparaten empfohlen. Bei stärkeren Wucherungen am Limbus, besonders wenn diese weit in die

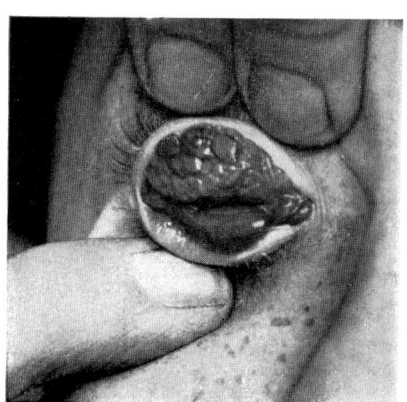

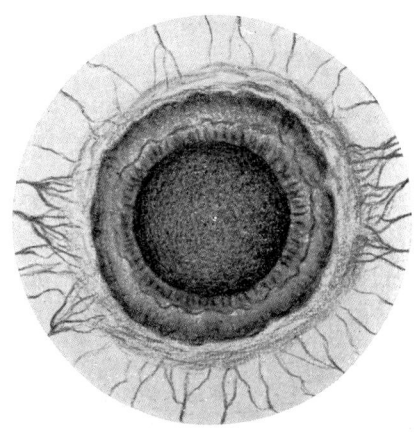

Abb. 56   Abb. 57
Conjunctivitis vernalis (Bindehautform)   Conjuntivitis vernalis (Limbusform)

Cornea reichen, ist Abtragung derselben notwendig, die dem Facharzt vorbehalten bleiben muß.

k) Die Keratoconjunctivitis phlyctaenulosa (ekzematosa, scrophulosa)

Die phlyktänulären oder ekzematösen Augenerkrankungen gehören zu den häufigen Augenerkrankungen, wenn auch ihre Häufigkeit gewissen Schwankungen unterworfen ist. Als Regel gilt, daß zuzeiten oder in Gebieten, welche durch schlechte Lebensverhältnisse oder mangelnde Reinlichkeitspflege gekennzeichnet sind, die Erkrankung sowohl bezüglich ihrer Häufigkeit als auch bezüglich der Schwere des Verlaufes zunimmt, um unter günstigen hygienischen Verhältnissen stark zurückzugehen. Dementsprechend hat in Deutschland die K. ekzematosa nach dem 1. und 2. Weltkrieg eine große Rolle gespielt, während sie in günstigen Jahren des Friedens nur selten und in leichter Form auftrat.

Die Erkrankung befällt die Bindehaut und die Hornhaut, wobei sich die verschiedenen Symptome in mannigfacher Weise kombinieren und so Bilder verschiedenster Schwere hervorrufen können. Das hervorstechendste Symptom an der *Bindehaut* ist die sog. *Phlyktäne* (Abb. 58). Darunter verstehen wir das Auftreten kleiner weißlichgelber Knötchen, die subepithelial gelegen sind. Ihr *Lieblingssitz* ist der *Limbus*, wo sie oft in großer Zahl zu finden sind. Nach einiger Zeit kommt es zu flüchtigen kleinen Defekten, welche meist von rascher, narbenloser Abheilung gefolgt sind. Häufige Rezidive kommen vor. Vielfach ist auch der Limbus in seiner ganzen Ausdehnung oder in großen Teilen derselben von multiplen kleinsten Erhabenheiten besetzt, wodurch er völlig uneben erscheint (sandkornförmige Effloreszenzen). Die Rötung der Bindehaut kann sich dabei in mäßigen Grenzen halten und beschränkt sich oft auf die unmittelbare Umgebung der Phlyktänen, zu welchen die Gefäße manchmal büschelförmig hinziehen. In anderen Fällen sind aber auch beträchtliche Rötungen des ganzen Bindehautgebietes zu beobachten. Neben dem Sitz am Limbus kommen Phlyktänen auch in der *Conjunctiva bulbi* vor, wo sie meist vereinzelt als sog. *Solitärphlyktänen* (Abb. 59)

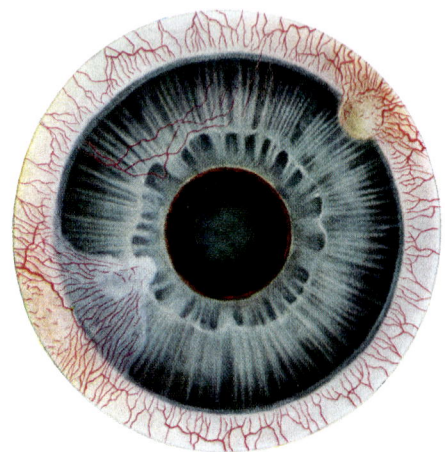

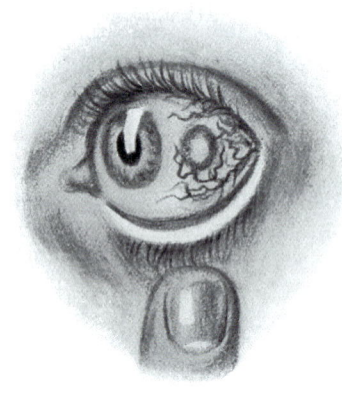

Abb. 58. Ekzematöse Keratokonjunktivitis   Abb. 59. Ekzematöse Keratokonjunktivitis
      (Limbusphlyktäne)   (Solitärphlyktäne)

auftreten. Diese können größer werden als die Limbusphlyktänen und manchmal zur Verwechslung mit einer Episkleritis führen. Sehr selten kommen schwere, in die Tiefe vorschreitende Phlyktänen vor, die mit starken gemischten Reizzuständen verbunden sind und als schweres Krankheitsbild erscheinen *(nekrotisierende Phlyktänen)*. Phlyktänen an der Lidbindehaut sind sehr selten beschrieben. Schwerere Fälle sind oft von *starker Lichtscheu* begleitet, doch hält sich die Sekretion bei Conjunctivitis ekzematosa meist in mäßigen Grenzen; Ausnahmen kommen vor. Wir bezeichnen sie als *Schwellungskatarrh*; dabei findet sich starke Rötung der Conjunctiva tarsi et fornicis mit reichlicher Sekretion. Phlyktänen sind dabei selten.

Wenn sich die *Hornhaut* in stärkerem Maße an dem Prozeß beteiligt, so sehen wir oft sehr starke Lichtscheu, die mit heftigem Lidkrampf verbunden sein kann.

Die Hornhautveränderungen treten in 4 Formen auf:

1. Das *ekzematöse Hornhautinfiltrat.* Darunter verstehen wir subepitheliale graue Knötchen, die oft leicht erhaben sind und der Phlyktäne der Bindehaut entsprechen; sie können sich wie diese rasch und folgenlos zurückbilden.

2. Der *ekzematöse Pannus* (Abb. 60 und 61). Dabei wachsen oberflächliche, von zelligen Massen begleitete Gefäße in dichter Anordnung in die Hornhaut ein, ähnlich wie das auch beim Trachom vorkommt. Während aber der trachomatöse Pannus meist

von oben beginnt, kann der ekzematöse Pannus an verschiedenen Stellen auftreten. Während das Infiltrat keine nachteiligen Folgen für das Sehen hinterläßt, kann starke Pannusbildung, die große Teile, ja auch die ganze Hornhaut überziehen kann, ernste Sehstörungen im Gefolge haben.

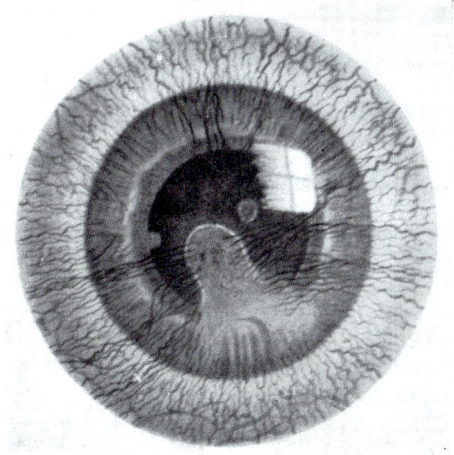

3. Das *ekzematöse Geschwür*, das oft aus dem Infiltrat hervorgeht, stellt eine ernste Bedrohung der Hornhaut und damit des Sehvermögens dar. Es kommt in der Regel kombiniert mit pannusartiger Vaskularisation vor und kann

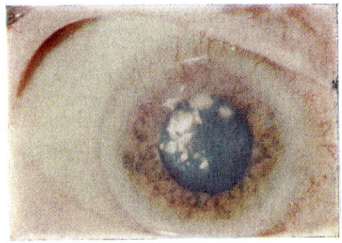

Abb. 60. Ekzematöse Keratokonjunktivitis (Pannus und Narbenbildung)

Abb. 61. Ekzematöser Pannus und Narbenbildung

multipel auftreten, in schweren Fällen allmählich die ganze Hornhaut überziehen und zur Zerstörung derselben und Perforation führen. Diese zieht alle Folgen der malignen Geschwürsbildung wie Irisprolaps und Staphylombildung nach sich. Kleinere Geschwüre heilen unter Narbenbildung ab, können aber auch beträchtliche Funktionsstörungen verursachen.

4. Das *Gefäßbändchen (Keratitis fascicularis, Wanderphlyktäne)* (Abb. 62), eine Infiltration der Hornhaut, die sich allmählich immer weiter in die Cornea vorschiebt und kometenschweifartig von einer schmalen bandartigen Trübung gefolgt ist, welche ein oder mehrere Gefäßstämmchen enthält. Während der Schwanz des Gebildes als Narbe zu betrachten ist, stellt der Kopf eine progressive Infiltration dar. Allmählich kann dieses Gefäßbändchen das Hornhautzentrum erreichen und dadurch starke Sehbehinderung auslösen.

Neben diesen Befunden bieten die Kranken oft (aber nicht immer) eine Reihe charakteristischer **Allgemeinsymptome** dar, die es manchmal erlauben, die Diagnose schon von weitem zu stel-

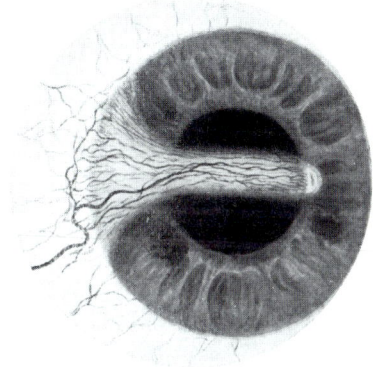

Abb. 62. Ekzematöse Keratokonjunktivitis (Gefäßbändchen)

len. Es handelt sich dabei um den sog. skrofulösen Typ, der durch dicke, breite Nase (Abb. 63), chronischen Schnupfen, Rhagaden am Naseneingang, Drüsenschwellungen — oder Narben am Halse —, Ekzeme im Gesicht usw. gekennzeichnet ist. Außerdem ist stets klinisch und röntgenologisch nach tuberkulösen Veränderungen im Bereiche

der Lungen zu fahnden, die in einem beträchtlichen Hundertsatz. aber keineswegs
regelmäßig gefunden werden. Vielfach sind auch Zeichen allgemeiner Verwahrlosung.
wie Verlausung, Verschmutzung usw. nachzuweisen.

Bei *Entstehung der Keratoconjunctivitis ekzematosa* wirken sicher mehrere Faktoren
zusammen. Die alte Auffassung, die in der Erkrankung eine Ausdrucksform der Tuberkulose schlechthin sieht, ist überholt. Wir sehen heute in der K. ekzematosa eine
allergische Erkrankung, die auf konstitutioneller Basis durch verschiedenartige Reize
hervorgerufen werden kann. Zweifellos spielen durchgemachte tuberkulöse Infektionen
bei der Entstehung dieser Allergie oft eine große Rolle; keineswegs trifft dies aber
für alle Fälle zu, da die Allergie auch auf anderer Basis entstehen kann. Wir wissen
heute sicher, daß es im Experiment gelingt, durch Pferdeserum und andere Stoffe
diese Allergie zu erzeugen. Weitere Einwirkungen derselben oder von Staphylokok-
kenkulturen u. a. Reizungen im Bindehautsack führen dann zum Ausbruch der Erkrankung. Ebenso wissen wir, daß der Nachweis tuberkulöser Infekte nur bei einem Teil der
Krankheitsfälle gelingt, ganz abgesehen davon, daß die ekzematösen Krankheitssym-
ptome am Auge niemals die Merkmale einer Tuberkulose zeigen. Das Vorhandensein einer
bestimmten Konstitution ist für die Genese des Leidens zweifellos Voraussetzung. In diesem Sinne wurde der exsudativen Diathese Bedeutung beigemessen. Außerdem spielen
auch die allgemeinen Verhältnisse (Reinlichkeit, Ernährung, Wohnungsverhältnisse) eine
für den Ausbruch und die Entstehung der Krankheit sehr wichtige Rolle, wie sich ja schon
aus ihrer Zunahme in schlechten und ihrem Rückgang in guten Zeiten ergibt. Daß diese
Zu- und Abnahme keineswegs der Zu- und Abnahme der Tuberkulose parallel geht, sei
erwähnt und spricht auch gegen die vielfach übliche Überbewertung der Tuberkulose
für die Genese dieses Leidens. Trotzdem bleibt die Feststellung einer K. ekzematosa
klinisch eine dringende Aufforderung, den Erkrankten genau unter Heranziehung aller
modernen Methoden auf Tuberkulose zu untersuchen bzw. untersuchen zu lassen.

Die *Prognose* der Erkrankung ist bei reinen Bindehautformen günstig, während
schwere Hornhautkomplikationen das Sehen ernstlich gefährden, ja vernichten können.
Bei Entstehung von Staphylomen kann sogar die Enukleation nötig werden. Der Verlauf der Erkrankung ist oft sehr langwierig und hartnäckig. Rezidive sind häufig. Die
Erkrankung bevorzugt das Kindesalter, besonders das Alter zwischen 2 und 10 Jahren,
doch kommen Erkrankungen, besonders Rückfälle bei schon früher Befallenen, auch
später vor. Bei Erwachsenen ist die Krankheit sehr selten.

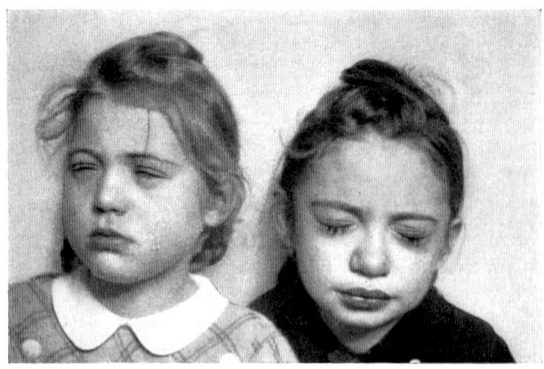

Abb. 63. Kinder mit ekzematöser Keratokonjunktivitis

Die *Behandlung* besteht in
lokaler Anwendung von 5% Noviformsalbe, 2% gelber Präzipitatsalbe, Antibiotica- oder Sul-
fonamidsalbe. Cortison bewährt
sich oft, ist aber zu meiden, wenn
ulceröse Prozesse vorliegen. Die
Anwendung von Atropin (1%)
ist nur bei Bestehen von Hornhautkomplikationen angezeigt
(Perforationsgefahr, iritische Reizung). Bei Schwellungskatarrhen
mit starker Sekretion und Papillarhypertrophie kürzt oft die
Touchierung mit Argentum nitri-

cum (1%) den Verlauf ab. Zur Bekämpfung der Lichtscheu dienen kalte Umschläge, sofern nicht Ekzeme der Lidhaut dies verbieten. Bei sehr hartnäckigem
Blepharospasmus ist der Facharzt manchmal zur Vornahme der Lidwinkelspaltung
(Kanthotomie) oder Lidwinkelplastik (Kanthoplastik) gezwungen, welche die Krampf-
wirkung des Orbicularis schwächen. Schwere Fälle mit ernsteren Hornhautkomplikationen gehören stets in die Hand des Facharztes. Neben der Lokaltherapie kommen Maßnahmen zur Hebung des Allgemeinzu-
standes in Betracht. Gründliche Reinigung und
Entlausung bewirken oft schlagartige Besserung
des Krankheitsbildes. Daneben sind Quarzlicht-
bestrahlungen (künstliche Höhensonne) des
Körpers (nicht der Augen, welche durch Schutzbrille zu schützen sind), zu empfehlen. Auch
die Zufuhr von Kalkpräparaten in Tablettenform, Lebertran und Vigantol leisten oft gute
Dienste. Vitaminreiche Ernährung und Unter-
bringung in reinen, trockenen Wohnungen ist anzustreben. In hartnäckigen Fällen kann auch
gelegentlich die intramuskuläre Milchinjektion
Anwendung finden. Für die Behandlung gleichzeitig bestehender Nasenerkrankungen und Kontrolle sowie evtl. Behandlung der Gaumen- und

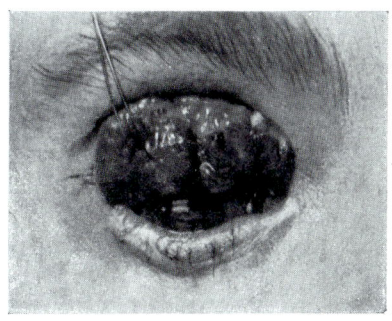

Abb. 64. Tuberkulose der Bindehaut
(schwere Form)

Rachenmandeln ist Sorge zu tragen. Bei Lidekzemen ist die entsprechende Therapie
durchzuführen (s. unter Liderkrankungen).

l) Seltene entzündliche Erkrankungen der Bindehaut

Die **Lues** führt nur sehr selten zu Erscheinungen seitens der Bindehaut; es können
Primäraffekte in Form harter, speckig aussehender Geschwüre vorkommen. Die *Behandlung* ist spezifisch antiluisch.

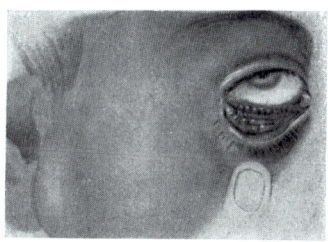

Abb. 65. Conjuntivitis Parinaud

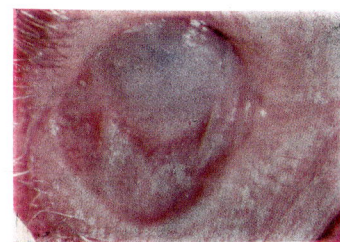

Abb. 66. Pemphigus der Bindehaut

Auch die **Tuberkulose der Bindehaut** (Abb. 64) ist selten; sie tritt entweder in Form
hahnenkammartiger Wucherungen oder *gelblicher grauer Geschwürchen* auf, die vorwiegend die Lid- oder Übergangsfaltenbindehaut befallen. Sie können zu ausgedehnten
Narbenbildungen und Stellungsanomalien der Lider führen. Ihre Entstehung erfolgt
entweder metastatisch oder durch Infektion von außen. Gleichzeitige Drüsenschwellungen bilden die Regel. Die Erkrankung kann auch das übrige Auge in Mitleidenschaft
ziehen und sehr schwer verlaufen. Die endgültige Sicherung der Diagnose geschieht

durch Bazillennachweis und Tierversuch. Sie ist, ebenso wie die Behandlung dieser
Fälle, Aufgabe des Facharztes bzw. der Klinik. Die *Behandlung* bedient sich der Rönt-
gen- und Radiumstrahlen sowie auch der Ultraviolettbestrahlung. Auch Ätzung mit
Milchsäure und Ausschneidung von erkranktem Gewebe kommen in Betracht, sind aber
in neuer Zeit durch Streptomycinanwendung (tgl. 1 g intramusc.) meist überflüssig zu
machen. Die Dosis darf insgesamt 20—30 g nicht überschreiten (Gefahr von Komplikationen am N. VIII).

Die Conjunctivitis Parinaud (Abb. 65) kann leicht mit einer Bindehauttuberkulose
verwechselt werden. Diese Erkrankung ist durch das Auftreten gelblicher und rötlicher
Wucherungen und kleiner Geschwürchen in der Bindehaut der Lider, Temperaturanstieg und Schwellung der präaurikulären Lymphknoten gekennzeichnet. Der Prozeß
heilt ohne nachteilige Dauerfolgen (Narben usw.) in der Regel spontan aus. Dauer bis
zu 4—5 Monaten.

Die *Ätiologie* ist noch nicht endgültig geklärt, doch ist das Krankheitsbild von der
Tuberkulose abzugrenzen. Bakteriologische Untersuchungen ergaben das Vorkommen
von Bact. tularense und dem diesem nahe ver-
wandten Bacillus pseudotuberculosis rodentium.
Die Auffassung der Erkrankung als okulare
Form der Tularämie scheint somit ausreichend
fundiert zu sein. Die *Behandlung* ist rein symptomatisch (Targesin, Noviformsalbe).

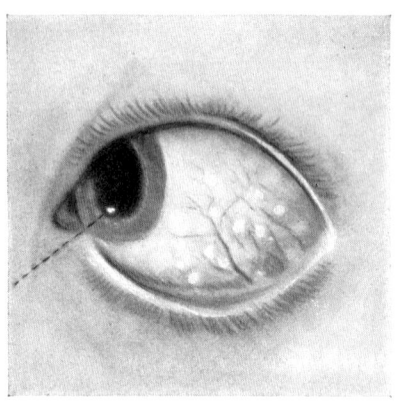

Abb. 67. Bindehautentzündung
durch Raupenhaare

Der **Pemphigus** der Haut vermag auch das
Auge in Mitleidenschaft zu ziehen; vielfach tritt
der Pemphigus am Auge (Abb. 66) auch auf,
ohne daß gleichzeitig sonstige Erscheinungen
dieser Krankheit nachweisbar sind. Der Prozeß
am Auge beginnt in der Regel mit einer hartnäckigen Konjunktivitis, die allmählich zu einer
Schrumpfung des Bindehautsackes führt. Blasenbildung im Bindehautsack wird beobachtet, in
vielen Fällen aber auch vermißt, sei es, daß die
Blasen sehr flüchtiger Natur sind und deshalb
der Feststellung entgehen, sei es, daß sie manch-
mal auch ganz fehlen können. Dieser oftmals mangelnde Nachweis der Blasen hat auch
zu dem Versuch geführt, diese Fälle als „essentielle Bindehautschrumpfung" vom
Pemphigus abzutrennen. Nach Ansicht der Mehrzahl der Forscher scheint es aber
doch richtiger, an der Einheitlichkeit der Erkrankung festzuhalten.

Die Schrumpfung des Bindehautsackes führt allmählich zu einer Verkürzung der
Übergangsfalten und zur Bildung von strangartigen Verbindungen zwischen Lid- und
Bulbusbindehaut. Im Zuge eines sehr chronischen, sich über viele Jahre erstreckenden
Verlaufes kommt es zu einer immer weiter vorschreitenden Einengung des Bindehaut-
sackes und schließlich zur völligen Verwachsung zwischen Lidern und Bulbus. Die Hornhaut bleibt natürlich nicht unbeteiligt; der allmählich versiegende Tränenstrom, das
Erliegen der Bindehautsekretion im Vereine mit dem mangelnden Lidschlag führen eine
Austrocknung der Cornea und der Bulbusbindehaut im Lidspaltenbezirk herbei. Infiltrate und Ulcusbildungen, die zum Irisprolaps und zur Phthisis bulbi führen können,
vervollständigen den deletären Verlauf des Leidens. Wenn die Schrumpfung nicht eintritt, so entsteht schließlich eine epidermisartige Beschaffenheit von Lidspaltenbinde-
haut und Hornhaut, wobei die letztere in unebenes, gelbliches Narbengewebe verwandelt wird, welches von Blutgefäßen durchzogen ist.

Die *Ätiologie* des Leidens ist noch nicht klargestellt. Die *Prognose* ist stets sehr ernst. Die meisten Fälle enden nach jahrelangem Verlauf schließlich mit Erblindung. Die *Therapie* ist vollkommen machtlos und beschränkt sich auf Anwendung der üblichen milden Bindehautmittel sowie Germanin-, Cortison- und ACTH-Behandlung.

Auch bei verschiedenen, mit Veränderungen an Haut, Mund- und Rachenschleimhaut einhergehenden Erkrankungen, die unter verschiedenen Namen beschrieben wurden, kann es zu schweren Bindehauterkrankungen kommen. Diese Zustände wurden wohl nicht zu Recht dem Erythema exsudativum multiforme zugerechnet. Am besten werden sie als **Syndroma muco-cutaneooculare Fuchs** bezeichnet. An den Bindehäuten entwickeln sich dabei Membranen, die meist mit beträchtlichen Reizerscheinungen verbunden sind. In manchen Fällen kommt es zu Schrumpfungen der Bindehaut durch starke Narbenbildung, während andere gut ausheilen. Auch Befall der Hornhaut mit starken Sehstörungen ist beschrieben. Therapeutisch werden Cortison und Erythromycin empfohlen.

Erwähnenswert ist noch eine **Entzündung** der Bindehaut, die **durch Raupenhaare** (Abb. 67) ausgelöst wird. Wenn durch einen Zufall (Spiel von Kindern usw.) bestimmte Raupenarten gegen das Auge geschleudert werden, so geraten Haare in den Bindehautsack, die sich rasch in das Gewebe einbohren und neben Entzündungserscheinungen kleine Knötchen hervorrufen, die in großer Zahl auftreten können. Im Zentrum dieser Knötchen sieht man bei entsprechender Vergrößerung (Lupe, Spaltlampe) deutlich die Härchen liegen. Die Härchen können aber auch tiefer eindringen und in Episklera und Hornhaut gesehen werden; auch in der Iris werden oft von Knötchen umgebene Haare gefunden. Dabei besteht natürlich dann ziliare Injektion. Je nach Verbreitung der Haare sprechen wir von einer *Conjunctivitis nodosa* oder *Ophthalmia nodosa*. Die Härchen können manchmal schließlich reizlos einheilen und die Augen zur Ruhe kommen, doch besteht auch die Möglichkeit schwerer intraokularer Entzündung mit schlechtem Ausgang. Die Behandlung einmal in das Gewebe eingedrungener Härchen besteht in Entfernung, sofern diese möglich ist. Sie ist Sache des Facharztes. Bei frischen Raupenverletzungen ist gründliches Absuchen des Bindehautsackes nach Härchen und gründliche Reinigung desselben geboten.

2. Pigmentierungen und degenerative Prozesse

a) Die Argyrosis der Bindehaut

Bei lange fortgesetzter Anwendung von Argentum nitricum kommt es zur Bildung von Silberablagerungen im Gewebe, die eine braunschwarze Verfärbung der Bindehaut hervorrufen (Argyrosis) (Abb. 68). In der Regel ist die Conjunctiva tarsi des Unterlides befallen, doch können auch in der Conjunctiva bulbi, in seltenen Fällen sogar in der Hornhaut, Silberniederschläge entstehen. Auch bei lange dauernder Anwendung anderer Silberpräparate (Protargol, Argyrol, Syrgol u. a.) besteht die Gefahr der Argyrose, allerdings in vermindertem Maße. Als berufliche Schädigung bei Silberarbeitern ist Argyrose ebenfalls beschrieben worden. Es soll daher Argentum nitricum niemals dem Kranken zur Selbstbehandlung überantwortet, sondern nur in der Sprechstunde angewendet werden. Auch bei Verordnung anderer

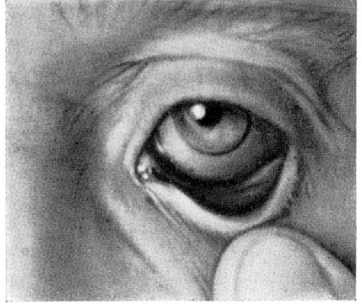

Abb. 68. Argyrosis der Bindehaut

Silberpräparate ist ständige ärztliche Kontrolle anzuraten. Die Argyrose ist der Behandlung kaum zugänglich. LINDNER erzielte durch wiederholte Injektion von Natriumthiosulfat (12%) und Kaliumferricyanid (2%), Verhältnis 1:2 gemischt, wesentliche Besserung.

b) Melanosis der Bindehaut

Einzelne Pigmentkörnchen finden sich stets in der Bindehaut verstreut, besonders in der Gegend des Limbus. Bei dunkelhäutigen Rassen ist dies stärker ausgeprägt. Stärkere Pigmentierungen kommen bei Morbus Addison zur Beobachtung. Gelegentlich findet sich bei sonst normalen Verhältnissen Anhäufungen von Pigment, die als dunkle Flecken erscheinen. Wir sprechen dann von Melanosis, die allerdings in der Bindehaut selten ist. Häufiger ist die Melanosis der Sklera. Der sog. Naevus der Bindehaut gehört zu den Geschwülsten und wird dort erörtert.

c) Das Flügelfell (Pterygium)

Das *Pterygium* (Abb. 69) entsteht durch Vorschieben einer Bindehautfalte auf die Hornhaut, die im Lidspaltenbezirk, meist nasal und seltener auch temporal, auftritt.

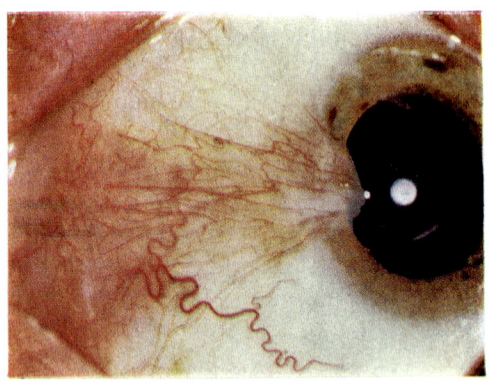

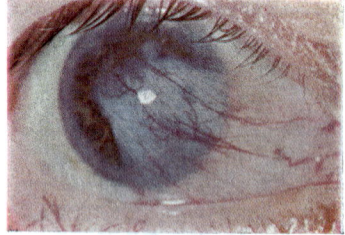

Abb. 69. Pterygium   Abb. 70. Narbenpterygium

Man unterscheidet den Kopf und Hals des Flügelfelles; ersterer wird durch eine graue, leicht erhabene Vorwölbung gebildet, welche allmählich vom Limbus aus in die Hornhaut vorrückt. Dieser Kopf zieht eine ihm adhärente Bindehautfalte nach, die Gefäße enthält, und lediglich im Bereiche des Kopfes fest auf der Hornhaut haftet, ihr im übrigen aber bis auf den mittleren Teil nur lose aufliegt, so daß man eine Sonde darunter einschieben kann. Die Pterygien können progredient sein und die Hornhautmitte erreichen; sie verursachen dann Sehstörungen. Häufig verlieren die Flügelfelle vorher ihre Neigung zum Fortschreiten und werden stationär. Der Kopf stationärer Pterygien ist nicht mehr dick und erhaben, sondern flach und narbenartig. Die Ursache ist noch nicht endgültig geklärt; wahrscheinlich liegt eine Veränderung der Hornhaut dem Prozeß zugrunde. Äußere Schädlichkeiten, wie Einwirkung von Wind, Staub, Rauch usw. spielen dabei eine Rolle, ähnlich wie bei der Entstehung des Lidspaltenfleckes. Die früher gegebene Deutung des Pterygiums als auf die Hornhaut fortschreitender Lidspaltenfleck ist aber nicht zutreffend. Vom Pterygium zu unterscheiden ist das *Pseudopterygium* (Abb. 70). Dieses hat zwar das Übergreifen einer Bindehautfalte auf die Hornhaut

mit dem Flügelfell gemein, unterscheidet sich aber dadurch, daß dieser Zustand keine
selbständige Erkrankung darstellt, sondern als Folge von Verletzungen, Verbrennungen
usw. also auf traumatischer Basis entsteht. Das Pseudopterygium ist nicht progredient.
Kleine Pterygien und Pseudopterygien bedürfen keiner Behandlung, größere und progressive Flügelfelle sind abzutragen. Diese Aufgabe wird zweckmäßig dem Facharzt
überlassen.

d) Der Lidspaltenfleck (Pinguecula)

Die Pinguecula stellt eine gelbliche Einlagerung im Lidspaltenbezirk dar, die meist
nasal, oft auch temporal gefunden wird. Die Basis des dreieckigen Gebildes liegt am
Limbus, die Spitze ist gegen den Lidwinkel gerichtet. Es handelt sich dabei um harmlose Gebilde, die durch Verdickung des Gewebes und hyaline Umwandlung meist im
mittleren oder höheren Lebensalter entstehen. Einwirkung äußerer Schädlichkeiten
spielen dabei ähnlich wie beim Pterygium eine Rolle. Therapeutische Maßnahmen sind
nicht erforderlich.

e) Die Xerose der Bindehaut

Bei diesem Zustand kommt es zum Auftreten weißlicher, von schaumigen Bläschen
bedeckter Herde *(BITÔTsche Flecke)* (Abb. 71) im Lidspaltengebiet, welche oft mit einer

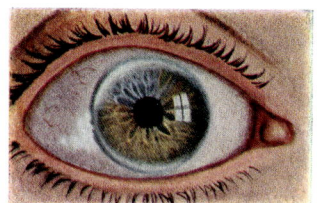

Abb. 71. Xerosis der Bindehaut
(BITÔTsche Flecke)

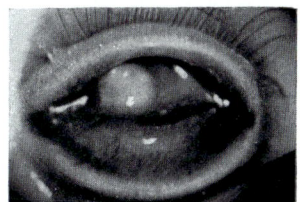

Abb. 72. Keratomalazie
(beginnende Staphylombildung)

eigenartigen trockenen, glanzlosen Beschaffenheit der Konjunktiva verbunden sind.
Oft geht der Xerose die sog. Präxerose voraus. In diesem Zustand besteht eine leichte
Trübung der Cornea. Wenn man die Lidspalte offen hält, tritt rasch eine Austrocknung
der Bindehaut ein. Die dabei oft in großer Zahl gefundenen Xerosebazillen haben keine
ätiologische Bedeutung; sie kommen auch in gesunden Bindehäuten vor. Ursache der
Xerose ist vielmehr ein Mangel an Vitamin A. Dementsprechend ist die Bindehautxerose oft Begleiterscheinung oder Vorbote der sog. *Keratomalazie*, die ebenfalls durch
Mangel an Vitamin A entsteht. Bei dieser sehr bösartigen Erkrankung kommt es zu
nekrotischem Zerfall des Hornhautgewebes, welcher oft zur völligen Zerstörung der
Hornhaut führt. Sekundärinfektionen pflegen diesen Prozeß zu komplizieren und zu
beschleunigen. Erst im Stadium dieser Sekundärinfekte tritt stärkerer Reizzustand
auf. Diese Keratomalazie ist in unseren Zonen im allgemeinen eine Erkrankung schlecht
genährter Säuglinge und führt oft zur Staphylombildung (Abb. 72) und Erblindung
beider Augen. Bei Erwachsenen treten *Bindehautxerose*, besonders BITÔTsche Flecke,
auch im Zusammenhang mit *Hemeralopie* (Nachtblindheit) auf. Diese sog. Mangelhemeralopie wird unter schlechten Lebensbedingungen (Vitamin-A-Mangel) in Form
von Epidemien beobachtet.

Schließlich sei noch das gelegentliche Auftreten isolierter, umschriebener Xerosis

der Bindehaut als seltene angeborene oder später erworbene Veränderung erwähnt
(ohne Vitaminmangel).

Die *Prognose* der Vitamin-A-Mangelkrankheiten bei Erwachsenen ist bei entsprechender Behandlung gut, die der Keratomalazie der Kleinkinder stets ernst, auch quoad
vitam. Trotzdem gelingt es bei rasch einsetzender energischer Zufuhr von Vitamin A oft
auch solche Fälle zu retten und ihnen brauchbares Sehvermögen zu bewahren. Die Behandlung, die stets in Händen des Facharztes — bei Keratomalazie einer Fachklinik —
liegen soll, hat für reichliche und zweckmäßige Zufuhr von Vitamin A zu sorgen. Besonders empfohlen werden i. m. Injektionen von Voganlösung (1—2 ccm täglich). Daneben geht bei Keratomalazie eine entsprechende Lokalbehandlung mit Noviformsalbe
(5%) und Antibiotika zur Bekämpfung bzw. Verhütung der Sekundärinfektion einher.

3. Tumoren der Bindehaut

a) Gutartige Geschwülste

Der *Naevus der Bindehaut* (Abb. 73) ist eine kleine, meist im Lidspaltenbezirk gelegene bräunliche Bildung, die oft nicht oder kaum über das Niveau der Bindehaut er-

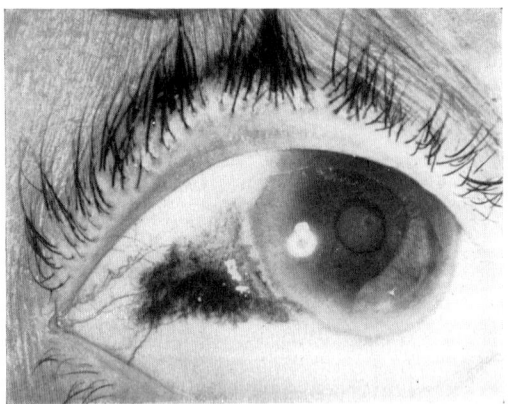 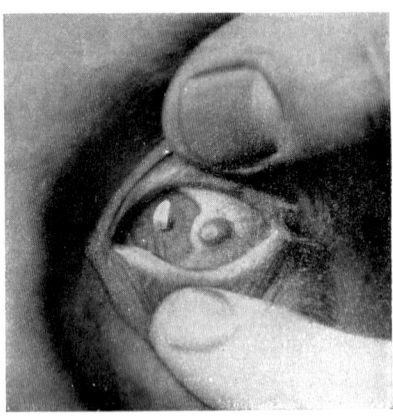

Abb. 73   Abb. 74
Naevus der Bindehaut   Dermoid an der Korneoskleralgrenze

haben ist, in anderen Fällen aber zystische Erhabenheiten darstellt. Die Naevi sind
gutartig und mit der Bindehaut über der Sklera verschieblich. Wiederholt ist aber beobachtet worden, daß sich später auf dem Boden von Naevi bösartige Geschwülste entwickeln bzw. diese maligne entarten. Daher ist strenge Kontrolle aller Naevi geboten;
bei festgestellter Vergrößerung ist unbedingt die Entfernung durch den Facharzt erforderlich. Gelegentlich kommen auch kleine rötlichgelbe Geschwülstchen zur Beobachtung, die keine Pigmentierung erkennen lassen, aber wegen des Gehaltes an Naevuszel-
len als unpigmentierte Naevi bezeichnet werden.

Unter *Dermoiden* (Abb. 74) versteht man angeborene, in der Regel dem Limbus aufsitzende gelbliche Geschwülstchen, die meist Erbsengröße nicht überschreiten. Gelegentlich kommen sie auch an anderen Stellen der Bindehaut, selten in der Hornhaut, zur
Beobachtung. Kombination mit angeborenen Mißbildungen (wie Lidkolobomen) sind
beschrieben. Mikroskopisch enthalten die Dermoide Abkömmlinge von Bindegewebe
und Epithel, wie Haarbälge, Talg- und Schweißdrüsen, Fett usw. Den Dermoiden nahe-

stehend, doch von ihnen abzutrennen, sind die durch starken Fettgehalt ausgezeichneten *Lipodermoide*, die oft zwischen oberen und äußeren geraden Muskeln zu finden sind. Die Behandlung aller derartiger Geschwülste besteht in operativer Entfernung.

Weiterhin kommen dann und wann auch *Angiome* und *Lymphangiome* der Bindehaut vor, deren Diagnose auf Grund ihrer Farbe keine Schwierigkeiten bereitet. Sie sind chirurgisch zu entfernen. Für *Zysten* der Bindehaut, die spontan oder posttraumatisch entstehen können, gilt dasselbe. Gutartige *Papillome* der Limbusgegend kommen vor, sind aber klinisch von malignen Prozessen meist nicht sicher zu trennen.

Gelegentlich sieht man glasig aussehende, tumorartige Gebilde, die von den Übergangsfalten ausgehen, aber auch in anderen Teilen der Conjunctiva, sogar in der Con-

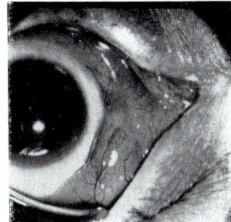 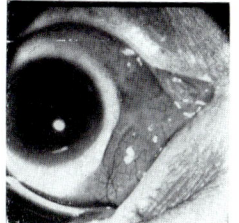

Abb. 75 a Abb. 75 b
Abb. 71. Bindehauttumoren bei aleukämischer Lymphadenose

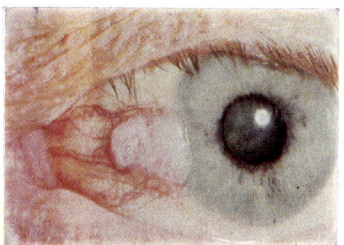 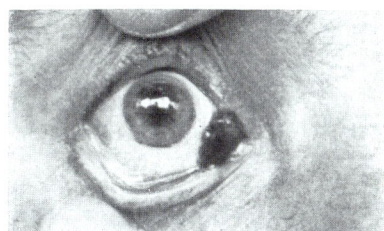

Abb. 76
Epibulbäres Karzinom

Abb. 77. Melanosarkom von der Karunkel ausgehend

junctiva bulbi ihren Sitz haben können (s. auch unter Tumoren der Sklera S. 82). Sie treten oft beiderseitig auf und kommen bei aleukämischen Lymphadenosen vor (Abb. 75) und stellen einen Übergang zu malignen Prozessen dar.

b) Bösartige Geschwülste

Eine relativ häufige Geschwulst im Bereiche der Bindehaut ist das *epibulbäre Karzinom* (Abb. 76), welches im Anfangsstadium oft einem Papillom ähnlich ist. Die Geschwulst breitet sich über den Bulbus aus und geht auf die Lider und die Orbita über, wie auch umgekehrt Lidkarzinome auf den Augapfel weiterschreiten können. Die Strahlenbehandlung derartiger Tumoren gibt keine guten Resultate, da bei Anwendung ausreichend hoher Dosen schwere Strahlenschäden des Bulbus zu gewärtigen sind, die ihrerseits die Erblindung des Augapfels nach sich ziehen können. Daher ist die chirurgische Behandlung vorzuziehen, wobei in vorgeschrittenen Fällen oft der Bulbus geopfert oder sogar die Exenteratio orbitae ausgeführt werden muß.

Auch *Sarkome* oder *maligne Melanome* sind mehrfach beschrieben; sie entwickeln sich manchmal auf dem Boden eines Naevus (Abb. 77). Bezüglich der Behandlung gilt das über die Karzinome Gesagte.

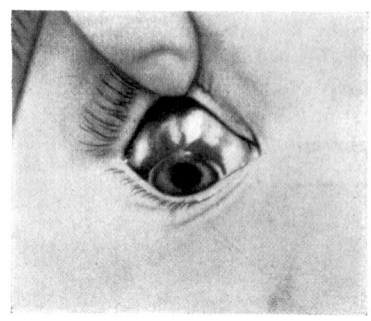

Abb. 78. Subkonjunktivale Blutung

4. Blutungen

Blutungen unter die Bindehaut (subkonjunktivale Blutungen) (Abb. 74) kommen durch Platzen kleiner Gefäße zustande. Man sieht eine einheitlich hellrote Verfärbung kleiner oder größerer Bezirke, die sich später in kleinere Flecken auflösen, einen gelblichen Farbton annehmen und spontan verschwinden.

Die Ursache derartiger Blutungen sind entweder Traumen oder Erschütterungen, wie Nies- und Hustenreize (Keuchhusten!). Manchmal entstehen derartige Blutungen auch ohne jeden ersichtlichen Grund. Sie sind bedeutungslos und bedürfen keiner Therapie. Auch als Symptom von Schädelbrüchen sind subkonjunktivale Blutungen bekannt.

VI. Die Erkrankungen der Hornhaut

A. Anatomie

Die Hornhaut ist uhrglasartig in die Skleralkapsel eingepflanzt und bildet den optisch wirksamen Abschluß des Auges gegen vorn. Sie ist klar, glänzend und durchsichtig. Ihr Durchmesser beträgt im horizontalen Meridian etwa 11,5 mm, im vertikalen etwa 10,5 mm. Der Krümmungsradius ist etwa 7,5 mm, was einer Brechkraft der Cornea von ungefähr 43 dptr. entspricht. Die Abgrenzung gegen die Lederhaut bildet der *Limbus*. Hier findet sich das bereits erwähnte Randschlingennetz, welches von Ziliargefäßen und Bindehautgefäßen gebildet wird und die Ernährung der Hornhaut gewährleistet. Diese erfolgt in Form eines außerordentlich trägen Stoffwechsels durch Diffussion in das Hornhautgewebe. Die normale, gesunde Hornhaut selbst ist gefäßlos. Der anatomische Aufbau der Cornea läßt 5 Schichten erkennen. Die oberflächliche Schicht bildet das Epithel, welches aus mehreren Zellagen besteht. Darunter folgt die Lamina limitans externa (BOWMANsche Membran), eine strukturlose, nicht elastische Schicht. An diese schließt sich die Hornhautgrundsubstanz (Substantia propria), die etwa neun Zehntel der gesamten Hornhautdicke ausmacht. Sie setzt sich aus in verschiedenen Richtungen durchflochtenen Hornhautlamellen zusammen und enthält außerdem elastische Fasern und die sog. Hornhautkörperchen. Den Abschluß gegen die Vorderkammer bildet die elastische Lamina limitans interna (DESCEMETsche Membran), die von einer einzelligen Endothelschicht bedeckt ist. Die Hornhaut enthält reichlich feinste Verzweigungen der Ziliarnerven, die ihre Sensibilität bedingen.

B. Untersuchungsmethoden

Die Untersuchung der Hornhaut hat die Prüfung ihrer wichtigsten Eigenschaften zum Gegenstande; dabei ist folgendes zu beachten:

1. die Größe der Hornhaut; Größenabweichungen sind in der Regel schon mit freiem Auge leicht festzustellen. Der Facharzt bestimmt den Durchmesser mit dem Keratometer von WESSELY; grobe Messung ist auch mit einem Maßstab möglich, wobei zunächst der temporale, dann der nasale Limbus über die Maßskala anvisiert werden muß;

2. die Wölbung der Hornhaut, die vom Facharzt mit dem Ophthalmometer von JAVAL und SCHIÖTZ gemessen werden kann. In einfacher Weise kann man sich mit dem Keratoskop nach PLACIDO (Abb. 79) oder durch Spiegeln des Fensterkreuzes (Abb. 80) auf der Cornea von ihrer Beschaffenheit überzeugen;

3. der Oberflächenglanz, der durch die ständige Befeuchtung der Hornhaut gewährleistet ist;

4. die Durchsichtigkeit und

5. die Sensibilität.

Die Untersuchung der Hornhaut geschieht zunächst durch einfache Betrachtung unter Vergleich beider Augen. Zweckmäßig ist es, den Untersuchten dabei so zu stellen, daß sich ein leuchtendes Spiegelbild, eines Fensters, auf der Hornhaut (Abb. 76) bildet. Dieses erscheint bei normaler Hornhaut scharf und glänzend. Bei unregelmäßiger Hornhautwölbung sehen wir ein verzerrtes, aber scharfes Bild, während bei Defekten des Epithels das Bild unscharf, matt wird, aber keine Verzerrung erfährt, sofern nicht gleichzeitig eine Anomalie der Wölbung besteht. Wenn man die Augen bewegen läßt, so kann man nach und nach alle Teile der Hornhaut mit dem Reflexbild abtasten und untersuchen. Die Bewegung des Auges wird dadurch gelenkt, daß man den Untersuchten auffordert, die Hand oder einen Finger des Untersuchers zu fixieren und diese nun in die erforderlichen Richtungen führt. Die PLACIDO-Scheibe (Keratoskop nach PLACIDO) dient demselben Zweck; sie besteht aus einer Reihe von schwarzen konzentrischen Ringen auf weißem Grund, die auf der Hornhaut zur Abbildung gebracht werden und je nach deren Gestalt als konzentrische Ringe oder in verschiedener Form verzerrt erscheinen. Um die Ringe richtig auf der Cornea zur Abbildung zu bringen, muß der Patient mit

Abb. 79
Kerotoskop nach PLACIDO

dem Rücken gegen das Licht (am besten gegen ein Fenster) stehen und der mit der Scheibe bewaffnete Untersucher ihm gegenüber.

Eine wichtige Rolle bei Untersuchung der Hornhaut spielt auch die seitliche Beleuchtung. Dabei wird das Licht einer seitlich vom Patienten aufgestellten Lichtquelle mit einer Konvexlinse (14—20 dptr.) gesammelt und auf das Auge geworfen. Durch leichtes Verschieben der Linse ist die Entfernung festzustellen, in welcher das Bild am schärfsten erscheint. Man kann entweder durch Wandern mit der Linse oder durch Bewegungen des Auges nacheinander alle Stellen der Cornea in den scharf beleuchteten Bezirk bringen und so die Hornhaut absuchen. Auch Unterschiede in der Tiefenlage (Epithel, Descemet usw.) sind bei einiger Übung so erkennbar. Diese Methode ist auch zur Untersuchung von Iris und Linse zu verwenden. Dem Facharzt stehen hochwertige optische Apparate (Spaltlampen) zur genauen Untersuchung zur Verfügung.

Schließlich können Trübungen in der Hornhaut auch noch bei der Untersuchung im durchfallenden Licht gesehen werden. Bei dieser wird mit Hilfe eines Augenspiegels Licht in das Auge geworfen; dabei leuchtet die Pupille rot auf; Trübungen der Medien

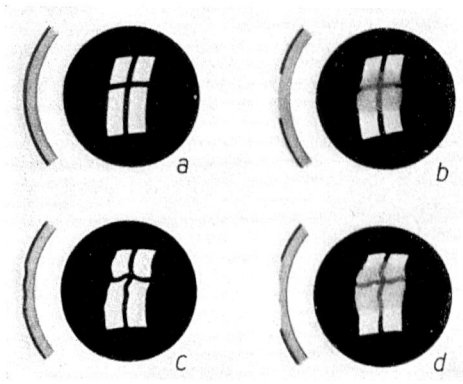

Abb. 80. Reflexbilder der Hornhaut
$a =$ Epithel normal, Wölbung regelmäßig:
Reflexbilder scharf, glänzend, nicht verzerrt;
$b =$ Epithel defekt, Wölbung regelmäßig (z. B.
Erosio corneae): Reflexbilder unscharf, matt,
aber nicht verzerrt; $c =$ Epithel normal, Wölbung unregelmäßig (z. B. frische Macula corneae): Reflexbilder scharf, glänzend, aber verzerrt; $d =$ Epithel defekt, Wölbung unregelmäßig (z. B. Ulcus corneae): Reflexbilder unscharf und verzerrt

(Hornhaut, Linse, Glaskörper) heben
sich dabei als schwarze Fleckchen deutlich vom Rot ihrer Umgebung ab.

Zur Verdeutlichung oberflächlicher
Defekte kann auch die Eintropfung von
Fluoreszeinnatrium oder Fluoreszein-
kaliumlösung (2%) benützt werden; dabei färben sich Epitheldefekte intensiv gelbgrün, während die intakte Oberfläche ungefärbt bleibt. Diese einfache
Methode ist besonders dem in Augen-
untersuchungen wenig Geübten sehr zu
empfehlen; mit ihrer Hilfe kann manche
Fehldiagnose vermieden werden!

Die Hornhautsensibilität wird durch
Berühren der Cornea mit einem spitz
gedrehten Wattetupfer geprüft. Diese
Prüfung soll stets an mehreren Stellen
der Cornea und immer unter Vergleichen
beider Augen vorgenommen werden. Bei
Verdacht auf Erkrankung beider Augen
kann für den wenig Erfahrenen auch
das Beiziehen einer normalen Vergleichs-
person empfehlenswert sein.

C. Erkrankungen der Hornhaut

1. Abweichungen in Form und Größe der Hornhaut

Abweichungen der Hornhaut kommen sowohl im Sinne der Vergrößerung als
auch der Verkleinerung vor. Bei abnorm großer Hornhaut, *Megalocornea* oder *Makro-
cornea* erreicht der Hornhautdurchmesser 13 mm und mehr. Die Veränderung tritt
angeboren und meist familiär auf und beeinträchtigt das Sehen in reinen Fällen nicht.
Verbindungen mit anderen Fehlbildungen, wie Persistieren von Teilen der fetalen
Pupillarmembran, Iris- und Linsenschlottern, kommen oft vor, sind aber nicht immer
vorhanden. In manchen Fällen besteht gleichzeitig eine Vergrößerung des ganzen Bulbus (Gigantophthalmus, Megalophthalmus); vielfach wird der Ausdruck Keratoglobus
hierfür gebraucht. Diese Bezeichnung sollte jedoch nur in jenen seltenen Fällen Anwendung finden, in welchen eine abnorm starke Wölbung der Cornea im Vordergrund
steht, während man bei Vergrößerung des Hornhautdurchmessers von Megalocornea
sprechen sollte. Von der Hornhautvergrößerung bei angeborenem Glaukom (Hydrophthalmus) ist die Megalocornea vor allem durch das Fehlen von glaukomatösen Veränderungen (Exkavation der Papille, Drucksteigerung, Hornhauttrübung) zu unterscheiden; insbesondere fehlen die für Hydrophthalmus charakteristischen Rupturen
der DESCEMETschen Membran. Die Auffassung der Megalocornea als geheilte Form
des Hydrophthalmus ist daher heute verlassen, wenn auch Vorkommen beider Veränderungen in derselben Familie, ja sogar an beiden Augen derselben Patienten, für
das Vorhandensein gewisser Beziehungen zwischen beiden Zuständen spricht.

Als *Mikrocornea* wird eine Hornhaut mit Durchmesser unter 10 mm bezeichnet;
sie ist ebenfalls eine erbliche, angeborene Anomalie und in der Regel mit Kleinheit

des ganzen Bulbus verbunden. Es bestehen laufende Übergänge zum Mikrophthalmus congenitus. Die Sehschärfe ist oft herabgesetzt, doch kommen auch Fälle mit normaler Sehschärfe zur Beobachtung.

Weiterhin kennen wir als angeborene Anomalien noch die abnorm flache Hornhaut — *Cornea plana* — und eine *vertikal-ovale Cornea*.

Der *Hornhautkegel* — *Keratokonus* (Abb. 81) — ist eine Wölbungsdeformität der Hornhaut, die sich im Laufe des Lebens — oft zur Zeit der Pubertät — entwickelt und mit steigendem Alter zunimmt. Er kommt manchmal familiär vor. Das Wesen des Prozesses besteht darin, daß die Cornea an Stelle der kugelabschnittartigen (genauer: rotationsellipsoidartigen) Form eine kegelstumpfähnliche Form annimmt, wobei das Gebiet der Keratokonusspitze verdünnt ist. Später kommt es oft zur Entstehung von Rissen in der BOWMANschen Membran und in der DESCEMET (Spaltlinien), die eine erheb-

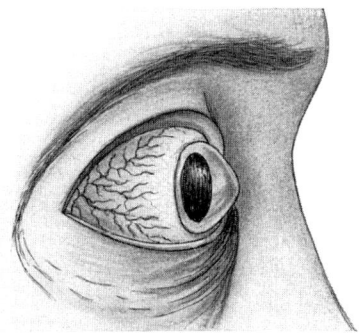

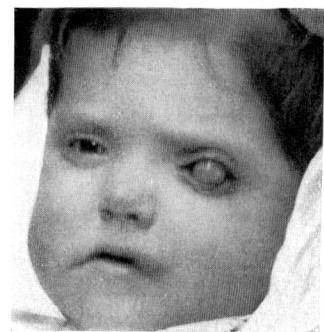

Abb. 81. Keratokonus   Abb. 82. Staphyloma corneae

liche Trübung der Spitze verursachen können. In manchen Fällen führt ein Einreißen der Descemet zum Eindringen von Kammerwasser aus der vertieften Vorderkammer in die Hornhaut und zur plötzlich einsetzenden Trübung der Cornea (akuter Keratokonus). Drucksteigerungen bestehen dabei nicht. Während diese Trübung reversibel ist, gilt das für die BOWMAN-Risse und Descemet-Spaltlinien nicht. Ein weiteres Symptom des Hornhautkegels ist der FLEISCHERsche Hämosiderinring, welcher als grünbraune Linie oft die Basis des Kegelgebietes ganz oder teilweise umfaßt. Er liegt in den oberflächlichsten Hornhautschichten.

Die Ursache des Keratokonus ist noch ungeklärt; möglicherweise spielen Vererbung und innersekretorische Störungen dabei eine Rolle.

Die Sehstörungen werden neben der Hornhauttrübung auch durch den, durch die unregelmäßige Hornhautkrümmung bedingten, Astigmatismus verursacht. Im Anfangsstadium sind sie durch Zylindergläser oft noch leidlich zu korrigieren; in späteren Stadien gelingt das aber nicht. Ausgezeichnete Dienste leisten die sog. Haftschalen. Das sind dünne Glasschalen, welche dem Bulbus direkt aufgesetzt werden. Sie können nach dem optischen Bedarf geschliffen werden. Auch operative Maßnahmen kommen in Betracht. Die früher geübte Kauterisation der Spitze zur Herbeiführung einer festen Narbe spielt heute keine große Rolle mehr. Dagegen bringt eine partielle Hornhauttransplantation von aus verschiedenen Gründen (intraokulare Tumoren u. a.) zur Enukleation bestimmten Augen oder von Leichenaugen vielfach gute Erfolge.

Das Verfahren besteht darin, daß aus der Spenderhornhaut (Tumorauge, Leichen-
auge) eine Scheibe von 7—10 mm Durchmesser in ganzer Dicke der Hornhat mit einem
Trepan entnommen und in die Wirtshornhaut eingesetzt wird, aus welcher ein gleich-
großes Stück aus der Narbe bzw. dem Keratokonusgebiet entfernt wurde. Die Sicherung des Transplantates bis zur festen Heilung erfolgt meist durch Nähte. Weitere
Einzelheiten finden sich in den Operationslehrbüchern.

Neben diesen Veränderungen, die meist ohne oder mit Anwendung zwekmäßiger
Hilfsmittel noch gute Sehschärfe gestatten, stehen andere, bei welchen dies nicht der
Fall ist. Hierher gehören die *angeborenen Hornhautstaphylome*. Unter Staphylomen
(Abb. 82) versteht man unregelmäßig gestaltete, beerenartige, in der Regel graublaue
Vorwölbungen, die meist durch narbige Prozesse (nach Perforationen) entstehen und
deren Grundlage Hornhaut- und Uvea-
gewebe darstellen; je nach ihrer Größe
unterscheidet man partielle (einen Teil
der Cornea umfassende) und totale (das
gesamte Hornhautgebiet betreffende)
Staphylome. Staphylome können auch
als angeborene Mißbildungen entstehen.

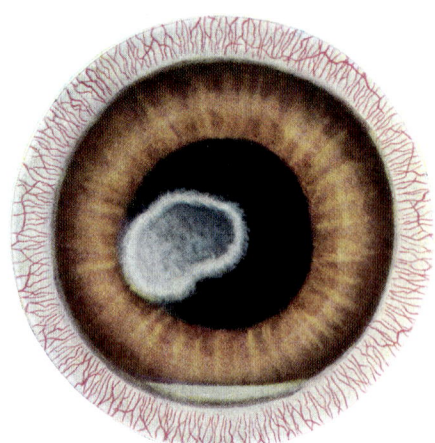

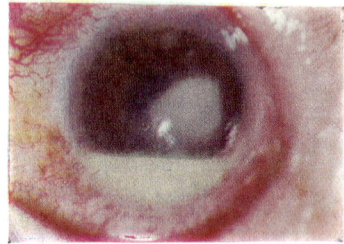

| Abb. 83 | Abb. 84 |
| Ulcus serpens (Anfangsstadium) | Fortgeschrittenes Ulcus serpens |

Sie sind in ihrar Mehrzahl als reine Entwicklungsstörungen aufzufassen; fetale Entzündungen spielen dabei, wenn überhaupt, so nur eine untergeordnete Rolle. *Ange-*
borene Hornhauttrübungen bei Wahrung der Form der Cornea kommen auch vor; sie
sind oft mit anderen Mißbildungen verbunden.

2. Entzündungen der Hornhaut

a) Oberflächliche bzw. oberflächlich beginnende Entzündungen
Bakterielle Infektionen und Pilzerkrankungen

α. *Das Ulcus serpens corneae*

Das sog. kriechende Hornhautgeschwür verdankt seinen Namen der Eigenschaft
sich allmählich — manchmal auch rasch —, von kleinen Anfängen ausgehend, über
die ganze Hornhaut oder große Teile derselben auszubreiten. Das Fortschreiten erfolgt
dabei sowohl der Fläche nach, wobei es zu einer Überziehung und schließlichen Einschmelzung der ganzen Hornhaut kommen kann, wie auch nach der Tiefe. Das
Fortschreiten nach der Tiefe führt zur Perforation der Cornea mit Abfluß des

Kammerwassers und Vorfall der Regenbogenhaut, falls der Perforationsstelle Regenbogenhautgewebe gegenüber liegt. Bei zentralen Perforationen (also im Bereich des Pupillargebietes) bleibt die Prolapsbildung aus.

Das klinische Bild des Ulcus serpens (Abb. 83 und 84) ist gekennzeichnet durch heftige ziliare oder gemischte Injektion, Auftreten eines zunächst kleinen meist in den zentralen oder unteren Hornhautpartien gelegenen Substanzverlustes mit gelblich infiltriertem Grund. Am Boden der Vorderkammer besteht dabei eine Eiter-

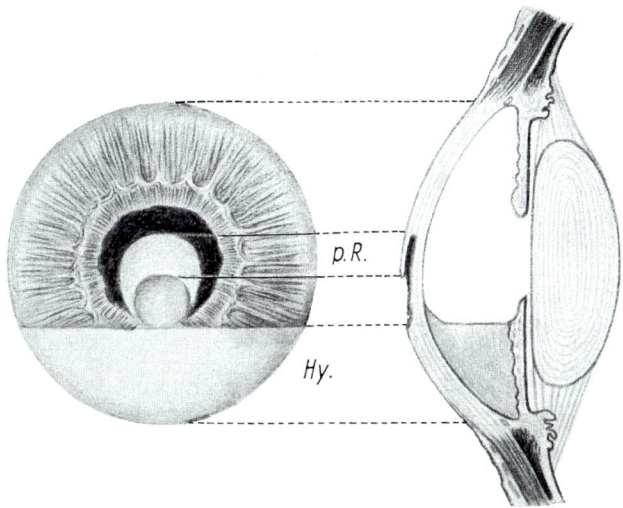

Abb. 85. Ulcus serpens mit progredientem Rand (klinisches und anatomisches Bild)
Hy. = Hypopyon, *p. R.* = progredienter Rand, das Hornhautgewebe unterminierend

ansammlung *(Hypopyon)*, welche zwischen kaum sichtbarer Eiterbildung am Boden der Kammer (beistrichförmiges Hypopyon) und Erfüllung des größten Teiles der Kammer schwanken kann. Der Eiter ist Ausdruck einer vom Geschwür hervorgerufenen toxischen Iritis und enthält keine pathogenen Keime (steriler Eiter). Als weitere Zeichen der Iritis entwickeln sich Verwachsungen zwischen Iris und Linse (hintere Synechien) und entzündliche Anlagerungen an der Descemet (Präzipitate). Erstere können sehr umfangreich sein und die Entstehung von Drucksteigerungen im Auge begünstigen (Sekundärglaukom). Die Hornhaut läßt, wenigstens in fortgeschrittenen Fällen, eine allgemeine Mattigkeit des Epithels erkennen. Das Geschwür selbst ist nicht im ganzen Bereiche gleichmäßig infiltriert, sondern zeigt an größeren oder kleineren Teilen des Ulcusrandgebietes eine besonders dichte, gelbweiße Infiltration (Abb. 85). Diese zeigt die Neigung des Ulcus zur Progression und deren Richtung an und wird als progredienter Rand bezeichnet. Bei sehr hohem Hypopyon ist der Umfang des Geschwürs wegen der gelben Farbe des Hypopyons oft schwer zu erkennen (Fluoreszeinanwendung).

Der weitere Verlauf des Ulcus serpens, der durch die Virulenz der Erreger und die Widerstandskraft des Organismus einerseits sowie die therapeutischen Maßnahmen andererseits bestimmt wird, ist verschieden. Rasches flächenmäßiges Fortschreiten kann zu einer Einbeziehung der ganzen Hornhaut führen. Rasches Vordringen in

die Tiefe bewirkt eine Frühperforation an umschriebener Stelle. Diese Perforation
kann, wie die Erfahrung lehrt, zu einer günstigen Beeinflussung des Prozesses und zum
Stillstand des Geschwürs führen (davon macht auch der Therapeut durch Spaltung
oder Trepanation des Ulkus gelegentlich Gebrauch), sie kann aber auch eine Vereiterung des ganzen Bulbus (Panophthalmie) einleiten. Der Perforation an umschriebener
Stelle geht oft die Bildung einer bläschenartigen Vorwölbung der Descemet voraus
(Descemetozele, Keratozele) (Abb. 86). Diese entsteht dadurch, daß die widerstandsfähige.
elastische DESCEMET dem Ulcus länger standhält als die darüber gelegenen Schichten:
sie wird dann aber durch den intraokularen Druck bruchsackartig vorgewölbt. Meist

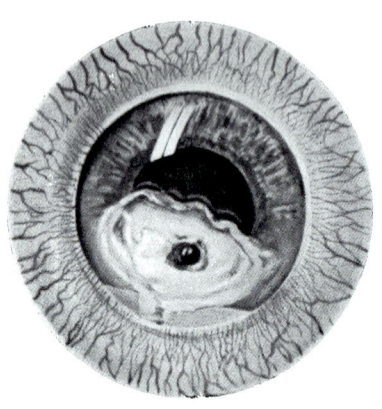

Abb. 86. Ulcus serpens mit Keratozele

gibt die Descemetozele schließlich nach und
platzt. Blutgefäße fehlen zu Beginn und im
Höhestadium der Krankheit; mit beginnender
Abheilung kann aber Vaskularisation vom Limbus aus eintreten. Die Endausgänge richten sich
nach der Schwere des Verlaufes. Wenn es zur
Panophthalmie kommt, so endet der Prozeß.
falls der Bulbus nicht entfernt wird, mit Schrumpfung des Bulbus (Phthisis bulbi). Dabei schrumpft
der Augapfel in verschiedenem Maße, oft bis zu
Erbsengröße zusammen, wobei es zu schwersten
Verschwartungen und Atrophien in den inneren
Teilen kommt, die selbstverständlich Erblindung
bedingen.

Bei großen Geschwüren mit weitgehender
Einschmelzung der Hornhaut wird diese durch
unregelmäßig gestaltetes vorgewölbtes Narbengewebe ersetzt, welches von der infolge der
Hornhautzerstörung freiliegenden Uvea unter Einbeziehung der Hornhautreste gebildet wird. Wie schon erwähnt, sprechen wir in diesen Fällen von Staphylomen und
unterscheiden partielle und totale Staphylome. Bei anderen Fällen tritt einfache.
die Hornhautform annähernd wahrende, allerdings oft sehr dichte Narbenbildung ein
(Leukom) (Abb. 87), die gelegentlich mit Abflachung der Hornhaut (Aplanatio corneae) verbunden sein kann. Diese Leukome sind oft von Blutgefäßen durchzogen, die
während des Heilverlaufes in die Cornea einsprossen. Außerdem entstehen Verwachsungen
der Iris mit der Hornhaut (vordere Synechien), die oft Anlaß zur Entstehung von Sekundärglaukomen abgeben können. Diese Verwachsungen kommen entweder als Folge
von Perforationen zustande, wobei Irisgewebe mit der Hornhaut nach Abfluß der
Vorderkammer in Verbindung tritt, oder es findet die Verklebung der beiden Membranen durch das Exsudat statt, welches in der Vorderkammer vorhanden ist. Seine
allmähliche Organisation und Schrumpfung kann die Iris gegen die Hornhaut ziehen
und dort ihre Verklebung bewirken. In leichten Fällen, in welchen das Ulkus relativ
früh zum Stillstand kommt, verbleiben kleinere und oft zartere Narben, die noch einen
guten oder leidlichen Visus gestatten. Bei Staphylomen und großen dichten Narben
ist das Sehen entweder erloschen oder auf geringe Werte (Fingerzählen) usw. herabgesetzt.

Als *Erreger* des Ulcus serpens sind oft, besonders bei schweren Formen, Pneumokokken nachzuweisen (s. auch Abschnitt: Akute Bindehautentzündung). Auslösende
Ursache sind häufig kleine oberflächliche Verletzungen, welche einen Substanzverlust
schaffen. Auf diesem Defekt siedeln sich dann Pneumokokken an. Eine große Gefahren-

quelle stellt die Tränensackeiterung dar, bei welcher sich immer Pneumokokken finden. Bei jedem Ulcus serpens ist daher eine Untersuchung der Tränenwege zu fordern. Besonders gefährdet ist die landwirtschaftlich tätige Bevölkerung, welche namentlich zur Erntezeit oft kleinen Verletzungen ausgesetzt ist, aus welchen sich dann Ulcera serpentia entwickeln. Neben Pneumokokken kommen auch Diplobazillen MORAX-AXENFELD sowie Strepto- und Staphylokokken als Erreger des Ulcus serpens in Betracht; im allgemeinen sind diese Geschwüre weniger bösartig, doch kommen nicht selten Ausnahmen von dieser Regel vor. Als besonders bösartige Formen sind das Ulcus serpens fulminans, welches durch einen dem Bacillus suisepticus ähnlichen Erreger hervorgerufen wird, und das Pyozyaneusgeschwür (Bac. pyocyaneus) zu nennen. Diese Formen führen so gut wie immer zu schlechtem Ausgang.

Die *Prognose* des Ulcus serpens ist stets ernst; trotz aller therapeutischen Bemühungen gehen noch immer Augen an dieser Krankheit zugrunde, und viele andere leiden schweren Schaden. Da der Verlauf auch bei zunächst kleinen Formen dieses Geschwüres nie vorauszusagen ist, soll jedes Ulcus serpens fachärztlicher Behandlung, die meist eine klinische sein muß, zugeführt werden. Die *Behandlung* bedient sich zunächst medikamentöser Mittel; je nach Art der Erreger werden Optochin (1%) (Pneumokokken) und Zinc. sulf. (½%) (Diplobazillen) empfohlen. Die Anwendung beschränkt sich nicht auf die üblichen Eintropfungen, sondern soll in

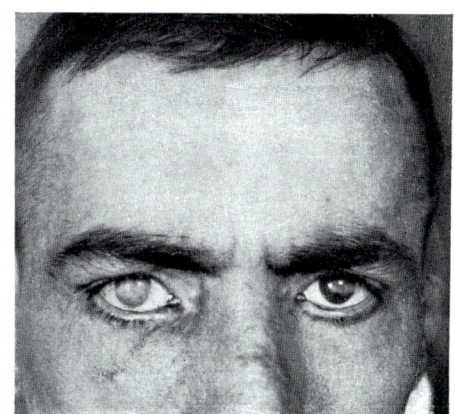

Abb. 87. Leukome beider Hornhäute

direkter Betupfung des Ulcus mit der genannten Lösung bestehen. Bei Zinc. sulf. können zu diesem Zwecke auch 10—20% Lösungen verwendet werden. Vorherige Betäubung mit 1—3% Cornecain oder einem anderen Anästhetikum ist erforderlich. Dasselbe gilt für die Betupfung des Ulcus mit der gebräuchlichen Jodtinktur, die sich vielfach sehr bewährt hat. Gute Dienste leistet auch die Ultraviolettbestrahlung nach BIRCH-HIRSCHFELD. Bei festgestellter Tendenz zum Fortschreiten des Ulcus soll zum Kauter gegriffen werden. Zu diesem Zweck wird mit gutem Erfolg der Dampfkauter von WESSELY verwendet. Dabei wird die Kauterisation mit einem von Wasserdampf durchströmten Röhrchen vorgenommen. In extrem schweren Fällen kann die Ausbrennung mit der Glühschlinge noch rettend wirken. Stets ist beim Ulcus serpens Atropin (1%) zur Bekämpfung der begleitenden Iritis anzuwenden. Auch Wärmeanwendung in Form von Heizkissen oder feuchtwarmen Kompressen leistet gute Dienste. Operative Maßnahmen kommen vielfach in Betracht; hier ist in erster Linie die operative Beseitigung von Tränensackeiterungen zu erwähnen, die unbedingt raschestens erfolgen muß (Operation nach TOTI oder Saccusexstirpation). Punktion der Vorderkammer zur Entleerung des Eiters, evtl. mit Penicillinspülung verbunden, Spaltung oder Trepanation des Ulcus sind ebenfalls Methoden, die vom Facharzt dann und wann angewendet werden. Bei eingetretener Panophthalmie ist die Ausweidung (Exenteration) des Bulbus geboten. Einen Fortschritt in der Behandlung bedeutet auch die Einführung der Sulfonamide und der Antibiotica; diese Präparate können lokal (Tropfen, Salbe, Bäder, subkonjunktivale Injektionen) und als Allgemeintherapie zur Anwendung kommen.

β) Das infektiöse Randgeschwür der Hornhaut und traumatische Ulzera

Infektiöse Randgeschwüre treten oft im Zusammenhang mit katarrhalischen Konjunktividen auf. Wir finden dem Limbus nahe gelegene längliche oder ovale Substanzverluste (Abb. 88), die grau bis gelblich infiltriert sind. Meist gehen kleine Infiltrate voraus. Der Reizzustand ist dabei gewöhnlich nicht erheblich, manchmal überhaupt auf den Sektor des Geschwürchens beschränkt. Bald setzt meist vom nahen Limbus eine Vaskularisation des Geschwürchens ein, welches dann rasch mit zarter Narbe abheilt. Gelegentlich kommt es auch zum Auftreten mehrerer Randulzera, die schließlich konfluieren, so daß dann ein rillenförmiges Ulkus, welches dem Limbus auf längere Strecken parallel läuft, entsteht. In seltenen Fällen entsteht auch eine geschwürige Infiltration um den ganzen Limbus herum. Diese Ulzera können sich auch verbreitern

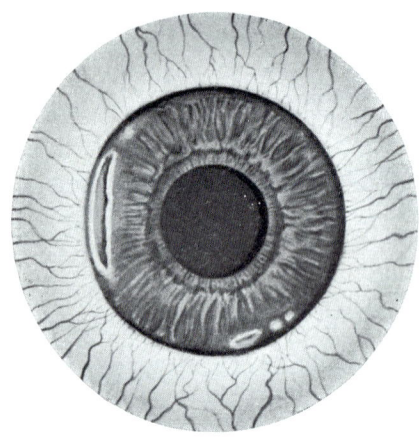

Abb. 88. Hornhautrandgeschwür

und dann ernsteren Charakter annehmen. Als *Erreger* wurden verschiedene Keime, wie Diplobazillen, Pneumokokken, Streptokokken, Staphylokokken, ZUR NEDDENsche Stäbchen u. a. nachgewiesen. In vielen Fällen mißlingt auch der Versuch, Erreger nachzuweisen. Trophische Störungen spielen oft mit eine Rolle.

Die Prognose ist günstig. Die *Therapie* beschränkt sich auf Anwendung von Bindehautmitteln, Zinc. sulf., Noviformsalbe, Penicillinbäder und Wärme). Erweiterung der Pupille ist in der Regel unnötig, da die Iris meist nicht mitbeteiligt ist.

Auch durch kleine Verletzungen und anschließende, wenig virulente Infektionen können verschiedenartige und verschieden (oft zentral) gelegene kleine Ulzera entstehen, die harmlos verlaufen und unter Behandlung mit Noviformsalbe und Wärme abheilen. Bei virulenten Infektionen nach Verletzung entsteht das Ulcus serpens.

γ) Die Schimmelpilzkeratitis

Auch Pilze vermögen dann und wann Hornhauterkrankungen hervorzurufen. Bei meist mäßigem Reizzustand entwickelt sich eine graugelbliche Infiltration in den zentralen Hornhautpartien, über welcher das oberflächliche Gewebe zerfällt; die oft stärkere Infiltration der Randteile ist hier aber kein Zeichen der Progredienz, sondern der Demarkation. Da manchmal ein Hypopyon besteht, kann bei flüchtiger Betrachtung eine Verwechslung mit einem Ulcus serpens in Betracht kommen. Der Verlauf ist aber ein anderer. Der befallene Bezirk demarkiert sich und wird schließlich abgestoßen, worauf Heilung unter Narbenbildung erfolgt.

Es kommen auch Pilzinfektionen zur Beobachtung, die unter dem Bilde einer tiefer gelegenen Infiltration, ähnlich der Keratitis disciformis, ablaufen. Die exakte Diagnose ergibt sich aus der bakteriologischen Untersuchung.

Als *Ursache* kommen meist Schimmelpilze (Aspergillus fumigatus) in Betracht, seltener andere Pilzarten (Aktinomyces, Sporotrichose u. a.). Die *Behandlung* besteht im Auskratzen des infiltrierten Bezirkes oder Zerstörung mit der Glühschlinge.

δ) Der Ringabszeß der Hornhaut

Nach kleinen Verletzungen oder nach Eingriffen am Auge, seltener auch als Folge metastatischer Vorgänge, entwickelt sich eine ringförmige, gelbe Infiltration in den tieferen Hornhautrandbezirken, die rasch fortschreitet und zur völligen Einschmelzung der Hornhaut zu führen pflegt. Die Erkrankung endet in der Regel mit völliger Vereiterung des Bulbus (Panophthalmie). Der enorm rasch ablaufende Prozeß ist mit starkem Reizzustand, oft auch mit Lidödem, verbunden. Eiterbildung in der Vorderkammer gehört ebenfalls zu diesem Bilde. Als *Erreger* werden stets hochvirulente Keime (z. B. Bacillus pyocyaneus, Pneumokokken, Staphylokokken und Streptokokken u. a.) nachgewiesen. Die Prognose ist schlecht. Die *Therapie* verwendet die beim Ulcus serpens geschilderten allgemeinen und lokalen Maßnahmen — oft ohne Erfolg.

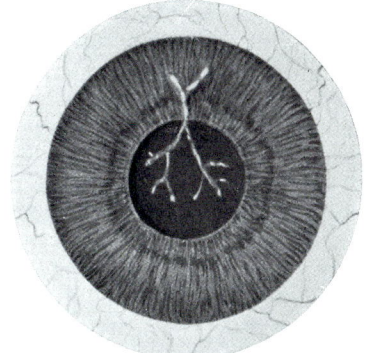

Abb. 89. Keratitis dendritica
(Herpes corneae)

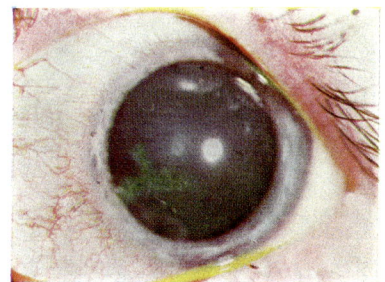

Abb. 90. Keratitis herpetica
(breiter, peripher gelegener Substanzverlust)

Viruserkrankungen

α) Der Herpes corneae simplex (Keratitis dendritica)

Die von dieser Erkrankung befallenen Kranken klagen oft zunächst über Drücken und Fremdkörpergefühl in dem betroffenen Auge. Bei Untersuchungen findet man eine ziliare Injektion. Die Hornhaut zeigt zunächst feine Bläschen, die später platzen und kleinen punktartigen Substanzverlusten Platz machen, welche vielfach durch feine Rillen miteinander verbunden sind. Dadurch entstehen verästelte Figuren, die oft an Zweige eines Baumes erinnern und zur Bezeichnung Keratitis dendritica (Abb. 89) geführt haben. Wiederholt sieht man mehrere dendritische Figuren verschiedener Größe und Form nebeneinander, die auch konfluieren können. Fluoresceinfärbung erleichtert oft die Diagnose. Der Sitz dieser Veränderungen ist im Epithel häufig zentral, doch kommt auch peripherer Sitz der Veränderungen zur Beobachtung (Abb. 90). Die Iris ist in diesem Stadium gewöhnlich reizfrei. Auffallend ist die Herabsetzung der Hornhautsensibilität, die sich bis zur völligen Aufhebung derselben steigern kann. Wenn die Erkrankung in diesem Stadium zur Abheilung kommt, so pflegen nur feine, das Sehen kaum störende Narben zurückzubleiben. Manchmal aber greift der Prozeß tiefer; es entstehen dann sowohl tiefe Trübungen im Parenchym, wie auch ulcusartige Bilder verschiedener Ausdehnung und Anordnung. Sekundäre Infektionen können dabei mit eine Rolle spielen. Während die Diagnose „Herpes" im Stadium der Keratitis dendritica leicht aus dem klinischen Befund zu stellen ist, ist dies bei den anderen geschilderten Bildern nicht möglich. Die Sensibilitätsprüfung gibt bei weitverzweigten tieferen Prozessen auch keine

absolut sichere Diagnose, da Sensibilitätsstörungen auch bei umfangreichen Hornhautprozessen anderer Ätiologie vorkommen. Hier entscheidet der *Tierversuch*. Bei Über-
impfung von Herpesmaterial auf eine Kaninchenhornhaut kommt es dort zum Aufschießen
kleiner, mit Fluoreszein färbbarer Pünktchen, die perlschnurartig aneinandergereiht
sind. Durch vorgetriebene Sprossen entstehen dann die charakteristischen Veräste-
lungen. Bei manchen Tieren ruft das Herpesvirus, welches der Erreger dieser Erkrankung ist, auch bei Impfung am Auge eine Enzephalitis hervor, welche zum Tode der
Tiere führt.

Die Prognose der Keratitis dendritica ist meist günstig; Auftreten neuer Schübe
kommt vor. Manchmal gehen kleine Hornhautverletzungen dem Auftreten der Erkrankung voran, welchen eine ursächliche Bedeutung im versicherungsrechtlichen Sinne
zuzusprechen ist. Häufig ist auch das Auftreten von Herpeserkrankungen der Hornhaut im Verlaufe oder Anschluße an fieberhafte
Allgemeinerkrankungen, wie wir das auch bei
anderen Herpeslokalisationen (z. B. Herpes la-
bialis) kennen.

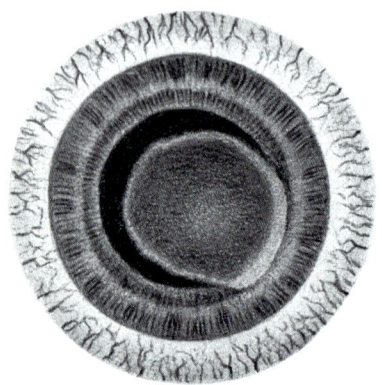

Die *Therapie* besteht in Betupfung der befallenen Hornhautstellen mit Jodtinktur (Anästhesierung erforderlich) oder in Bestrahlung mit
ultraviolettem Licht. Auch der Dampfkauter
von WESSELY bewährt sich oft. Gelegentlich
wird auch Abschabung des Epithels mit Lanze
oder Messerchen erforderlich, die zur Regeneration eines neuen, gesunden Epithels anregt.
Kombination der Abschabung mit nachfolgender
Jodtinkturbehandlung erweist sich bei bereits
tiefer vorgedrungenen Infiltraten als zweckmäßig. Vor Cortison ist zu warnen. Aureomycin-
salbe bewährt sich oft. Neuere Forschungen ha-

Abb. 91. Keratitis disciformis

ben insbesondere den Wert der Behandlung mit Joduracildesoxyribosid (JUDR) dar-
getan. Auf dieser Basis ist die im Handel befindliche Synmiolsalbe hergestellt.

β) Die scheibenförmige Hornhautentzündung (Keratitis disciformis)

Wenn das Herpesvirus die tieferen Hornhautschichten befällt, entsteht die Keratitis
disciformis. Sie ist, wie der Name sagt, durch eine tiefer gelegene, scheibenförmige
Trübung gekennzeichnet (Abb. 91). Diese ist ziemlich scharf gegen die klaren Randteile
abgesetzt. Gelegentlich findet man auch die Trübungsscheibe von einem konzentrisch
dazu liegenden Trübungsring umgeben. Häufig wird Verdickung der Hornhaut im erkrankten Bezirk beobachtet. Das Epithel über dem erkrankten Bezirk ist gestippt und
zeigt manchmal feine Bläschenbildung. Die Sensibilität der Cornea ist vermindert oder
aufgehoben, besonders im scheibenförmig erkrankten Gebiet. Der ziliare Reizzustand
kann dabei sehr gering sein, erreicht aber in anderen Fällen erhebliche Grade. Beteiligung der Regenbogenhaut in Form von Präzipitat- oder Synechienbildung kommt vor,
gehört aber nicht zur Regel. Eine häufige Komplikation bildet die Drucksteigerung,
weshalb bei Keratitis diciformis stets Druckmessungen geboten sind.

Die durch die Krankheit bedingten Sehstörungen sind meist erheblich, doch kann
nach Abheilung eine weitgehende Aufhellung der verbleibenden Narbentrübung und
damit wesentliche Besserung des Visus eintreten. In schweren Fällen kann es zu Epitheldefekten und schließlich zur Bildung von ausgedehnten Ulzerationen kommen. Sekundärinfektionen sind in solchen Fällen möglich. Der Verlauf der Erkrankung erstreckt

sich meist über viele Wochen. Oberflächlichen Verletzungen kann ursächliche Bedeutung für die Entstehung des Krankheitsbildes zukommen. Die Keratitis disciformis
kann sich im Anschluß an eine Keratitis dendritica entwickeln, tritt aber meist als
selbständige, primäre Erkrankung auf.

Die Therapie, die früher in Anwendung von Ultraviolettbestrahlungen, Schwitzprozeduren und Noviformsalbe bestand und meist recht langwierig war, ist in neuer
Zeit durch die Cortisonbehandlung (als subkonjunktivale Injektion oder in Salbenform)
verdrängt, die ausgezeichnete Resultate gibt, und in frischen Fällen oft sehr rasch zur
Heilung mit voller oder weitgehender Aufhellung führt. Auch die Behandlung mit JUDR
in Kombination mit Cortison wurde empfohlen. Bei veralteten Fällen mit dich-ten Narben kann durch Hornhauttransplantation guter Erfolg erzielt werden. Zur Weithaltung
der Pupille ist die Anwendung von Atropin (1%) oder Scopolamin (1/3%) zu empfehlen.
Eventuell auftretende Drucksteigerungen sind
flüchtiger Natur und hinterlassen keine schädi-
genden Folgen. Sie bedürfen meist keiner besonderen Behandlung. Operationen sind nur
ausnahmsweise notwendig.

γ) Der Zoster ophthalmicus

Der Zoster (s. unter Liderkrankungen)
kann manchmal auf den Bulbus übergreifen
und Hornhautkomplikationen hervorrufen; sie
bestehen in Bildung von Bläschen im Epithel,
Ulzerationen und tieferen Infiltrationen. Die
Behandlung erfolgt mit Noviformsalbe, Antibiotica sowie Wärmeanwendungen. Ultraviolettbestrahlungen kommen auch in Betracht.
Bei Mitbeteiligung der Iris ist Atropin anzuwenden.

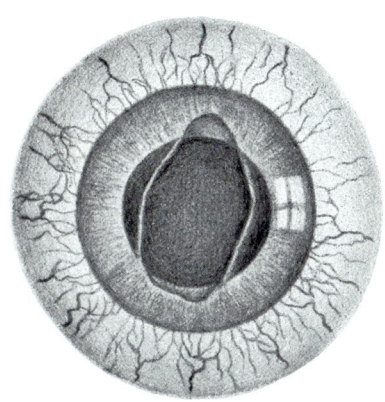

Abb. 92. Keratitis neuroparalytica

Trophische und sonstige Veränderungen

α) Die Keratitis neuroparalytica

Bei Schädigungen des Nervus trigeminus im GASSERschen Ganglion oder im zentralen Verlauf durch Tumoren, Traumen usw., oder nach therapeutischen Eingriffen
wegen Trigeminusneuralgie kann sich auf der befallenen Seite eine Hornhauterkrankung entwickeln. Zunächst entstehen bei fehlender Sensibilität der Cornea Mattigkeit
des Epithels und tiefere Parenchymtrübungen. Daran schließen sich punktförmige Infiltrate, welchen rasch ein Zerfall des Epithels folgt. Es entwickelt sich daraus ein meist
zentral gelegenes rundes, scharfrandiges, oft wie ausgestanzt aussehendes Ulcus
(Abb. 92). Schmerzen fehlen immer. Der Verlauf des Leidens erstreckt sich über viele
Monate. Vorübergehende Besserungen sind oft von neuem Fortschreiten des Prozesses
gefolgt. Der Reizzustand ist verschieden stark ausgeprägt, Mitbeteiligung der Iris ist
die Regel. Die Erkrankung endet mit dichter Narbentrübung und Vaskularisation. Perforationen können durch Sekundärinfektionen verursacht werden. Früher wurde die
Erkrankung lediglich auf das Fehlen der Hornhautsensibilität (Trigeminus: Wächter
des Auges) und dadurch bedingte, ungehinderte Einwirkung von äußeren Schädlichkeiten zurückgeführt, welche bei vorhandener Sensibilität durch Lidschlag usw. abge-
wehrt werden. Heute wissen wir, daß dem Trigeminus vegetative Fasern beigemischt
sind und daß die Störung der letzteren als Hauptursache der Keratitis neuroparalytica
anzusehen ist. Der Ausfall der „Wächterfunktion" spielt dabei in manchen Fällen eine
unterstützende Rolle.

Die *Behandlung* erfolgt mit den üblichen Salben oder durch Eintropfen von Paraffinöl. Vorübergehende Vernähung der Lidspalte oder Bindehautdeckung des Ulcus wirken oft günstig. In Anbetracht der trophoneurotischen Genese bietet keine Maßnahme sicheren Erfolg. Bei Sekundärinfektionen sind Antibiotica angezeigt. LINDNER empfiehlt Schutzbrillen mit seitlichen Schutzklappen.

β) Die Keratitis e lagophthalmo

Bei bestehendem Lagophthalmus (s. unter Liderkrankungen) höheren Grades entbehrt ein Teil der Hornhaut des Schutzes durch die Lider und ist daher der Austrocknung und auch äußeren Schädlichkeiten in erhöhtem Maße ausgesetzt. Diese Faktoren und wahrscheinlich auch hier oft vorhandene trophische Störungen begünstigen die Entstehung von Epitheldefekten und Ulzerationen, die gewöhnlich im unteren Hornhautabschnitt lokalisiert sind (Abb. 93). Sie können zur Perforation mit ihren üblen Folgen (Irisprolaps usw.) führen und durch Sekundärinfektion kompliziert werden. Die Bindehaut in der Nachbarschaft des erkrankten Bezirkes ist meist stark gerötet und verdickt. — Die Prognose ist stets mit Vorsicht zu stellen. Die *Behandlung* besteht in Salbenbehandlung (Noviformsalbe 5% u. a.) und Paraffinölanwendung. Bei Mitbeteiligung der Iris ist Atropin zu geben. Zur Beseitigung bzw. Verminderung des Lagophthalmus sind oft operative Eingriffe (Tarsorrhaphie) erforderlich. Bei voraussichtlich vorübergehend bestehendem Lagophthalmus bewähren sich Uhrglasverbände. Zu diesem Zwecke wird ein uhrglasartig gewölbtes Glas

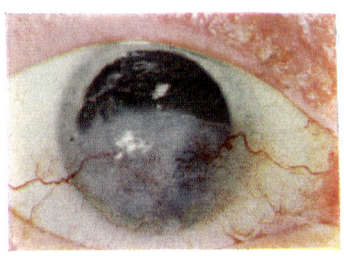

Abb. 93. Keratitis e lagophthalmo. Narben und Gefäße

über die Lidspalte gelegt und in der Gegend der knöchernen Orbitalbegrenzung allseits mit Heftpflaster fixiert; die Berührungsstellen des Glases mit der Haut sind mit Gaze zu polstern.

γ) Die Keratitis filiformis

Die Fädchenkeratitis ist durch feine graue Fädchen gekennzeichnet, die aus abgeschilferten Epithelzellen bestehen und wie Zöpfchen an der Hornhaut haften. Dabei finden sich oft feine Stippchen in der Hornhaut. Die Bindehaut sieht trocken aus und scheidet ein zähes Sekret ab (Keratoconjunctivitis sicca). Als Ursache dieses Zustandes wurde vielfach mangelnde oder verminderte Tränenabsonderung angenommen; es besteht aber Grund zur Annahme, daß auch trophische Störungen dabei eine Rolle spielen. Gleichzeitiges Vorkommen mit Störungen von Speichel- und Schleimsekretion und Arthritis ist als SJÖGRENsches Syndrom bekannt. Zur Behandlung eignen sich Natrium bicarbonicum-Tropfen (1%). In besonders hartnäckigen Fällen kommt eine Verödung der Tränenpünktchen in Frage, um den Abfluß zu verzögern.

δ) Die Keratitis punctata superficialis

Bei dieser Hornhautaffektion, die oft im Zusammenhang mit einer Konjunktivitis entsteht und auch „Conjunctivitis corneae" genannt wurde, finden sich im Epithel multiple, über die ganze Oberfläche verstreute kleine Punkte, welche vielfach leicht erhaben sind. Die übrigen Teile der Cornea bleiben dabei normal.

Ähnliche Bilder können auch bei beginnendem Herpes corneae entstehen, doch ist die grundsätzliche Trennung der Krankheitsbilder festzuhalten.

Die *Behandlung* erfolgt mit Targesin (3%) und Noviformsalbe (5%).

ε) Das Ulcus rodens corneae (MOOREN)

Das Ulcus rodens beginnt in den Randteilen der Hornhaut als meist sichelförmiger, zunächst einem Randgeschwür ähnlicher Substanzverlust und schiebt sich allmählich gegen und über das Hornhautzentrum vor. Die Begrenzung gegen die noch gesunden Hornhautteile bildet eine feine Infiltrationslinie. Die Hornhaut ist im ergriffenen Teil stark verdünnt, doch kommt es nie zur Perforation. Während sich das Ulcus zentralwärts vorschiebt, tritt in den limbusnahen Gebieten Vernarbung unter dichter Vaskularisation ein. Am fortschreitenden Rand ist die noch intakte Hornhaut stets durch Infiltration unterminiert, so daß der Eindruck eines Überhanges über eine rinnenartige Vertie-

fung an der Grenze von gesundem und krankem Gewebe entsteht (Abb. 94). Die Mitbeteiligung der Iris hält sich dabei meist in mäßigen Grenzen; Hypopyon kommt nur selten vor. Charakteristisch für die Erkrankung sind die sehr starken Schmerzen, die zeitweise auftreten und oft nur mit starken Betäubungsmitteln (Morphin) zu beherrschen sind. In Zeiten des Stillstandes bzw. der zeitweisen oder dauernden Heilung fehlen die starken Schmerzen. Sie treten bei neuen, mit Progression verbundenen Schüben wieder auf.

Die Prognose ist schlecht; allmählich wird die ganze Hornhaut vom Geschwür überzogen und die Sehschärfe vernichtet; oft verfallen die Augen wegen der enormen Schmerzen der Enukleation. Leichter verlaufende Fälle kommen selten vor. Die Ur-

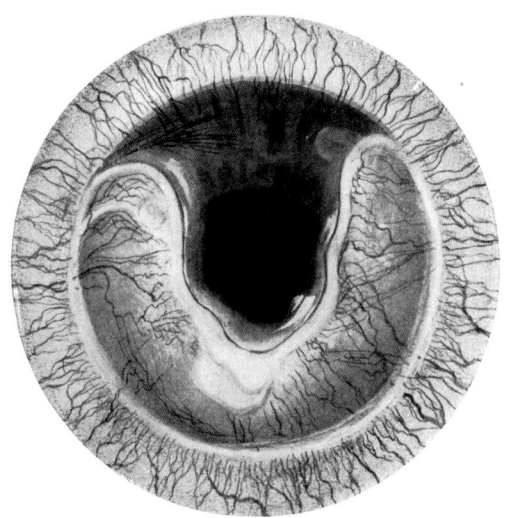

Abb. 94. Ulcus rodens corneae

sache ist nicht geklärt; oft gehen kleine Randgeschwüre, kleine Verletzungen oder skleritische Prozesse dem U. rodens voraus. Wahrscheinlich können diese und andere Schädlichkeiten auslösend wirken, falls eine entsprechende Disposition (Reaktionsbereitschaft) für das U. rodens vorhanden ist.

Die *Behandlung* ist symptomatisch und Sache des Facharztes; neben Salbenbehandlung werden Bestrahlungen, Bindehautdeckungen, Kauterisation u. a. empfohlen. Eine einigermaßen sichere Therapie ist nicht bekannt.

ζ) Die Keratitis bei Rosazea

Bei oder im Anschluß an Rosazeaeruptionen im Gesicht und an den Augenlidern entwickelt sich oft eine hartnäckige Keratitis; deren Schwere steht in keinem bestimmten Verhältnis zu dem Grade der Hauterkrankung. Wir finden oft schon Keratitiden bei kaum nachweisbaren Hauterkrankungen.

Bei mäßigem bis starkem Reizzustand entwickeln sich in der Hornhaut hauptsächlich in den Randteilen weißgraue Infiltrate, zu welchen einzelne Gefäße vom Limbus aus ziehen. Dazu kommt eine gewisse Verbreiterung und oft Erhabenheit des Limbusgebietes. Diese Infiltrate gehen entweder in weißliche Narben über oder führen zur Bildung von Geschwüren (Abb. 95), welche oft dem Ulcus rodens corneae ähnlich sein oder

in solches überleiten können. Im Laufe der Zeit erfolgt Abheilung einiger Herde, die
oft von Kalkeinlagerungen begleitet ist. Gleichzeitig können an anderen Stellen neue
Infiltrate und Ulcera auftreten, wodurch der ganze Prozeß sehr langwierig werden
kann. Im Laufe der Zeit kann durch zahlreiche Herd- und Narbenbildungen eine
schwere Beeinträchtigung der Sehschärfe verursacht werden. Auch Perforation kann
vorkommen.

Manchmal kommen auch gleichzeitig kleine Knötchen in der Bindehaut und der Episklera vor. Oft besteht eine Blepharitis.

Differentialdiagnostisch kann eine Unterscheidung von bestimmten Formen der
Keratoconjunctivitis phlyctaenulosa manchmal schwer sein. Das Alter der Kranken
und die Hautveränderungen führen in der
Regel zur richtigen Diagnose. Auch Verwechslungen mit einem Ulcus rodens corneae sind in
schweren Fällen möglich.

Die *Behandlung* besteht in Anwendung von
Noviformsalbe (5%) und Ichthyolsalben (1 bis
2%). Sie gehört in schweren Fällen in die Hand
des Facharztes, der zweckmäßig mit einem Haut-
facharzt zusammenarbeiten wird. In neuer Zeit
sind Corticoide als sehr wirksam bekannt geworden.

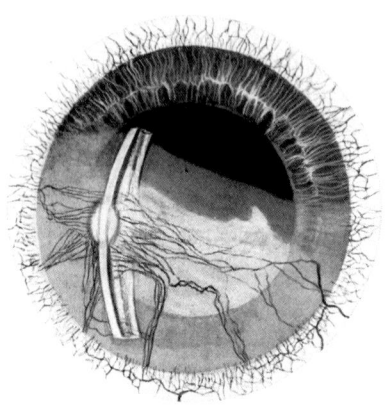
Abb. 95. Keratitis bei Rosazea

b) Interstitielle Hornhautentzündungen

α) *Die Keratitis parenchymatosa oder K. inter-
stitialis e lue congenita*

Wie der Name besagt, spielt sich der Krank-
heitsprozeß im wesentlichen in den tieferen,
parenchymatösen Hornhautschichten ab. Die
vorwiegend ziliare Injektion ist in der Regel beträchtlich, oft sehr heftig und mit starker
Lichtscheu verbunden. Es kommen aber gelegentlich auch Fälle vor, bei welchen ein auffallend geringer Reizzustand besteht. Die charakteristischen Symptome an der Hornhaut
bestehen in Mattigkeit der Oberfläche, Auftreten von Trübungen in den tieferen Schichten
und Vaskularisation (Abb. 96). Die Mattigkeit der Hornhaut — sie sieht aus „wie mit Fett
bestrichen" — ist durch Trübung des Epithels bedingt. Diese geht aber so gut wie nie in
einen Substanzverlust über. Die Trübungen der tieferen Schichten treten in verschiedenen
Lagen meist fleckförmig auf: Anfang in der Nähe des Limbusgebietes ist häufig, aber
nicht Regel. Im Laufe der Zeit nehmen die Trübungen zu, Flecke konfluieren und schließlich wird das ganze Hornhautgebiet von mehr oder minder dichten Trübungen durch-
setzt. Oft beobachtet man auch zungenförmigen Beginn der Trübungen, wobei sich diese
Zungen dann immer weiter zentralwärts vorschieben. Die Vaskularisation der Hornhaut ist in der Hauptsache eine Tiefenvaskularisation; die Gefäßchen sprossen dabei
von verschiedenen Seiten, oft von allen Seiten, gleichzeitig in die tiefen Hornhautschichten ein. Die Einstrahlung erfolgt büschelförmig mit besenreisartiger Verteilung
der Gefäßchen. Ebenso wie die Zahl und Dichtigkeit der Infiltration (Trübungen) des
Parenchyms kann auch die Vaskularisation in weiten Grenzen schwanken, ohne daß
zwischen der Intensität der beiden Vorgänge gesetzmäßige Zusammenhänge festgestellt
werden könnten. Während es (seltene) Fälle gibt, die ohne oder fast ohne Gefäßbildung
verlaufen (Keratitis parenchymatosa avasculosa), kommt es in anderen Fällen zu so
dichter Gefäßeinsprossung, daß die ganze Hornhaut bei flüchtiger Betrachtung wie ein
roter Teppich aussieht (Abb. 97). Dieses Bild wird noch durch die neben der Tiefenvas-

kularisation in manchen Fällen auch bestehende pannusartige Oberflächenvaskularisation verstärkt. Diese Oberflächenvaskularisation vollzieht sich in Form gleichmäßig dicht vom Limbus aus einstrahlender Gefäße (epaulettenförmiger Pannus).

In seltenen Fällen tritt die Krankheit auch in Form von ringförmig um das Zentrum angeordneten Trübungen auf (Keratitis anularis).

Die Regenbogenhaut beteiligt sich an dem Krankheitsgeschehen durch Bildung von Präzipitaten und Synechien. Während die Mitbeteiligung der Iris als Regel anzusehen ist, sind begleitende Skleritis und Chorioiditis seltener. Letztere ist gewöhnlich erst nach Ablauf der Prozesse in Form von gelblichen, meist pigmentierten Herden feststellbar. Wichtig ist, daß man bei Keratitis parenchymatosa stets an die Möglichkeit von intra-

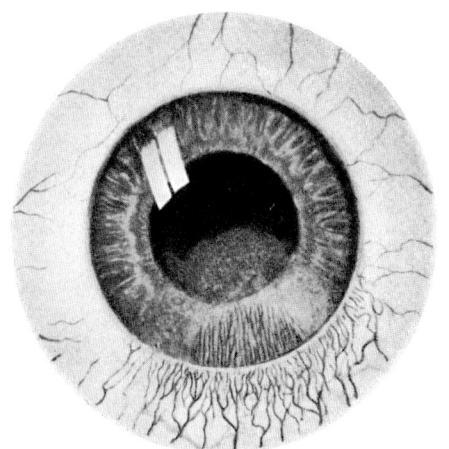

Abb. 96. Keratitis parenchymatosa e lue congenita (Anfangsstadium)

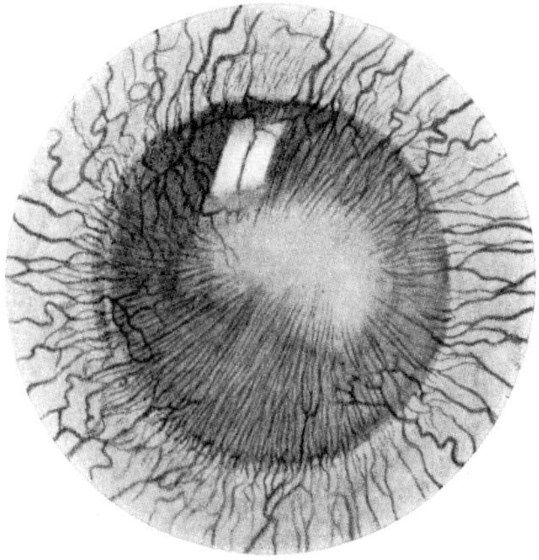

Abb. 97. Keratitis parenchymatosa e lue congenita (vorgeschrittenes Stadium)

okularen Drucksteigerungen (Sekundärglaukomen) denken und daher den Druck überwachen muß.

Der *Verlauf* der Erkrankung, die heute selten geworden ist, erstreckt sich über viele Wochen oder Monate. In der Regel erkranken *beide Augen*, wenn auch keineswegs immer gleichzeitig. In manchen Fällen liegen zwischen Erkrankung der beiden Augen Monate und auch Jahre. Diese Tatsache hat schon oft zur Fehlbewertung von Behandlungsmethoden bezüglich angeblichen Freibleibens des zweiten Auges geführt. Es gibt aber tatsächlich auch Fälle, in welchen die Erkrankung einseitig bleibt (selten). Die Verlaufsform der Erkrankung an beiden Augen (starke oder geringe Vaskularisation, Dichte und Anordnung der Trübungen, Dauer des Prozesses usw.) ist aber an beiden Augen desselben Individuums meist gleichartig oder ähnlich.

Der Ausgang hängt in der Hauptsache von der Aufhellung der Trübungen ab. Weitgehende Aufhellung der Trübungen und Rückbildung der Gefäße ist besonders bei Kindern möglich, und die Fälle sind nicht selten, in welchen bei zarten Narben und wenigen obliterierten Gefäßen fast voller Visus oder gar voller Visus wieder erzielt wird. Als Regel kann aber dieser Verlauf nicht angesehen werden; es gibt leider auch viele Fälle, in welchen dichte Narben und reichlich obliterierte Gefäße schwere Sehstörungen als Dauerfolgen verursachen.

Die Erkrankung befällt vorwiegend Kinder zwischen 5. und 15. Lebensjahr; in späteren Jahren wird die Erkrankung immer seltener, kommt aber in vereinzelten Fällen bis zum 40. Lebensjahr zur Beobachtung. Gelegentlich werden auch Rückfälle nach bereits abgeheilten Erkrankungsfällen beschrieben.

Als *Ursache* der Erkrankung ist in den weitaus meisten Fällen die kongenitale Lues anzusehen, und zwar ist die luische Infektion der Mutter Voraussetzung für die Entstehung des Prozesses. Als auslösende Ursache können dann und wann Traumen eine Rolle spielen, doch ist in Anbetracht der Seltenheit dieses Vorkommnisses bei der gutachtlichen Anerkennung im Einzelfall große, auf fachärztliche Erfahrung aufgebaute Kritik erforderlich.

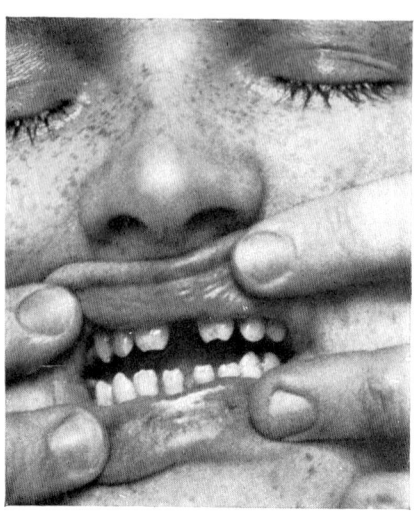

Abb. 98. HUTCHINSONsche Zähne bei kongenitaler Lues

Da die K. parenchymatosa ein Zeichen kongenitaler Lues ist, sind selbstverständlich sehr oft auch andere Zeichen dieses Zustandes bei den Befallenen nachweisbar. Im Vordergrund stehen dabei die typischen HUTCHINSONschen *Zahnveränderungen* (Abb. 98) und *labyrinthäre Schwerhörigkeit* (HUTCHINSONsche Trias). Außerdem kommen noch *Sattelnase*, *Gelenkschwellungen* (besonders an Kniegelenken), *Rhagaden* und Narben am *Mundwinkel* vor. In vielen Fällen fehlen aber auch andere Zeichen der Lues. Diese kann aber mit Hilfe der so gut wie immer positiven Blutreaktionen (WASSERMANN u. a.) sichergestellt werden, die bei allen einschlägigen Fällen unbedingt anzustellen sind.

Bisher galt die Therapie als wenig geeignet, den Ablauf des Prozesses wesentlich zu beeinflussen; in neuer Zeit ist aber durch die Corticoidbehandlung (Salbe oder subkonjunktivale Injektionen) ein wesentlicher Fortschritt erzielt worden. Diese Präparate wirken besonders in frischen Fällen bezüglich Zeitdauer und Endausgang der Krankheit oft sehr günstig. Daneben sind Atropin und Wärme zur Bekämpfung der Begleitiritis anzuwenden. Außerdem muß eine moderne antiluische Behandlung eingeleitet werden. Schutzbrillen sind wegen starker Lichtscheu meist nötig. Bei alten Fällen mit störenden Narben kann durch Hornhauttransplantation (meist von Leichenaugen) oft ein guter Erfolg erzielt werden.

β) Die Keratitis parenchymatosa aus anderen Ursachen

In seltenen Fällen kann das eben geschilderte Krankheitsbild auch auf anderer als kongenital luischer Basis entstehen. In Betracht kommen Tuberkulose, Parotitis epidemica, Influenza oder Grippe und Lepra. Die Diagnose ergibt sich aus dem Ausschluß der kongenitalen Lues und dem Nachweis der Grundkrankheit. Aus dem klinischen Bild ist die ätiologische Diagnose nicht zu stellen. Die Lokalbehandlung entspricht der oben geschilderten, die Allgemeintherapie richtet sich nach dem Grundleiden.

γ) Die sklerosierende Keratitis

Als Begleiterscheinung einer Skleritis tritt oft eine Hornhauterkrankung auf; sie wird im Zusammenhang mit den Erkrankungen der Sklera besprochen.

δ) *Die Hornhauttuberkulose*

Wie erwähnt, kann die Tuberkulose in seltenen Fällen unter dem Bilde der typischen K. parenchymatosa ablaufen. Daneben kommt aber auch eine andere Form von Hornhauterkrankung vor, die gewöhnlich der Tuberkulose zugeordnet wird (Abb. 99). Sie ist durch das Auftreten gelblicher, weißlicher tiefer Infiltrationen gekennzeichnet, die oft zentral, manchmal aber auch in den Randbezirken beginnen und durch zungenförmiges Vorschieben oder durch Auftreten neuer Herde allmählich immer größere Bezirke der Hornhaut einbeziehen. Dichte, meist tiefe Vaskularisation begleitet den Prozeß. In seltenen Fällen kommen auch buckelförmige Vorwölbungen des Hornhautgewebes und Ulzerationen zustande. Die Erkrankung ist in der Regel von starken entzündlichen Vorgängen in der Uvea (vorwiegend Iris und Ziliarkörper) begleitet. Die exakte ätiologische Diagnose durch Bazillennachweis, positiv verlaufenden Tierversuch oder sicheren anatomischen Nachweis (Verkäsung) ist nur selten zu stellen; vielfach muß es bei einer Wahrscheinlichkeitsdiagnose bleiben.

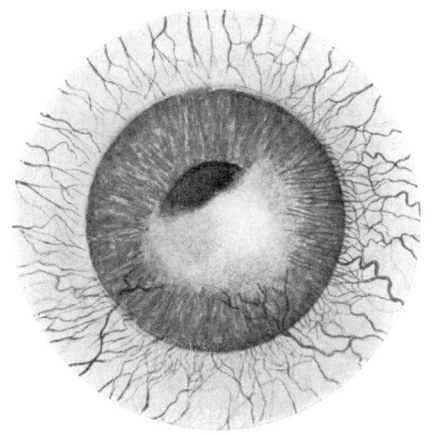

Abb. 99. Keratitis tuberculosa

Die Erkrankungen verlaufen langwierig und geben eine schlechte Prognose, die durch die dichten, meist sehnig-weißen Narbenbildungen — oft mit Abflachung der Hornhaut verbunden — verursacht ist. Die *Therapie* gehört in die Hand der Fachklinik, die diese vielfach klimatisch günstig gelegenen Spezialheilstätten für Augentuberkulose übertragen wird. Außerdem kommen Röntgenbestrahlung mit geringen Dosen, Vigantol und Lebertran in Betracht. Die früher viel gebrauchten Tuberkulinkuren sind heute fast verlassen. PAS und andere Chemotherapeutika sind empfohlen, doch ist ein einheitliches Urteil noch nicht erzielt. Die Lokalbehandlung erfolgt mit Atropin (1%) und Wärmeanwendung.

3. Degenerative Hornhauterkrankungen

a) Der Greisenbogen (Arcus senilis)

Unter Greisenbogen (Abb. 100) verstehen wir einen schmalen grauweißen Trübungsring, der die Hornhaut parallel zum Limbus umgibt und durch eine 1—2 mm breite klare Zone davon getrennt ist. In der Regel ist der Ring geschlossen, doch sieht man in beginnenden Fällen auch unvollständige Ringe, oft nur Stücke von solchen. Ursache ist eine Fettinfiltration in den tieferen Schichten in der Randzone der Hornhaut, die in der Regel bei älteren Leuten, manchmal aber auch schon in der Jugend auftritt. In diesen Fällen findet sich oft eine Hypercholesterinämie. Man spricht dann von Arcus juvenilis. Da die Veränderung nicht unbedingt für eine Altersgruppe charakteristisch ist, sollten eigentlich die Bezeichnungen Arcus senilis und juvenilis durch die einheitliche Bezeichnung *Arcus lipoides* ersetzt werden. Die Veränderung ist klinisch belanglos und bedarf keiner Behandlung.

Iu seltenen Fällen können sich im Bereiche des Arcus lipoides auch weitergehende degenerative Veränderungen — Vertiefungen (periphere Rinnenbildung) oder Ektasien (Randektasie) — ausbilden. Bei letzteren kann manchmal ein therapeutischer Eingriff

(Kauterisation — Bindehautdeckung) erforderlich werden. Auch Randulzera entstehen gelegentlich im Bereiche eines Arcus lipoides.

Von dem Arcus lipoides zu unterscheiden ist eine den tiefsten Hornhautschichten angehörende ringförmige Trübung, welche eine Entwicklungsanomalie darstellt — das *Embryotoxon corneae posterius.*

b) Die erblichen Hornhautdystrophien

Den verschiedenen erblichen Hornhautentartungen ist das familiäre Auftreten, der Beginn in der Jugendzeit bei Fehlen echter entzündlicher Erscheinungen und die Erkrankung beider Augen gemeinsam. Der Prozeß pflegt während des Lebens langsam, aber stetig fortzuschreiten und führt zu erheblichen Sehstörungen, wobei die bröckelige Dystrophie die günstigsten Aussichten zu bieten scheint. Neben verschiedenen seltenen Arten erblicher Hornhauterkrankungen stehen 3 typische Veränderungen im Vordergrund des Interesses:

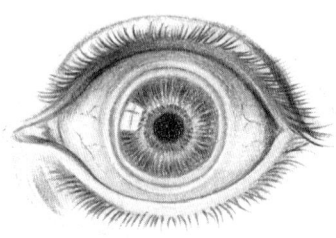

Abb. 100.
Greisenbogen der Hornhaut

a) Die *knötchenartige* oder *bröckelige* Hornhautentartung, die mit weißen Pünktchen in den mittleren Teilen der Cornea beginnt; später folgen streifenartige, ringartige oder scheibenförmige Bildungen. Die Randteile der Cornea bleiben klar. Das Epithel ist intakt, in seltenen Fällen im höheren Alter leicht knötchenartig erhaben.

b) Die *fleckige* Hornhautentartung, meist über die ganze Hornhaut verteilt, besteht aus kleinen, zentral besonders dicht stehenden Fleckchen.

c) Die *gitterige* Hornhautentartung, die durch zarte fadenartige, sich oft gitterähnlich kreuzende Trübungen gekennzeichnet ist. Auch hier bleiben die Randteile meist klar. Knötchenförmige und später scheibenartige Bildungen finden sich eingestreut. Die Vererbung der knötchenartigen und gitterigen Dystrophie erfolgt dominant, die der fleckigen rezessiv. Die Behandlung ist ohne Einfluß auf den Gang des Prozesses. Bei starker Sehstörung in späteren Stadien kann die Hornhauttransplantation (von Leichenaugen) wesentliche Besserung der optischen Verhältnisse bringen.

c) Die band- oder gürtelförmige Hornhautentartung

Diese Veränderung tritt selten als primäre Veränderung, häufiger als Folge schwerer Erkrankungen, wie Glaukom und Iridozyklitis, oder von traumatischen Schädigungen auf. Sie kommt gelegentlich auch bei Kindern in Verbindung mit Iridozyklitis und Gelenkerkrankungen vor. Sie beginnt gewöhnlich temporal und nasal, wobei eine schmale kleine Sichel am Limbus freibleibt. Die Trübungszone schiebt sich dann von beiden Seiten gegen das Zentrum vor und führt schließlich zur Vereinigung der Trübungen zu einem dichten Band mit oft unregelmäßigen Rändern, welches im oder etwas unterhalb des waagerechten Meridianes zu liegen pflegt (Abb. 101). Die Trübung ist grauweiß und mit kalkigen Einlagerungen besetzt, die oft zu derben Schollen werden. Die Trübung liegt unter dem Epithel, welches allerdings später oft nekrotisch wird. Auch Bildung von kleinen oder derberen Bläschen wird im Bereiche der Trübungszone beobachtet. Manchmal kommt es auch zur Abstoßung von Kalkbröckeln und Plättchen, die mit starken Schmerzen und Reizungen verbunden sein können. Die *Behandlung* ist kein dankbares Arbeitsgebiet des Facharztes (Abrasio der Hornhaut, Betupfen mit 2% Salzsäurelösung oder 10% Ammonium-tartaricum-Lösung u. a.).

d) Die fettige Degeneration

Diese Degenerationsform ist selten; sie tritt manchmal bei sonst gesunden Personen, manchmal bei endokrinen Störungen auf (Hyperthyreose, Osteomalazie). Sie besteht im Auftreten von gelblichweißen, später gelblichen, den tieferen Schichten angehörigen Trübungen. Diese beginnen meist zentral, gelegentlich aber auch in den peripheren Teilen der Hornhaut und können diese schließlich weitgehend durchsetzen. Dabei kommen Gefäßeinwachsungen und gelegentliche Reizzustände zur Beobachtung. Die Genese ist unklar, die *Therapie* machtlos.

e) Die Epitheldystrophie der Hornhaut

Diese seltene Erkrankung tritt bei älteren Personen gelegentlich spontan oder im Anschluß an Erkrankungen (Glaukom, Iridozyklitis) und Operationen auf. Es kommt bei reizlosen oder fast reizlosen Augen zu einer fleckigen Trübung des Epithels, die mit Bildung von feinen oder gröberen Epithelbläschen verbunden ist. Das Epithel sieht dabei hauchartig getrübt aus, ähnlich wie bei akutem Glaukom. Spaltlampenuntersuchungen haben gelehrt, daß diese Epithelbefunde mit Veränderungen des Endothels verbunden sind, wobei letztere wahrscheinlich den primären Vorgang darstellen; tröpfchenartige Prominenzen des Endothels gegen die Vorderkammer (Cornea guttata) spielen dabei eine wichtige Rolle. Meist beteiligt sich das Parenchym in vorgeschrittenen Fällen durch eine Verdickung des gesamten Gewebes. Das Leiden ist progredient und führt in der Regel zu schweren Sehstörungen. Die *Therapie* ist nicht aussichtsreich. Operative Eingriffe (ELLIOTsche Trepanation) scheinen manchmal den Prozeß günstig zu beeinflussen.

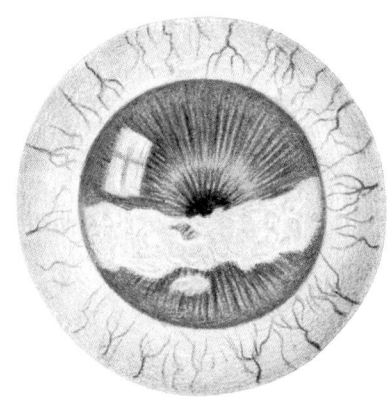

Abb. 101.
Bandförmige Hornhautentartung

f) Die Pigmentierungen und verschiedene Einlagerungen in der Hornhaut

Pigmentierungen in Form verstreuter Pigmentpunkte an der Hornhauthinterfläche findet man gelegentlich bei älteren Personen, bei Glaukomkranken und bei Diabetikern. Bei Myopen sieht man manchmal spindelförmig angeordnete, vor dem Pupillargebiet meist annähernd vertikal liegende Pigmentanhäufungen (AXENFELD-KRUKENBERGsche *Pigmentspindel*). Diese Pigmentierungen besitzen keine klinische Bedeutung und sind von pigmentierten Präzipitaten nach Iridozyklitis wohl zu unterscheiden. Bei alten Personen tritt oft eine zarte horizontale, oft leicht gebogene *Pigmentlinie* (STÄHLI) auf, die gewöhnlich etwas unterhalb des horizontalen Meridianes liegt; sie gehört der BOWMANschen Membran an und hat für das Sehen keine Bedeutung. Auch epitheliale Pigmentanhäufungen kommen in der Nähe des Limbus zur Beobachtung (Melanosis corneae); sie können sich auch keilförmig in die Cornea vorschieben.

An dieser Stelle sei auch der KAYSER-FLEISCHERsche *Ring* erwähnt, der bei *Pseudosklerose* (WILSONsche Erkrankung) oft in den tiefen Schichten der Hornhautrandpartien gefunden wird. Es handelt sich um Ablagerungen von Kupfer.

Verschiedene Einlagerungen der Hornhaut, die nach Verletzungen entstehen können (Durchblutungen, Kalkverätzungen, Chalkosis u. a.) werden im Kapitel über Verletzungen erörtert werden. Hier sei nur noch erwähnt, daß in seltenen Fällen bei Gicht, Ablagerungen von Harnsäurekristallen in der Hornhaut auftreten, die mit entzündlichen Veränderungen (Hornhautinfiltrationen, Ulzera) verbunden sein können.

4. Tumoren der Hornhaut

a) Gutartige Tumoren

Tumoren der Cornea selbst sind extrem selten; meist handelt es sich um dem Limbus aufsitzende Geschwülste, die Bindehaut und Hornhaut ergreifen. Hier ist zunächst als angeborene Geschwulst das Dermoid zu nennen, welches bereits im Abschnitt „Bindehaut" behandelt wurde. Papillome können Bindehaut und Hornhaut gleichzeitig überziehen.

b) Bösartige Tumoren

Unter den malignen Neubildungen sind in erster Linie die ebenfalls schon besprochenen Limbustumoren (Karzinome, Epitheliome) zu nennen, welche meist vom Limbus ausgehend Konjunktiva und Cornea befallen. Dasselbe gilt von den seltenen pigmentierten oder unpigmentierten Sarkomen.

VII. Die Erkrankungen der Sklera und Episklera

A. Anatomie

Die Lederhaut umgibt als derbe, bindegewebige Kapsel schützend die edlen Teile des Augeninneren; sie ist lediglich vorn durch die uhrglasartige Einpflanzung der Cornea, rückwärts durch die Area cribriformis (Lamina cribrosa) unterbrochen. Ihre Dicke nimmt im allgemeinen vom hinteren Augenpol gegen den Limbus hin ab; im Bereiche der Ansatzstellen der Augenmuskeln erfährt sie durch deren Einstrahlung wieder eine leichte Verstärkung. Die Sklera besteht aus dichten Bindegewebsbündeln, welche sich in verschiedenen Richtungen kreuzen und durchflechten; sie enthält auch reichlich elastische Fasern, die eine gewisse Elastizität der Membran gewährleisten. Die Sklera ist gefäßarm; sie wird, wie im Abschnitt „Das Auge als Ganzes" näher ausgeführt, von den verschiedenen an der Blutversorgung des Auges beteiligten Gefäßen und den Ziliarnerven durchbohrt. An der Innenfläche der Sklera, nahe dem Hornhautrand, findet sich eine flache Verdickung (Skleralwulst), vor welchem der später noch zu erwähnende *Sinus venosus sclerae* (SCHLEMMsche Kanal) liegt. Zwischen Sklera und Bindehaut ist ein lockeres Gewebe — Episklera — eingeschaltet, welches sich an den Erkrankungen der Sklera beteiligt oder auch allein erkranken kann.

B. Untersuchungsmethoden

Zur Untersuchung der Lederhaut gelangen die beim Kapitel Hornhauterkrankung geschilderten Methoden zur Anwendung (einfache vergleichende Beobachtung, seitliche Beleuchtung, Spaltlampen). Die Untersuchung der sichtbaren Sklera bietet in der Regel keine Schwierigkeiten. Zu achten ist auf Veränderungen der Form und der Farbe. Die Farbe der normalen Lederhaut ist weiß, oft mit einem leichten gelblichen Ton, welcher im Alter zunimmt.

C. Entzündliche Erkrankungen der Sklera und Episklera

1. Skleritis anterior und Episkleritis

Die im vorderen Abschnitt der Lederhaut und der Episklera auftretenden Entzündungen sind durch Bildung von buckelartigen Vorwölbungen und ziliare Injektion charakterisiert (Abb. 102). Die *Buckel* können entweder nahe dem Limbus oder auch entfernt davon ihren Sitz haben. Dabei besteht meist eine starke tiefe Injektion des Buckelgebietes und seiner Umgebung, die in schweren Fällen mit einer allgemeinen Ziliarinjektion verbunden sein kann. Die Entscheidung, ob eine vorwiegend episkleritische Entzündung oder ein Prozeß der tieferen Lagen der Sklera vorliegt, ist klinisch nicht immer mit Sicherheit zu treffen. Im allgemeinen sind leichtere, mit helleren Buckeln verbundene Zustände als Episkleritis anzusehen, während tief dunkelblaurote, mit starken Reizzuständen einhergehende Erkrankungen in die tieferen Lagen zu lokalisieren sind. Auftreten von Schmerzen spricht ebenfalls für Skleritis.

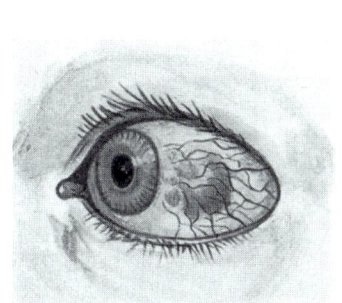

Abb. 102. Episkleritis

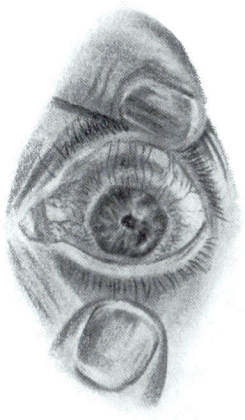

Abb. 103. Alte Skleritis und sklerosierende Keratitis

Auch sich oft über viele Wochen erstreckender Verlauf ist im Sinne einer Skleritis zu werten, während Episkleritiden sich rascher zurückzubilden pflegen. Im Abheilungsstadium kommt der Verfärbung der Lederhaut differentialdiagnostischer Wert zu. Während Episkleritiden ohne oder mit nur geringfügiger Verfärbung zurückgehen, bleibt nach tiefergreifenden Prozessen eine *schiefergrau-blaugraue Verfärbung* der Lederhaut zurück, die es erlaubt, eine abgelaufene Skleritis noch nach Jahren festzustellen (Abb. 103). Diese scheinbare Verfärbung ist auf eine Verdünnung der Lederhaut zurückzuführen, die ein Durchschimmern der dunklen Uvea zur Folge hat. In schweren Fällen kann die Verdünnung so hochgradig sein, daß eine Ektasie der Lederhaut *(Skleralstaphylom)* (Abb. 104) entsteht. Ein Lieblingssitz dieser Staphylome ist die Gegend des Strahlenkörpers und der Vorderkammer. Die Ektasien finden sich dann einige Millimeter vom Limbus entfernt, oft konzentrisch dazu *(Interkalarstaphylome)*. Diese bestehen manchmal aus einer Reihe buckelförmiger Ektasien, zwischen welchen sich relativ normale, nicht ektatische Sklera findet. Auch in der Äquatorialgegend kommen derartige Prozesse vor *(Äquatorialstaphylome)*. Es sei aber beigefügt, daß derartige Skleralstaphylome nicht nur als Folgen einer primären Skleritis auftreten, sondern auch nach schweren intraokularen Erkrankungen (Iridozyklitis, absolute Glaukome) entstehen können.

Als *Komplikationen* der Lederhautentzündungen kommen Erkrankungen der Uvea (Iridozyklitis) und der Hornhaut *(sklerosierende Keratitis)* vor. Letztere treten in Form von weißen und grauweißen tiefen Trübungen auf, welche sich vom Gebiete des skleritischen Prozesses aus zungenförmig in der Cornea vorschieben und von Gefäßen begleitet sind. Da in schweren Fällen eine Skleritis oft nicht auf einen Buckel beschränkt bleibt, sondern diffus die Cornea weitgehend umgreifen kann (Abb. 105), so können derartige Hornhauttrübungen auch von verschiedenen Seiten in die Cornea vordringen. Es gibt Fälle, in welchen das klare Hornhautgebiet von allen Seiten immer mehr eingeengt wird, so daß schließlich nur ein kleiner klarer Rest übrigbleibt.

Als *seltenere Formen* der Lederhauterkrankung sind jene zu nennen, bei welchen sulzige Schwellungen der Sklera besonders im Limbusgebiet auftreten, die oft die ganze Hornhaut umfassen; sie können mit tiefen Hornhautentzündungen, ja auch mit oberflächlichen Ulzerationen verbunden sein und sind in der Regel von schweren Entzündungen der Uvea begleitet. Sie führen oft zum Verlust der Augen. Es sind für diese Prozesse verschiedene Namen angegeben worden (sulzige Skleritis, maligne Skleritis, Skleroperikeratitis progressiva), doch dürften sich darunter gleichartige oder

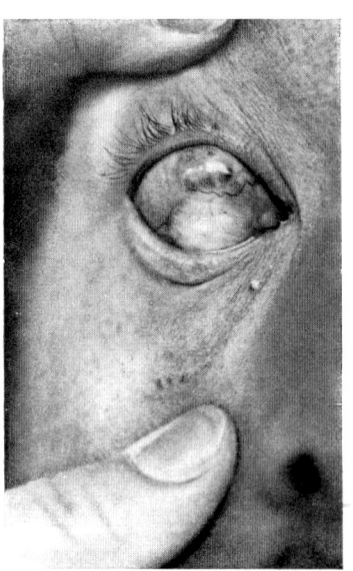

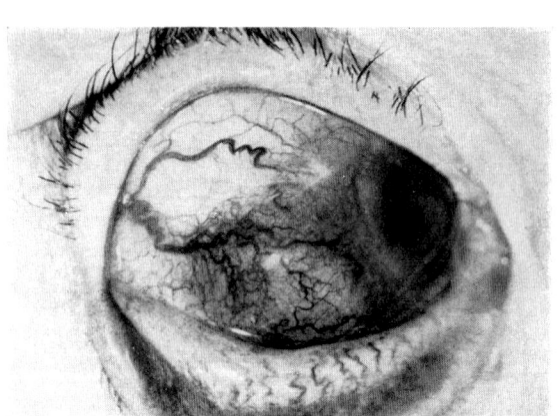

Abb. 104. Staphylom der Sklera
und Leukom der Cornea

Abb. 105.
Diffuse Skleritis mit Buckelbildung unten

verwandte Prozesse verbergen. Es ist daher zweckmäßig, sie unter dem Namen der *Skleroperikeratitis* (V. SZILY) zusammenzufassen.

Abseits davon steht sie *Scleromalacia perforans*, bei welcher bei relativer Reizlosigkeit lochartige Nekrosen der Lederhaut auftreten. Diese Erkrankung ist mit schweren rheumatischen Prozessen verbunden und ätiologisch diesen zuzuordnen.

Die *Ätiologie* der übrigen Skleritisformen ist nicht einheitlich. Lues, Tuberkulose, Gicht spielen zweifellos eine Rolle. Nicht zu unterschätzen ist aber die Bedeutung der allergisch-hyperergischen Vorgänge, die, wie bei Erörterung der Erkrankungen der Uvea näher ausgeführt werden wird, häufig zu allergischen Augenerkrankungen führen.

In den Rahmen dieser Prozesse gehören auch die „rheumatischen Erkrankungen", die aber keine klare ätiologische Einheit darstellen. Man kann sich die Entstehung derartiger allergischer Erkrankungen durch Summierung von Reizen vorstellen, die von verschiedenen Herden (Tonsillen, Zahnwurzelgranulomen, Prostataerkrankungen, alte „inaktive" tuberkulöse Herde u. a.) ausgelöst werden können, wobei diese verschiedenen Reize sich in mannigfacher Art addieren und verflechten. Eine klare ätiologische Diagnose ist daher in den meisten Fällen nicht möglich.

Die *Behandlung* bedient sich lokal warmer Umschläge, der Noviformsalbe und bei iritischen Begleiterkrankungen des Atropins; auch Corticoidderivate und Antibiotica werden empfohlen. Auch mehrmalige Röntgenbestrahlungen mit geringen Dosen (je 50 bis 100 r) bewähren sich oft. Bei sicherer tuberkulöser Genese kommen Heilstätten-

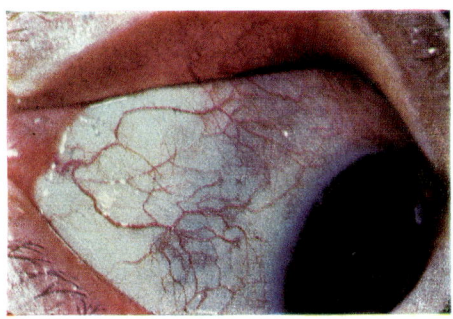
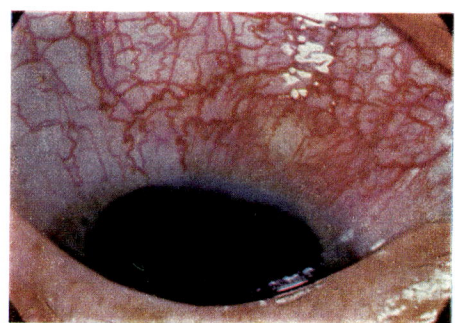

Abb. 106. Ältere Skleritis   Abb. 107. Episkleritis metastatica furunculiformis

behandlungen in Betracht, bei Lues und Gicht entsprechende kausale Allgemeintherapie. Bei den ätiologisch nicht klaren Formen werden Schwitzprozeduren mit Aspirin, Milchinjektionen, sowie Irgapyrin und Tanderil angewendet. Der Beseitigung von gefundenen Fokalherden ist große Bedeutung beizumessen. Doch erfordert sie auch strenge Kritik.

2. Skleritis posterior

Erkrankungen der Lederhaut im hinteren Abschnitt entziehen sich der direkten Diagnosestellung. Sie bieten ähnliche Symptome wie die später zu erörternde Tenonitis. Meist sind nur Wahrscheinlichkeitsdiagnosen möglich. Die vorkommenden Symptome sind: Schmerzen besonders bei Bulbusbewegungen, leichter Exophthalmus, Ziliarinjektion, oft auch leichte Chemose und entzündliche Schwellungen im Bereiche der Netzhaut und Aderhaut. Bezüglich Ätiologie und Therapie gilt das über die Skleritis anterior Gesagte.

3. Flüchtige episkleritische Prozesse

Hier sind die *Episkleritis periodica fugax* und die *Episkleritis metastatica furunculiformis* zu erwähnen. Bei ersterer handelt es sich um flüchtige, bald rechts, bald links auftretende episkleritische Infiltrationen, die oft mit Schmerzen verbunden sind und rasch wieder verschwinden. Wahrscheinlich handelt es sich um allergische Vorgänge. Die Therapie besteht in Anwendung von Wärme und Noviformsalbe.

Bei der *Episkleritis metastatica furunculiformis* bestehen kleine Abszeßchen, die bei Furunkulose, Angina oder anderen Infektionen auftreten. Sie entstehen metastatisch. Man sieht zunächst umschriebene episkleritische Knötchen, die eine gelbliche

Farbe annehmen. Schließlich kommt es zur Perforation, Entleerung des Eiters und
eines nekrotischen Pfropfens. Die Erkrankung ist meist harmlos, doch sind auch tiefgreifende Nekrosen mit Perforation beschrieben. Wärme, Antibiotica, evtl. rechtzeitige
Inzision beschleunigen die Abheilung.

D. Degenerative Prozesse und Tumoren

1. Das Syndrom der blauen Sklera

Die scheinbar blaue Farbe, die dem Zustand ihren Namen gibt, ist auf ein Durchschimmern der dunklen Uvea durch die bei diesen Patienten veränderte Sklera
zurückzuführen. Die Veränderung tritt meist vererbt (dominant) auf und ist mit abnormer Knochenbrüchigkeit und Innenohrschwerhörigkeit verbunden. Die Befallenen
erleiden oft aus den geringfügigsten Ursachen Frakturen, besonders der langen Röhren-
knochen. Eine Mesenchymschwäche wird als Grundlage des Symptomenkomplexes
betrachtet. Therapie kommt nicht in Frage.

2. Melanosis der Sklera

Hierunter verstehen wir abnorme Pigmentanhäufungen umschriebener Art, die
gelegentlich in der Sklera gefunden werden: sie sind belanglos (Abb. 108).

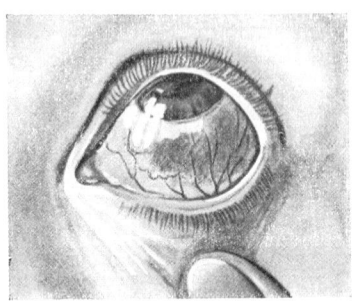

Abb. 108.
Melanosis sclerae

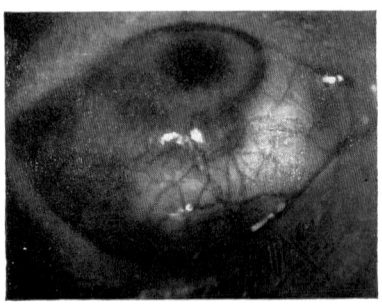

Abb. 109. Skleritische Pseudotumoren bei
aleukämischer Lymphadenose

3. Senile Entartungsstreifen

Neben den Ansatzstellen der geraden Augenmuskeln sieht man bei alten Leuten
manchmal schmale bandartige graue Streifen, die als degenerative Befunde zu werten
sind.

4. Tumoren der Lederhaut

Tumoren der Sklera kommen nicht vor, wohl aber kann die Lederhaut von Tumoren
anderer Teile (Bindehaut, Hornhaut) mit ergriffen und durchwachsen werden.

Gelegentlich sieht man aber in der Lederhaut sulzige, meist rötliche, tumorartige
Gebilde, über welchen die Bindehaut verschieblich ist. Sie sitzen an verschiedenen
Stellen und können von wenig Geübten mit skleritischen Buckeln verwechselt werden.
Es handelt sich aber um Pseudotumoren, die auf Grund leukämischer oder aleukämische
Lymphadenosen entstehen (Abb. 109). Die Allgemeinuntersuchung (evtl. Sternal-
punktion) und histologische Untersuchung der Wucherung sichern die Diagnose. Die
Therapie gehört in die Hand des Internisten. Lokal können Röntgenbestrahlungen an-
gewendet werden.

VIII. Die Erkrankungen der Uvea

A. Anatomie

a) Die **Regenbogenhaut** (Iris) bildet den vordersten Anteil der Uvea; sie ist bis auf den periphersten, an der Bildung des Kammerwinkels beteiligten Anteil, der Beurteilung leicht zugänglich. Die Iris (Abb. 110) besteht aus dem vorderen (mesodermalen) Stromablatt und dem hinteren (ektodermalen) Pigmentblatt. Das Stromablatt besteht aus einem Geflecht bindegewebiger Bälkchen und Stränge (Trabekel), die eine außerordentlich große Zahl von Blutgefäßen enthalten. Diese sind so von Bindegewebe umsponnen, daß sie normalerweise nicht sichtbar sind. Die einzelnen Bindegewebsbalken liegen bald dichter, bald lockerer und durchflechten sich in mannigfacher Weise. Dabei entstehen zwischen dichteren Gewebspartien Vertiefungen, sog. Lakunen oder Krypten in verschiedenster Anordnung und Zahl. Auf diese Weise kommen die mannigfachsten Irisbilder zustande, so daß kaum eine Iris der anderen gleicht. Diese Mannigfaltigkeit im Aussehen, die noch durch Farbunterschiede vermehrt wird, gibt der Phantasie der sog. Irisdiagnostiker weitesten Spielraum. Diese teilen die Iris in verschiedene Zonen ein, die bestimmten Körperteilen (Magen, Gehirn, Arm, Bein usw.) entsprechen sollen. „Zeichen" in diesen Zonen sollen Erkrankungen des betreffenden Organes anzeigen. Selbstverständlich fehlt diesen Spekulationen jede vernünftige Grundlage.

Wir unterscheiden einen ziliaren und pupillaren Irisanteil, welche durch hier annähernd konzentrisch zur Pupille verlaufende und meist etwas vorspringende Gewebsbündel (Iriskrause) geschieden sind. Das Stromablatt enthält weiterhin Pigment in verschieden dichtem Maße. Der Pigmentgehalt bedingt die Farbe der Iris; bei starker Pigmentierung erscheint die Iris braun bis fast schwarz (bei dunklen Rassen), bei geringer hell (blau bis grau). Bei Neugeborenen fehlt die Pigmentierung, weshalb diese stets helle (blaue-blaugraue) Augen haben. Auch verschiedene Färbungen beider Augen desselben Individuums kommen vor (Heterochromie), ja auch innerhalb derselben Iris gibt es Farbunterschiede. In Fällen, in welchen dieselbe Iris zwei verschiedene Farben aufweist, wovon eine meist der Farbe des Partnerauges entspricht, wird die Bezeichnung partielle Heterochromie gebraucht.

Durch besondere Anhäufung von Pigment gekennzeichnete dunkelbraune Flecke innerhalb einer Iris bezeichnen wir als Naevi, bei reichlicher Anwesenheit solcher Naevi sprechen wir von getigerter Iris. Das Pigmentblatt schimmert nur bei atrophischem Stromablatt deutlich durch; es überzieht die Rückfläche der Iris und schlägt sich am Pupillarrand nach vorn um. Es bildet hier den braunen, die Pupille begrenzenden Saum, der in der Regel deutlich sichtbar ist (Pupillarsaum). Die Iris enthält zwei glatte Muskeln, den im Pupillarteil des Stromas gelegenen Sphincter pupillae, der vom N. oculomotorius innerviert wird, und den sympathisch versorgten Dilatator pupillae. Neuere Forschungen haben ergeben, daß sowohl der Sphincter pupillae wie auch der Ziliarmuskel eine Doppelinnervation (parasympathisch und sympathisch) besitzen, wobei aber der para-

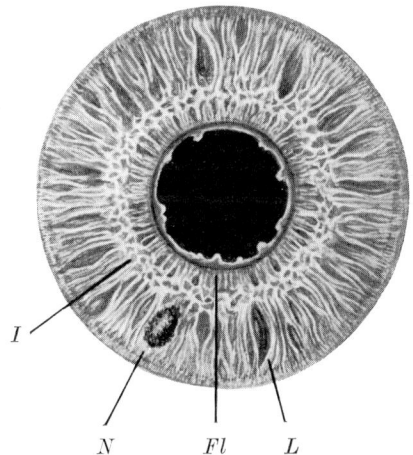

Abb. 110. Struktur der Iris mit Naevus (*N*) und Flocculi (*Fl*), *I* = Iriskrause, *L* = Lakune oder Krypte

sympathische Anteil überwiegt. Das Gebiet der Iriswurzel, welche sich an der Kammerwinkelbildung beteiligt, ist nur mit besonderen Hilfsmitteln sichtbar zu machen. Diese
Gebilde des Kammerwinkels werden im Kapitel „Glaukom" näher beschrieben. Bezüglich der Gefäß- und Nervenversorgung sei auf den einleitenden Abschnitt „Das
Auge als Ganzes" verwiesen. Der **Ziliarkörper** ist annähernd dreieckig und wendet
seine breite Fläche der Vorderkammer zu; von ihr geht die Iris aus. Gegen peripher, der
Aderhaut zu, tritt eine allmähliche Abflachung ein. Er liegt mit seiner glatten Fläche
der Sklera fest an; glaskörperwärts trägt er in seinem vorderen Teil (Corona ciliaris) etwa
70 Ziliarfortsätze, die zottenartig vorragen und Pigment enthalten. Der rückwärtige
Teil ist glatt (Orbiculus ciliaris). Der Ziliarkörper enthält den Ziliarmuskel, der ein einheitliches dreidimensionales Gitterwerk darstellt, dem sich eine sehr gefäßreiche Gefäßschicht anschließt. Darauf folgt die Glashaut, die pigmentierte und pigmentfreie Schicht
der retinalen Epithelzellen (Pars coeca retinae). An den Ziliarkörper reiht sich die sehr
gefäßreiche **Aderhaut,** an welcher folgende Schichten zu unterscheiden sind: die an
die Lederhaut anschließende *Epichorioidea* (Suprachorioidea), die Schichten der großen
und mittleren Gefäße die Choriocapillaris und die Glashaut (Lamina basalis chorioideae), welche dem Pigmentepithel der Retina benachbart ist. Neben den Gefäßen enthält das Stroma der Aderhaut auch reichlich Pigment (Chromatophoren).

B. Untersuchungsmethoden

1. Untersuchung der vorderen Uvea (Iris und Ziliarkörper)

Die Untersuchung der Iris erfolgt mit den im Kapitel „Hornhauterkrankungen"
beschriebenen Methoden der Betrachtung bei gutem Tageslicht, der seitlichen Beleuchtung und der Spaltlampe. Der Ziliarkörper ist nicht sichtbar und daher am Lebenden
nicht direkt zu untersuchen. Seine Miterkrankung bei Regenbogenhautentzündungen
äußert sich oft in erheblichen Schmerzempfindungen, die besonders bei Berührung des
Bulbus deutlich werden. Dazu genügt in schweren Fällen die Betastung des Bulbus mit
dem Finger durch das Lid; manchmal vermag auch der Ort der stärksten Schmerzempfindung Hinweis auf den Sitz des Hauptherdes zu geben (temporal, nasal, usw.).

2. Untersuchung der Aderhaut — das Augenspiegeln

Zur Untersuchung der Aderhaut wie auch der Netzhaut und des Sehnerven dient
der Augenspiegel, der 1850 von HERMANN VON HELMHOLTZ erfunden wurde. Vor der
genialen Erfindung HELMHOLTZ' glaubte man, daß das durch die Pupille in das Auge
fallende Licht dort absorbiert werde und daher kein Licht mehr aus dem Auge austrete. HELMHOLTZ wurde sich darüber klar, daß das in das Auge fallende Licht auch
wieder aus dem Auge reflektiert wird und zu dem Ausgangspunkt (Lichtquelle) zurückkehrt (konjugierte Punkte). Der Versuch, dieses Licht zur Erkennung des Augeninneren auszunützen, scheiterte aber daran, daß wir dabei unseren Kopf in den
Strahlengang bringen müssen und so das Auge beschatten. Lediglich unter besonderen
Verhältnisssen, nämlich bei nicht parallelem Austritt des Strahlenbündels, wie das bei
Refraktionsanomalien der Fall ist, konnte gelegentliches rotes Aufleuchten der Pupille
beobachtet werden. Es galt also, einen Weg zu finden, das aus dem Auge reflektierte
Licht zur Beobachtung des Fundus auszunützen, ohne dabei den Strahlengang durch
Zwischenschalten des Beobachterkopfes zu unterbrechen. HELMHOLTZ erreichte dies,
indem er das Licht einer Lichtquelle mit einem Spiegel auffing und in das Auge des
Untersuchten warf, während die Beobachtung durch eine geeignete Vorrichtung geschah. Auf diese Weise gelang es, ein rotes Aufleuchten der Pupille zu erzielen und bei

entsprechender Einstellung auch Einzelheiten zu erkennen. Damit war das Prinzip des Augenspiegels entdeckt. Bald kamen belegte Konkavspiegel mit Aussparung des Belages oder Lochbildung im Zentrum des Spiegels in Gebrauch. Heute gibt es elektrische Augenspiegel von hoher Vollkommenheit. Wir unterscheiden 2 Formen der Untersuchung mit dem Augenspiegel, die im verdunkelten Raum erfolgen:

a) Die *Untersuchung im aufrechten Bild*. Dabei gehen wir mit dem Spiegel nahe an das zu untersuchende Auge heran und können dann den Augenhintergrund aufrecht in etwa 16facher Vergrößerung sehen, da die brechenden Medien als Vergrößerungsglas wirken. Die Lampe muß dabei auf der Seite des untersuchten Auges aufgestellt werden, sofern nicht elektrische Augenspiegel benutzt werden, bei welchen die Lichtquelle im Instrument eingebaut ist. Das Entstehen eines scharfen Bildes hat zur Voraussetzung, daß Patient und Arzt nicht akkommodieren und Emmetropie besteht. In der Ausschaltung der eigenen Akkommodation besteht für den Anfänger eine Schwierigkeit, die durch Übung überwunden werden muß. Bei Vorliegen von Refraktionsanomalien müssen diese durch Gläser ausgeglichen werden. Bei den modernen Spiegeln sind solche Gläser eingebaut, die in einfacher Weise während der Benutzung des Spiegels vorgeschaltet werden können.

b) Die *Untersuchung im umgekehrten Bild* ist für den Anfänger technisch einfacher. Sie besteht darin, daß wir die auf die beschriebene Art von der Lichtquelle in das Auge geworfenen und von dort reflektierten Strahlen mit einer Linse (meist etwa 14 Dioptrien) sammeln und das durch diese Linse erzeugte umgekehrte Bild des Fundus beobachten. Bei Beurteilung dieses Bildes muß man daran denken, daß ein umgekehrtes Bild vorliegt, also oben und oberhalb der Papille gelegene Veränderungen unten erscheinen usw. Wir sehen den Fundus dabei in etwa 4facher Vergrößerung und das Bild liegt ungefähr 15 cm vor dem Auge. Wir akkommodieren also, um das Bild scharf zu sehen; zu diesem Zwecke muß der ältere Untersucher, dessen Akkommodation nachläßt, entsprechende Linsen im Spiegel vorschalten. Die Entfernung des Untersuchers vom Untersuchten beträgt dabei etwa 40—45 cm, und die Linse wird so vor das Auge gehalten, daß man die linsenführende Hand mit dem 4. oder 5. Finger an den oberen Orbitalrand des Patienten anlegt und stützt; dabei kann man diese Distanz, ebenso wie die Entfernung des Untersuchers, in geringen Grenzen variieren, um jeweils ein scharfes Bild zu erhalten. Der Spiegel selbst wird bei beiden Verfahren leicht an den eigenen oberen Orbitalrand des spiegelnden Auges angelegt.

Das umgekehrte Bild ergibt ein wesentlich größeres Gesichtsfeld und gestattet weiter in die Peripherie des Fundus zu sehen als das aufrechte; das letztere gibt aber vermöge der viel stärkeren Vergrößerung die Möglichkeit genauerer Untersuchung und Erkennung größerer Feinheiten. Beide Methoden müssen daher ergänzend nebeneinander Verwendung finden.

Die Untersuchung wird durch künstliche Erweiterung der Pupille erleichtert; bei alten Personen und bei Glaukomverdacht ist aber Vorsicht geboten, da durch die Erweiterung der Pupille Drucksteigerungen ausgelöst werden können. Am besten bewähren sich nur kurz wirkende Mittel, besonders das Mydriaticum Roche 1%.

Für fachärztliche Zwecke stehen komplizierte reflexfreie Apparate (Ophthalmoskope) in verschiedenen Modellen zur Verfügung, die auch stereoskopische Untersuchung des Fundus gestatten. Auch die Photographie des Augenhintergrundes (auch farbig) ist heute in einwandfreier Form möglich.

Für die Erkennung besonderer Einzelheiten wird vom Facharzt auch die Ophthalmoskopie im rotfreien Licht geübt, welches durch geeignete Filterung erzielt wird (s. S. 103).

C. Die Erkrankungen von Iris und Ziliarkörper

1. Abweichungen in Form und Farbe

a) Die Membrana pupillaris persistens

Die Pupillarmembran überzieht in bestimmten Entwicklungsstadien die Pupille, wobei sie an der Iriskrause ansetzt. Die Rückbildung erfolgt oft unvollständig, so daß einzelne Reste dieses Gebildes zurückbleiben.

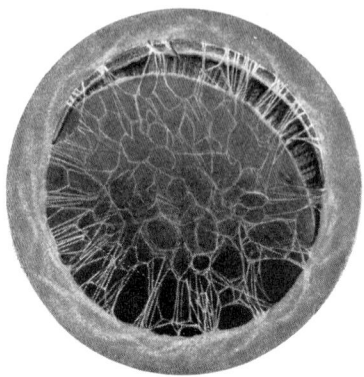

Am häufigsten findet man solche in Form einzelner, feiner Gewebsfasern, die dem Aussehen von Iristrabekeln entsprechen und an der Krause haften; sie flottieren mit ihrem freien Ende oft in der Vorderkammer oder überbrücken das Pupillengebiet von einem Punkt der Krause zu einem anderen. Auch Haften von Pupillarmembranfäden auf der Linsenvorderkapsel kommt vor; dies ist häufig mit umschriebenen angeborenen Kapseltrübungen an der Anhaftungsstelle verbunden (Abb. 112). Seltener findet man derbe Stränge, die sich vor der Pupille zu einem Netzwerk (Abb. 111) verflechten können, manchmal sogar ausgedehnte Membranbildungen. Sehr selten sind Anheftungen der Pupillarmembranreste an der Hornhauthinterfläche (Membrana pupillaris persistens, corneae adhaerens). Häufig findet man feine sternchenartige Pigmentauflagerungen auf der Linse, die vereinzelt oder auch in großer Zahl auftreten; auch diese Gebilde sind Reste der Pupillarmembran.

Abb. 111. Membrana pupillaris persistens (Netzwerk vor Pupille) und Subluxatio lentis

Ursache dieser persistierenden Pupillarmembranreste sind Entwicklungsstörungen. Sie sind praktisch bedeutungslos; lediglich die seltenen membranartigen Bildungen können Sehstörungen verursachen und bedürfen einer operativen Entfernung.

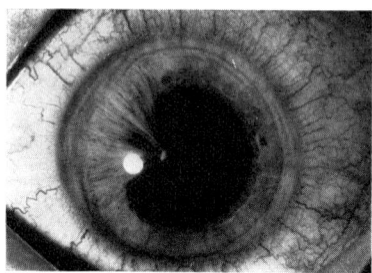

b) Kolobome der Iris, Korektopie, Polykorie und Aniridie

Die **typischen Regenbogenhautkolobome** stellen eine angeborene Defektbildung gegen unten (6 Uhr) dar. Das Irisgewebe fehlt in ihrem Bereich vollkommen (Abb. 113) oder teilweise. Dieses teilweise Fehlen kann sich darin äußern, daß im Kammerwinkelgebiet noch ein Irisrest vorhanden ist (häufig). Manchmal wird auch das Kolobomgebiet von einer Brücke von Irisgewebe an einer Stelle über-

Abb. 112. Pupillarmembran mit Linsenanheftung

brückt (Brückenkolobome). Von *künstlichen (operativen) Kolobomen* sind die angeborenen dadurch zu unterscheiden, daß letztere meist birnenförmig gegen unten konvergieren und daß die Schenkel oft vom Pigmentsaum eingefaßt sind, der bei operativen Defekten stets fehlt. Neben den vollständigen Iriskolobomen gibt es auch oberflächliche, bei welchen nur das vordere Stromablatt oder Teile desselben (Hypoplasie) (Abb. 114) fehlen bzw. unterentwickelt sind; es entstehen dabei Bilder, die einer umschriebenen Irisatrophie ähnlich sind. Diese angeborenen Veränderungen sind wohl zu unterscheiden von dem im Laufe des Lebens auftretenden Gewebsschwund

(Lochbildung), der mit Glaukom verbunden ist. **Kolobome des Ziliarkörpers** kommen vor, sind aber selten und klinisch nicht zu diagnostizieren.

Von Abweichungen der Form sind noch die **Ektopie der Pupille** (Korektopie) und die **Polykorie** zu nennen. Bei ersterem Zustand ist die meist ovale Pupille exzentrisch verlagert; bei letzterem (sehr viel seltener) finden sich 2—3, von einem Sphinkter umgebene Pupillen. Beide Veränderungen sind oft mit anderen Fehlbildungen des Auges verbunden und verdanken, ebenso wie die Kolobome, Entwicklungsstörungen ihre Entstehung.

Die Funktionen des Auges können bei Kolobomen und den anderen erwähnten Zuständen normal sein, falls nicht gleichzeitig bestehende andere Veränderungen (Aderhaut- und Netzhautkolobome, Sekundärglaukome u. a.) Sehstörungen bedingen.

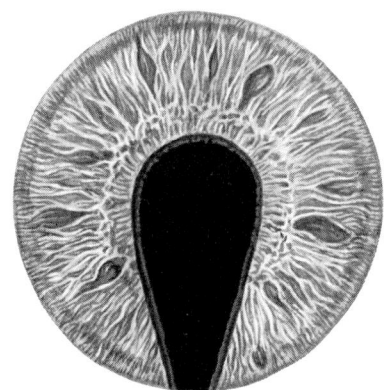

Abb. 113. Typisches angeborenes Iris-kolobom (gegen unten gerichtet)

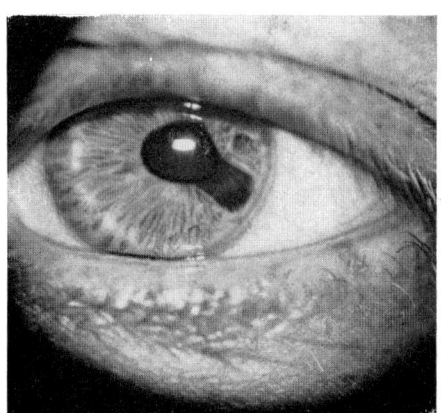

Abb. 114
Oberflächliches, atypisches Iriskolobom

Von wesentlich ernsterer Bedeutung für das Sehen ist eine andere Mißbildung, die sog. **Aniridie.** Die Iris fehlt dabei meist nicht ganz, sondern es findet sich in der Regel im Kammerwinkel ein Irisstumpf, der sich wegen seines geringen Ausmaßes oft dem klinischen Nachweis entzieht. Dieser Irisstumpf im Kammerwinkel ist die Ursache des sich häufig entwickelnden Glaukoms, welches oft trotz verschiedenster Maßnahmen schließlich zur Erblindung führt. Auch andere angeborene Veränderungen wie Linsentrübungen, Nystagmus, Schwachsichtigkeit (Amblyopie) infolge Unterentwicklung der Macula sind oft mit der Aniridie vergesellschaftet.

Die verschiedenen Irismißbildungen sind typische Erbkrankheiten, die teils dominantem, teils rezessivem Erbgang folgen. Kombination der verschiedenen Mißbildungen (Kolobome, Aniridie usw.) in derselben Familie oder auch an beiden Augen derselben Person kommen vor.

c) Die Farbabweichungen der Iris und Albinismus

Wie schon erwähnt, kommt verschiedene Färbung der Iris beider Augen zur Beobachtung und wird als **Heterochromie** bezeichnet. Wir unterscheiden dem klinischen Bilde nach verschiedene Formen:

a) *Die einfache Heterochromie*, wobei verschiedene Irisfarbe ohne sonstige Veränderungen besteht. Diese stellt wohl ein Spiel der Erbfaktoren dar und ist angeboren.

b) Bei *Heterochromie mit Zyklitis und Katarakt* oder FUCHSscher Heterochromie (Abb. 115) findet man am helleren Auge weißliche Beschläge an der DESCEMET und Linsentrübungen verschiedenen Grades. Meist sind letztere in der Jugend gering oder fehlen ganz; im Laufe des Lebens kommt es dann zur Entwicklung einer reifen Katarakt, die operiert werden muß. Zeichen einer Iridozyklitis (Synechien usw.) sind außer den Präzipitaten nicht vorhanden. Gelegentlich treten auch Glaskörpertrübungen auf.

c) Die sog. *Sympathikusheterochromie* oder VON HERRENSCHWANDsche Heterochromie, welche eine Hypoplasie der vorderen Grenzschicht der Iris zeigt und oft mit anderen Zeichen von Sympathikusparese verbunden ist (HORNERscher Symptomenkomplex). Man hat früher geglaubt, die unter b) und c) genannten Formen grundsätzlich trennen zu müssen und hat die FUCHSsche Heterochromie vielfach unter unzureichender Begründung als tuberkulös angesehen. Neuere Forschungen erbrachten aber, daß bei beiden Formen HORNERscher Symptomenkomplex und Zeichen des Statusdysraphicus (BREMER) vorkommen, die auf Schädigung sympathischer Zentren im Rückenmark zurückzuführen sind. Es ist daher anzunehmen, daß sich beide Zustände nur erscheinungsbildlich, nicht aber grundsätzlich unterscheiden. In beiden Fällen handelt es sich um neurogene Schädigungen, die sich lediglich durch den Angriffspunkt unterscheiden (Schädigung im Halssympathikus bei sog. Sympathikusheterochromie, Schädigung sympathischer Zentren im Rückenmark bei FUCHSscher Heterochromie).

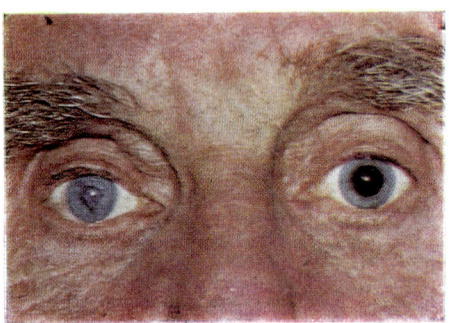

Abb. 115 Heterochromie mit Katarakt

Sehstörungen sind mit Heterochromie nicht verbunden; sie treten nur auf, wenn sich erhebliche Linsentrübungen entwickeln.

Verfärbungen der Iris kommen auch nach länger bestehenden Vorderkammerblutungen vor. Nach schweren Entzündungen oder Glaukom werden Irisatrophien beobachtet. Auch im Alter tritt eine gewisse Stromaatrophie auf. Pigmentverlust und hyaline Degeneration führt im Senium oft zur weißlichen Verfärbung des Pupillarsaumes.

Anschließend sei hier noch eine Farbanomalie erwähnt, die durch ein Überwachsen des Pigmentblattes auf die Vorderfläche der Iris entsteht. Dieses Umschlagen des Pigmentblattes nach vorne, welches eine braune Farbe darbietet, bezeichnen wir als **Ektropium uveae.** Es tritt selten als Mißbildung, häufiger als erworbene Veränderung (z. B. in Glaukomaugen) auf. Zu den Entwicklungsanomalien gehören auch die traubenförmigen, braunen Gebilde, die manchmal am Pupillarrand aufsitzen und wie kleine oder größere Flocken in die Vorderkammer flottieren. Man bezeichnet sie als **Flocculi.**

Unter **Albinismus** verstehen wir fehlende oder unvollkommene Pigmentierung. Wenn diese neben den Geweben des Auges auch Haare, Brauen und Zilien betrifft, sprechen wir von totalem Albinismus. Wenn der Pigmentmangel auf das Auge oder den Fundus beschränkt ist, gebraucht man die Bezeichnung Albinismus solum bulbi oder Albinismus solum fundi. Bei völligem Fehlen des Pigmentes im Auge sieht die Iris meist rosa aus und die Pupille leuchtet schon bei diffuser Belichtung rot auf. Bei Beleuchtung des Augeninneren mit dem Augenspiegel dringt das reflektierte Licht nicht nur durch die Pupille, sondern auch durch die Iris nach außen. Der Augenhintergrund ist hell, oft weiß, und die Aderhautgefäße, die sonst durch das Pigment des

Auges verdeckt werden, sind deutlich zu erkennen. Bei Albinismus des Fundus ist dieser Fundusbefund die einzig nachweisbare Veränderung. Albinismus, vor allem seine hochgradigen Formen, sind meist mit Augenzittern (Nystagmus), Schwachsichtigkeit (infolge Unterentwicklung der Macula) und Lichtscheu verbunden.

2. Entzündliche Erkrankungen

a) Allgemeine Symptomatologie

Die *Entzündung der Regenbogenhaut*, die meist *mit* einer *solchen des Ziliarkörpers verbunden* ist, tritt oft **akut,** mit heftigen subjektiven und objektiven Beschwerden, oft auch **chronisch** auf, wobei die Anfangserscheinungen kaum oder nicht beachtet werden. Auch können akute Entzündungen in chronische übergehen. Die vorgenommene Trennung in akute, chronische und eitrige Formen bedeutet also keineswegs immer einen grundsätzlichen und ätiologischen Unterschied, sondern kennzeichnet nur verschiedene Erscheinungsbilder und Verlaufsformen, wie bei Besprechung der Ätiologie noch ausführlicher dargestellt werden wird.

Allen Formen der Iridozyklitis sind gewisse *gemeinsame Symptome* eigen, die sich aus dem Wesen des Prozesses ergeben und erklären lassen. Je nach Verlaufsart (akutchronisch) treten bestimmte dieser Symptome mehr in den Vordergrund, so daß sich verschiedene klinische Erscheinungsbilder ergeben, die aber durch fließende Übergänge verbunden sind. Es sollen daher zunächst die bei dieser Erkrankung vorkommenden Krankheitszeichen gemeinsam besprochen und ihre Entwicklung erklärt werden. Im Anschluß daran soll, soweit dies möglich ist, versucht werden, einzelne besondere Zustandsbilder herauszuheben und die Einteilung unter erscheinungsbildlichen und ätiologischen Gesichtspunkten zu entwickeln.

Die **subjektiven Symptome** bestehen in Auftreten von **Schmerzen, Lichtscheu** und **Sehstörungen.** Diese Krankheitszeichen stehen bei akuten Prozessen im Vordergrund, während chronische Erkrankungen oft erst auf Grund sich allmählich entwickelnder Sehstörungen bemerkt werden.

Die Untersuchung ergibt verschiedene **objektive** Symptome, die sich auf Grund der bekannten Grundsymptome jeder Entzündung erklären lassen. Im Vordergrund steht die **Rötung,** die auf vermehrte Blutfülle des ziliaren Gefäßsystems zurückzuführen ist. Es handelt sich dabei in der Regel um eine reine Ziliarinjektion; bei sehr großer Heftigkeit derselben kommt infolge der früher geschilderten Verbindungen zum konjunktivalen Gefäßsystem eine Mitrötung einzelner Bindehautgefäße zustande. Als weitere Folge der vermehrten Gefäßfüllung ist auch die oft vorhandene *Schwellung des Irisgewebes,* die *Verfärbung der Iris* und Verwaschenheit der Struktur anzusehen. Durch starke Füllung der zahlreichen Irisgefäßchen im Stroma wird dessen Farbton verändert, die Struktur verwaschen und auch infolge der Volumenvermehrung eine Zusammendrängung des Gewebes hervorgerufen, die sich nach der Richtung des geringsten Widerstandes — nach der Pupille zu — Platz schafft. Auf diese Weise entsteht die bei frischer akuter Iridozyklitis zu beobachtende *Verengung der Pupille.*

Weitere hervorstechende Symptome der Iritis bzw. Iridozyklitis sind Folgen der vermehrten Sekretion, die von der entzündeten Iris und vor allem vom Ziliarkörper ausgeht. Hierher gehört in erster Linie die vermehrte **Zellströmung** in der Vorderkammer. Diese zelligen Elemente in der Kammerströmung werden im weiteren Verlauf in verschiedener Zahl und Größe an der DESCEMETschen Membran angelagert und liefern so die bekannten **Präzipitate** oder Descemetbeschläge (Abb. 116 und 117). **Diese Beschläge bestehen aus Lymphozyten, Leukozyten und Fibrin.** Je nach Größe derselben

unterscheiden wir verschiedene Stufen von feinster Betauung der DESCEMET bis zur
Bildung größerer klumpiger Fleckchen. Die Farbe wechselt zwischen zart grauem, weißem (besonders bei Heterochromiezyklitis) und gelblichem, speckigem Aussehen (besonders bei chronischen Entzündungen). Alte Präzipitate, die als Restzustand abge-
laufener Iridozyklitiden oft gesehen werden, zeigen meist Anlagerungen von Pigmentkörnchen, wodurch sie braun erscheinen. Häufig, doch keineswegs regelmäßig, bevorzugen die Beschläge eine etwa dreieckige Anordnung, Spitze etwa im Hornhautzentrum, Basis nahe dem unteren Limbus.

Eine weitere Folge der Exsudation ist die
Bildung von **hinteren Synechien** (Abb. 116).
Sie entstehen dadurch, daß entzündliche,
klebrige Absonderungen in den schmalen

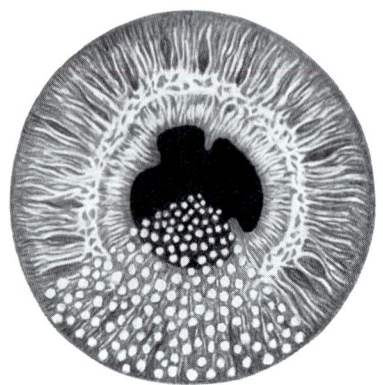

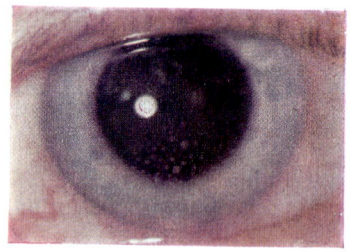

Abb. 116. Iritis mit hinteren (zipfelförmi-
gen) Synechien bei 11, 12 und 4 Uhr. Präzipitate in Dreieckform an der DESCEMET

Abb. 117. Frische Iritis mit Präzipitaten; Pupille nach Atropin
gut erweitert

Raum zwischen Iris und Linse eindringen und dort zu Verklebungen führen, die schließlich bindegewebig organisiert werden und damit eine große Festigkeit gewinnen. Während frische Synechien durch künstliche Erweiterung der Pupille leicht zu sprengen
sind (Atropin, Scopolamin, Adrenalin, Mydrial usw.), erweisen sich alte Synechien oft
als unlösbar. Je nach der Heftigkeit und Dauer des Entzündungszustandes und auch
je nach der Art des Exsudates, entstehen nur einzelne hintere Synechien oder zahlreiche.
Schließlich kann es soweit kommen, daß der gesamte Pupillarrand lückenlos mit der
Linse verklebt; wir sprechen dann von **Seclusio pupillae** (Abb. 118). Dieser Zustand
bedeutet einen Abschluß zwischen Vorderkammer und Hinterkammer des Auges und
damit Unterbrechung des Flüssigkeitsstromes zwischen diesen Räumen. Die Flüssigkeitsproduktion hinter der Iris (Ziliarkörper) geht aber weiter; die dadurch eintretende
Volumenvermehrung wölbt das Irisgewebe zwischen den Fixpunkten (Iriswurzel und
Verwachsung an der Linse) vor, wodurch das Bild der *Napfkucheniris* (Abb. 119) entsteht. Diese führt wieder zu einer Verlegung des Kammerwinkels und damit zu einer
Abflußstörung aus dem Auge. Als Folge der weitergehenden oder gar erhöhten Flüssigkeitsproduktion und des gehemmten Abflusses ergibt sich eine Steigerung des intraokularen Druckes: das **Sekundärglaukom.**

Die Ausscheidung von Exsudat führt aber nicht nur zu Synechienbildung, sondern
auch zu *Auflagerungen auf der Linsenvorderkapsel* oder, wenn diese fehlt (Aphakie), auf
der Glaskörpergrenzmembran. Wenn diese Auflagerungen zahlreich sind, so entsteht
ein völliger Abschluß des Pupillargebietes, der schließlich ebenfalls der Organisation
verfällt, wobei derbe Schwarten entstehen können **(Occlusio pupillae)** (Abb. 122
und 123).

Wenn die Exsudation erheblichen Umfang annimmt und relativ rasch vor sich geht, so kommt es zur Ansammlung von Exsudat in der Vorderkammer (Abb. 120). Wir sehen dann *wolkige, graue Fibrinflocken in der Kammer* (Abb. 121), die diese weitgehend ausfüllen können und oft zur Bildung gelatinöser Massen führen, die geradezu einen Ausguß der Vorderkammer bilden und manchmal schon klinisch ein Gerüstwerk feiner Bälkchen und Fäserchen erkennen lassen. Diese Exsudatmassen, die besonders bei akuten Formen gesehen werden, können auf entsprechende Therapie sehr rasch wieder verschwinden.

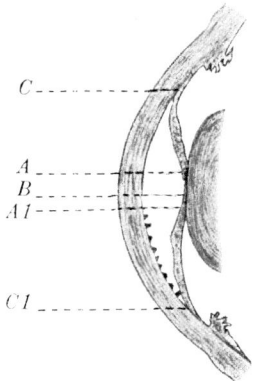

Neben diesen fibrinösen Exsudationen kommen in seltenen Fällen auch *Eiterabscheidungen (Hypopyon)* in die *Vorderkammer* vor (z. B. beim Ulcus serpens). Wir sprechen in solchen Fällen von eitrigen Iritiden. Daneben gibt es auch hämorrhagische Formen, bei welchen sich *Blutmengen (Hyphaema)* in der Vorderkammer finden, die manchmal mit gelatinösen Ergüssen verbunden sein können.

Die vermehrte Zirkulation und Exsudation, die im iritisch erkrankten Auge vor sich geht, vermag natürlich auch den *intraokularen Druck zu beeinflussen*, sei es durch die erhöhte Produktion von Ausscheidungen im Augeninneren, sei es durch Verstopfung der Abflußwege durch Exsudatmassen. Es kann sich so eine Störung des Gleichgewichtes zwischen Flüssigkeitsproduktion und Abfluß ergeben, die zu Druckschwankungen im Auge führt. Tatsächlich ergibt die Druckkontrolle, daß in Augen mit Iritis häufig vorübergehende Tensionsanstiege vorhanden sind. Im Gegensatz zu dem

Abb.118. Iritis mit Seclusio und Occlusio pupillae. *A* und *A 1* = Verwachsung des Pupillarrandes mit der Linse. *B* = Okklusionsmembran vor der Pupille. *C* und *C 1* = Anpressung der Iriswurzel an die Hornhaut (Napfkucheniris), Verlegung des Kammerwinkels

früher erwähnten Sekundärglaukom bei Seclusio pupillae sind diese vorübergehenden Hypertensionen in der Regel ohne Bedeutung und erfordern keine besonderen Maßnahmen.

Abb. 119. Napfkucheniris mit Irisatrophie. Seclusio pupillae und Cataracta complicata

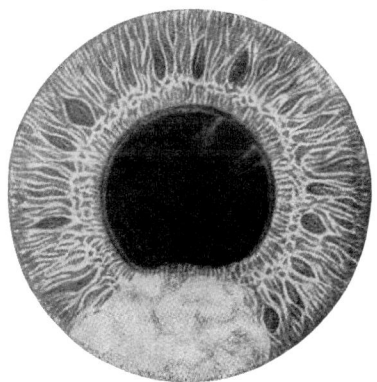

Abb. 120. Breite hintere Synechie unten; zarte Synechienreste oben und temporal; wolkiges Exsudat in der Vorderkammer

Ein besonderes, keineswegs immer auftretendes Krankheitszeichen im Irisgewebe selbst ist das **Irisknötchen.** Diese Knötchen kommen in verschiedener Form und Größe zur Beobachtung (Abb. 122). Oft handelt es sich um kleine, flüchtige, glasig aussehende

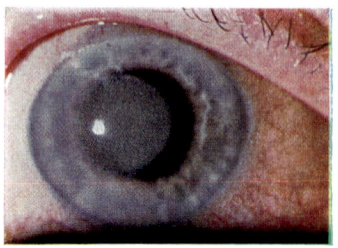

Knötchen, die in großer Zahl auftreten können und oft in der Nähe des Pupillarrandes ihren Sitz haben. In anderen Fällen wieder begegnen wir weißen, oft von Blutgefäßen umsponnenen Knötchen in verschiedenen Teilen der Iris; auch die Gegend des Kammerwinkels kann Sitz dieser Gebilde sein (Abb. 124). Durch Konfluieren mehrerer Knötchen, oft aber auch primär, können große, derbe, gefäßhaltige Knoten auftreten, die manchmal das Gebiet des Kammerwinkels auf größere Strecken ausfüllen und auch den Ziliarkörper befallen. In manchen Fällen bildet sich aus solchen Knoten ein umfangreiches Granulationsgewebe, welches die Lederhaut durchbrechen und extrabulbär weiterwachsen kann. Solche Augen

Abb. 121. Fibrinöses Exsudat in der Vorderkammer bei Iridozyklitis

sind stets verloren. Die differentialdiagnostische Wertung dieser Knötchen wird später erörtert.

Die Ausscheidung von Exsudat erfolgt aber, besonders in chronischen Fällen, nicht nur gegen die Vorderkammer zu, sondern auch in den Glaskörperraum, wo die Ausscheidungsprodukte als **Glaskörpertrübungen** in Erscheinung treten. Dies geschieht in verschiedener Form. Manchmal finden sich nur zarte, staubförmige Trübungen, die, wenn sie zahlreich vorhanden sind, den Hintergrund leicht verschleiert erscheinen lassen und so eine Unschärfe und Rötung des Sehnervenkopfes vortäuschen können. Auch Beschläge an der hinteren Linsenfläche kommen vor. In anderen Fällen finden sich fetzenartige, zusammenhängende Trübungen, die bei Spiegeluntersuchung und besonders bei Blickbewegungen im Glaskörper flottieren. Sie können mit diffusen, staubförmigen Trübungen kombiniert sein. In schweren, langwierigen Fällen kann es

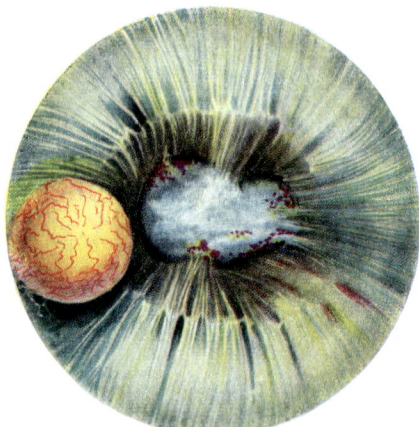

Abb. 122. Membranbildung auf der Linse (Occlusio pupillae) und Knotenbildung (Zustand des 2. Auges nach sympathischer Ophthalmie [s. S. 228])

Abb. 123. Dichte Verschwartung der Pupille bei schwerer Iridozyklitis nach Staroperation

zu dichten, schwartenartigen Trübungen kommen, die den Glaskörperraum erfüllen und jeden Einblick in das Augeninnere verhindern. Manchmal, besonders in linsenlosen Augen, sind die Schwarten schon mit freiem Auge erkennbar.

Diese Glaskörpertrübungen und die oft eintretenden Verschwartungen und Schrumpfungen derselben geben oftmals Anlaß zur Ausbildung einer **Netzhautablösung** und damit zur endgültigen Erblindung des Auges.

Dieser Zustand ist oft mit Erweichung des Auges infolge Ziliarkörperatrophie und schließlich mit **Schrumpfung des ganzen Bulbus** (*Phthisis bulbi* oder *Atrophia bulbi*) verbunden. Auch in weniger schwer verlaufenden, langwierigen Fällen kommen oft atrophische Vorgänge im Gewebe, vor allem in der Regenbogenhaut, zustande, die durch diffusen oder umschriebenen (an Stelle früherer Knötchen) Gewebsschwund charakterisiert sind. Die Iris sieht dann schmutzig und verwaschen aus. Das Stroma ist rarefiziert, und auch das Pigmentblatt kann Defekte aufweisen.

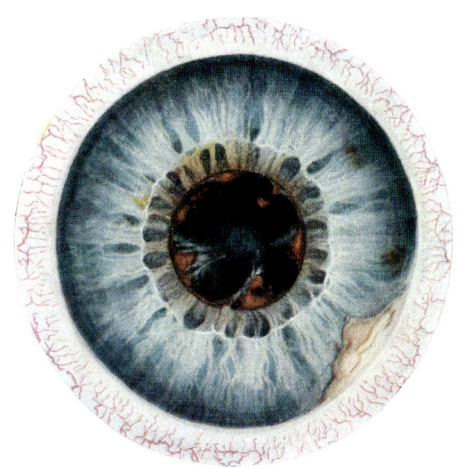

Abb. 124. Herdförmige Iridozyklitis mit Synechien und Knoten im Kammerwinkel

Der enge anatomische Zusammenhang (Gefäßsystem) zwischen vorderer (Iris, Ziliarkörper) und hinterer Uvea (Chorioidea) bringt es mit sich, daß *oft die Iridozyklitis auch mit Chorioiditis verbunden* ist, die entweder als Folge der Iridozyklitis sekundär, oder aus denselben Ursachen wie diese, primär und gleichzeitig damit entstehen kann. Das Erscheinungsbild der Chorioiditis wird im entsprechenden Abschnitt beschrieben werden.

Schwere Iridozyklitiden führen, wie schon erwähnt, oft zu Auflagerungen auf der Linsenkapsel; sie können aber auch schwerwiegendere Folgen für die Linse haben und zu einer Erkrankung der Linse selbst, zur **Cataracta complicata,** führen. Diese entsteht wohl durch Ernährungsstörungen und direkte Einwirkung der Sekretionsprodukte auf das Linsengewebe und führt schließlich zur vollständigen Trübung der Linse

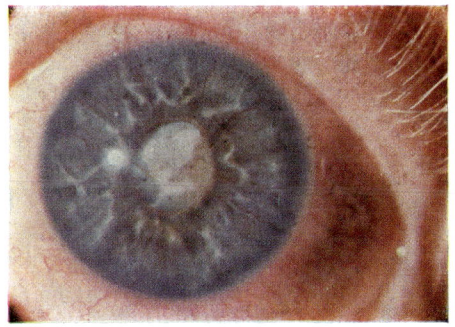

Abb. 125. Cataracta complicata

Die vorstehende Darstellung zeigt, daß die Iritis bzw. Iridozyklitis eine unendliche Vielseitigkeit der Symptome darbietet, die für das Krankheitsbild charakteristisch ist. Die Aufzählung dieser Symptome bedeutet aber nicht, daß stets alle diese Erscheinungen vorhanden sein oder auftreten müssen. In sehr vielen Fällen ist nur ein Teil dieser Symptome vorhanden; zwischen flüchtigen Erkrankungen, die nur eine leichte Ziliarinjektion und einzelne Descemetbeschläge darbieten, bis zu den schwersten, hartnäckigsten Formen, die über Seclusio, Occlusio pupillae, Cataracta complicata, Sekundärglaukom oder Netzhautablösung zur unheilbaren Erblindung führen, sind alle

Übergänge oder Zwischenstufen denkbar, wie in den folgenden Erörterungen über die
verschiedenen Krankheitsgruppen noch gezeigt werden wird.

Erwähnt sei noch, daß gelegentlich auch Hornhauterkrankungen, besonders inter-
stitieller Art, und Lederhautentzündungen als **Komplikationen** einer Iridozyklitis
auftreten können, ebenso wie sich eine Iridozyklitis als Komplikation von Hornhaut-
oder Lederhauterkrankung einstellen kann. Auch eine Neuritis des Fasciculus opticus
wird bei schweren Iridozyklitiden als sekundäre Erkrankung beobachtet. Sie kann
sich gelegentlich bis zur Stauungspapille steigern und von Ödem der Netzhaut und
Gefäßstauungen begleitet sein.

b) Einteilung der Iridozyklitiden und Ätiologie

Man hat die Einteilung der Iridozyklitiden unter verschiedenen Gesichtspunkten
versucht. Zunächst kann man von primären und sekundären Erkrankungen sprechen,
wobei man unter primären Iridozyklitiden solche versteht, in welchen diese als erste Erkrankung am Auge auftritt (also primär bezüglich des Auges — was nicht ausschließt,
daß diese Iritis Folge einer anderen Erkrankung des Organismus [Fokalherd, Gonorrhoe, Tuberkulose, Lues usw.] — ist). Sekundäre Iritiden sind solche, welche als Folge
einer anderen Augenschädigung (Verletzung, Ulcus serpens, Ablatio retinae u. a.)
entstehen. Gelegentlich findet man auch eine Einteilung nach Art der Ausscheidungen:
seröse, fibrinöse, eitrige, hämorrhagische Iritis, der aber keine Bedeutung zukommt.
Eine andere Gruppierung erfolgte nach dem klinischen Erscheinungsbild in oberflächlich-diffuse und herdförmige Iridozyklitiden. Dabei versteht man unter oberflächlich-diffusen Erkrankungen solche, bei welchen sich der Prozeß annähernd gleichmäßig
über die Oberfläche der Iris verteilt, während herdförmig solche genannt werden, bei
denen bestimmte Herde (Knötchen) in Erscheinung treten. Diese Einteilung wurde
früher mit gewissen ätiologischen Vorstellungen verbunden in dem Sinne, daß die
herdförmigen Erkrankungen auf Lues, Tuberkulose, Lepra, die oberflächlich-diffusen
auf Gicht, Rheumatismus, Gonorrhoe, Diabetes und Fokalinfektionen zurückgeführt
werden. Diese ätiologische Gruppierung hat sich als unhaltbar erwiesen; es besteht
heute kein Zweifel, daß z. B. sowohl gelegentlich eine Tuberkulose der Iris ohne Herd-
bildung, wie auch nicht selten fokalbedingte oder rheumatische Iridozyklitiden mit
Knötchenbildung verlaufen können. Schließlich bliebe noch die auf den Ablauf des Prozesses gegründete Einteilung in akute und chronische Erkrankungen. Alle diese Einteilungen haben eine Berechtigung, solange man darin nicht mehr sieht, als Mittel zur
sprachlichen Verständigung und kurzen Charakterisierung eines klinischen Bildes; sie
sind alle unbrauchbar, sofern man damit grundsätzliche Unterschiede kennzeichnen will.

Auch die Einteilung nach ätiologischen Gesichtspunkten ist schwierig und mangel-
haft, da in vielen Fällen die Ätiologie nicht festgestellt werden kann und außerdem
verschiedene Zustandsbilder auf dieselbe Ursache zurückgehen können. Trotzdem
erscheint die Gliederung unter dem Gesichtspunkt der Ätiologie noch am zweckmäßigsten, weil sie den gebräuchlichen Einteilungen entspricht. In den allerseltensten
Fällen freilich kann eine ätiologische Diagnose auch nur mit Wahrscheinlichkeit aus
dem klinischen Bild gestellt werden. In der Regel ist dazu eine eingehende Allgemeinuntersuchung erforderlich. Dazu gehören neben genauer Aufnahme der Anamnese
die serologischen Untersuchungen, die internistische Untersuchung unter Einschluß
des Röntgenbefundes (bez. Tuberkulose), die genaue Beurteilung des Gebisses durch
einen Facharzt unter Heranziehung der Röntgenkontrolle (bez. Fokalherde), die
Untersuchung der Tonsillen und Nebenhöhlen. In vielen Fällen sind weiterhin noch
gynäkologische Untersuchung, Röntgenuntersuchung der Wirbelsäule (bez. Spondyl-

arthritis ankylopoetica), Beurteilung der Prostata und andere Verfahren hinzuzu-
ziehen. Trotz aller dieser Bemühungen gelingt es oft nicht, eine klare ätiologische
Diagnose zu stellen und über eine gewisse Wahrscheinlichkeit hinauszukommen. In
neuester Zeit sind auch Untersuchungen über den Antikörpertiter im Kammerwasser
zur ätiologischen Diagnosestellung herangezogen worden, wobei besonders der Vergleich zu dem Titer im Serum aufschlußreich sein kann. Wieweit sich die an diese
Untersuchungen geknüpften Hoffnungen erfüllen werden, läßt sich aber noch nicht sagen.

Im folgenden soll versucht werden, einzelne ätiologische Gruppen nach ihren hervorstechendsten Symptomen und den dabei vorhandenen Allgemeinbefunden zu charak-
terisieren, wobei sich noch Gelegenheit geben wird, auf die Schwierigkeiten und Irrtums-
möglichkeiten der Diagnose hinzuweisen. Die jeweils vorkommenden Symptome werden
nur kurz angeführt, da sie im Abschnitt „Allgemeine Symptomatologie" ausführlich geschildert wurden.

α) Die luische Iritis bzw. Iridozyklitis

Die heute selten gewordene Erkrankung gehört dem Sekundär- und Tertiärstadium
der Lues an.

Klinisch finden sich zunächst uncharakteristische Symptome, wie *Rötung*, *Präzipitate* (oft speckig), mäßige *Exsudation*, *hintere Synechien*, *Glaskörpertrübungen* usw.
Dazu kommen als erste charakteristische Erscheinungen die sog. *Frühroseolen*, das
sind herdartig lokalisierte Hyperämien oberflächlicher Art, die meist im Krausen- oder
Pupillarteil der Iris ihren Sitz haben. Sie sind oft flüchtig und können auch ohne Therapie verschwinden. Eine weitere Erscheinung des II. Stadiums sind die Papeln, die
meist gut vaskularisierte *Knötchen* darstellen und ebenfalls die pupillennahen Iristeile
bevorzugen, aber auch im Kammerwinkelgebiet vorkommen. Gelegentlich können diese
Gebilde infolge allgemeiner Gewebsschwellung nicht oder schwer erkennbar sein.

Im tertiären Stadium begegnen wir *großen weißlich-gelben Knoten* mit Gefäßen,
die oft vom Ziliarkörper ausgehen und von hier aus auch die Lederhaut gegen außen
durchbrechen können; in der Regel breiten sich diese Gummen gegen die Iris und
Vorderkammer aus. Sie kommen nur bei vernachlässigten Fällen vor und führen oft
zur Phthisis.

Neben diesen herdförmigen Erscheinungen können auch oberflächlich-diffuse Iridozyklitiden bei Lues beobachtet werden.

Mitbeteiligung der Hornhaut in Form tiefer Trübungen und gleichzeitige luische
Erkrankung von Netzhaut-Aderhaut oder Opticus können sich entwickeln.

Die ätiologische Sicherung erfolgt durch Anamnese und serologische Reaktionen
und ist bei luischer Regenbogenhauterkrankung meist leicht und eindeutig.

β) Die tuberkulöse Iritis bzw. Iridozyklitis

Die tuberkulöse Iridozyklitis kann unter dem Bilde der *diffusen Iridozyklitis*
(siehe allgemeine Symptomatologie) ablaufen; sie ist in der Regel hartnäckig und
verläuft chronisch. Viele Rezidive gehören zum Krankheitsbild und schlechter Endausgang ist häufig.

Außerdem finden wir oft *Knötchenbildung*; es handelt sich dabei um meist kleine
grauweiße bis gelbliche Knötchen, die in der Regel gefäßlos, aber oft von Gefäßen
umsponnen sind. Dichte Vaskularisation wie bei Lues ist selten. Die Knötchen sitzen
vielfach im Pupillarteil der Iris, kommen aber auch in anderen Teilen, besonders im
Gebiet des Kammerwinkels, vor. Manchmal findet man nur vereinzelte Knötchen,
manchmal auch eine große Zahl (Abb. 126). Gelegentlich können die Knötchen durch
Gewebsschwellung und Exsudation verdeckt sein und sich so dem Nachweis ent-

ziehen. Man kann in solchen Fällen oft nach Rückgang der Erscheinung an umschriebenen *Atrophien* des Irisgewebes die Stellen erkennen, die Sitz von Knötchen waren.
Diese Prozesse gehen manchmal mit relativ geringem Reizzustand einher, so daß
sich gerade die chronischen Iridozyklitiden oft der Feststellung im Anfangsstadium
entziehen.

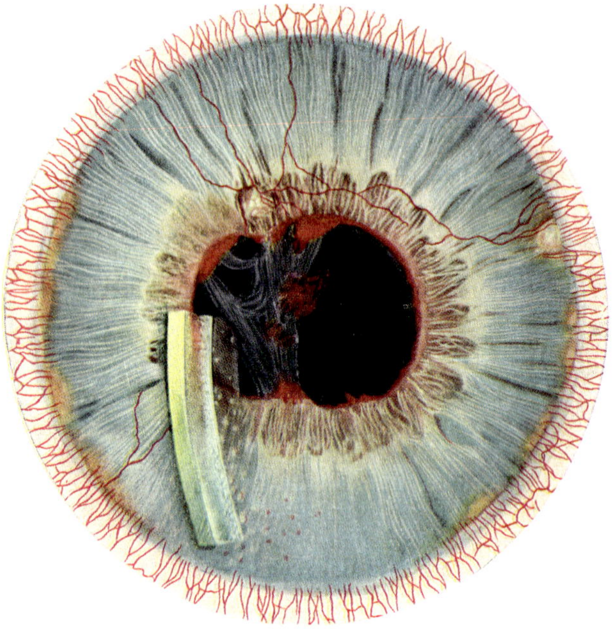

In seltenen Fällen ent-
stehen entweder primär
oder durch Konfluieren
von Knötchen *große, tu-
morartige Knoten*, die
meist vom Ziliarkörper
ausgehen oder sich im
Kammerwinkel entwik-
keln. Solche Knoten kön-
nen auch nach *außen
durchbrechen* und außer-
halb des Bulbus tu-
morartig weiterwachsen
(Abb. 127). Auch Vor-
wachsen in den Glaskör-
perraum kommt vor und
kann zur Fehldiagnose
eines malignen Tumors
führen.

Die hier angeführten
Symptome und Verlaufs-
formen können bei Tu-
berkulose vorkommen.
sie sind aber klinisch
gesehen hierfür nicht be-
weisend. Eine Ausnahme

Abb. 126. Herdförmige Iritis mit Knötchen, hinteren Synechien und Auflagerungen auf der Linse

bilden die großen Tuberkulome, die zum Durchbruch usw. führen. In diesen Fällen ist
so gut wie immer der exakte Nachweis der Ätiologie durch Befund an Tuberkelbazillen.
Tierversuch und Nachweis der Verkäsung im histologischen Präparat möglich.

Bei allen übrigen Formen — einschließlich der oft multiplen kleineren Knötchen —
gelingt, wie sehr zahlreiche Untersuchungen beweisen, der Nachweis der Tuberkulose
aus dem klinischen und anatomischen Bulbusbefund
meist nicht, so daß wir nicht berechtigt sind, solche
Fälle klinisch als Tuberkulose zu diagnostizieren.
Man hat früher geglaubt, daß das Irisknötchen an
sich (bei Ausschluß von Lues, Lepra und einigen
sehr seltenen Erkrankungen) die Diagnose auf
tuberkulöse Ätiologie gestatte. Moderne Forschungen haben aber erwiesen, daß auch bei allergisch-
hyperergischen Prozessen verschiedener Genese
Knötchenbildungen nicht nur anatomisch, sondern
auch klinisch zur Beobachtung kommen. Es ist
demnach nicht mehr erlaubt, aus diesen klinischen Befunden eine ätiologische Diagnose zu
stellen.

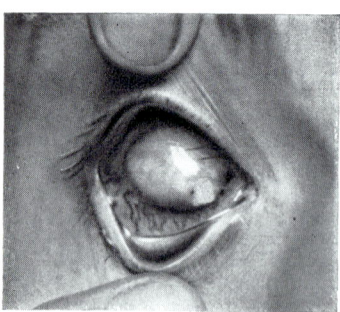

Abb. 127. Iristuberkulose mit
Durchbruch durch die Hornhaut

Mit dieser Erkenntnis wächst die *Bedeutung der Allgemeinuntersuchung*. Die interne klinische Diagnosestellung bringt nur in wenigen Fällen positive Resultate, d. h. den klinischen Nachweis tuberkulöser Erkrankungen in anderen Organen, die bei Vorhandensein natürlich als Stütze für die ätiologische Deutung des Augenbefundes gelten können. Großer Wert wurde daher von vielen Seiten der *Röntgenuntersuchung* beigemessen, die in einschlägigen Fällen niemals unterlassen werden darf. Auch diese Forschungen erbringen aber meist nicht mehr als den Nachweis alter verkalkter Herde im Lungenbereiche, Befunde also, die bei einem hohen Prozentsatz klinisch gesunder Personen auch erhoben werden und die daher nicht ausreichen, um die ätiologische Diagnose zu beweisen. Es ist mit Recht betont worden, daß auch mit einer Verfeinerung der Röntgendiagnostik nicht mehr erzielt werden kann, als eine Bestätigung der von Pathologen längst erkannten Tatsache, daß etwa 90% der Bevölkerung einmal einen tuberkulösen Infekt durchgemacht haben. Diese Feststellung besagt aber für die Ätiologie der Organerkrankung (Auge) nichts. Der Nachweis frischer Erkrankungen im Röntgenbilde rechtfertigt natürlich eine höhere Bewertung in ätiologischer Hinsicht.

Auch die *Tuberkulindiagnostik* liefert nur in sehr seltenen Fällen (Lokalreaktionen) brauchbare Unterlagen; meist beweist sie ebenfalls nicht mehr als das einmalige Überstehen eines tuberkulösen Infektes. Im übrigen darf nicht vergessen werden, daß auch unspezifische Reaktionen vorkommen, wodurch die Beurteilung weiter erschwert wird. Andere Hilfsverfahren für die Züchtung von Tuberkelbazillen aus dem Blut und serologische Reaktionen auf Tbc. haben auch die in sie gesetzten Hoffnungen bisher nicht erfüllt.

Somit ist also **der sichere Nachweis der tuberkulösen Ätiologie einer Iridozyklitis nicht allzu häufig zu führen;** dies entspricht auch dem Ergebnis zahlreicher anatomischer und bakteriologischer Untersuchungen, welche zeigen, daß nur sehr selten klinisch oder anatomisch der Nachweis der Augentuberkulose zu erbringen ist.

In den meisten Fällen handelt es sich bei den in Frage stehenden Prozessen wohl um *Vorgänge allergisch-hyperergischer Art*, welche im Abschnitt über fokalbedingte Iritiden näher erörtert werden. Es wäre ein Fortschritt, wenn man dazu gelangte, nur jene Zustände als Augentuberkulose anzusprechen, welche tatsächlich auf Grund von Bazillennachweis oder typischen histologischen Veränderungen (Verkäsung) an vielen einschlägigen Fällen als solche sichergestellt sind, ähnlich wie das auch in anderen Fächern (Knochentuberkulose, Lungentuberkulose, Hodentuberkulose usw.) üblich ist. Sehr zahlreiche Untersuchungen in Fällen des in Frage stehenden Krankheitsbildes konnten aber diese Nachweise nicht erbringen, und dies entzieht der sicheren Diagnose ähnlicher Fälle als Tuberkulose den Boden.

Es kann natürlich an dem Vorkommen einer echten Augentuberkulose niemals gezweifelt werden; die vielfach noch vertretene Lehre von ihrer großen Häufigkeit bedarf aber einer Überprüfung.

γ) Die fokalbedingte, metastatische und rheumatische Iritis bzw. Iridozyklitis

Die oben bezeichneten Erkrankungsformen treten unter **verschiedenen Bildern** auf. Wir kennen das typische Bild der **akuten** „rheumatischen" Iritis mit starker Rötung, fibrinöser, oft gelatinöser Exsudation in die Vorderkammer, die diese ganz oder zum Teil ausfüllen kann. Daneben finden sich reichliche Synechienbildungen, gelegentlich auch Blutansammlungen in der Vorderkammer und starke Schmerzen. Derartige akute Entzündungen treten oft bei Rheumatikern auf und werden auch als Folge der Herdbildungen, z. B. im Zahnsystem oder den Tonsillen, gesehen. Sie können sich bei entsprechender Behandlung (siehe später) rasch zurückbilden. Eine besondere, hierher gehörige Erkrankungsform ist die **gonorrhoische Iritis,** die durch *Schmerzen*

7*

und *gelatinöse Exsudation* in die Vorderkammer gekennzeichnet ist; oftmals finden sich dabei auch Lidödem und stets starker Reizzustand des Bulbus.

Ein charakteristisches Krankheitsbild ist weiterhin die sog. **metastatische, eitrige Iridozyklitis,** die bei schweren septischen Prozessen, aber auch bei Pneumonien, Scharlach und anderen Infektionskrankheiten zur Beobachtung kommt; in diesen Fällen entwickelt sich bei meist schlechtem Allgemeinbefinden rasch eine *starke Rötung des Bulbus, Trübung der Hornhaut. Verwaschenheit der Iris,* welchen Symptomen die Bildung einer *Eiteransammlung in der Vorderkammer* folgt. Selten beschränkt sich dieser Prozeß auf die Iris, meist bildet sich eine eitrige Entzündung der ganzen Uvea aus, die zum *Glaskörperabszeß,* zur Vereiterung des ganzen Auges und, falls es die schwerkranken Patienten erleben, zur Phthisis bulbi führt. Diese Zustände sind bei voller Ausprägung meist mit *Schwellung der Lider, Chemose, Exophthalmus* und starken Schmerzen verbunden. Derartige Erkrankungen sind meist einseitig, können aber auch doppelseitig vorkommen. Es handelt sich dabei um echte Metastasen im Bulbus mit Einschwemmung von Eitererregern (Staphylokokken, Streptokokken, Pneumokokken) in den Bulbus, die auf dem Blutwege erfolgt. Nicht selten beginnen diese Prozesse auch im hinteren Bulbusabschnitt mit einer eitrigen Chorioiditis und Glaskörperabszeß und greifen erst später auf die vordere Uvea über.

Neben diesen akut verlaufenden Formen kommen fokalbedingte Prozesse auch unter dem Bilde der **chronischen Iridozyklitis** mit sehr schleichendem Verlauf und häufigen Rezidiven vor. Hierher gehören die chronischen Regenbogenhautentzündungen beim *Morbus Bechterew* und anderen Formen von *schwerem Rheumatismus.* Die Bezeichnung rheumatische Iritis ist für solche Fälle gebräuchlich. Hier soll auch der sogenannten STILLschen Erkrankung gedacht werden, einer Form der Polyarthritis bei Kindern, die sehr oft mit Entzündungen der Regenbogenhaut und bandförmiger Hornhautdegeneration kombiniert ist. Die Prognose dieser Erkrankung ist stets ernst. Dabei muß man sich aber klar sein, daß der „Rheumatismus" kein einheitlicher ätiologischer Begriff ist. sondern seinerseits durch verschiedene Ursachen bedingt sein kann, worunter die Fokalinfektionen sicher eine sehr maßgebende Rolle spielen. Daher rechtfertigt sich die Erörterung der sog. „rheumatischen" Augenerkrankungen im Zusammenhange mit der Fokalinfektion des Auges.

Der *schlüssige Nachweis* einer *Fokalinfektion* als Ätiologie ist, ähnlich wie bei der Tuberkulose, *nur relativ selten zu erbringen;* er wird stets dann anerkannt, wenn nach Herdsanierung (Zahn, Tonsillen u. a.) eine rasche und dauernde Ausheilung der Augenerkrankung eintritt. Es empfiehlt sich in solchen Fällen von **Fokalinfektion im engeren Sinne** zu sprechen.

Bei sehr vielen Krankheitsfällen, vor allem chronischer Art, ist aber der Nachweis der Fokalinfektion nicht so klar zu führen; diese Fälle wurden früher und werden mancherorts auch noch heute unter Heranziehung unzureichender Gründe als Tuberkulosen aufgefaßt (alte Kalkherde im Röntgenbild, Tuberkulinproben, gelegentliches Vorkommen von anderen extraokulären Tuberkulosefällen in der Familie usw.). Wahrscheinlich spielt aber bei diesen Erkrankungen doch die „Fokalinfektion im weiteren Sinne" eine große Rolle.

Es ist anzunehmen, daß diese Erkrankungsfälle *durch das Zusammenwirken verschiedener Faktoren* entstehen. *Herde mannigfachster Art* (Zahnsystem, Tonsillen, Nasennebenhöhlen, Prostata, Gallenblase, alte Tuberkuloseherde) können Reize veranlassen, die eine Umstimmung des Gewebes verursachen und bei wiederholter Reizung zum Ausbruch der Krankheit am Erfolgsorgan (im vorliegenden Falle: Uvea) führen. Dabei ist allerdings nicht an eine Allergisierung im Sinne der Antigen-Antikörper-Wirkung zu denken, sondern an eine *Einwirkung* von Reizen, die vielleicht durch das Strombahnnervensystem wirksam werden. Diese von verschiedenen Herden oder Faktoren *(Erkältung, funktionelle Beanspruchung u. a.)* ausgelösten Reize können sich zur Erreichung des klinischen Effektes in verschiedener Art und Weise summieren oder verflechten. ohne daß wir diese Verhältnisse klinisch mit unseren heutigen Mitteln im Einzelfall klarstellen können. Wir möchten diese Vorgänge den dysregulativen Allergien LETTERERs zuordnen. Es ist also denkbar, daß z. B. eine chronische Tonsillitis, ein Zahnwurzelgranulom oder ein alter tuberkulöser Herd zur Entstehung einer Uveitis zusammenwirken, wie überhaupt **nicht** immer eine **Ursache allein** für eine Erkrankung verantwortlich sein muß. Sehr oft ist das Zusammenwirken verschiedener Faktoren erforderlich, um einen krankhaften Prozeß zum Ausbruch zu bringen. Dabei spielen sicher auch konstitutionelle Momente eine oft bedeutsame Rolle. Diese Erkrankungen werden zweckmäßig als **Fokalinfektionen im weiten Sinne** bezeichnet. Bei ihrer Entstehung spielt das vegetative Nervensystem zweifellos eine große Rolle.

δ) *Sonstige Iritiden und Iridozyklitiden*

Unter den seltenen oder relativ seltenen Formen der Iritis wären folgende zu nennen:

Die **Iritis leprosa,** die bei etwa 50% der Leprakranken auftritt und neben den üblichen iritischen Symptomen auch zur Knötchenbildung führt. Manchmal treten auch große, tumorartige Knoten, sog. Leprome auf. Die Erkrankung kommt in unseren Gebieten nicht vor.

Als **Herpes iridis** wird oft eine Iritisform bezeichnet, die mit starken Schmerzen und Blutungen in die Vorderkammer verbunden ist. Die Erkrankung verläuft oft langwierig in vielen Schüben. Sie tritt sowohl beim Zoster auf, als auch durch Infektion mit Virus des Herpes simplex. Bei beiden Infektionen sehen wir aber oft auch einfachere Formen der Irismitbeteiligung (Präzipitate, einzelne Synechien). Beim Zoster wurde in schweren Fällen auch Nekrose der Iris beobachtet.

Eine heute selten gewordene Form ist die **Iritis urica,** was wohl mit dem Rückgang der echten Gicht zusammenhängt. Sie ist durch starke Schmerzanfälle und häufige Rückfälle gekennzeichnet. Im übrigen bietet sie Symptome der oberflächlichen Iritiden dar. Häufig sind dabei Glaskörpertrübungen; Lederhautentzündungen und Hornhautrandgeschwüre können als Komplikationen auftreten. Eine gichtische Iritis soll nur bei nachgewiesener echter Gicht (Erhöhung des Harnsäurespiegels im Blute) diagnostiziert werden. Die früher angenommene größere Häufigkeit der Erkrankung beruht z.T. auf Verwechslungen mit rheumatischen Prozessen.

Das Vorkommen einer echten diabetischen Iritis ist heute bestritten. **Iritis bei Diabetes** wird nach neueren Anschauungen als Folge von Infekten (z. B. Staphylokokkenmetastasen) aufgefaßt, wobei der Diabetes lediglich die Rolle eines begünstigenden Faktors spielt.

Die **Toxoplasmose** spielt auch eine Rolle als ätiologischer Faktor bei Iridozyklitis; die starke Durchseuchung der Bevölkerung zwingt aber zu vorsichtiger Beurteilung im Einzelfalle.

Eine besondere Form der Iritis ist die meist bei jungen Personen vorkommende **rezidivierende Hypopyoniritis,** die, wie der Name sagt, durch häufig wiederkehrende Attacken mit Hypopyonbildung ausgezeichnet ist. Die Ursache dieser ernsten Erkrankung ist noch nicht geklärt. Infektionen mit Leptospiren spielen in manchen dieser Fälle eine ursächliche Rolle. Sie können auch bei anderen Formen der Iridozyklitis als Erreger in Frage kommen. Die Diagnose kann serologisch gesichert werden, wobei zu bedenken ist, daß es viele Arten von Leptospiren gibt. Die Hypopyoniritis ist oft Teilerscheinung einer ätiologisch noch nicht geklärten Allgemeinerkrankung, die mit dem Namen Behcetsches Syndrom bezeichnet wird.

Zu den selteneren Iritisformen zählt auch die **Iritis rosacea,** die bei Akne rosacea auftritt und durch das Aufschießen kleiner rosaceaartiger Effloreszenzen im Pupillarteil gekennzeichnet ist. Von manchen Autoren werden auch gastrointestinale Autointoxikationen als Ursache von Oberflächeniritiden angesprochen.

Die verschiedenen Formen der sekundären Iritis bei Ulcus serpens, Keratitis parenchymatosa, Ablatio retinae, Verletzungen u. a. werden im Zusammenhang mit den entsprechenden primären Erkrankungen abgehandelt.

c) Prognose und Behandlung der Iritis bzw. Iridozyklitis

Die Iritis und Iridozyklitis ist stets als **ernste Erkrankung** anzusehen und fachärztlicher Behandlung zuzuführen. Auch anscheinend harmlos und günstig liegende Fälle können zu Rezidiven und schweren Folgen führen. Selbstverständlich bedeutet dies nicht, daß die Prognose in jedem Einzelfall schlecht zu stellen ist. Vor allem die akute Iritis verschiedener Ätiologie heilt unter entsprechender Behandlung in der Regel gut aus und hinterläßt meist keine dauernde Sehstörung. Während des akuten Stadiums selbst hingegen besteht oft, vor allem in Fällen mit gelatinösem Exsudat in der Vorderkammer, erhebliche Herabsetzung des Visus. Auch die luische Iritis und gonorrhoische Iritis pflegen unter richtiger Behandlung oft gut auszuheilen. Ernster ist die Prognose stets bei chronisch-rezidivierenden Fällen zu stellen, dies gilt sowohl für die tuberkulösen wie die rheumatisch-fokalbedingten Fälle dieser Art. Während die Sehstörungen in den Anfangsstadien noch gering zu sein pflegen, wird mit längerer Dauer der Erkrankung die Störung durch Seclusio, Occlusio, Linsen- und Glaskörpertrübung immer erheblicher. Ein nicht unbeträchtlicher Teil dieser Fälle geht trotz aller ärztlichen Bemühungen schlecht aus. Besonders ungünstig wirken sich starke Glaskörpertrübungen aus, da sie nur schwer zu beeinflussen sind. Eine evtl. entstandene Cataracta complicata kann mit gutem Erfolg operiert werden, sofern nicht schwere sonstige Veränderungen, in erster Linie schwere, dichte Trübungen des Glaskörpers vorhanden sind. Einen ungünstigen Ausgang nehmen fast stets die metastatischen, eitrigen Iridozyklitiden (Glaskörperabszeß, Phthisis bulbi). Auch die rezidivierende Hypopyoniritis ist stets sehr ernst zu beurteilen.

Die **Therapie** gliedert sich in eine örtliche und eine allgemeine, wobei wir bei der örtlichen Therapie zwischen konservativen und gelegentlich erforderlichen operativen Maßnahmen zu unterscheiden haben.

Die **konservative örtliche Therapie** hat in erster Linie die Verhütung der Synechienbildung bzw. ihre Beschränkung auf ein Mindestmaß und die Lösung schon entstandener Synechien zum Ziele. Die Sprengung von Synechien ist meist nur bei relativ frischen Verwachsungen möglich; immerhin sieht man bei lange fortgesetzter darauf gerichteter Behandlung auch noch Lösung schon länger bestehender Verwachsungen. Dem geschilderten Zweck dient die Erweiterung der Pupille durch *Atropin* (1—2%) oder *Scopolamin* (¼—½%). Diese Mittel können in Tropfen- oder Salbenform Verwendung finden. Hartnäckige Synechien lassen sich oft durch Anwendung von subkonjunktivalen Injektionen von *Adrenalin* (Suprarenin) noch sprengen (0.2—0.3 ccm einer Lösung 1:1000). Auch Kombination von Atropin, Kokain und Suprarenin in Tropfenform kann angewendet werden. Zweck der Atropinbehandlung ist neben der Erweiterung der Pupille deren Ruhigstellung und auch eine Verminderung der Sekretion. Enge Pupillen, wie sie bei frischer Iritis bestehen, sind der Gefahr der vollkommenen Verklebung wesentlich stärker ausgesetzt als weite. Gelegentliche, im Verlauf einer Iritis auftretende Drucksteigerungen erfordern keine Absetzung der Atropinbehandlung; die Atropinbehandlung der Iritis glaucomatosa ist sogar mehrfach ausdrücklich empfohlen worden. Diese Fragen fallen aber in das Entscheidungsgebiet des Facharztes. Wichtig für den Nichtfacharzt ist es, *Verwechslungen zwischen Iritis und Glaukom zu vermeiden* (siehe dort), da Atropinverabfolgung bei Glaukom deletär wirken kann und ein schwerer Kunstfehler ist. Wenn der Nichtfacharzt einmal wirklich differentialdiagnostische Zweifel hat, so begeht er zweifellos den geringeren Fehler, wenn er bei einer Iritis die notwendige Atropingabe um kurze Zeit verzögert und den Fall dem Facharzt zuweist, als wenn er bei einem Glaukom Atropin oder Scopolamin verabfolgt.

Neben der Erweiterung der Pupille steht als wichtige konservative Maßnahme die Anwendung von *Wärme* am Auge, die zweckmäßig durch Heizkissen oder Wärmelampen oder feuchtwarme Umschläge erfolgt (2—4mal täglich $\frac{1}{4}$—$\frac{1}{2}$ Stunde).

Operative Maßnahmen werden erforderlich, wenn durch Seclusio pupillae ein Sekundärglaukom ausgelöst ist oder unmittelbar droht. In solchen Fällen ist eine *Iridektomie* vorzunehmen. Dabei wird ein Ausschnitt aus der Iris (meist oben) geschaffen, wodurch die unterbrochene Verbindung zwischen hinterer und vorderer Augenkammer wieder hergestellt und damit die Drucksteigerung beseitigt wird. Bei ausgesprochener Napfkucheniris wirkt oft die *Transfixion* sehr gut; bei diesem Eingriff wird ein Schmalmesser durch Hornhaut und vorgebuckelte Iris temporal eingestochen und auf demselben Wege nasal ausgestochen, so daß die Iris 4fach durchgebohrt wird. Die geschaffenen Löcher genügen, um die Zirkulation wieder herzustellen. Gelegentlich werden auch *Punktionen der Vorderkammer* zur Behandlung der Iritis empfohlen. Die Entstehung einer Cataracta complicata macht die *Entfernung der Linse* erforderlich; dieser Eingriff soll aber nur lange Zeit nach Abklingen der Reizzustände ausgeführt werden, da er sonst neue Exazerbationen der Krankheit auslösen kann.

Die **Allgemeintherapie** richtet sich nach dem *Grundleiden*, sofern ein solches sichergestellt werden kann. Demnach ist bei luischen Erkrankungen eine antiluische Kur nach den bekannten Grundsätzen durchzuführen. Bei Gonorrhoe bewährte sich Arthigonbehandlung; in neuester Zeit steht die Behandlung mit Sulfonamiden und Penicillin im Vordergrund (Dosierung siehe bei Blennorrhoe und in Abhandlungen über Dermatologie und Venerologie). Bei Nachweis von *Fokalherden* ist die *Sanierung* derselben durchzuführen, wobei Zusammenarbeit mit den entsprechenden Fachvertretern (Zahnarzt, Laryngologe usw.) erforderlich ist. Bei akuten und chronischen, zum rheumatischen Kreis gehörenden Erkrankungen werden neben den alten Schwitzprozeduren und Milchinjektionen, die sich auch auch heute noch bewähren, mit großem Erfolg Butazolidin, Tanderil oder Irgapyrin angewendet. Ebenso erweist sich die Behandlung mit Corticosteroiden oft sehr wirkungsvoll. Bei tuberkulösen Iritiden liefern, sofern Knötchenbildungen bestehen, *Röntgenbestrahlungen* in kleinen Dosen (60—80 r) meist ausgezeichnete Resultate. Die früher viel gebrauchten Tuberkulinkuren in ihren verschiedenen, oft gewechselten Formen haben heute sehr an Ansehen verloren. In neuester Zeit werden die Präparate Conteben und ähnliche günstig beurteilt, doch ist ein abschließendes Urteil noch nicht möglich. Bei chronischer Iridocyclitis leistet Vitamin D (75 g D_2 in 2 bis 3 Wochen) gute Dienste. Im Vordergrund steht heute die Behandlung in *Spezialheilstätten* (Davos, Höchenschwand im Schwarzwald, Masserberg in Thüringen u. a.), wo unter Leitung erfahrener Fachärzte klimatische Faktoren und medikamentöse Therapie ausgenutzt werden. Sie ist nicht nur bei Tuberkulose, sondern bei allen chronischen Fällen angezeigt. Neben allen Arten der Allgemeinbehandlung muß selbstverständlich Lokaltherapie erfolgen.

Bei eitrigen, metastatischen Prozessen ist die Therapie in schweren Fällen machtlos und die Entfernung des Auges meist nicht zu vermeiden. Frühzeitig einsetzende

Behandlung mit Antibiotica wird in günstiger liegenden Fällen noch Erfolge bringen. Auch Sulfonamide und Milchinjektion gehören zum fachärztlichen Rüstzeug in diesen Erkrankungsfällen.

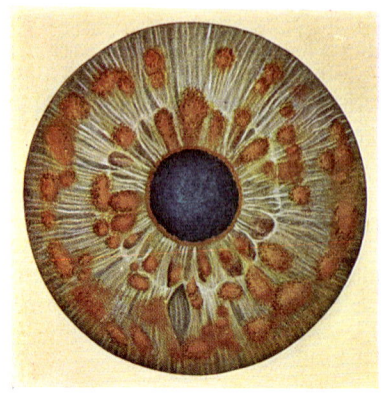

Abb. 128. Multiple Iristumoren bei Neurofibromatosis Recklinghausen

3. Tumoren

a) Gutartige Geschwülste

Benigne Tumoren der Iris und des Ziliarkörpers sind selten. Auch sie sind für das Auge gefährlich, weil sie infolge ihres Wachstums rein mechanisch zum Sekundärglaukom und damit zur Vernichtung des Auges führen können. Gelegentlich kommen **Zysten** zur Beobachtung; sie werden sowohl in den tiefen wie in den oberflächlichen Irisschichten gefunden und verdanken Entwicklungsstörungen ihre Entstehung. Die nach Verletzung oder Operationen durch Einwachsen von Epithel in die Vorderkammer entstehenden Zysten sind davon streng abzutrennen. Letztere führen stets zum Untergang des Auges, wenn sie nicht durch Röntgenbestrahlung oder operative Maßnahmen beseitigt werden. Gelegentlich werden auch **Angiome** beobachtet. Ebenso sind **Myome** beschrieben worden. Besonders die letzteren sind aber klinisch von Sarkomen nicht sicher zu unterscheiden. Ihre Entfernung durch Iridektomie ist daher stets erforderlich. Schließlich sollen noch die oft multiplen naevusartigen Gebilde erwähnt werden, die bei Morbus Recklinghausen gesehen werden (Abb. 128).

b) Bösartige Geschwülste

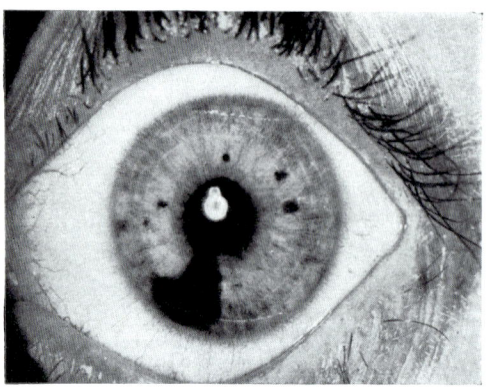

Abb. 129. Irissarkom, unten, den Pupillarrand verdeckend und in den Kammerwinkel reichend

Sarkome der Iris und des Ziliarkörpers sind häufiger als gutartige Tumoren dieser Teile des Auges. Sie entwickeln sich gelegentlich aus einem Naevus der Iris. Wir unterscheiden pigmentierte und unpigmentierte Geschwülste. Erstere treten als kleine braune Erhabenheiten (Abb. 129), letztere als weißliche, oft von einigen Gefäßen durchzogene Tumoren in Erscheinung. Da sie sich bei reizlosem Auge entwickeln, ist ihre Unterscheidung von Syphilomen und Tuberkulomen meist nicht schwierig. Vordrängung des Irisgewebes und Abdrängung der Iris von der Linse durch Ausbreitung des Tumors nach der Rückseite erleichtern oft die Diagnose. Ebenso spricht eine deutliche Hemmung des Pupillenspieles an der befallenen Stelle für einen Tumor. Tumoren des Ziliarkörpers wachsen entweder gegen die Vorderkammer oder den Glaskörper zu. Gelegentlich werden auch Ringsarkome des Strahlenkörpers, die das ganze Organ ringförmig durchwachsen, beschrieben. Sarkome müssen stets sicher im Gesunden entfernt werden. Bei größeren Tumoren und bei Befall des Kammerwinkels ist unbedingt die

Enukleation erforderlich, die von manchen Forschern grundsätzlich für alle malignen Tumoren der Uvea gefordert wird.

D. Die Erkrankungen der Aderhaut

1. Entzündliche Erkrankungen

a) Die eitrige Chorioiditis (metastatische Ophthalmie)

Die Erkrankung ist durch Ausscheidung von *Eiter* in den *Glaskörperraum* gekennzeichnet. Diese wird als gelber Schein aus dem Augeninneren schon mit freiem Auge wahrgenommen, ein weiterer Einblick mit dem Spiegel ist infolge der dichten Trübungen nicht möglich. Gewöhnlich kommt es dabei auch zur Mitbeteiligung der Iris (eitrige Iridozyklitis). Der Zustand endet, wie bereits bei Besprechung der eitrigen Iridozyklitis ausgeführt wurde, in der Regel mit *Verlust des Auges.* Manchmal kommt das Auge auch unter Verlust des Sehvermögens zur Ruhe. Es entwickelt sich dann das sog. *Pseudogliom.* Man sieht in diesen Fällen einen gelben Schein aus der Tiefe des Auges kommen, der von organisierten Exsudatmassen stammt. Das Bild verdankt seinen Namen der Verwechslungsmöglichkeit mit einem Netzhautgliom (Tumor der Retina). Bezüglich der Ätiologie und Therapie gilt das bereits im Abschnitt über Iritis Gesagte.

b) Die herdförmige Chorioiditis

Vor der Schilderung der einschlägigen Befunde seien einige Bemerkungen über den normalen Augenhintergrund vorausgeschickt.

Der **normale Augenhintergrund** (Abb. 130) erscheint rot. Die Farbe ist durch den Blutgehalt der Aderhautgefäße sowie durch den Pigmentgehalt der Aderhaut (Chromatophoren) und des Pigmentepithels bedingt. Am häufigsten ist der gleichmäßige rote Fundus, wobei die Aderhaut durch reichlichen Pigmentgehalt des Pigmentepithels verdeckt ist. Oft findet man auch den getäfelten Fundus (Fundus tabulatus), er ist dadurch gekennzeichnet, daß sich die Aderhautgefäße als Netzwerk roter Streifen abheben, dessen Maschen (Intervaskulärräume) durch Pigment braunrot erscheinen. Diese Felderung wird deshalb sichtbar, weil in diesen Fällen das Pigmentepithel relativ wenig Farbstoff enthält, während die Aderhaut stark pigmentiert ist. Der pigmentarme, blonde Augenhintergrund (Fundus albinoticus) zeigt geringeren oder fehlenden Pigmentgehalt von Aderhaut und Pigmentblatt. Das Netzwerk der Aderhautgefäße ist daher auf gelblich-blaßrosa oder weißem Untergrund sichtbar. Im Bereiche des Fundus hebt sich die Sehnervenscheibe (Papilla fasciculi optici) als meist senkrecht ovale, seltener querovale oder runde Scheibe (Durchmesser 1,5 bis 1,7 mm) ab. Sie ist in der Regel scharf begrenzt. Der nasale Papillenrand ist etwas weniger deutlich, da über ihn mehr Sehnervenfasern hinwegziehen. Oft ist die Papille von einem feinen weißen Ring (Skleralring) umgeben, an welchen sich ein zarter, manchmal unvollständiger schwarzer Ring (Pigmentring) anschließt. Die Farbe der Papille ist pfirsichrot, die temporale Hälfte in der Regel eine Spur blasser als die nasale. Im Gebiet der Papille ist oft eine feine graue Tüpfelung erkennbar (Area cribriformis). Im Zentrum der Papille liegt der Gefäßtrichter, die Eintritts- bzw. Austrittsstelle der Zentralgefäße der Netzhaut (physiologische Exkavation), der verschiedene Größe haben kann, aber normalerweise zwischen Exkavation und Papillenrand immer einen Streifen normalen Papillengewebes erkennen läßt. Die Papille liegt praktisch im Niveau der Netzhaut, eine meßbare Prominenz besteht nicht. Die Netzhaut ist unter normalen Verhältnissen durchsichtig, lediglich die Gefäße sind sichtbar. Man unterscheidet Arterien und Venen. Erstere sind

hellrot mit breiten Reflexstreifen, letztere meist breiter, dunkelrot mit schmalen Reflexstreifen. An den Venen ist manchmal unter normalen Verhältnissen Pulsation erkennbar, an den Arterien nicht. Die Gefäße teilen sich dichotomisch auf. Wir unterscheiden
4 Hauptstämme (A. bzw. V. temporalis superior, temporalis inferior, nasalis superior
und nasalis inferior). Außerdem ziehen feine Ästchen gegen die Macula lutea (Fovea
centralis). Diese liegt etwa 2½ Papillendurchmesser temporal von der Papille und ist
gefäßlos. Ihre äußere Begrenzung ist durch einen hellen Ring (Randreflex) gekennzeichnet. Die tiefste (zentrale) Stelle der Fovea, die Foveola, ist als kleiner roter Fleck mit
sichelförmigem Reflex (Foveolarreflex) etwa in der Mitte des gefäßlosen Gebietes erkennbar. Die Reflexe sind in jugendlichen Augen deutlicher und leichter wahrzunehmen
als bei alten Personen. Die Nervenfaserzeichnung der Netzhaut ist nur bei Anwendung

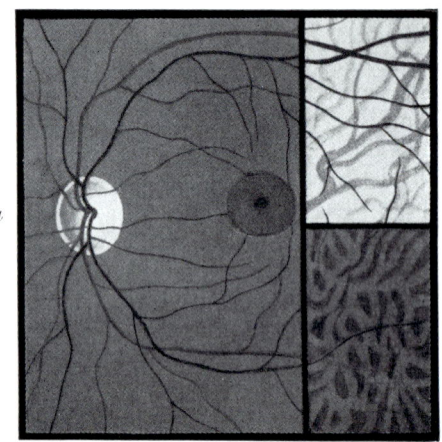

besonderer Methoden (rotfreies Licht) sichtbar. Die Fovea zeigt in diesem Licht eine
gelbe Farbe, der Fundus erscheint in grünem
Farbton.

Bei Vorliegen einer *herdförmigen Chorioiditis* ergeben sich erhebliche Abweichungen
vom normalen Fundusbild, je nach Art und
Anordnung der Herde unterscheiden wir
verschiedene Zustandsbilder.

α) *Die Chorioiditis disseminata* (Abb. 131)

Diese Erkrankung ist durch das Auftreten mehrerer, oft sehr zahlreicher Herde
gekennzeichnet. Wir können dabei frische
und alte Herde sehr wohl unterscheiden.
Der *frische Herd* bietet sich als meist grau-
grüngelber Fleck mit verwaschenen Grenzen

Abb. 130. Normaler Augenhintergrund.
a = gleichmäßig pigmentiert. *b* = Ausschnitt aus getäfeltem Fundus. *c* = Ausschnitt aus albinotischem Fundus

dar. Dieses Bild ist durch eine sekundäre
Trübung der über dem Aderhautherd liegenden Netzhaut mitbedingt. Später bildet
sich diese Netzhauttrübung zurück und der
Herd erfährt eine immer schärfer werdende Begrenzung. Im Laufe der Zeit ergibt sich
dann das Bild des *alten Herdes* als scharf begrenzter gelblich-weißer Fleck, der meist
durch Pigmentwucherungen schwarze Umrahmung oder Einlagerungen in größerer
oder kleinerer Zahl zeigt. Bei relativ leichtem Verlauf des Prozesses atrophiert oft nicht
die ganze Aderhaut im Erkrankungsbezirk, wir finden dann hellrote-gelbrote Herde,
die sich oft nur wenig vom gesunden Fundusgebiet abheben. Die Anordnung der Herde
ist durchaus verschieden, in manchen Fällen finden sich nur wenige Erkrankungs-
bezirke, während in anderen sich Herd an Herd reiht und so landkartenartig ausgedehnte Flächen entstehen; in schwersten Fällen kommt es zu einer völligen oder fast
völligen Atrophie der Aderhaut, so daß kein normales Fundusgewebe oder nur vereinzelte Inseln von solchem zu erkennen sind. Diese schweren Veränderungen entwickeln
sich in der Regel nicht auf einmal, sondern entstehen durch verschiedene, oft zahlreiche
Schübe des Prozesses. Selbstverständlich ziehen derartige Prozesse auch die Netzhaut
erheblich in Mitleidenschaft.

Der Grad der *Sehstörung hängt* von *Zahl* und *Sitz der Herde ab*. Während vereinzelte
oder zahlreiche peripher gelegene Herde keine oder keine nennenswerten Sehstörungen
machen, führen Herde im Bereich der Macula, sofern sie nicht besonders klein sind,

zu sehr erheblichen Sehstörungen, ja sogar zur praktischen Erblindung des Auges. Abgesehen von den Herden können auch die die Erkrankung meist begleitenden *Glaskörpertrübungen* Sehstörungen verursachen. Schmerzen sind bei Aderhautentzündungen nicht vorhanden.

Die **Ursache** der Aderhautentzündungen ist nicht einheitlich, vielfach wird Tuberkulose als Ursache angenommen, obwohl ein exakter Nachweis meist nicht zu erbringen ist. In neuerer Zeit sind Aderhauterkrankungen auch bei Rheumatismus und als Fokalinfektionen im engeren Sinne beschrieben worden. Auch Lues kommt in Betracht. Grundsätzlich sind die bei Erörterung der Ätiologie der Iritis dargelegten Möglichkeiten und Erwägungen zu bedenken.

Die **Behandlung** richtet sich nach dem Grundleiden. Lokalbehandlung kommt nur bei starken Glaskörpertrübungen in Form von subkonjunktivalen Kochsalzinjektionen (je 1 ccm einer 1%-Lösung) in Betracht. Auch Kurzwellenbestrahlungen werden hierbei empfohlen.

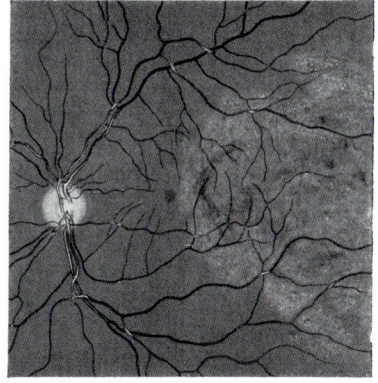

Abb. 131. Chorioiditis disseminata mit älteren (pigmentierten) und frischen (grauen unscharfen) Herden

β) Die Chorioiditis centralis und juxtapapillaris

Bei der zentralen Erkrankungsform tritt ein einzelner Herd im Bereiche der *Macula* auf. Zunächst besteht das Bild einer frischen Chorioiditis; später entwickelt sich daraus ein Narbenherd, wie bei Chorioiditis disseminata. In diesem Spätstadium besteht oft große Ähnlichkeit mit einem angeborenen Maculakolobom. Die Differentialdiagnose ist ohne Kenntnis der Entwicklung des Zustandes manchmal unmöglich. Bei Patienten in vorgerücktem Alter kann auch Verwechslung mit senil-degenerativen Prozessen unterlaufen.

Die **Ätiologie** der zentralen Chorioiditis entspricht der der disseminierten Erkrankung. Bei im Kindesalter, aber auch bei später auftretenden Fällen muß an eine Protozoeninfektion (Toxoplasmose) gedacht werden, die serologisch nachgewiesen werden kann (SABIN-FELDMAN-Test). Die Röntgenaufnahme des Schädels deckt oft intrazerebrale Kalkschatten auf, die die Diagnose auf Toxoplasmose zu stützen vermögen.

Unmittelbar am Papillenrand auftretende Herde, die die Retina in Mitleidenschaft ziehen, werden als *Chorioretinitis juxtapapillaris* bezeichnet. Sie ist mit charakteristischen sektorenförmigen Gesichtsfeldausfällen verbunden. Ihre Ätiologie ist nicht immer klar. An Tuberkulose ist zu denken.

γ) Die Miliartuberkulose der Aderhaut

Bei akuter Miliartuberkulose findet man oft im Augenhintergrund eine Aussaat zahlreicher kleiner, unscharfer, gelblich-grauer Fleckchen wahllos über den Fundus verstreut. Sie sind im Endstadium der Erkrankung meist vorhanden und können differentialdiagnostische Bedeutung bez. der Gesamtdiagnose haben. Wenn die Patienten dies erleben, kommt es in späteren Stadien auch zur Pigmentierung.

δ) Die Aderhauterkrankungen bei Lues

Die luischen Erkrankungen der Aderhaut, die auch zur Mitbeteiligung der Netzhaut führen, werden besonders bei kongenitaler Lues beobachtet, kommen aber auch

bei erworbener Form vor. Sie finden sich häufig gleichzeitig mit Keratitis parenchymatosa. Diese Chorioretinitis tritt in verschiedenen Formen auf. Ein typisches
Bild ist der sog. Salz-Pfeffer-Fundus; es finden sich dabei kleinfleckige, gelblich-röt-
liche Herdchen neben feinen dunklen, punktartigen Pigmentwucherungen, wodurch
eine eigenartige Sprenkelung des Fundus entsteht, die an Ausstreuung von Salz und
Pfeffer erinnert. Die Peripherie zeigt dabei oft eine graue Verfärbung. In anderen
Fällen finden sich kleinere, meist gelbliche Herdchen mit reichlichen Pigmentierungen,
die oft im Zentrum der Herdchen lokalisiert sind. Diese beiden Bilder gehören der
kongenitalen Lues an. Gelegentlich sieht man auch grobe Pigmentherde verschiedener
Art und Anordnung, die manchmal an das Bild der Retinitis pigmentosa (siehe bei
Netzhauterkrankungen) erinnern und auch mit dieser verwechselt werden können.
Diese Fälle sind gewöhnlich mit atrophischer Verfärbung der Papille und Gefäßveren-
gungen verbunden. Daß auch das typische Bild der Chorioiditis disseminata gelegentlich
durch Lues verursacht sein kann, wurde schon erwähnt. Alle Formen der luischen Ader-
hauterkrankung können mit oft starken Glaskörpertrübungen verbunden sein.

Die Diagnose kann aus dem Fundusbild nicht mit Sicherheit gestellt werden. Untersuchung auf Lues und Anamnese führen meist auf den richtigen Weg.

Die Sehstörungen hängen von Sitz und Ausdehnung der Veränderungen ab und
können alle Grade durchlaufen. Die Behandlung ist antiluisch; ihre Erfolge sind meist
beschränkt.

c) Sonstige Aderhautveränderungen verschiedener Genese (Tuberkulom, Gumma, Gefäßveränderungen u. a.)

Ähnlich wie Lues und Tuberkulose der Iris in Form großer derber Knoten auftreten
können, kommen auch in der Aderhaut derartige **tumorähnliche Gebilde** zur Beobachtung (Tuberkulom, Gumma). Sie sind sehr selten und mit starken Glaskörpertrübungen
und entzündlichen Erscheinungen am äußeren
Auge verbunden. Durchbrüche nach außen kommen vor. Wenn stärkere äußere Reizerscheinungen fehlen, können diese Gebilde von echten
Tumoren schwer zu unterscheiden sein. Die Diagnose wird durch Zuhilfenahme einer gründlichen
Allgemeinuntersuchung erleichtert, kann aber auch
für den erfahrenen Facharzt schwierig sein. Der
Ausgang ist in der Regel schlecht. Bei tuberkulösen Prozessen dieser Art kann es auch zur
(tuberkulösen) Panophthalmie kommen.

Häufiger werden **Gefäßveränderungen** in der
Aderhaut beschrieben. Sie können als Folgen
oder Begleiterscheinungen entzündlicher Prozesse
oder auch als primäre Gefäßsklerosen in Erscheinung treten (Abb. 132). Sie bevorzugen das Gebiet
des hinteren Augenpoles (Umgebung von Papille und Macula) und können erhebliche Seh-

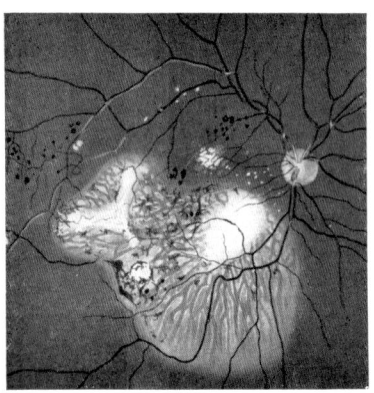

Abb. 132. Alte Chorioretinitis mit
Pigmentherden und Gefäßsklerosen

störungen verursachen. Mit dem Augenspiegel erkennt man die Aderhautgefäße als
ein Netzwerk gelblicher Stränge, bisweilen mit schmaler Blutsäule in ihrer Mitte. Ihr
Sichtbarwerden setzt den Schwund des Pigmentepithels voraus. Bei ausgedehnten
sklerotischen Prozessen kann auch eine gelbliche Atrophie der Papille auftreten. Die
primäre Sklerose tritt bei älteren Personen als Ausdruck einer Minderwertigkeit des
chorioidalen Gefäßsystems oder einer allgemeinen Sklerose auf. Weiterhin sei noch er-

wähnt, daß auch bei den verschiedenen Formen der Leukämien Aderhautveränderungen auftreten können, die sich in gelblicher oder grauweißer Verfärbung der Aderhaut äußern, die dabei, wie anatomische Befunde zeigen, oft stark verdickt ist. Gleichzeitig bestehen auch Veränderungen an den Netzhautgefäßen.

Die **Ablösung der Aderhaut** (streng von Ablösung der Retina zu trennen) kommt gelegentlich nach Staroperation oder Glaukomoperation zur Beobachtung. Man sieht dabei mit dem Spiegel eine schwarze buckelförmige Vorwölbung. Dabei ist die vordere Augenkammer meist abgeflacht. Der Zustand ist harmlos und bildet sich unter Druckverband oder auch spontan rasch zurück.

Schließlich muß noch angeführt werden, daß wir gelegentlich bei älteren Personen mit dem Spiegel sog. **Drusen der Glaslamelle** sehen. Es handelt sich um kleine gelbliche Fleckchen, die als hyaline Veränderung dieser Membran angesprochen werden. Sie finden sich besonders im Gebiete des hinteren Augenpoles und haben meist für das Sehen keine Bedeutung. Gelegentlich, bei großer Zahl und Sitz im Maculagebiet, vermögen sie aber doch Sehstörungen zu verursachen.

Die **Aderhautveränderungen bei Myopie** werden im Abschnitt „Refraktionsanomalien" erörtert.

2. Tumoren und Kolobome

a) Maligne Tumoren

Der häufigste Tumor im Bereich der Uvea ist das **maligne Melanom (Sarkom).** Er tritt einseitig auf, Befall beider Augen ist sehr selten. Bei fehlender Pigmentierung spricht man von Leukosarkomen.

Diese Tumoren machen im Anfangsstadium meist keine Sehstörungen, es sei denn, daß sie nahe der Macula sitzen. Bei Spiegeluntersuchung sieht man stark prominente Gebilde, die die Netzhaut ablösen und vor sich herschieben. Diese Ablösung unterscheidet sich von der gewöhnlichen Ablösung, dadurch daß sie prall gespannt erscheint (Abb. 133) und nicht flottiert, wie das bei flüssigkeitsbedingten Ablösungen der Fall ist. Darunter erkennt man oft grauschwarze Massen und Felder. In späteren Stadien wird die Abhebung der Retina aber durch Ergüsse vergrößert und liegt also dem Tumor nicht mehr prall an, was die Diagnose sehr erschweren kann. Als diagnostisches Hilfsmittel dient in solchen Fällen die diasklerale Durchleuchtung. Diese beruht darauf, daß bei Aufsetzen einer stabförmigen Lichtquelle, die nur an ihrer Spitze Licht austreten läßt, auf die Sklera die Pupille rot aufleuchtet. Dieses Aufleuchten unterbleibt, wenn sich zwischen Lichtquelle und Pupille derbe Massen finden, die das Licht absorbieren. Man setzt also die Lichtquelle von außen im Bereiche der auf Tumor verdächtigen Ablatio auf den Bulbus und beobachtet im verdunkelten Raum die Pupille. Erfolgt kein Aufleuchten, so spricht dies für Tumor, da durch Flüssigkeit verursachte Ablösungen der Retina durchleuchtbar sind. In neuerer Zeit bewährt sich in der Diagnostik maligner Tumoren auch sehr der sogenannte Radio-Phosphor-Test. Sein Wesen besteht darin, daß nach intravenöser Zufuhr von radioaktivem Phosphor (24 und 48 Stunden danach) die Speicherung im Gewebe gemessen wird. Dabei ergibt sich, daß bei malignen Tumoren eine wesentlich höhere Speicherung stattfindet. Weiterhin scheint auch das Ultraschall-Verfahren für die Tumor-Diagnostik wertvoll zu werden. Bisher ist allerdings die Unterscheidung zwischen benignen und malignen Neubildungen mit diesem Verfahren nicht zu treffen. Der Radio-Phosphor-Test erbringt jedoch in einem hohen Prozentsatz Übereinstimmung mit dem histologischen Befund.

Wenn der Tumor weit vorne sitzt oder schon groß ist, kann er manchmal mit freiem Auge hinter der Pupille als graugelbliche Masse erkannt werden.

Die Entwicklung des Tumors durchläuft 4 Stadien:

1. Das geschilderte des ersten Wachstums im Auge, welches auf Grund von Sehstörungen früher oder später entdeckt wird.

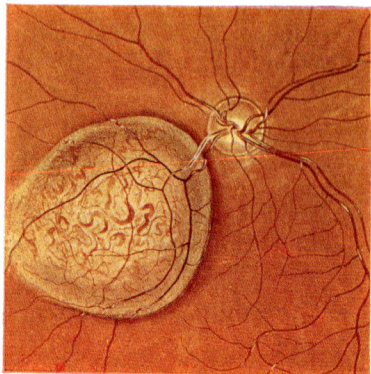

Abb. 133. Sarkom der Aderhaut

2. Das Stadium des Sekundärglaukoms, welches durch das zunehmende Wachstum der Geschwulst ausgelöst wird. Manchmal entstehen dabei durch partielle Tumornekrose auch entzündliche Veränderungen (Iritis und Tenonitis).

3. Der Durchbruch nach außen, welcher entweder nach hinten gegen die Orbita oder nach vorne zur Lidspalte erfolgen kann.

4. Das Stadium der Metastasenbildung, welches aber schon während einer der früheren Stadien einsetzen kann und also zeitlich nicht streng an die Reihenfolge gebunden ist.

Als **Behandlung des Sarkoms** der Aderhaut kommt nur die sofortige **Enukleation in Frage;** zeigt sich, daß der Tumor den Bulbus bereits durchwachsen hat, so ist die Ausräumung der ganzen Orbita (Exenteratio orbitae) erforderlich. Bei Sarkomen am letzten Auge kann Röntgenbestrahlung versucht werden, falls der Kranke in voller Kenntnis der Unsicherheit dieses Verfahrens die Enukleation ablehnt. In letzter Zeit wird auch die Lichtkoagulation zur Zerstörung von Tumoren in letzten Augen sehr empfohlen.

Seltener als Sarkome kommen **metastatische Karzinome** der Aderhaut zur Beobachtung. Das klinische Bild und der Verlauf ist ähnlich (Abb. 134). Enukleation hat meist nur einen Sinn, wenn keine sonstigen Metastasen vorhanden sind oder schmerzhafte Sekundärglaukome bestehen. Auch metastatische Sarkome sind beobachtet.

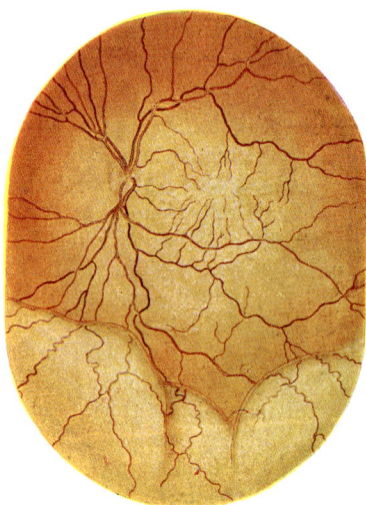

Abb. 134. Aderhautmetastasen bei Mammakarzinom

b) Gutartige Geschwülste der Aderhaut

Angiome kommen vor, gehören aber zu den Seltenheiten. Die Differentialdiagnose gegen Sarkome stellt den erfahrenen Facharzt vor schwierigste Aufgaben.

Häufiger sind **Naevi** der Aderhaut, die als graugrüne, oft leicht erhabene Herde zu erkennen sind. Derartige Naevi sind stets laufend fachärztlich zu kontrollieren, da Verwechslung mit inzipienten malignen Prozessen möglich ist.

c) Kolobome der Aderhaut

Aderhaut-Netzhautkolobome kommen in Verbindung mit Iriskolobomen, aber auch isoliert vor. In der Regel sind sie gegen unten gerichtet, gegen die Papille zu schmal und nach der Peripherie hin breiter. Manchmal beziehen sie das Papillengebiet ein (Abb. 135), in anderen Fällen beginnen sie unter der Papille. Man sieht eine sehr scharf begrenzte, weiße-grünliche Fläche, welche besonders in den Randteilen oft Pigment erkennen läßt. Gefäße ziehen meist in unregelmäßiger Anordnung über das mitunter stufenartig vertiefte Gebiet. Diese typischen Aderhautkolobome verdanken, ebenso wie die typischen Iriskolobome, einem verzögerten Verschluß der fetalen Becherspalte ihre Entstehung.

Neben den typischen kommen auch atypische Kolobome vor, die als weiße, scharf begrenzte Herde in Erscheinung treten und oft von alten chorioiditischen (entzündlich entstandenen) Herden nicht zu unterscheiden sind (Abb. 136). Dies gilt auch für das Kolobom im Bereich der Macula.

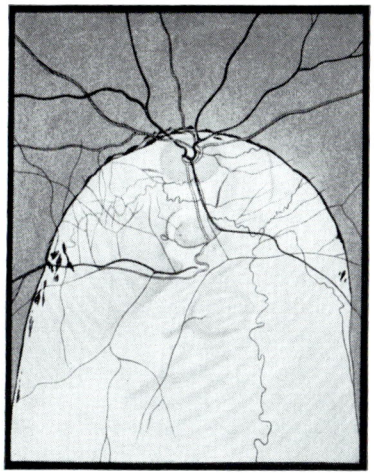

Abb. 135. Typisches Aderhautkolobom gegen unten. Querovale Papille im oberen Teil des Kolobomgebietes

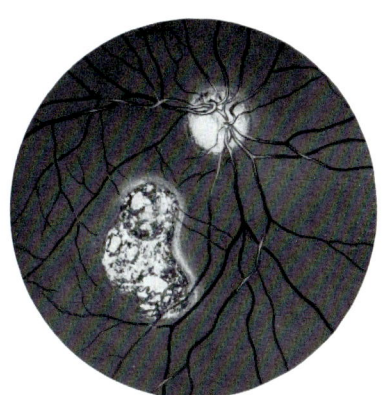

Abb. 136
Alter chorioiditischer Herd

IX. Die Erkrankungen des Glaskörpers

A. Anatomie

Der Glaskörper füllt den größten Teil des Augeninneren aus, nämlich den Raum, der vorne durch den Ziliarkörper, die Iris und Linse und nach allen anderen Seiten von der Netzhaut-Aderhaut und der Papille begrenzt wird. Der Glaskörper (Corpus vitreum) ist eine gallertige Masse, die keinerlei Blutgefäße enthält und durchsichtig ist. An der Spaltlampe kann man ein Gerüstwerk feiner Fasern erkennen. Die Feinstruktur ist noch umstritten, doch scheint es sich um eine kernlose Gallerte mit ultramikroskopischer Gelstruktur zu handeln. Während des fetalen Lebens zieht ein Gefäßstrang (Arteria hyaloidea) von der Papille zur hinteren Linsenfläche. Manchmal können Reste davon erhalten bleiben (Arteria hyaloidea persistens), die dann als Folgen einer Entwicklungsstörung entweder an der Papille oder am hinteren Linsenpol haften.

B. Untersuchungsmethoden

Zur Untersuchung des Glaskörpers dient dem Facharzt die Spaltlampe: gröbere Veränderungen im vorderen Abschnitt können manchmal, besonders bei Aphakie, auch bei seitlicher Beleuchtung wahrgenommen werden (Schwartenbildung u. a.). Von großem Wert ist die Untersuchung mit dem Augenspiegel; dabei heben sich die Veränderungen des Glaskörpers als meist schwarze Punkte, Flecken und Wolken vom rot aufleuchtenden Hintergrund ab. Von Linsentrübungen, die sich bei Spiegeluntersuchung ebenfalls schwarz vom roten Hintergrund abheben, sind Glaskörpertrübungen dadurch zu unterscheiden, daß sie bei Bewegungen des Auges ebenfalls in Bewegung geraten und im Auge hin und her schwimmen, während Linsentrübungen ihren Ort nicht ändern.

C. Erkrankungen des Glaskörpers

Infolge der Struktur und Gefäßlosigkeit des Glaskörpers kommen primäre Glaskörpererkrankungen kaum vor, wohl aber treten Glaskörpertrübungen als Folgen verschiedener Veränderungen der umgebenden Gebilde auf.

1. Glaskörpertrübungen

Die häufigsten Veränderungen im Glaskörper sind **Trübungen** (Opacitates corporis vitrei); diese treten in verschiedener Form und Stärke auf.

Ganz zarte Trübungen sind objektiv oft kaum nachweisbar, werden aber von den Patienten als sich im Gesichtsfeld bewegende schwarze Pünktchen, „Fliegende Mücken", wahrgenommen; wir bezeichnen diese Erscheinungen als *Mouches volantes*.

Stärkere Trübungen sind mit dem Augenspiegel als bei Bewegungen des Bulbus flottierende schwarze Punkte, Flocken oder Fetzen erkennbar. Erhebliche Trübungen beeinträchtigen den Einblick in den Fundus und können eine Beurteilung desselben ganz unmöglich machen. Dies gilt sowohl für fetzenartige als auch für diffuse Trübungen. Bei ganz dichten Trübungen ist überhaupt bei Anwendung des Spiegels kein rotes Aufleuchten zu erzielen.

Glaskörpertrübungen können auf verschiedene Ursachen zurückzuführen sein. Es kommen in Betracht:

1. Blutungen, die sich aus den umgebenden Geweben (Netzhaut, Aderhaut, Strahlenkörper) in den Glaskörperraum ergießen.

2. Entzündliche Ausscheidungsprodukte, die bei Entzündung der genannten Gewebe in den Glaskörperraum abgesondert werden.

3. Schwartenbildungen, die durch Organisation von Blutungen oder Entzündungsprodukten entstehen.

4. Destruktion des Glaskörpers, die bei höherer Myopie und im Alter eintritt und durch Zerfall des Glaskörpers bedingt ist. Bei hoher Kurzsichtigkeit kommt auch Verflüssigung des Glaskörpers vor, der dann einen wasserähnlichen dünnflüssigen Charakter annimmt.

Eine besondere Form der Glaskörpertrübung ist die *Synchisis scintillans*. Bei dieser Veränderung sieht man bei Einblick mit dem Augenspiegel goldartig glitzernde, helle Fleckchen, die sich bei Augenbewegungen lebhaft bewegen. Manchmal finden wir auch weiße, schneeflockenähnliche Flöckchen (*Synchisis nivea* oder *albescens*). Ursachen dieser, den degenerativen Vorgängen zuzuordnenden Befunde, sind Einlagerung von Cholesterin oder anderen Stoffen (Kalziumkarbonat oder -oxalat u. a.).

Als **Ursache der Glaskörpertrübungen** kommen neben den erwähnten degenerativen Vorgängen (Glaskörperzerfall oder Einlagerungen), Erkrankungen der umgebenden Gebilde in Betracht. Dabei kommt es zu entzündlichen Ausscheidungen (Glaskörpertrübungen bei Iridozyklitis und Chorioiditis, Glaskörperabszeß) oder Blutungen (Erkrankungen der Netzhautgefäße, Verletzungen) in den Glaskörperraum, die später entweder resorbiert oder organisiert werden können, wobei im allgemeinen die Resorptionstendenz nach traumatischen Trübungen besser ist als nach Trübungen, die durch schwere Gefäßerkrankungen oder entzündliche Prozesse ausgelöst wurden. Zu bemerken wäre noch, daß Glaskörperblutungen gelegentlich auch als Symptom einer Netzhautablösung auftreten und oft den ersten Hinweis auf diese Erkrankung abgeben können. Diese verschiedenen Krankheitsprozesse werden in den entsprechenden Abschnitten (Erkrankungen der Uvea, Netzhaut, Verletzungen) besprochen.

Die **Bedeutung** der Glaskörpertrübungen **für das Sehen** hängt von ihrem Umfang ab. Geringe Trübungen (auch Synchisis scintillans) pflegen keine Herabsetzungen des Visus zu verursachen, können aber als „vor den Augen" sich bewegende Flocken störend empfunden werden. Stärkere Trübungen können sehr erhebliche Sehstörungen ja sogar (z. B. schwere Durchblutungen des ganzen Glaskörpers) Aufhebung der Lichtempfindung hervorrufen.

Die **Behandlung von Glaskörpertrübungen** ist eine undankbare Aufgabe des Facharztes. Zur Anwendung gelangen Kurzwellenbestrahlungen, subkonjunktivale Injektionen von 1—2%igen Kochsalzlösungen und in seltenen Fällen Absaugungen von Glaskörper. Die Erfolge sind oft nicht befriedigend, doch können manchmal auch gute Erfolge erzielt werden. Wenn die Glaskörpertrübungen auf ein Allgemeinleiden zurückzuführen sind, ist natürlich entsprechende Allgemeinbehandlung durchzuführen.

2. Fremdkörper im Glaskörper

Fremdkörper können bei Verletzungen in den Glaskörper gelangen; sofern sie mit Infektionskeimen beladen sind, vermögen sie eine Panophthalmie (Vereiterung des Auges) hervorzurufen. Manche Splitter können reizlos einheilen, andere müssen entfernt werden. Genauere Angaben darüber finden sich im Abschnitt „Verletzungen".

Auch Tumoren können in den Glaskörperraum einwachsen; manchmal schwimmen abgebröckelte Teile von solchen (z. B. Netzhautgliomen) frei im Glaskörperraum.

In seltenen Fällen siedeln sich Parasiten im Glaskörperraum an (Echinokokken, Cysticercus, Fliegenlarven); sie sind manchmal durch ihre Eigenbewegungen gut erkennbar, können aber gelegentlich der Diagnose auch große Schwierigkeiten bereiten. Sie müssen operativ entfernt werden.

3. Glaskörperabhebung

Diese, erst in den letzten Jahren mehr beachtete Veränderung besteht darin, daß der Glaskörper in einem kleineren oder größeren Gebiet dem umgebenden Gewebe nicht anliegt, sondern sich von seiner Unterlage zurückgezogen hat. Die hintere Glaskörperabhebung gehört zu den Altersveränderungen des Auges. Die subjektiven Symptome bestehen in den Erscheinungen der Glaskörpertrübung. Diese Glaskörperabhebung kann bei Entstehung der Netzhautablösung eine Rolle spielen. Ihre Diagnose ist dem Facharzt vorbehalten.

X. Die Erkrankungen der Linse

A. Anatomie

Die Linse ist ektodermaler Abkunft. Sie liegt mit ihrer Rückfläche einer teller-
förmigen Vertiefung des Glaskörpers an, während ihre Vorderfläche gegen die Vorderkammer gewendet ist (Abb. 1 und 2). Ihre peripheren Teile sind hier von der Iris bedeckt, während das Gebiet um den vorderen Pol im Pupillargebiet frei liegt. Die Linse
wird durch das Aufhängeband *(Apparatus suspensorius lentis, Zonula Zinnii)*, welches
aus feinen Fäden (Fibrae suspensoriae) besteht, in ihrer Lage gehalten. Diese Fasern
entspringen in der Gegend der vorderen Netzhautgrenzen und ziehen teils von den
Ziliarfortsätzen, teils von den dazwischen liegenden Ziliartälern zur Linse. Dadurch
ist eine Verbindung mit dem Ziliarmuskel hergestellt, die für die Naheinstellung des
Auges von Bedeutung ist (s. Abschnitt: Akkommodation). Der Ansatz der Zonula an
der vorderen und hinteren Linsenfläche und dem Äquator lentis erfolgt an einer feinen
Randlamelle der Kapsel, der sog. Zonulalamelle. Die vordere und hintere Begrenzung
der Linse bildet die Kapsel. Unter der Vorderkapsel findet sich das Linsenepithel, welches bis zum Äquator reicht; die hintere Linsenfläche besitzt kein Epithel. Vom Linsenepithel aus erfolgt ständig bis in das Alter hinein die Bildung von Linsenfasern, die die
Hauptmasse der Linse bilden. Innerhalb dieser Fasern geht allmählich eine Veränderung
vor sich. Die im Inneren gelegenen Fasern werden durch Wasserabgabe dünner und
schließen sich zu einem harten Kern zusammen, während peripher immer neue weiche
„Rinde" gebildet wird. Mit zunehmendem Alter wird der Kern immer größer und
härter und die Rinde immer schmäler. Dieser Vorgang, Sklerosierung der Linse genannt, ist Ursache der Alterssichtigkeit (s. unter Akkommodation). Infolge dieser
Sklerosierung nimmt die Elastizität der Linse immer mehr ab. Die alte Linse wird
flacher, während die jugendliche sich mehr der Kugelgestalt nähert. Mit dieser
Änderung der Gestalt und Konsistenz ist auch eine Farbänderung verbunden; während die jugendliche Linse wasserklar und fast farblos ist, nimmt sie mit zunehmendem Alter einen gelblichen bis bräunlichen Farbton an, ohne daß darunter die Sehschärfe leidet. Wohl aber tritt eine Abschwächung der Blauempfindung ein. Die Ernährung der völlig gefäßlosen Linse erfolgt durch Diffusion und Osmose.

B. Untersuchungsmethoden

Erhebliche Trübungen der Linse sind schon bei einfacher Betrachtung der Augen
an der grauen Farbe der Pupille zu erkennen. Diese leicht sichtbare Veränderung hat
auch die Bezeichnung „grauer Star" verursacht. Zur Diagnostik feinerer Trübung dient
die seitliche Beleuchtung, die im Kapitel Erkrankungen der Hornhaut beschrieben
wurde. Der Facharzt bedient sich dazu der Spaltlampe, die eine genaue Untersuchung der
Linse und Differenzierung ihrer verschiedenen Schichten gestattet. Damit ist auch die
Möglichkeit gegeben, die Trübungen genau bezüglich ihrer Lage innerhalb der Linse zu
lokalisieren. In weniger exakter Weise gelingt dies auch mit seitlicher Beleuchtung.
Eine wirklich genaue Untersuchung der Linse erfordert die künstliche Erweiterung
der Pupille (Homatropin 1%, Mydrial), da bei enger Pupille die peripheren Linsenteile durch die Iris verdeckt sind. Wie schon im Kapitel über Glaskörpererkrankung
erwähnt, kann auch die Durchleuchtung mit dem Augenspiegel (Untersuchung im
durchfallenden Licht) zur Erkennung (gröberer) Linsentrübungen benutzt werden. Es
wurde dort erwähnt, daß sich Trübungen der Medien als schwarze Punkte, Flecke

oder Striche vom Rot des aufleuchtenden Fundus abheben und daß Glaskörpertrübungen dabei im Auge „herumschwimmen", während Linsen- (und auch Hornhaut-)
trübungen dies nicht tun. Immerhin ändern diese aber auch bei Blickrichtungsänder-
ungen ihren Platz; dies kann zu Lokalisation der Trübungen benutzt werden. Dies
geschieht nach den Regeln der parallaktischen Verschiebung (Abb. 137). Demnach ändert
bei gleichbleibender Rich-
tung der Beobachtung eine
in der Pupillarebene ge-
legene Trübung (z. B. Trübung am vorderen Linsen-
pol) ihren Ort bei Blickbewegungen nicht. Eine vor
dieser Ebene befindliche

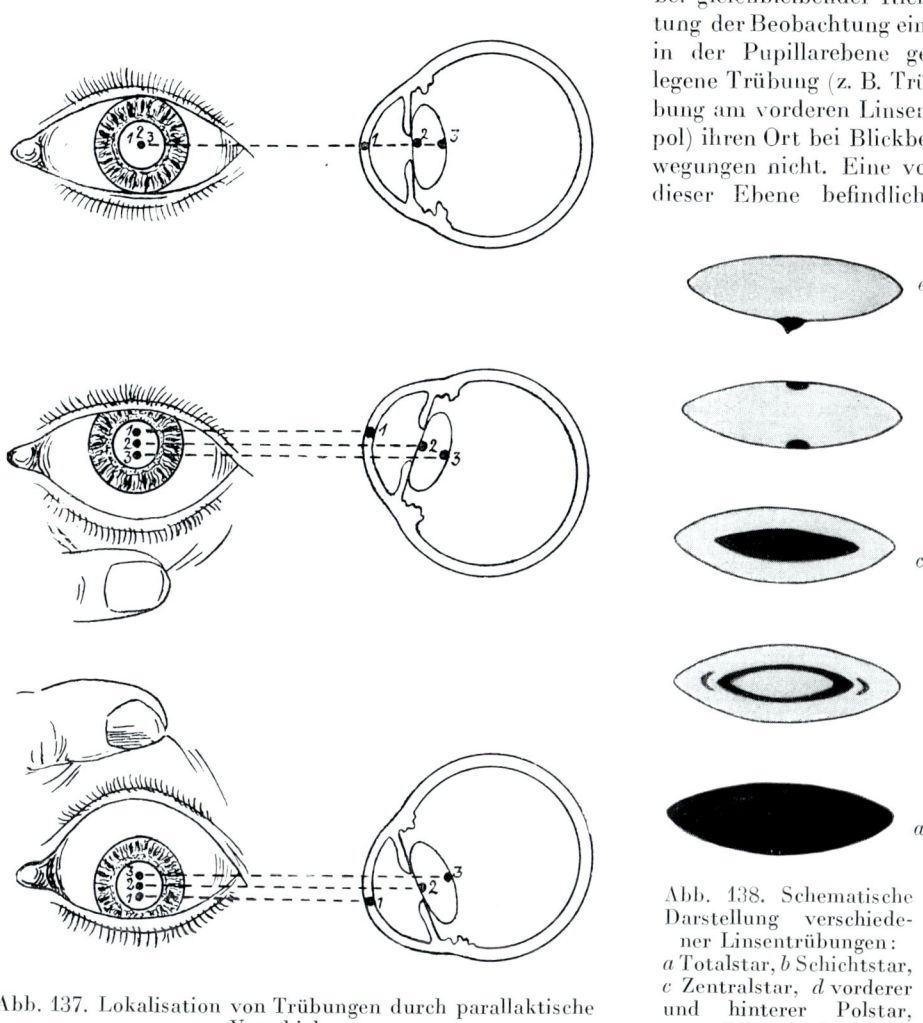

Abb. 137. Lokalisation von Trübungen durch parallaktische
Verschiebung

Abb. 138. Schematische
Darstellung verschiede-
ner Linsentrübungen:
a Totalstar, b Schichtstar,
c Zentralstar, d vorderer
und hinterer Polstar,
e Pyramidalstar

Trübung (z. B. Hornhauttrübung) scheint sich bei Blickwendungen im Sinne der
Blickwendungsrichtung zu verschieben, also bei Hebung des Blickes nach oben, bei
Senkung nach unten. Trübungen hinter der Pupillarebene (z. B. Trübungen am hin-
teren Linsenpol) verschieben sich gegensinnig, also bei Blicksenkung nach oben,
bei Blickhebung nach unten. Dieses Verfahren läßt sich sinngemäß auch bei seitlicher
Beleuchtung auswerten.

C. Erkrankungen der Linse

1. Angeborene Trübungen und sonstige angeborene Veränderungen

Viele Formen des angeborenen Stares sind erblich; es gibt aber auch angeborene
Stare, die als Folgen intraokularer Entzündungen während der Fetalzeit oder als Folgen
von Entwicklungsstörungen auftreten, ohne daß Erblichkeit besteht. Ferner werden
auch jene Starfälle hier erwähnt, die sich in frühester Jugend auf Grund angeborener
Anlage entwickeln. In neuerer Zeit haben wir Starbildung als Folge von Erkrankungen
der Mutter während der Gravidität kennengelernt. Es sind besonders Virusinfektionen,
vor allem Rubeolen in der 4.—6. Woche der Schwangerschaft, die die Embryopathia
rubeolosa hervorrufen. Manchmal finden sich neben der Katarakt auch Mikrophthalmus
oder Netzhautveränderungen, ähnlich der Retinopathia pigmentosa. Die wichtigsten
Formen der angeborenen Stare sind:

a) Der angeborene Totalstar (Cataracta totalis congenita)

Bei angeborenem Totalstar (Abb. 138) ist die ganze Linse gleichmäßig grauweiß
getrübt; eine besondere Struktur der Trübungen ist nicht zu erkennen. Mit dem Augenspiegel ist kein Rotlicht zu erhalten. Die Erkrankung kommt einseitig wie doppelseitig
vor und kann mit Mißbildungen anderer Teile des Auges verbunden sein (Abb. 139).
Gelegentlich findet man bei derartigen Staren Schrumpfung der Linse. Dieser Totalstar kommt vererbt vor, er kann aber auch Symptom einer sogenannten Embryopa-
thie sein. Es handelt sich dabei um Mißbildungen, die durch Erkrankung der Mutter
in der Frühzeit der Schwangerschaft entstehen. Vor allem kommen hierfür Rubeolen
in Betracht, aber auch andere Erkrankungen wie Varizellen, Mumps usw. Neben den
Linsentrübungen finden sich oft Herzfehler, Innenohrschwerhörigkeit und Netzhautveränderungen, die der Retinopathia pigmentosa ähnlich sehen.

Das Sehvermögen ist stets auf Erkennen von Lichtschein oder von Handbewegungen
herabgesetzt.

Die Erkrankung ist oft erblich, wobei verschiedene Erbgänge beschrieben wurden.

Die Behandlung kann nur operativ sein, doch sind die Aussichten auf Erlangung
einer guten Sehschärfe beschränkt, da in vielen Fällen sonstige Fehlbildungen oder
eine funktionelle Schwäche (Amblyopie) bestehen, die nicht zu beseitigen sind. Dies
gilt besonders für einseitige Fälle und solche, die mit Nystagmus vergesellschaftet sind.
Um die Amblyopie möglichst zu vermeiden, ist beim Totalstar, besonders bei Doppelseitigkeit, die Frühoperation gegen Ende des 1. Lebensjahres zu empfehlen.

b) Der Schichtstar (Cataracta zonularis)

Diese häufige Form der Linsentrübung kommt *angeboren* oder *erworben* zur Beobachtung. Bei während des extrauterinen Lebens auftretenden Trübungen kann eine
angeborene Anlage ursächlich sein. Auch können anscheinend in manchen Fällen Rachitis,
Tetanie und Spasmophilie bei der Entstehung eine Rolle spielen, doch sind die Zusammenhänge im einzelnen noch nicht restlos geklärt. Das *klinische Bild* ist durch Trübung
einer bestimmten Zone der Linse gekennzeichnet (Abb. 138), während andere Teile
freibleiben. Im Schnitt ergibt sich Klarheit der Linsenkapsel, dann folgt eine Schicht
klarer Linsenfasern, an welche sich eine Zone getrübter Fasern der vorderen Rinde anschließt. Zentral findet sich der klare Kern, dann folgen eine Schicht getrübter Fasern
der hinteren Rinde, ein Gebiet klarer Fasern der hinteren Rinde und schließlich die
klare hintere Kapsel. Um die getrübte Zone liegen meist kleine radiäre Trübungs-
speichen, die der getrübten Zone reiterartig aufsitzen und daher den Namen „Reiterchen" tragen (Abb. 140). Je nach Größe und Dichte der getrübten Zone können die

klinischen Bilder beim Schichtstar außerordentlich verschiedenartig sein. Gelegentlich
können auch zwei getrübte Zonen in einer Linse gefunden werden, die durch ein klares
Gebiet getrennt sind, so daß ein zwiebelschalenartiges Aussehen entsteht. Dann und
wann trifft man auch Fälle, bei welchen gleichzeitig mit der Schichttrübung eine Trübung des Kernes vorhanden ist. Bei Durchleuchtung mit dem Augenspiegel leuchten
die klaren Teile auf, während die getrübten je nach der Dichte der Trübung schwarz
oder abgedunkelt erscheinen.

Die *Diagnose* der Cataracta zonularis ist oft erst bei künstlich erweiterter Pupille
(Homatropin 1%, Mydrial, Mydriaticum „Roche") mit Sicherheit möglich, da bei enger
Pupille klare Randteile und Reiterchen verdeckt sind und so die charakteristische Form
der Trübung nicht vollkommen erkennbar sein kann.

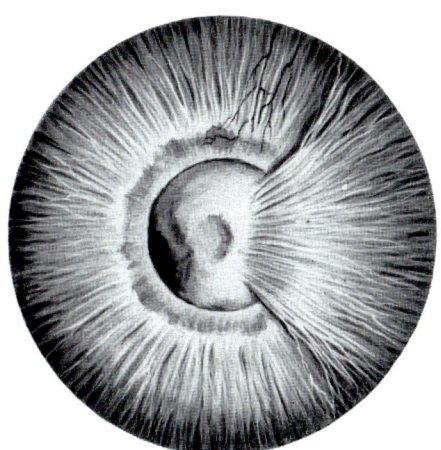

Abb. 139. Angeborener Totalstar mit breiter
angeborener hinterer Synechie. Linse etwas
geschrumpft

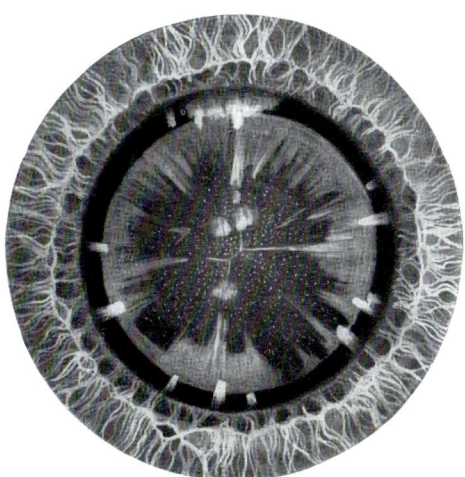

Abb. 140
Schichtstar mit Reiterchen

Entsprechend diesem klinisch so vielgestaltigen Bild des Schichtstares kommen
auch die verschiedensten Grade der *Sehstörung* zur Beobachtung. Bei geringer Ausdehnung oder geringer Dichte der Trübungszone kann fast normaler Visus und volle
Leistungsfähigkeit bestehen, während bei dichten, umfangreichen Trübungen sehr
hochgradige Visusherabsetzungen (bis auf Fingerzählen) zur Beobachtung kommen.
Zwischen diesen beiden Extremen sind alle Abstufungen denkbar. Die Erkrankung
ist meist doppelseitig, der Erbgang (sofern es sich um erbliche Fälle handelt) pflegt
dominant zu sein, doch kommen auch andere Vererbungsformen vor.

Die *Behandlung* richtet sich nach dem Grade der Sehstörungen. Bei guter Sehschärfe ist oft jeder Eingriff unnötig. Oftmals findet man aber, daß bei kongenitalen
Trübungen, die eigentlich stationär bleiben, im höheren Alter andere, mit der Entwicklung nicht zusammenhängende Alterstrübungen auftreten, daß also eine gewisse
Disposition für das zusätzliche Auftreten von Alterstrübungen zu bestehen scheint.
Diese erfordern dann natürlich operatives Vorgehen. Wenn die Schichtstartrübungen
von Haus aus so erheblich sind, daß sie das Sehen ernstlich stören (Sehschärfe weniger
als 5/20—5/15), so soll die Entfernung der Linse in Betracht gezogen werden. Gewisse

Besserungen des Sehens können manchmal durch Vergrößerung des Pupillargebietes durch Irisausschneidungen (Iridektomien) oder durch ständiges Weithalten der Pupille durch Mydriatica erzielt werden. Es ist aber zu bedenken, daß die seitlichen Teile von Hornhaut und Linse, die dadurch zu Sehzwecken herangezogen werden, optisch gegenüber den zentralen Teilen unterwertig sind, und daß die dadurch erzielten Verbesserungen des Visus meist nicht sehr ins Gewicht fallen. Im allgemeinen ist es daher meist besser, sich in solchen Fällen gleich zur Entfernung der Linse zu entschließen. Nach dem Eingriff kann in den meisten Fällen von unkompliziertem Schichtstar mit Starglas gute Sehschärfe für Ferne und Nähe erzielt werden. Tragen eines eigenen Nahglases muß wegen der durch Entfernung der Linse verlorenen Akkommodation (s. dieses Kapitel) allerdings in Kauf genommen werden. Die Operation kann entweder durch primäre Entfernung der Linse nach Lanzenschnitt oder durch Diszission der Linse erfolgen. Im letzteren Falle kommt es zu einer Aufquellung der Linse durch Eindringen von Kammerwasser in die durch die Diszission eröffnete Linsenkapsel und oft zu nachfolgender weitgehender Aufsaugung der Linsenmassen. In der Regel muß aber hier eine Ablassung der gequollenen Linsenmassen durch Lanzenschnitt nachgeschickt werden. Die Wahl der Operationsart ist Sache des Facharztes.

c) Der Zentralstar

Der Zentralstar tritt entweder in Form einer dichten, das Kerngebiet einnehmenden Trübung (Abb. 138) oder in Form zahlreicher feiner Pünktchen auf, die im Kerngebiet dicht angeordnet sind und so eine gut abgrenzbare Trübung bilden *(Cataracta centralis pulverulenta)*. Diese Starform tritt in der Regel erblich auf, dominante Vererbung ist wiederholt sichergestellt worden. Die Sehstörung hängt von der Dichte und dem Umfang der Trübungen ab, ist aber in der Regel nicht sehr hochgradig, so daß operative Eingriffe meist nicht nötig sind.

d) Die Polstare

Bei dieser Form der Linsentrübung (Abb. 138) handelt es sich um umschriebene Trübungen am vorderen *(Cataracta polaris anterior)* oder hinteren Linsenpol *(Cataracta polaris posterior)*, die manchmal mit Kapseltrübungen verbunden sind. Ihr Umfang ist in der Regel gering, so daß sie meist keine wesentlichen Sehstörungen verursachen. Gelegentlich kommen aber auch Kombinationen mit anderen Fehlbildungen vor; in diesen Fällen können erhebliche Herabsetzungen des Visus beobachtet werden. Die vorderen Polstare sind häufiger als die hinteren. Vordere Polstare können nicht nur durch Entwicklungsstörungen entstehen, sondern kommen auch erworben, als Folge von in der Jugend überstandenen Hornhautgeschwüren vor. Hintere Polstare sind manchmal mit am hinteren Linsenpol haftenden Resten der Arteria hyaloidea (s. unter Glaskörpererkrankungen) verbunden. Auf die gelegentlich mit persistierender Pupillarmembran verbundenen, umschriebenen vorderen Kapseltrübungen wurde schon hingewiesen. Eine besondere Form des vorderen Polstares ist die *Cataracta pyramidalis* (Abb. 138), bei welcher ein pyramidenartiger Zapfen im Gebiete des vorderen Poles in die Vorderkammer ragt.

e) Der Punktstar

Unter Punktstar verstehen wir Zustände der Linse, die durch das Vorhandensein sehr zahlreicher feiner grauer Pünktchen gekennzeichnet sind, die über alle Schichten der Linse annähernd gleichmäßig verteilt erscheinen. Diese Starform ist selten; sie

darf nicht mit der sog. Cataracta punctata coerulea verwechselt werden, welche eine
in relativ frühen Jahren auftretende Form des erworbenen Stares ist, und beim Altersstar besprochen wird.

f) Sonstige angeborene Starformen

Selten kommen auch noch andere Starformen zur Beobachtung, so eine *Cataracta
membranacea*, bei welcher durch Resorption von Linsenmassen eine aus dem Kapselsack gebildete Membran übriggeblieben ist. In ähnlicher Weise kann durch Resorption der zentralen Teile bis auf eine zarte Membran, bei
Bestehenbleiben der peripheren Linsenteile in Form eines
getrübten Wulstes, das Bild des *Ringstares* entstehen.
Weiterhin kommen oft kleine weiße, *fleckchen- und linienartige Trübungen an dem Nahtsystem* (im Kerngebiet) der
Linse zur Beobachtung, welche im Gegensatz zu den
Membran- und Ringstaren das Sehen nicht zu stören
pflegen. Seltene unregelmäßige Starformen (Abb. 141)
werden als Korallen-, Spieß- und Fischflossenkatarakte bezeichnet, wobei das Aussehen dieser atypischen Trübungen und die Phantasie der Beschreiber bei der Namens-
gebung bestimmend sind. Das Vorkommen des in Lehrbüchern oft erwähnten Spindelstares, der spindelförmig
die beiden Linsenpole verbinden soll, wird in letzter Zeit,
meines Erachtens mit Recht, bestritten.

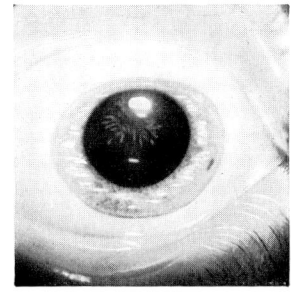

Abb. 141. Atypische angeborene Starform (Trübungen
in der hinteren Rinde)

g) Die kongenitale Linsenluxation

Die angeborenen Linsenluxationen (Ektopien der Linse) sind nicht gerade selten;
sie können verschiedene Grade erreichen. Manchmal besteht nur eine geringe Verschiebung der Linse aus ihrer normalen Lage, in anderen eine sehr weitgehende, wobei die Verlagerung gegen oben relativ häufig ist. Oftmals ändert sich der Grad der
Verlagerung auch während des Lebens spontan oder unter dem Einfluß äußerer Einwirkungen (Stoß, Schlag, Erschütterung), so daß aus geringfügigen Verlagerungen
totale werden und damit die dadurch bedingten Schäden eintreten können.

Das charakteristische Zeichen geringfügiger Verlagerungen (Subluxationen) ist das
Schlottern der Linsen bei Blickbewegungen, welches von einem *Schlottern der Iris
(Iridodonesis)* begleitet ist. Ersteres resultiert daraus, daß bei Ektopien der Auf-
hängeapparat der Linse defekt ist und diese nur locker hängt; letzteres daraus, daß
infolge des Linsenschlotterns der Iris die feste Unterlage fehlt. Bei höheren Graden
der Verlagerung kann man, besonders leicht bei künstlich erweiterter Pupille, den
Linsenrand und oft auch die Zonulafasern (Fibrae suspensoriae) sehen (Abb. 142).
Bei weiterer, gradueller Zunahme kann es vorkommen, daß der Linsenrand etwa
durch die Mitte der Pupille zieht und somit diese einen linsenhaltigen und einen
linsenlosen Teil aufweist. Dies hat zur Folge, daß in einem solchen Auge zwei Bilder
eines jeden Gegenstandes entstehen *(monokulare Diplopie)*. Man sieht den Fundus
mit dem Augenspiegel ebenfalls doppelt. Der Grund dafür liegt darin, daß im linsenhaltigen Teil und im linsenlosen (aphaken) Teil der Pupille ganz andere Brechungsverhältnisse vorliegen. Bei hochgradigen Luxationen schließlich kann die *Linse* völlig
aus dem Pupillargebiet verschwunden und im *Glaskörper versunken* sein. In solchen
Fällen besteht der Zustand der Aphakie, wie er nach Staroperationen zustande kommt.
Bei sonst normalen Verhältnissen kann dabei mit einem Starglas sehr gute Sehschärfe

erzielt werden. Auch *Verlagerungen der Linse in die Vorderkammer* können vorkommen (Abb. 143); diese bedingen eine starke Sehstörung und die Gefahr des *Sekundärglaukoms*, welches übrigens auch bei Linsenverlagerung in andere Richtungen auftreten kann.

Die angeborenen Linsenverlagerungen treten meist *familiär* auf und sind häufig mit dem Zustand der *Arachnodaktylie* (Marfanscher Symptomenkomplex) verbunden. Die hervorstechendsten Zeichen dieses Zustandes sind die zarten, langen Extremitäten (Spinnenfingerigkeit), Trichterbrust, Bildungsanomalien des Oberkiefers u. a. Neben den angeborenen Linsenluxationen kommen auch erworbene vor; sie entstehen meist durch Verletzungen (s. d.).

Die *Sehstörungen* sind bei den angeborenen Ektopien geringen Grades oft nur unwesentlich. Manchmal besteht erhebliche Myopie, die durch Gestaltsveränderung der

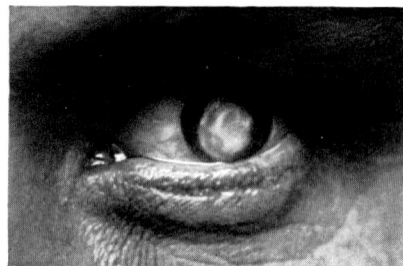

Abb. 142
Kongenitale Linsenverlagerung.
Zonulafasern sind sichtbar

Abb. 143. Luxation einer getrübten
Linse in die Vorderkammer

Linse bedingt ist. Bei höheren Graden droht monokulare Diplopie und Sekundärglaukom mit seinen oft deletären Folgen.

Die *Therapie* hängt von dem Grade der Verlagerung ab, bei geringen Graden ist die Operation, die nie ungefährlich ist, zu unterlassen; bei monokularer Diplopie und Sekundärglaukom muß die Entfernung der Linse erfolgen. Wie schon erwähnt, sind alle Augen mit kongenitaler Linsenluxation wegen der möglichen Zunahme der Störung als gefährdet zu betrachten und unter augenärztlicher Kontrolle zu halten.

h) Sonstige Anomalien der Linse

Wir kennen abnorm kleine und kugelige Linsen (Mikrophakie), die mit hoher Myopie verbunden sind, sowie kegelförmige Ausbuchtungen am vorderen und hinteren Linsenpol (Lenticonus anterior et posterior) und Kolobome der Linse. Letztere bestehen in Einkerbungen des Linsenrandes (meist unten). Sie sind manchmal mit Iriskolobomen verbunden und dann sichtbar, andernfalls durch die Iris verdeckt. Praktische Bedeutung besitzen diese Linsenkolobome nicht.

2. Erworbene Linsentrübungen

a) Der Altersstar

Wie der Name sagt, ist diese Starform eine Erkrankung des vorgeschrittenen Lebensalter. In der Regel tritt der Altersstar nach dem 50. Lebensjahr auf, doch werden manche Patienten auch schon vor dieser Zeit befallen. Bei Startrübungen relativ junger Personen ist aber immer an eine andere Ursache (Tetanie, Diabetes u. a.) zu denken und eine entsprechende Allgemeinuntersuchung durchzuführen; erst bei Ausschluß aller anderen Ursachen darf ein vorzeitiger Altersstar *(Cataracta praesenilis)* angenommen werden.

Eine relativ früh auftretende Form des Stares ist die *Cataracta coronaria*; dabei treten zuerst in der Äquatorgegend keulenartige und speichenartige Trübungen, oft von bläulicher oder blaugrüner Farbe auf, die kranzförmig das ganze Linsengebiet umgeben. Dazu kommen oft noch blaue Flecke und Punkte, die sich auch auf die zentralen Linsenteile erstrecken *(Cataracta punctata coerulea)*. Die Sehstörungen sind dabei zunächst gering oder fehlen überhaupt. Mit zunehmenden Jahren treten meist Trübungen in den vorderen und besonders in den hinteren Rindenschichten hinzu, die dann schließlich die Operation erforderlich machen.

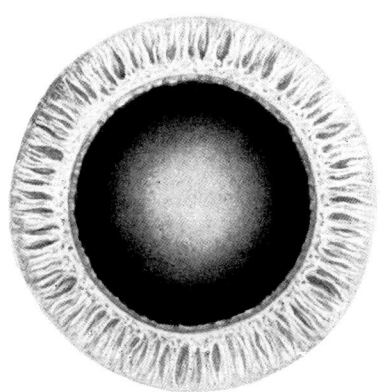

Abb. 144. Cataracta senilis: Kernstar

Der eigentliche Altersstar tritt uns als *Kernstar* oder *Rindenstar* entgegen. Die erstere Form *(Cataracta nuclearis)* (Abb. 144) beginnt mit Trübung des Linsenkernes, wobei auch vereinzelte und unwesentliche Trübungen in den vorderen und hinteren Rindenschichten vorhanden sein können. Im Vordergrund steht aber die an Dichte immer mehr zunehmende Trübung des Kerngebietes, die sehr erhebliche Sehstörungen verursacht. Allerdings sinkt bei Kernstar der Visus in der Regel nicht bis auf Erkennen von Lichtschein ab, wie das bei Totaltrübungen des Rindenstares meist der Fall ist. Der reine Kernstar findet sich oft in myopischen Augen. Die Trübung kann sehr lange auf den Kern beschränkt bleiben, ohne die Rinde erheblich in Mitleidenschaft zu ziehen. Bei der Untersuchung sieht man eine graue, später braune Trübung in den Kernpartien, die keine scharfe Begrenzung zeigt und in ihren Anfangsstadien leicht mit dem normalen Altersreflex der Linse verwechselt werden kann. Bei Durchleuchtung mit dem Augenspiegel erscheinen die mittleren Partien schwarz, während die peripheren Teile rot aufleuchten und auch oft die Erkennung des Hintergrundes gestatten.

Der *Rindenstar (Cataracta corticalis)* beginnt in der Regel in Form von speichenartigen Trübungen (Abb. 145), die sich vom Äquatorgebiet aus, in den vorderen und hinteren Rindenschichten, gegen die Linsenpole vorschieben und dort schließlich zur Vereinigung gelangen. Neben diesen Speichentrübungen entstehen im Zuge der Starentwicklung auch sog. Wasserspalten und Vakuolen; diese sind durch Zerfall von Linsengewebe bedingt. Die speichenförmigen Trübungen erscheinen im auffallenden Licht (bei seitlicher Beleuchtung) grau, im durchfallenden Spiegellicht schwarz. Wir bezeichnen dieses 1. Stadium der Starentwicklung als *Cataracta incipiens* oder, wenn die Trübungen schon zahlreich sind, als *Cataracta provecta*. Im weiteren Verlauf nehmen die Trübungen zu, bis allmählich die ganze Linse grau erscheint und bei Spiegeluntersuchung kein Rotlicht mehr zu erhalten ist. In diesem Stadium tritt oft eine erhebliche Volumenvermehrung der Linse durch Quellung ein. Diese führt zu einer Abflachung der Vorderkammer *(Cataracta intumescens)*. In der Folgezeit greifen die Trübungen immer tiefer, bis schließlich alle Schichten erfaßt sind. Dabei geht der Quellungszustand der Linsenfasern zurück. Die Vorderkammer wird wieder normal tief, das Stadium der *Cataracta matura* (Abb. 146) ist erreicht. Die Farbe der Linse schwankt zwischen hellem Grau bis dunklem Braun. Dieser Reifungsprozeß spielt sich zeitlich ganz verschieden ab; zwischen Auftreten der ersten Trübungen und dem Stadium der Reife können viele Jahre liegen, doch kann die Entwicklung auch in viel kürzerer Frist (einige Monate) durchlaufen werden. Wenn ein reifer Star viele Jahre besteht, so kann es zur *Cataracta hypermatura* kommen. Dabei können Schrumpfung und Zerfall der Linsenfasern eintreten sowie Kapselfaltungen und Verdickungen entstehen. Gelegentlich verwandelt sich die Rinde in einen milchigen, flüssigen Brei, der den Kapselsack ausfüllt und innerhalb dessen der nicht verflüssigte Kern, der Schwere folgend, nach unten sinkt *(Cataracta Morgagni)*. Bei reifen oder überreifen Staren sieht man manchmal farbig schillernde kleine Einlagerungen (Cholesterin).

Abb. 145. Cataracta senilis:
inzipienter Rindenstar

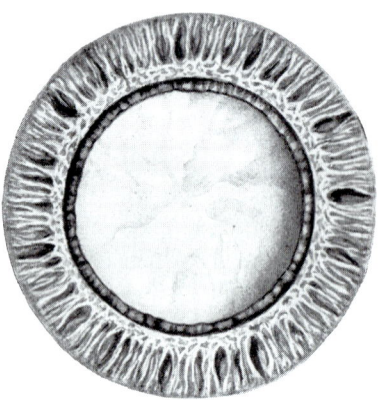

Abb. 146. Reifer Altersstar
im vorgeschrittenen Stadium

Neben dem geschilderten, häufigsten Beginn des Rindenstars (Speichentrübungen) gibt es auch Fälle, in welchen sich eine schalenartige Trübung der hintersten Rindenschicht zuerst entwickelt, der sich später vordere Trübungen und Kerntrübung zugesellen, bis schließlich das Stadium der Reife erreicht wird.

Die Einteilung der Linsentrübungen in die erwähnten Stadien hat heute nur theoretische Bedeutung, war aber früher bei der *Indikationsstellung zur Operation* maßgebend, d. h., man wartete das Stadium der Reife ab und führte erst in diesem Stadium den Eingriff aus. Heute gilt lediglich die Abnahme des Visus als Gradmesser. Die Operation des Stars ist dann angezeigt, wenn die Sehschärfe so weit herabgesetzt ist, daß der Kranke in seinen beruflichen und sonstigen Verrichtungen dadurch ernstlich behindert wird; sie kann demnach, je nach den Anforderungen des Berufes, bei ganz verschiedenen Sehschärfen notwendig sein. Bei Einseitigkeit der Starbildung kann meist länger zugewartet werden als bei doppelseitiger Starentwicklung.

Der Altersstar tritt sehr häufig doppelseitig auf, doch liegt zwischen der Starentwicklung beider Augen oft ein Zeitraum von vielen Jahren, während in anderen Fällen annähernd gleichzeitige Entwicklung oder eine geringe zeitliche Differenz bemerkt wird.

Die *Sehstörungen* durch Starbildung hängen vom Stadium der Trübung ab. Während bei einzelnen Speichen noch normaler Visus bestehen kann, entwickeln sich mit

Zunahme der Trübung erhebliche Störungen, bis schließlich das Sehen im Stadium der Reife meist auf Erkennen von Lichtschein herabgesetzt ist. Diese Lichtempfindlichkeit sowie die Fähigkeit die Einfallsrichtung des Lichtes einer Lichtquelle (Kerze, Taschenlampe) richtig anzugeben (richtige Lichtprojektion), bleibt aber bei Startrübung stets erhalten. Wenn richtige Lichtprojektion fehlt, so beweist dies, daß hinter der Startrübung noch eine Veränderung der Netzhaut oder des Opticus vorliegen muß. In solchen Fällen wird der Facharzt meist von der Operation Abstand nehmen. Es sei noch bemerkt, daß sich während der Entwicklung der Linsentrübung oft eine Myopie bemerkbar macht, die auf Änderung der Brechkraft der Linse zurückzuführen ist (Linsenmyopie). Gelegentlich wird auch monokulares Doppelsehen oder Vielfachsehen (Polyopie) bei inzipienter Katarakt beschrieben.

Die Ursache des Altersstars ist nicht genau bekannt; vermutlich liegt ein einfacher Altersvorgang vor, ähnlich wie an Haaren, Zähnen usw. Erbliche Faktoren spielen sicher auch eine Rolle. Wenn auch bezüglich der Linsentrübungen starke individuelle Unterschiede bestehen, so ist doch festzuhalten, daß keine Linse im höheren Alter völlig klar bleibt.

Die Behandlung des Altersstars ist eine operative und besteht in Entfernung der Linse. Verschiedene teils ernsthafte, teils unseriöse Versuche zur konservativen Starbehandlung haben zu keinem brauchbaren Ergebnis geführt. Nach Entfernung der Linse ist der optische Ersatz derselben durch ein Starglas erforderlich.

b) Starbildung bei Allgemeinleiden

α) Der Zuckerstar (Cataracta diabetica)

Der Zuckerstar tritt bei Diabetes mellitus doppelseitig auf und entwickelt sich in der Regel rasch, oft innerhalb von einigen Tagen. Die Trübungen liegen in den vorderen und hinteren Rindenschichten unter der Kapsel. Die diabetische Starentwicklung ist vom Alter unabhängig; sie kommt auch schon bei Kindern zur Beobachtung. Bei älteren Diabetikern und langsamer Entwicklung der Trübung ist die Entscheidung, ob ein echter diabetischer Star oder ein Altersstar bei einem Diabetiker vorliegt, schwer, oft unmöglich. Die Frage, ob der Diabetes zur Entwicklung von Altersstar disponiert, ist noch unentschieden, doch ist dies wenig wahrscheinlich. Über die Art der Einwirkung des Diabetes auf die Linse ist nichts Sicheres bekannt. Bei Diabetes kann auch bei klarer Linse eine Refraktionsänderung durch reversible Erhöhung oder Verminderung der Linsenbrechkraft eintreten kann (diabetische, transitorische Myopie oder Hypermetropie). Eine Begleiterscheinung der diabetischen Katarakt ist oft eine Aufquellung der Zellen des Pigmentepithels der Iris, die zu einer Ausschwemmung des Pigmentes führen kann. Als Folge derselben finden wir oft bei der Operation diabetischer Stare eine Braunfärbung des Kammerwassers und starke Pigmentverstreuung.

Die *Behandlung* des reifen Zuckerstars ist eine operative. Die Indikation hängt vom Grade der Sehstörung ab. Beginnende diabetische Katarakte können durch Insulinbehandlung aufgehalten und auch zur Rückbildung gebracht werden. Vor der Operation ist genaue Einstellung des Patienten durch Diät, Insulin u. a. Antidiabetica erforderlich.

β) Der Tetaniestar (Cataracta tetanica)

Die Cataracta tetanica kommt bei idiopathischer und postoperativer Tetanie vor. Ursache des Krankheitsbildes ist ein Ausfall oder eine Unterfunktion der Epithelkörperchen (Nebenschilddrüsen). Die postoperative Tetanie entsteht nach Kropfoperationen, bei welchen versehentlich die Nebenschilddrüsen mit entfernt worden sind.

Solche Fälle kommen gelegentlich immer wieder zur Beobachtung. Die Erkrankung ist an kein bestimmtes Alter gebunden; die Trübungen entwickeln sich allmählich, manchmal ziemlich schnell, allerdings nicht so rapid wie beim Zuckerstar; sie sind diesem im klinischen Bild ähnlich, d. h. es finden sich staubförmige, flächenartige Trübungen der Rinde unter der Kapel. Sie pflegen im Gebiet des hinteren Poles besonders dicht zu sein und entwickeln sich schließlich zum uncharakteristischen Totalstar.

Die *Behandlung* der Tetaniekatarakt ist zunächst eine konservative. Sie besteht in der Zuführung von Kalk in verschiedenen Formen. Besonders bewährt sich das bekannte Präparat AT 10. Bei weit vorgeschrittenen reifen Staren ist die Operation auszuführen, während bei beginnender Katarakt durch die konservative Therapie Stillstand und sogar Rückbildung erzielt werden kann.

γ) Sonstige Starformen bei Allgemeinleiden

Starbildung finden wir ferner noch im Zusammenhang mit der *Myotonie oder myotonischen Dystrophie (Cataracta myotonica)*, einer hereditär degenerativen Erkrankung. Die Linsentrübungen treten hier entweder in Form von vorderen und hinteren Rindentrübungen oder als sternfömige hintere Poltrübung auf; sie können tetanischen Trübungen ähnlich sein, doch schützt der Allgemeinbefund vor Verwechslungen. Konservative Behandlung ist aussichtslos.

Außerdem kommen Starbildungen gleichzeitig mit verschiedenen *Hauterkrankungen* vor: man hat in solchen Fällen ganz allgemein von *Cataracta dermatogenes* gesprochen. Unter den mit Starerkrankung verbundenen Hauterkrankungen sind besonders die unter der Bezeichnung *Neurodermitis disseminata* zusammengefaßten Veränderungen zu nennen. Die Linsentrübungen bevorzugen zunächst die vorderen subkapsulären Rindenschichten. Bei entsprechend starker Sehstörung ist die Operation erforderlich.

Weiterhin sind gelegentlich Linsentrübungen bei verschiedenen mit innersekretorischen Störungen verbundenen Krankheiten beschrieben worden, so bei Myxödem, Mongolismus und Status thymolymphaticus. Auch bei DARIERscher und RAYNAUDscher Krankheit sowie bei Sklerodermie sind Starerkrankungen beobachtet worden, aber diese Fälle sind sehr selten und von vorwiegend fachärztlichem Interesse.

c) Starbildung durch äußere Einwirkungen und Vergiftungen
α) Der Wundstar (Cataracta traumatica)

Der Wundstar ist unmittelbare Folge einer Verletzung; er kommt bei perforierenden Verletzungen als Wundstar im engeren Sinne und außerdem bei Prellungen des Bulbus als Kontusionsstar zur Beobachtung. Die letztere Form kann gelegentlich mit traumatischer Linsenluxation verbunden sein.

Die *eigentliche Cataracta traumatica* entsteht bei *perforierenden Verletzungen* durch Eröffnung der Linsenkapsel. Durch die Kapselöffnung dringt Kammerwasser in die Linse und bringt diese zur Quellung und Trübung. Bei sehr kleinen Öffnungen kann es geschehen, daß die Kapselwunde rasch verklebt und nur eine umschriebene Trübung der Linse resultiert, die für das Sehen bedeutungslos bleiben kann. In der Regel kommt es aber zur Gesamttrübung der Linse. Bei weicher, jugendlicher Linse tritt eine rasche und starke Quellung ein. Die Linsenmassen erfüllen die Vorderkammer und können zu Drucksteigerungen Anlaß geben. Bei älteren Personen mit hartem Linsenkern geht die Trübung langsamer vor sich, stürmische Quellungen fehlen. Manchmal findet man rosettenartige hintere Schalentrübungen als erste Zeichen einer, sich nach kleinen Perforationsverletzungen langsam entwickelnden, traumatischen Katarakt.

Besondere Verhältnisse bestehen, wenn Eisen- oder Kupfersplitter in das Auge eingedrungen sind und dort länger verweilen. Es entwickelt sich dann eine Siderosis oder Chalkosis der Linse. Diese Dinge, ebenso wie evtl. Infektionen werden im Abschnitt „Verletzungen" näher beschrieben.

Die Entwicklung einer traumatischen Katarakt kann bei starker Linsenquellung sehr rasch — binnen weniger Stunden — vor sich gehen. Sie kann auch wesentlich langsamer verlaufen und sich über viele Monate erstrecken. Die *Behandlung* ist operativ und besteht in der Entfernung der getrübten Linse, sobald die Sehstörung so weit fortgeschritten ist, daß diese die Indikation dazu abgibt (s. unter Altersstar). Bei den seltenen Fällen, in welchen umschriebene Trübungen stationär bleiben, ist

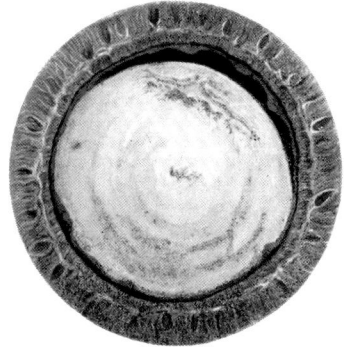 

Abb. 147. Kontusionskatarakt mit Riß in der vorderen Linsenkapsel und leichter Lageverschiebung der Linse. Blutreste in der Umgebung des Kapselrisses

Abb. 148
Kontusionskatarakt: vordere Rosettentrübung

keine Therapie erforderlich. Im allgemeinen ist man bestrebt, die Operation erst dann vorzunehmen, wenn die unmittelbaren Verletzungsfolgen (Hornhautwunde usw.) abgeheilt sind und das Auge reizlos geworden ist. Lediglich bei starker Quellung mit Drucksteigerung ist ein sofortiges Eingreifen geboten. Oftmals tritt in jugendlichen Augen weitgehende Aufsaugung stark quellender Linsenmassen ein.

Die *Kontusionskatarakt* entsteht bei heftigen Prellungen des Bulbus. Sie kann durch eine sichtbare oder auch an unsichtbarer Stelle gelegene Ruptur der Linsenkapsel (Abb. 147) hervorgerufen werden und ähnelt dann in ihrer Entstehung der Perforationskatarakt. Dabei entwickelt sich meist eine Totaltrübung der Linse. Es gibt aber auch Fälle, in welchen eine Kontusionskatarakt bei sicherer (anatomisch nachgewiesener) Intaktheit der Kapsel zur Ausbildung gelangt. Dabei handelt es sich meist um rosettenartige Trübungen (Abb. 148) der vorderen Rinde, die sich oft sehr langsam entwickeln; manchmal kommen auch unvollständige Rosetten zur Beobachtung. Die vorderen Kontusionsrosetten liegen unter der vorderen Kapsel und rücken oft im Laufe des Lebens infolge Neubildung von klaren Linsenfasern weiter in die Tiefe. Größere Tiefenlage ist also ein Zeichen älterer Kontusionsrosetten. Gelegentlich können sich Rosettentrübungen zurückbilden oder bei mäßiger Sehstörung stationär bleiben. In anderen Fällen nehmen die Trübungen zu und führen zur Totaltrübung. In diesen Fällen ist die

Staroperation erforderlich. In den Rahmen der Kontusionstrübungen gehört auch die *Vossiussche Ringtrübung*. Darunter verstehen wir eine dem Pupillenrandgebiet der Iris entsprechende ringförmige Trübung, die bei erweiterter Pupille sichtbar wird und meist flüchtiger Natur ist. Vermutlich entsteht sie durch Austreten von Pigmentkörnchen aus dem Pigmentblatt der Iris, welches durch das plötzliche Anpressen der Iris an die Linse infolge der von vorne wirkenden Prellung verursacht wird. Auch Blutzellen können beigemengt sein.

Die Startrübung durch *Bienen- oder Wespenstichverletzungen* ist ebenfalls zu erwähnen. Dabei genügt schon eine Perforation der Hornhaut. Die Linsentrübung wird dann durch Giftwirkung hervorgerufen.

Auch durch *Massage der Linse* kann Katarakt erzeugt werden (Massagestar). Zur Erzeugung dieser Trübung kann Massieren der Hornhaut mit einem Instrument bei aufgehobener Vorderkammer genügen. Dieses Verfahren wurde in früheren Jahrzehnten zur Herbeiführung der Starreifung benützt.

β) Linsentrübungen durch Strahlenwirkung

Eine wichtige Form der Strahlentrübung ist der sog. *Feuerstar*. Er entwickelt sich bei Arbeitern, die bei ihrer Berufsausübung durch viele Jahre der Einwirkung hoher Temperaturen ausgesetzt sind. Dies trifft bei *Glasbläsern* und auch bei *Hochofenarbeitern* und ähnlichen Berufen zu. Auch experimentell konnten derartige Wärmestare (Ultrarotstare) erzeugt werden. Charakteristisch für diese Starform ist der Beginn mit einer Trübung des hinteren Poles, die sich allmählich über die hintere Rinde ausbreitet, und weiterhin eine eigenartige, lamelläre Abblätterung der vorderen Linsenkapsel, die wie ein eingerolltes Stückchen Papier in die Vorderkammer ragt. Die Bildung wird als Feuerlamelle oder Zonulalamelle bezeichnet, doch ist es noch nicht ganz sicher, ob es sich dabei wirklich um die dem unmittelbaren Ansatz der Zonulafasern dienende Membran handelt. Späterhin entwickelt sich eine Totaltrübung der Linse. Der Termin der erforderlichen Staroperation wird wie beim Altersstar durch den Grad der Sehstörung bestimmt.

Der *Röntgen- oder Radiumstar* verdankt seine Entstehung der Wirkung der genannten Strahlen; er entwickelt sich oft erst nach einer Latenzzeit von mehreren Jahren. Seine Entstehung kann durch Schutz der Augen bei notwendig werdenden Bestrahlungen verhindert werden (blei- oder quecksilberhaltige Schutzschalen). Dieser Schutz ist nicht nur bei direkter Bestrahlung der Augen erforderlich, sondern bei allen Bestrahlungen im Bereiche des Schädels, bei welchen Streustrahlen das Auge treffen können. Zur Entstehung des Strahlenstars ist eine gewisse Strahlendosis erforderlich, die bei therapeutischer, nicht aber bei diagnostischer Strahlenanwendung erreicht wird. Auch diese Starformen beginnen gewöhnlich mit Trübungen im Bereiche des hinteren Poles, die oft tuffsteinartige Beschaffenheit aufweisen und manchmal in Form kleiner Zapfen in das Innere der Linse hineinragen. Allmähliche Ausdehnung der Trübung auf die ganze Linse zwingt in der Regel zur Operation.

Der *Blitzstar* und der *Starkstromstar* entstehen durch elektrische Schädigung der Linse, wobei zunächst die Linsenepithelien geschädigt werden. Diese Stare entwickeln sich manchmal sehr rasch zur Totaltrübung der Linse, während in anderen Fällen die Trübung langsam vor sich geht. Gelegentlich ist auch Wiederaufhellung inzipienter Trübungen beobachtet worden. Wenn die Trübung erhebliche Sehstörungen verursacht, muß operiert werden.

γ) Linsentrübung durch Vergiftungen

Unter den Vergiftungen, die zur Starbildung führen können, sind vor allem die Ergotinvergiftung und die Thalliumvergiftung zu nennen. Auch Naphthalinvergiftung kann Linsentrübung mit sich bringen.

d) Die Cataracta complicata und die Heterochromiekatarakte

Unter *Cataracta complicata* versteht man eine Trübung der Linse, die im Verlaufe einer inneren Erkrankung des Auges auftritt. Die häufigste Form ist die Cataracta complicata bei *chronischer Iridozyklitis*.

Wir finden in diesen Fällen neben den Linsentrübungen die Zeichen der chronischen Uveitis, also hintere Synechien (bis zur Seclusio pupillae), Auflagerungen auf der Linsenvorderkapsel, Descemetbeschläge und oft auch Glaskörpertrübungen. Die Starbildung beginnt meist mit einer schalenartigen bzw. sternförmigen Trübung der hinteren Rinde besonders um den Pol und entwickelt sich allmählich zur Trübung der gesamten Linse. Die Indikation zur Operation richtet sich nach den auch beim Altersstar usw. geltenden Grundsätzen: sie ist also angezeigt, wenn das Sehvermögen so weit gestört ist, daß die Arbeitsfähigkeit leidet und wenn die Lichtprojektion richtig angegeben wird. Der Erfolg hängt nicht nur vom Operationsverlauf an sich ab, sondern auch vom Gesamtzustand des Auges, insbesondere von der Beschaffenheit des Glaskörpers; sehr dichte Glaskörpertrübungen können den Erfolg einer technisch voll gelungenen Staroperation in Frage stellen. Bei klarem oder nicht erheblich getrübtem Glaskörper werden aber oft sehr gute Resultate erzielt. Auch Netzhaut-Aderhaut-veränderungen oder Sehnervenschädigungen vermögen den Erfolg zu beeinträchtigen.

Wichtig ist, daß komplizierte Katarakte erst dann operiert werden sollen, wenn die Entzündungserscheinungen völlig abgeklungen sind und das Auge mehrere Monate reizlos war.

Neben der chronischen Iridozyklitis können auch andere Erkrankungen, wie *sympathische Ophthalmie, alte Netzhautablösung, Retinopathia pigmentosa, absolutes Glaukom u.a.,* zur Bildung einer Cataracta complicata führen.

Die *Heterochromiekatarakt* entwickelt sich bei der sog. FUCHSschen Heterochromie (s. im Abschnitt Erkrankungen der Uvea) und führt in manchen Fällen zur Total-trübung der Linse, die die Operation erforderlich macht. Außer Beschlägen an der Descemet pflegen keine Zeichen von Iridozyklitis (Exsudation, Synechien) vorhanden zu sein; allerdings können Glaskörpertrübungen bestehen, die aber meist nicht sehr dicht sind und daher das Ergebnis der Operation meist nicht gefährden.

e) Der Nachstar

Nachstar *(Cataracta secundaria)* (Abb. 149) kann sich in allen jenen Fällen entwickeln, in welchen bei der Entfernung der Linse Reste zurückbleiben. Bei der moderneren intrakapsulären Linsenextraktion ist also die Bildung von Nachstar ausgeschlossen. Als Ausgangspunkt der Nachstarbildung kommen zurückgebliebene Linsenfasern und die bei extrakapsulärer Operation in situ verbleibende hintere Kapsel in Betracht. Auch zurückgebliebene Reste der vorderen Kapsel vermögen Nachstar zu bilden.

Das *klinische Erscheinungsbild* des Nachstars kann verschieden sein. Bald nach der Operation kann man, wenn reichlich Linsenreste im Auge verblieben sind, graue Flocken und Wolken in Pupille und Vorderkammer sehen, die aus gequollenen Linsenresten bestehen; dieser flockige Nachstar verfällt meist der Spontanresorption. Wenn

diese nicht vollständig erfolgt, oder wenn es sich um Kapselnachstar handelt, entstehen zarte oder derbe Membranen, die das Pupillargebiet ganz oder teilweise verdecken. Oftmals sieht man auch ein Netzwerk von grauen Strängen, die mehr oder
minder dicht angeordnet und von verschiedener Dicke sind. Der flockige Nachstar
verschwindet später durch Resorption oder Umwandlung in membranösen bzw. strang-

Abb. 149. Nachstar mit Strangbildungen und Lücken,
auf der Iris kleine Klümpchen von Linsenresten

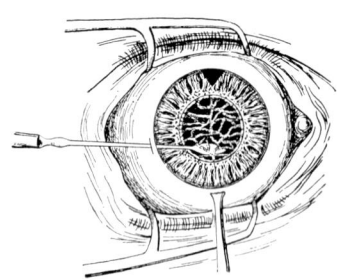

Abb. 150. Diszission eines netzartigen Nach-
stares. Bei 12 Uhr kleines Kolobom nach
peripherer Iridektomie. Lider durch Lid-
sperrer gehalten. Bulbus durch Pinzette
unten fixiert

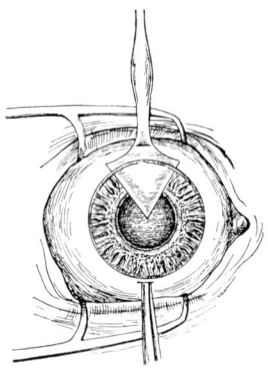

Abb. 151. Lanzenschnitt bei Linearextraktion; unten Fixation durch Pinzette

artigen Nachstar. Diese letzteren Nachstarformen können gleich nach der Operation
zur Beobachtung gelangen, entwickeln sich aber manchmal erst nach längerer Frist.
Wenn sich nach einer Staroperation Entzündungen abspielen oder Blutungen statt-
finden, so vermischen sich Entzündungsprodukte und Blutreste mit den Nachstarmassen
und ergeben meist derbe Membranen (entzündlicher Nachstar). Verwachsungen zwischen
Nachstar und Iris (Synechien) gehören zum Bilde des entzündlichen Nachstars, kommen
aber gelegentlich auch bei einfachem Nachstar vor. Manchmal findet man peripher (hinter
der Iris) einen derben wulstartigen Nachstarring (SOEMMERINGscher Kristallwulst).

Die *Bedeutung* des Nachstars *für das Sehen* ist verschieden; flockiger Nachstar pflegt zunächst die Pupille zu verlegen, sich aber später aufzusaugen; er bedarf in der Regel keines operativen Eingriffes. Atropin und Wärme fördern die Resorption. Bei membranösem und strangartigem Nachstar können sehr starke Störungen bestehen; wenn allerdings Lücken von ausreichender Größe vorhanden sind, wird manchmal trotz nicht unwesentlicher Nachstarbildung gut gesehen.

Wenn das Sehen durch Membranen oder Strangbildung gestört ist, muß operiert werden (Diszission). Oft gelingt es durch Schnitt mit einer feinen, scharfen Diszissionsnadel (Abb. 150) eine genügend große Lücke und damit gutes Sehvermögen zu schaffen. Bei derberen Nachstaren, insbesondere solchen entzündlicher Genese, sind oft größere Eingriffe, wie Extraktion der Membran oder Zerschneidung mit der WECKERschen Schere erforderlich.

f) Die Staroperation und das Sehen des linsenlosen Auges

Da die Staroperation einen der wichtigsten und charakteristischsten augenärztlichen Eingriffe darstellt, soll auch der Nichtfacharzt über ihre Grundlage orientiert sein.

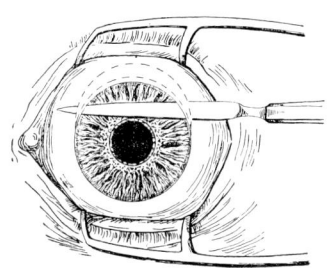

Abb. 152. Messerschnitt bei Lappenextraktion. Begrenzung des Bindehautlappens durch - - - - - - - angezeigt. Pinzettenfixation unten auf dem Bild weggelassen

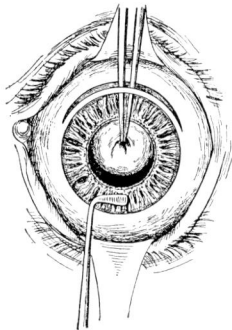

Abb. 153. Intrakapsuläre Linsenentbindung Die Linse ist mit der Kapselpinzette gefaßt und bereits luxiert. Schielhaken drückt von unten zur Unterstützung der Entbindung

Wir unterscheiden die Operation der jugendlichen, weichen Linse und der härter gewordenen Linse des mittleren und höheren Lebensalters.

Die Extraktion der *jugendlichen Linse* erfolgt mittels Lanzenschnitt *(Linearextraktion)* (Abb. 151). Zum Schnitt dient eine etwas abgewinkelte Lanze. Die Länge des Schnittes entspricht der Lanzenbreite und reicht aus, um die weichen Linsenteile nach Eröffnung der Kapsel zu entfernen. Die Kapseleröffnung erfolgt mittels einer gezähnten Pinzette oder auch der Lanzenspitze (beim Schnitt). Zur Entfernung der weichen Linsenteile verwendet man kleine löffelartige Instrumente; außerdem wird ein leichter Druck gegen den Bulbus unten ausgeübt. Dabei können Reste zurückbleiben und zur Nachstarbildung führen. Der kleine Schnitt sichert rasche Heilung und vermindert das Operationsrisiko gegenüber größeren Schnitten.

Die Linse *älterer Personen* (etwa von 35 Jahren aufwärts) wird nach *Lappenschnitt* entbunden. Dieser erfolgt mit dem V. GRAEFEschen Schmalmesser (Abb. 152) und umfaßt etwa $^2/_5$ der Cornea. Durch diesen Schnitt wird die Hornhaut gegen oben aufgeklappt, wobei ein Bindehautläppchen an der Hornhaut belassen wird. Nach Ausführung des

Hornhautschnittes wird ein kleiner Ausschnitt aus der Iris angelegt (peripheres Kolobom), um postoperative Irisprolapse, welche für das Auge gefährlich werden können, zu vermeiden; breite Irisausschnitte (totale Kolobome) sind nur selten erforderlich und gerechtfertigt. Dann folgt die Entfernung der getrübten Linse. Heute wird mit Recht die *Entbindung der Linse in der Kapsel* (Abb. 153) bevorzugt. Zu diesem Zwecke wird die Kapsel mit einer ungezähnten Pinzette gefaßt und durch zartes Rütteln in seitlicher Richtung unter leichtem Zug gegen oben durch die Pupille entbunden. Der Zug wird dabei durch Druck gegen den Bulbus von unten (mit Schielhaken) unterstützt. Auf diese Weise gelingt die intrakapsuläre Entbindung in einem hohen Prozentsatz der Fälle (80—90%). In neuerer Zeit werden zur intrakapsulären Extraktion auch Entfernung der Linse durch Ansaugen oder Anfrieren (Cryo-Extraktion) empfohlen. Diese Methode ist der Entbindung aus der Kapsel aus verschiedenen Gründen überlegen; deren wichtigste sind Raschheit und Reizlosigkeit des Heilverlaufes und das Fehlen von Nachstarbildung. Wenn die Kapsel während des Extraktionsversuches platzt oder planmäßig die *Entbindung aus der Kapsel* zur Anwendung gelangt (die dann durch Eröffnung der vorderen Kapsel mit einer scharfen, gezähnten Pinzette eingeleitet wurde), so muß Kern und Rinde entfernt werden. Dies geschieht durch Druck von unten unter Nachhilfe mit kleinen Spateln, mit welchen die Wunde offen gehalten wird. Auch kleine Löffel zur Entfernung der weichen Linsenreste finden Verwendung. Die hintere Kapsel verbleibt im Auge. Die Methode ist mit der Gefahr der Nachstarbildung belastet. Sie war in früheren Jahren die Methode der Wahl, ist aber jetzt durch die intrakapsuläre Methode weitgehend zurückgedrängt. Obwohl die Lappenschnittmethode gegenüber der Linearextraktion durch den größeren Schnitt mit erhöhter Gefahr verbunden ist, kann auch diese Extraktionsmethode als eine sichere bezeichnet werden. Bei guten Operateuren ist das Verlustrisiko bei unkomplizierten Staroperationen sehr klein (0,5—1,0%). Bei komplizierten Katarakten, luxierten Linsen usw. ist die Gefahr natürlich etwas größer. Vor jeder Staroperation müssen, um Infektionen zu verhüten, Bindehautsack (Abstrich!) und Tränenwege kontrolliert und evtl. Störungen beseitigt werden. Ebenso ist eine Allgemeinuntersuchung geboten. Diabetes, hoher Blutdruck, chronische Bronchitis u. a. sind vor der Operation zu behandeln.

Nach gelungener Staroperation ist die Pupille (falls kein Nachstar besteht) tiefschwarz, die Vorderkammer vertieft und oft besteht Irisschlottern. Dieses, wie die Vertiefung der Kammer sind durch das Fehlen der Linse zu erklären, welcher die Iris aufgelegen hat.

Auch der *optische Zustand* ist durch Entfernung der Linse, die eine Brechkraft von etwa 17 dptr. besitzt, verändert. Um gutes Sehen zu gewährleisten, muß die fehlende Linse durch einen neue Linse *(Starglas)* ersetzt werden. Da sich dieses Starglas aber weiter vor der Netzhaut befindet als die natürliche Linse, genügt eine geringere Brechkraft als sie die Linse besitzt (etwa 10—11 dptr.). Bei vorher bestandener Myopie oder Hypermetropie liegen diese Werte niedriger oder höher. Außerdem muß ein bei der Operation meist entstehender Hornhautastigmatismus durch Zusatz von Zylindergläsern ausgeglichen werden. Für das Nahesehen muß, da infolge der Linsenentfernung keine Akkommodation möglich ist, ein um etwa 3—4 dptr. stärkeres Glas als für die Ferne benutzt werden. Unter Benutzung der Stargläser wird nach unkomplizierten Staroperationen bei sonst gesunden Augen sehr gutes Sehen, sehr oft volle Sehschärfe wiedererlangt. Auch Haftglaskorrektion bewährt sich oft. Hingegen hat die Einführung von Kunststofflinsen in die Vorderkammer die in sie gesetzte Erwartung nicht erfüllt und ist heute wegen der möglichen Komplikationen wieder weitgehend verlassen worden.

XI. Glaukom und Hypotonie

A. Anatomie und Physiologie

Das Wesen der hier abzuhandelnden Krankheitsbilder besteht in Änderungen des intraokularen Druckes. Wie in jedem mit Flüssigkeit gefüllten Hohlraum, herrscht auch im Auge eine bestimmte Spannung (intraokularer Druck), der von verschiedenen anatomischen und physiologischen Faktoren abhängig ist. Die Höhe dieses intraokularen Druckes beträgt unter normalen Verhältnissen 15—22 mm Hg. Dieser Druck ist das Resultat eines dauernd, wenn auch sehr langsam vor sich gehenden intraokularen Flüssigkeitswechsels, welcher durch Flüssigkeitsproduktion einerseits

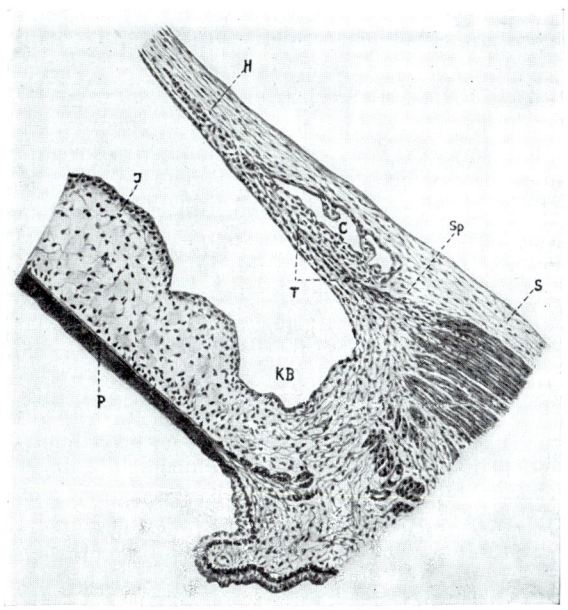

Abb. 154. Kammerwinkel eines normalen Auges

S = Sklera; Sp = Skleralsporn; C = SCHLEMMscher
Kanal; T = Trabeculum corneosclerale; KB = Kammerbucht; J = Iris; P = Pigmentblatt; H = Hornhaut

und Flüssigkeitsabfuhr andererseits bedingt ist. Wenn auch der Gesamtinhalt des Auges in letzter Linie für den Druck verantwortlich ist und grobe Änderungen desselben, z. B. durch Quellung der Linse, Wachstum von Tumoren, Verlust von Glaskörper, Blutungen u. a. Faktoren herbeigeführt werden, so sind doch bestimmte Teile, die bei Flüssigkeitsproduktion und -abfluß eine Rolle spielen, von besonderer Bedeutung. Es sind dies der Ziliarkörper, die Iris und die Gebilde des Kammerwinkels. Die notwendigen Bemerkungen über Iris und Ziliarkörper wurden schon im Abschnitt „Uvea" gemacht. Besondere Beachtung verdienen die anatomischen Verhältnisse der sog. Kammerbucht, die durch Iris bzw. Ziliarkörper, Sklera und hinterste periphere Hornhautschichten gebildet wird (Abb. 154). Sie kann verschiedene Gestalt aufweisen. Für die Weite der Kammerbucht oder des Kammerwinkels ist die Art des Ansatzes der Iris am Ziliarkörper von Wichtigkeit. Dicke Iriswurzel und Ansatz derselben weit vorne am Ziliarkörper verursachen enge, gegenteilige Verhältnisse weite Kammerbucht. Die Lederhaut sendet den Skleralsporn gegen die äußersten Teile der Kammerbucht. In seinem Bereiche liegt an der Korneoskleralgrenze eine Rinne, der Sinus venosus sclerae (SCHLEMMscher Kanal), der für den Abfluß des Kammerwassers von großer Bedeutung ist. Seine innere Begrenzung wird durch ein Balkenwerk, das Trabeculum corneosclerale (auch nicht ganz zutreffend oft Ligamentum pectinatum iridis genannt) gebildet. Dieses mit Endothel bekleidete Balkenwerk läßt den Durchtritt von Flüssigkeit zu (FONTANAsche Räume) und stellt die Verbindung zur Uvea her.

Der Flüssigkeitswechsel entsteht in der Hauptsache durch Absonderung des Kammerwassers aus dem Ziliarkörper, einschließlich der Pars plana; die Ziliarfortsätze spielen dabei eine wesentliche Rolle. Die Absonderung des Ziliarkörpers geht außerordentlich langsam vor sich. Sie erfolgt gegen die hintere Kammer des Auges zu, von wo die Flüssigkeit durch den schmalen Spalt zwischen Iris und Linse in die vordere Augenkammer gelangt. In der Vorderkammer findet eine ständige Bewegung des Kammerwassers statt, die durch die Wärmeunterschiede zwischen der wärmeren Irisvorderfläche und der kühleren Hornhauthinterfläche bestimmt ist; sie läßt sich mittels der Spaltlampe an der Bewegung von Zellen im Kammerwasser gut erkennen. Von der Vorderkammer erfolgt im Bereiche des schon geschilderten SCHLEMMschen Kanals der Abfluß. Die Verhältnisse in diesem Gebiet sind für den geregelten Abfluß und damit für die intraokularen Druckverhältnisse von allergrößter Bedeutung. Die alte Lehre vom Abfluß der Flüssigkeit aus dem Auge wurde in den letzten Jahrzehnten durch die Feststellung weiter gestützt, daß feine Gefäßchen, die sog. Kammerwasservenen, Wasser aus der Vorderkammer abführen; sie ergießen sich nahe dem Limbus in die episkleralen Venen. Manchmal sieht man in diesen Gefäßen farbloses Kammerwasser ungemischt neben Blut.

Wenn die Wichtigkeit dieses eben geschilderten Flüssigkeitswechsels in den Vordergrund gestellt wird, soll darüber nicht vergessen werden, daß auch noch andere Faktoren eine Rolle spielen. So scheint es wahrscheinlich, daß auch die Iris sowohl durch Absonderung wie auch durch Resorption von Flüssigkeit an dem Vorgang beteiligt ist. Bei dieser Absonderung scheint es sich um einen Filtrationsvorgang, nicht um eine echte Sekretion zu handeln. Ebenso dürfte der Glaskörper durch Flüssigkeitsaufnahme und -abgabe, wenn auch in wesentlich geringerem Ausmaß, an dem Flüssigkeitswechsel mitwirken. Auch auf die Gefäße der Aderhaut und des Ziliarkörpers ist in diesem Zusammenhange hingewiesen worden.

Gegenstand besonderen Interesses ist stets die Blutfüllung der Gefäße des Auges gewesen; es ist ohne weiteres klar, daß diese sowohl rein mechanisch durch Vermehrung oder Verminderung des Bulbusinhalts, wie auch indirekt durch Beeinflussung der Absonderung des Kammerwassers (verschiedene Durchblutung der dabei wirksamen Augenteile) den Druck zu beeinflussen vermag. Darüber hinaus spielen sicher noch komplizierte Vorgänge, wie Stoffaustausch, kolloidosmotische Druckverhältnisse u. a. eine wesentliche Rolle. Von einer restlosen Klarheit in diesen Punkten sind wir noch weit entfernt, und viele Fragen sind noch Gegenstand eifriger Forschung und auch oft gegensätzlicher Meinungen.

Die Beziehungen zwischen allgemeinem Blutdruck und intraokularem Druck sind vielfach studiert worden. Sicher ist, daß ein einfaches Verhältnis im Sinne der gegenseitigen Abhängigkeit in gesunden Tagen nicht besteht. Dies ergibt sich daraus, daß wir bei Hypertonikern keine besondere Neigung zur intraokularen Drucksteigerung finden. Auch der heute relativ leicht meßbare Druck in Netzhautgefäßen zeigt keine eindeutige Übereinstimmung mit dem Verhalten des Augendruckes. Trotzdem sind Beziehungen zwischen den beiden Größen nicht zu leugnen. Es scheint, daß sowohl die allgemeinen als auch die lokalen Blutdruck- und Kreislaufverhältnisse den Augendruck zu beeinflussen vermögen, wobei vor allem die Aderhautgefäße eine Rolle spielen. Im einzelnen sind die Verhältnisse aber noch nicht restlos geklärt. Neben diesen, durch den Bulbusinhalt bestimmten Verhältnissen, spielt bei der Entstehung des Druckes auch das Verhalten der Bulbuskapsel (Rigidität der Sklera) eine Rolle.

In neuerer Zeit ist auch die Meinung vertreten worden, daß bei der Druckregulierung im menschlichen Auge keineswegs nur die erwähnten peripher wirksamen Faktoren beteiligt sind, sondern daß außerdem eine zentrale Regulation besteht, deren Zentrum im Diencephalon, wahrscheinlich im Hypothalamus liegt. Es ist allerdings bisher nicht gelungen, druckregulierende Zentren experimentell nachzuweisen. Viele Forscher stehen daher dieser These mit großer Reserve gegenüber. Ihr Ausgangspunkt war die Tatsache, daß es mit zentral dämpfenden Mitteln (Megaphen-Atosil, Dolantin u. a.) gelingt, den Augendruck im Sinne einer Senkung zu beeinflussen. Diese Druckbeeinflussungen können aber auch vaskulär erklärt werden.

Der intraokulare Druck schwankt zwischen 15—22 mm Hg. Dieser Druck ist aber auch in ein und demselben Auge nicht immer konstant, sondern unterliegt Schwankungen. Messungen an großen Zahlen von Augen haben ergeben, daß Tagesschwankungen bestehen, und zwar ist der Druck in den frühen Morgenstunden oft um einige Millimeter höher als in den Nachmittagsstunden. Schwankungen über 5 mm Hg sind aber stets verdächtig, ebenso ist ungleiches Verhalten der Druckwerte an beiden Augen desselben Menschen nicht als normal anzusehen. Es wäre auch falsch, einen Druck von 20 oder 22 mm Hg unter allen Umständen als normal zu betrachten; für ein Auge, dessen Druck z. B. um 14—18 mm schwankt, kann 22 oder 23 mm schon einen pathologischen Wert bedeuten, der zu schweren Folgen führt, während andere Augen diesen Druck durchaus gut vertragen. Dies erklärt sich daraus, daß die Angaben über obere und untere Werte des Augendruckes statistisch gewonnen sind. Wir sprechen von Normaldruck. Es gibt aber Augen, deren individueller Druck (normativer Druck) tiefer liegt und für die daher Werte, die innerhalb der statistischen Norm liegen. schon gefährlich sind. Es soll grundsätzlich ein Urteil über den Druck in Verdachtsfällen nie auf Grund einer einmaligen Messung abgegeben werden, es sei denn, daß er dabei eindeutig als stark erhöht gefunden wird. Stets sind mehrfache Messungen in Zweifelsfällen, auch solche in frühen Morgenstunden vor dem Aufstehen, anzustellen. Es hat sich allerdings gezeigt, daß die Bedeutung des Morgendruckes nicht überschätzt werden darf, da nicht selten auch Höchstwerte zu anderen Tageszeiten gefunden werden. Die genaue Überprüfung der gesamten Druckkurve ist in allen Verdachtsfällen unerläßlich.

B. Untersuchungsmethoden

Die wichtigste Methode zur Feststellung des Glaukoms ist die Druckprüfung, die, wie schon erwähnt, in Zweifelsfällen stets wiederholt erfolgen soll. Der Facharzt pflegt Druckkurven anzulegen, in welchen, ähnlich wie auf Temperaturkurven, die Druckwerte zu verschiedenen Tageszeiten durch mehrere Tage eingetragen werden (Abb. 155). Im allgemeinen liegen die höchsen Werte in den frühen Morgenstunden, weshalb morgendliche Druckmessungen oft sehr aufschlußreich sind. Es gibt aber Menschen, deren Kurven andersverlaufen und die höchsten Werte zu einer anderen Tageszeit aufweisen. Ebenso kommen doppelgipflige Kurven mit höchsten Werten morgens und nachmittags vor. Daher gibt lediglich die Beurteilung der Kurven auf Grund mehrerer täglich erfolgter Messungen durch eine Reihe von Tagen brauchbare Aufschlüsse. Bei-

zufügen wäre noch, daß Druckschwankungen innerhalb des Kurvenverlaufes um mehr
als 10 mm Hg als verdächtig anzusehen sind.

Die Messung des Druckes erfolgt, nach vorheriger Anästhesierung des Auges durch
Holocain (1%), Cornecain (1%) oder Novesin mittels des Tonometers von SCHIÖTZ

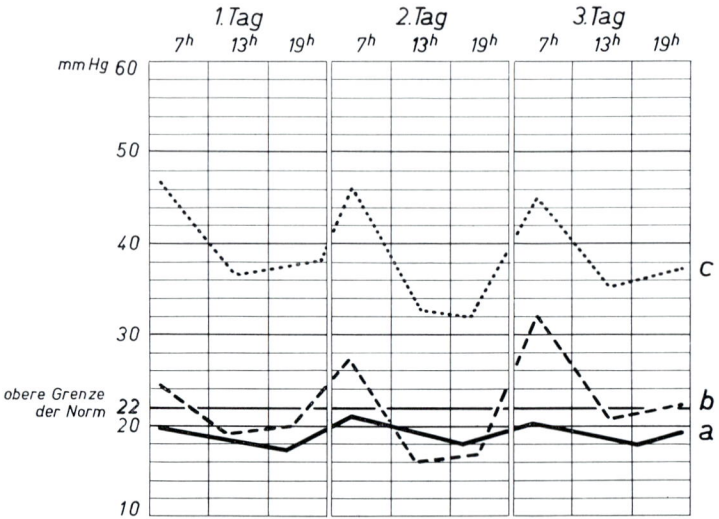

Abb. 155. Druckkurven. *a* Verlauf bei normalem Auge; *b* Verlauf bei Glaukomfall mit morgens erhöhten, nachmittags scheinbar normalen Druckwerten; *c* Druckschwankungen bei
Fall von Glaucoma simplex mit erheblichen Drucksteigerungen

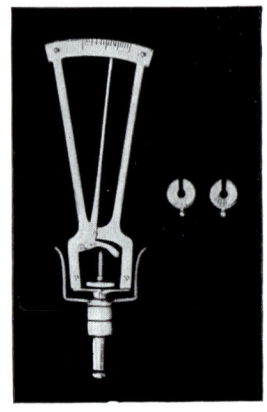

Abb. 156
Tonometer nach SCHIÖTZ[1])

(Abb. 156). Es gibt auch andere Tonometermodelle, die sich
aber keine weite Verbreitung erobern konnten. Das Instrument von SCHIÖTZ besteht im wesentlichen aus einem
Metallstift, der in einem Zylinder gleitet. Dieser Zylinder
trägt eine Fußplatte, welche ein Loch für den Stift freiläßt.
Diese Fußplatte wird auf die Hornhaut senkrecht (am besten
bei liegendem Untersuchten) aufgesetzt, wobei der Stift,
der mit verschiedenen Gewichten belastet werden kann, die
Hornhaut eindellt. Das Maß der Eindellung wird auf einen
Zeiger übertragen, der auf einer Skala einen bestimmten
Ausschlag gibt. Aus der Größe des Ausschlages und der Art
des benutzten Gewichts läßt sich, an Hand einer dem Apparat beigegebenen Kurve, der Augendruck in mm Hg mit
für klinische Zwecke ausreichender Genauigkeit bestimmen.
Über den Hohlzylinder gleitet ein zweiter, der den Hand-
griff des Apparates trägt, so daß beim Halten desselben
kein Druck ausgeübt wird, der das Resultat verfälschen
könnte.

Die Tonometer bedürfen aber genauer Eichung und immer wiederholter Kontrollen.
Trotzdem haften ihnen gewisse Fehlerquellen an, die sich aus der verschiedenen Ri-
gidität der Sklera ergeben. Besonders bei Myopie können auf diese Weise zu niedrige
Druckwerte gemessen werden. In dieser Beziehung bietet einen Vorteil gegenüber

[1]) Eichung aller Tonometer ist ab 1. 7. 1970 gesetzlich vorgeschrieben.

dem Schiötz-Tonometer das Applanationstonometer nach Goldmann. Es beruht auf dem Prinzip der Abplattung der Hornhaut in einem bestimmten Durchmesser. Je höher der Druck ist, desto kräftiger muß das Untersuchungsgerät gegen die Hornhaut gepreßt werden, um sie abzuflachen. Da beim Abplatten der Hornhaut viel weniger Volumen verdrängt wird als beim Eindrücken mit dem Schiötz-Tonometer, spielen die Rigiditätsfehler hier kaum eine Rolle.

Der praktische Arzt, dem ein Tonometer in der Regel nicht zur Verfügung steht, prüft den Druck durch Auflegen beider Zeigefinger auf das leicht geschlossene Oberlid. Dabei sind stets beide Augen vergleichend zu palpieren; in Zweifelsfällen kann auch eine sicher augengesunde Person zum Vergleich herangezogen werden. Diese Methode gibt natürlich auch in der Hand des Geübten nur ungefähre Werte, erlaubt aber doch auch dem weniger Erfahrenen, erhebliche Drucksteigerung festzustellen; in schweren Fällen fühlt sich das Auge steinhart an. Der Nichtfacharzt muß sich aber des beschränkten Wertes dieser Methode in seiner Hand stets bewußt sein und soll alle Fälle, die nur irgendwie den entfernten Verdacht auf Glaukom wachrufen, unverzüglich dem Facharzt überweisen.

Die Druckmessung ist ein sehr wichtiges Hilfsmittel bei der Glaukomdiagnose, muß aber stets im Zusammenhang mit einer eingehenden Untersuchung des äußeren Auges und des Augenhintergrundes sowie mit einer genauen Funktionsprüfung bewertet werden. Die Funktionsprüfung hat sich nicht nur auf die Bestimmung der zentralen Sehschärfe zu beschränken, sondern muß auch eine gründliche Gesichtsfelduntersuchung umfassen. Bei dieser müssen zunächst die Gesichtsfeldaußengrenzen mit Hilfe eines Perimeters genau bestimmt werden. Daran hat sich eine Untersuchung der zentralen Gesichtsfeldteile an der BJERRUMschen Wand anzuschließen, mit welcher man besonders vom blinden Fleck ausgehende Skotome und sonstige Ausfälle im zentralen Bereich nachweisen kann. Diese Untersuchungen fallen in das Arbeitsgebiet des Facharztes; ihre Technik ist aus dem Unterricht in der Physiologie bekannt und wird im Abschnitt XVIII noch kurz geschildert. Eine grobe Prüfung der Außengrenzen des Gesichtsfeldes kann auch vom praktischen Arzt ohne besondere Hilfsmittel durchgeführt werden. Zu diesem Zweck setzt sich der Untersucher dem zu Untersuchenden gegenüber (etwa $1/_2$ m Distanz) und beauftragt diesen, nach Abschluß des nicht geprüften Auges durch eine Binde, das gegenüberliegende Auge des Untersuchers zu fixieren (also bei Untersuchung des rechten Auges das linke des Untersuchers und umgekehrt). Sodann führt man einen Finger oder einen mit der Hand gehaltenen Wattebausch nacheinander von den verschiedenen Seiten nicht zu schnell heran. Dabei muß dieses Objekt bei normalen Gesichtsfeldgrenzen vom Untersuchten etwa gleichzeitig mit dem Untersucher erkannt werden. Natürlich kann man, so vorhanden, zu dieser Prüfung auch Perimetermarken verwenden. Auf diese Weise können grobe Gesichtsfelddefekte leicht, feinere allerdings nur bei entsprechender Übung des Untersuchers festgestellt werden. Bei mangelhafter zentraler Sehschärfe läßt man den Untersuchten einen Finger unterhalb des Untersucherauges anlegen und gibt den Auftrag, das Auge auf diesen Finger einzustellen, was rein gefühlsmäßig möglich ist.

Zur fachärztlichen Glaukomdiagnostik gehören auch die sog. Belastungsproben. Sie bestehen darin, daß Maßnahmen getroffen werden, die geeignet sind, den Augendruck in Glaukomaugen oder dazu disponierten Augen zu erhöhen, und daß vor und nach Anwendung derselben zu bestimmten Zeiten der Druck gemessen wird. Wir kennen den Dunkelversuch (lichtdichten Abschluß der Augen durch $3/_4$—1 Stunde), den Coffeinversuch (Zuführung von Coffein natr. salicyl. [0,2] intravenös oder durch Trinken von starkem Kaffee [45 g auf 150 ccm Wasser]), den Trinkversuch (Trinken von 500 ccm Flüssigkeit), den Tieflagerungsversuch (Kopftieflagerung), den Priscol-

versuch (subkonjunktivale Injektion von 1 Ampulle), den Pervitinversuch (0,015 subkutan) u. a. Keine der Belastungsproben ist absolut zuverlässig. Jede Methode gibt
bei einer gewissen Anzahl von Glaukomfällen Versager. Es sind daher stets mehrere
Proben anzustellen.

Alle Belastungsproben sind nur bei positivem Ausfall beweisend, negativer Ausfall erlaubt im allgemeinen nicht, Glaukom oder Glaukomdisposition sicher auszuschließen.

Eine weitere fachärztliche Untersuchungsmethode bei Glaukom, die immer mehr
an Bedeutung gewinnt, ist die sog. Gonioskopie, d. i. die Untersuchung des Kammerwinkels mit einer besonderen Apparatur. Sie gestattet Feinheiten im Kammerwinkel
klinisch zu erkennen, die mit anderen Methoden nicht feststellbar sind. Einen weiteren
Fortschritt in der Glaukomdiagnose des Facharztes bedeutet die Elektrotonographie,
wobei der Bulbus durch mehrere Minuten belastet und dadurch der Abflußwiderstand
bestimmt wird.

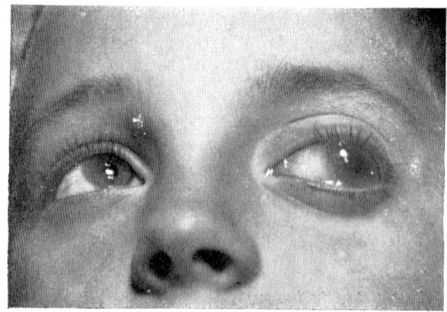
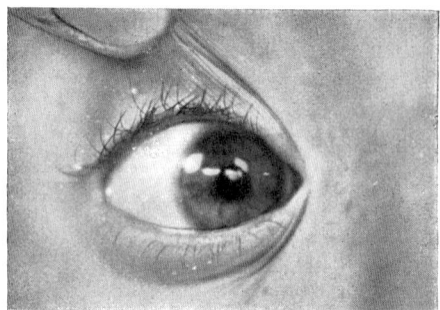

Abb. 157.
Hydrophthalmus links

Abb. 158. Stark vergrößerte Hornhaut bei
Hydrophthalmus

C. Das Glaukom

1. Das kindliche Glaukom

Das hervorstechendste Symptom des Glaukoms im Kindesalter ist die oft sehr
erhebliche Vergrößerung des Augapfels, besonders der vorderen Abschnitte. Wie beim
Glaukom der Erwachsenen, unterscheiden wir auch beim kindlichen Glaukom primäre
und sekundäre Fälle. Die ersteren — Hydrophthalmus congenitus — entstehen auf
Grund angeborener Anlage, und zwar infolge einer Mißbildung im Bereiche des Kammerwinkels (Abflußstörung). Sie sind manchmal schon bei Geburt erkennbar oder entwickeln sich in den ersten Lebensjahren, und zwar sehr häufig doppelseitig; einseitige
Fälle kommen aber auch nicht ganz selten zur Beobachtung (Abb. 157). Über Vererbung des Leidens wird oft berichtet. Das Hauptsymptom ist die enorme Vergrößerung
der Hornhaut; der Durchmesser kann bis zu 16 mm betragen (Abb. 158). Die Lederhaut
ist meist verdünnt, so daß die dunkle Uvea durchschimmert (Dehnungsfolge), die
Limbuszone stark verbreitert und unscharf. An der Hinterfläche der Cornea finden sich
oft girlandenartig oder bandartig aussehende doppeltkonturierte Descemetrisse. Die
Vorderkammer ist vertieft, manchmal bestehen Iris- und Linsenschlottern. Durch allgemeine Vergrößerung des Bulbus, die enorme Grade annehmen kann, entsteht gewöhnlich höhere Myopie. Bei längerem Bestand des Leidens entwickelt sich die typische
glaukomatöse Optikusatrophie (siehe unter Glaucoma simplex). Die Druckmessung.

die bei kleinen Kindern nur in Narkose möglich ist, ergibt meist starke Drucksteigerungen (50—60 mm Hg und mehr). In späteren Stadien treten auch Pupillenstörung und Irisatrophie auf.

Der Verlauf ist in der Regel chronisch, d. h. die Veränderungen nehmen bei äußerlich reizlosem Auge allmählich zu und die Optikusatrophie führt schließlich zur Erblindung. Gelegentlich kommen auch vorübergehend Rötung und hauchige Hornhauttrübung zur Beobachtung. Meist erklären sich diese Anfälle dadurch, daß die überdehnte Descemet einreißt und dem Kammerwasser den Eintritt in die Hornhaut freigibt. Die Trübungen bilden sich bald zurück und die Descemetrisse bleiben als charakteristisches Symptom der Krankheit bestehen.

Differentialdiagnostische Schwierigkeiten kann die Abgrenzung gegenüber der Megalocornea bieten. Die Megalocornea unterscheidet sich vom Hydrophthalmus vor allem durch das Fehlen von glaukomatösen Veränderungen (Exkavation der Papille,

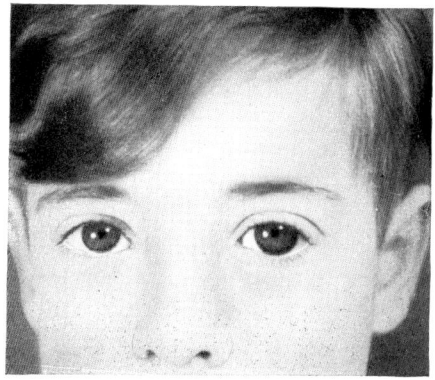

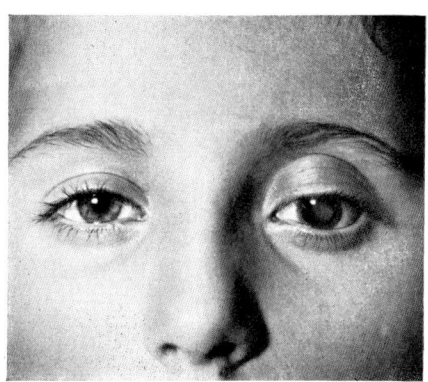

Abb. 159.
Megalocornea rechts. Hydrophthalmus links

Abb. 160. Sekundärer Hydrophthalmus nach Entzündung, mit Schwarten im Glaskörper

Drucksteigerung, Hornhauttrübung). Insbesondere fehlen die für Hydrophthalmus charakteristischen Rupturen der DESCEMETschen Membran. Die Auffassung der Megalocornea als geheilte Form des Hydrophthalmus ist daher heute verlassen, wenn auch das Vorkommen beider Veränderungen in derselben Familie, ja sogar an beiden Augen derselben Patienten (Abb. 159), für das Vorhandensein gewisser Beziehungen zwischen beiden Zuständen spricht.

Komplikationen kommen vor. Dazu zählt zunächst die gelegentlich bei geringfügigen Traumen vorkommende Spontanperforation (Platzen) des Bulbus, in der Sklera (Folge der Verdünnung) meist nahe dem Limbus die meist zur Phthisis bulbi führt. Auch Hornhautdegeneration, Linsentrübung und Linsenluxation werden gesehen.

Nicht selten wird das Vorkommen eines Hydrophthalmus bei Neurofibromatose (RECKLINGHAUSEN) oder Naevus flammeus der gleichseitigen Gesichtshälfte beobachtet.

Die Prognose des Hydrophthalmus ist stets ernst. Viele Fälle verfallen trotz aller therapeutischen Bemühungen der Erblindung, doch können auch Heilungen erzielt werden. Es kommen sogar Spontanheilungen vor, die vor allem durch die so gut wie nie fehlenden Descemetrisse von der Megalocornea zu unterscheiden sind.

Die Therapie kommt mit konservativen Mitteln (Pilocarpin, Eserin) nicht aus; lediglich Operationen, die oft mehrfach ausgeführt werden müssen, können einen Teil der Augen retten oder wenigstens den Verlauf verlangsamen. Die wichtigste Rolle bei der Behandlung des Hydrophthalmus spielen die ELLIOTsche Trepanation und die BARKANsche Goniotomie (Einschneidung des Kammerwinkels); andere Eingriffe sind meist weniger wirkungsvoll. Im Stadium der Erblindung und Degeneration treten oft Schmerzen auf, die zur Enukleation zwingen.

Die sekundären Formen (Abb. 160) des kindlichen Glaukoms entstehen nach Verletzungen, Perforationen von Ulzera, Gliom und aus anderen Anlässen, die auch beim Erwachsenen zum Sekundärglaukom führen können. Auch hier kommt es zur starken Vergrößerung des Bulbus bei in der Regel vorhandener Erblindung. Meist ist die Enukleation erforderlich.

Die enorme Vergrößerung der Augen sowohl bei primärem wie sekundärem Hydrophthalmus oder Buphthalmus ist eine Folge der im kindlichen Alter gegebenen Dehnbarkeit der Bulbuskapsel, die dem Druck nachgibt. Im Gegensatz dazu wahrt die fester gewordene Bulbuskapsel beim Erwachsenen auch bei hochgradigen Drucksteigerungen die Form.

2. Das primäre Glaukom

Unter *primären Glaukomen* verstehen wir solche, die ohne erkenntliche Ursachen als *selbständige Erkrankungen* auftreten. *Sekundäre Glaukome* sind solche, die *durch* erkennbare *andere Augenerkrankungen* als Folgeerscheinung ausgelöst werden. Das primäre Glaukom ist in der Regel eine Erkrankung des höheren Lebensalters, das sekundäre an kein Alter gebunden.

a) Das akute Glaukom

Das akute Glaukom ist die, dem äußeren Bilde nach, eindrucksvollste Form des Glaukoms. Die Erkrankung setzt plötzlich „anfallsartig" ein. Wir sprechen deshalb auch vom *Glaukomanfall*. Genaue Aufnahme der Anamnese ergibt allerdings in den meisten Fällen, daß dem ersten Anfall schon Vorläufer, sog. Prodromalerscheinungen, vorausgehen, die oft nicht beachtet werden. Manchmal freilich gelangen auch die Vorboten der Erkrankung schon zur ärztlichen Beobachtung. Die *Prodromalerscheinungen* bestehen in vorübergehenden Verdunklungen des Gesichtsfeldes, dem Sehen von farbigen Ringen um Lichtquellen, leichtem Druckgefühl und Beschwerden beim Nahesehen (Akkommodation). Gelegentlich sind in diesen Stadien zarte Verschleierung der Hornhaut, flache Vorderkammer und auch einzelne stärker gefüllte Ziliargefäße erkennbar. Diese Symptome kennzeichnen diese Prodromalerscheinungen als leichte, flüchtige, glaukomatöse Anfälle, die ohne besondere Maßnahmen in kurzer Frist wieder verschwinden, sich aber oft wiederholen können. In manchen Fällen fehlen diese Prodromalerscheinungen auch oder können wenigstens nicht nachgewiesen werden.

Der akute Anfall setzt dann plötzlich, scheinbar aus voller Gesundheit, ein. Er ist mit *starken*, oft unerträglichen *Schmerzen* verbunden, die in die Nachbarschaft (Stirn, Zähne) ausstrahlen und von dem Patienten oft nur in diesen Gebieten lokalisiert werden. Dazu kommt starkes *allgemeines Krankheitsgefühl* und oft *Erbrechen*. Diese Allgemeinbeschwerden können dazu führen, daß ein akutes Glaukom als Neuralgie, Kopfschmerz, Zahnschmerz usw. behandelt und damit kostbare Zeit für die zweckmäßige Therapie versäumt wird. Der praktische Arzt mache sich daher zum Grundsatz, bei plötzlich auftretenden, ätiologisch unklarem Kopfschmerz mit und ohne Erbrechen auch an Glaukom zu denken und die Augen zu besichtigen. Tut er dies, so ist eine Fehldiagnose kaum möglich.

Das Bild des akuten Glaukoms ist durchaus charakteristisch (Abb. 161): Der *Bulbus* zeigt *starke Rötung* als Folge einer venösen Stase, die zu einer starken Füllung der episkleralen Venen führt. Auch die Bindehautgefäße können vermehrte Füllung aufweisen. In manchen Fällen besteht Ödem der Bindehaut und der Lider. Die *Hornhaut* bietet das Bild einer diffusen *Trübung*, die in der Hauptsache auf ein Ödem des Epithels zurückzuführen ist; auch die darunter liegenden Hornhautschichten sind an der Trübung beteiligt. Dies ist durch die Spannung der Hornhautlamellen (Spannungsdoppelbrechung) bedingt. Die Sensibilität der Hornhaut ist herabgesetzt. Die *Vorderkammer* ist sehr *flach*, Iris und Linse vorgewölbt. Die *Pupille* ist *weit* und meist entrundet, ihre Reaktion aufgehoben oder vermindert. Ein Einblick in die tieferen Teile ist wegen der Hornhauttrübung in der Regel nicht möglich. In abklingenden Fällen und nach Beendigung des Anfalles ist aber oft eine Hyperämie der Papille nachzuweisen. Die erkrankten *Augen* fühlen sich bei *Palpation steinhart* an, die Druckprüfung mit dem Tonometer ergibt hohe Werte, oft bis zu 100 mm Hg und auch noch darüber. Der Kammerwinkel ist in der Regel verschlossen oder mindestens stark verengt.

Die Spaltlampenuntersuchung während des Anfalls und danach zeigt dem Augenarzt oft Pigmentverstreuungen an der Descemet, die dem Uveapigment entstammen. Auch Trübungen des Kammerwassers und einzelne Beschläge kommen vor; sie sind nicht entzündlicher Natur, sondern auf vermehrte Eiweißausscheidung aus den Gefäßen zurückzuführen. Später sieht man oft umschriebene fleckförmige Linsentrübungen (Glaukomflecke). Die *Sehstörung* im Anfall ist stets *hochgradig*; der Visus ist meist auf Erkennen von Handbewegungen vor dem Auge herabgesetzt. Ursache dieser

Sehstörung ist in erster Linie die Trübung der Hornhaut, oft auch eine gleichzeitig bestehende, durch den Druck verursachte Funktionsstörung der Netzhaut.

Die Ursache des Glaucoma acutum ist, wie die des primären Glaukoms überhaupt, noch nicht befriedigend geklärt. Wenn man die Erscheinungen des akuten Anfalls auf eine Abklemmung der Wirbelvenen während ihres schrägen Durchschnittes durch die Lederhaut zurückführt, so ist damit nur die Entstehungsweise dieses Zustandsbildes, aber nicht das Wesen der Krankheit erklärt. Hypermetrope Augen sind mehr zum Glaukom disponiert als myopische.

Wenn wir auch die Ursache des akuten Glaukoms nicht kennen, so wissen wir doch, daß bestimmte Ereignisse auslösend wirken

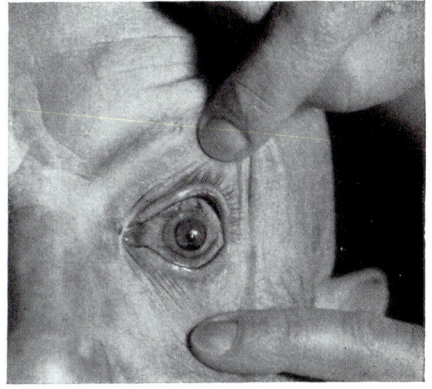

Abb. 161. Akutes Glaukom

können, z. B. starke Aufregungen, Angst, Überanstrengungen, sexuelle und alkoholische Exzesse, Genuß von starkem schwarzem Kaffee u. a.

Die Prognose des Glaukomanfalles kann bei richtiger Diagnose und raschem therapeutischem Handeln nicht als ungünstig bezeichnet werden. Bei baldiger Herabsetzung des Druckes, sei es auf medikamentösem oder operativem Wege, wird die Hornhaut augenblicklich klar und das Sehvermögen stellt sich wieder her. Diese Prognose ändert sich aber sehr, wenn das Glaukom verkannt und der hohe Druck nicht beseitigt wird. Es kann dann in kurzer Frist — binnen weniger Tage — irreparable Erblindung eintreten, die mit glaukomatöser Aushöhlung und Atrophie des Sehnerven (glaukomatöse

Exkavation) verbunden ist und schließlich zu dem später zu erörternden Bild des
Glaucoma absolutum führt. Aber auch bei rascher Beseitigung des Druckes (z. B.
durch Pilocarpin) und Wiederherstellung des vollen Visus bleibt das Auge weiterhin
gefährdet; es droht stets das Auftreten neuer Anfälle. Dies gilt natürlich auch für jene
seltenen Fälle, in welchen ein Anfall spontan abklingt (gewissermaßen als verdeutlichte
Prodromalerscheinung zu deuten). Es gilt daher als Regel, daß die einmal an Glaukom
erkrankten und scheinbar geheilten Augen unter ständiger fachärztlicher Kontrolle
verbleiben sollen. Diese Kontrolle soll sich auch auf das zweite Auge des Patienten erstrecken, da das primäre Glaukom in allen Formen häufig später auch das zweite Auge
befällt. Gleichzeitiges Auftreten an beiden Augen ist allerdings beim akuten Glaukom
selten.

Die Diagnose des akuten Anfalles ist meist nicht schwer; differentialdiagnostisch
wäre die akute Iritis zu erwähnen, die manchmal zu Verwechslungen Anlaß gibt, die
allerdings bei genauer Untersuchung zu vermeiden sind. Es bestehen auch bei akuter
Iritis starke Rötung und Schmerzhaftigkeit und die Vorderkammer kann durch Exsudation getrübt sein, was den Ungeübten zu Verwechslung mit einer Hornhauttrübung
verleiten kann. Auch kann Hornhauttrübung bei Iritis vorhanden sein. Wichtige Unterscheidungsmerkmale bieten aber stets das Verhalten der Vorderkammer, der Pupille
und des Augendruckes. Die Vorderkammer ist bei Iritis normal oder vertieft, beim
akuten Glaukom sehr flach, die Pupille bei Iritis (im frischen, unbehandelten Zustand)
eng, beim Glaukom weit und oft entrundet, die Tension bei Iritis eher vermindert, beim
akuten Glaukom stark erhöht. Außerdem sind die Schmerzen beim Glaukom wesentlich
stärker. Erbrechen usw. kommen bei Iritis nicht vor, sind allerdings beim Glaukomanfall auch nicht regelmäßig vorhanden. Bei genügender Vorsicht wird auch dem Nichtfacharzt die Unterscheidung möglich sein. Daß auch eine chronische Iritis zum Sekundärglaukom führen kann, wurde schon im Abschnitt Uvea erwähnt; in diesen Fällen
besteht aber eine Seclusio pupillae, wobei die Pupille durch die Synechien eng gehalten
wird, also die typische Weite der Glaukompupille fehlt. Auch die Napfkucheniris (siehe
Abschnitt Iritis) ist von der flachen Kammer bei Glaukom meist unschwer zu unterscheiden. Dazu kommt die Anamnese, die auf länger bestehende Iritis hinzuweisen
pflegt. Prodromalerscheinungen und plötzliches Auftreten des Anfalles bei vorher be-
schwerdefreiem Auge sprechen für Glaukom. Auf das Sekundärglaukom bei Aderhaut-
tumoren und seine Diagnose mit Hilfe der skleralen Durchleuchtung wurde schon
hingewiesen. Dieses Bild kann manchmal den Nichtfacharzt zur entschuldbaren
Fehldiagnose eines akuten Glaukoms führen.

Die Therapie des akuten Glaukoms ist, in Anbetracht unseres mangelnden Wis-
sens über das Wesen dieser Krankheit symptomatisch. Das gilt sowohl für konservative wie auch für operative Maßnahmen. Das Ziel bleibt die rasche Herabsetzung
des gesteigerten Druckes. Dazu dienen zunächst das Pilocarpin (Pilocarp. hydrochlor.
in 1—4% Lösung verwendbar) und das Eserin (Eserin. salicyl. $\frac{1}{4}$—$\frac{1}{2}$%), die in wäß-
riger Lösung oder auch in Salbenform Anwendung finden. Da es beim akuten Anfall
auf rasche und energische Wirkung ankommt, können stündliche Gaben verordnet
werden. Als unterstützende Maßnahmen kommen intravenöse Injektionen von 50
bis 100 ccm 10%ige NaCl-Lösung oder 25 ccm 25%ige Traubenzuckerlösung in Betracht. Auch heiße Senfmehlfußbäder können einen günstigen Einfluß ausüben. Nach
diesen ersten Maßnahmen ist jedes akute Glaukom sofort dem Facharzt zuzuweisen.
Diesem steht evtl. noch als besonders starkes Miotikum das Aminglaukosan zur Verfügung. Durch diese konservativen Maßnahmen gelingt es oft, den Anfall zu kupieren
und den Druck zu normalisieren; in anderen Fällen kann so wenigstens eine Verminderung des stark erhöhten Druckes und damit eine günstigere Situation für die Operation

geschaffen werden. Auch zentral dämpfende Mittel (Megaphen-Atosil, Dolantin u. a.
Präparate) gehören heute zum therapeutischen Rüstzeug des Augenarztes bei der Behandlung des akuten Glaukoms. Diamox (3 Tabletten à 250 mg) leistet oft gute Dienste.

Bei nicht rasch eintretendem Druckabfall ist unbedingt und unverzüglich operativ
einzugreifen. Auch bei erzielter voller Normalisierung des Druckes durch Medikamente
droht die Gefahr weiterer Anfälle, weshalb der Facharzt sich sehr oft auch in solchen
Fällen zum Eingriff entschließen wird, besonders dann, wenn schon Anfälle voraus-
gegangen sind. Die Entscheidung dieser Fragen ist Sache des Facharztes und auch für
diesen oft nicht leicht.

Zur Operation des akuten Glaukoms dient vielfach die von ALBRECHT V. GRAEFE
angegebene Iridektomie. Dabei wird nach Lanzenschnitt oben (ähnlich wie bei Operation
weicher Stare) die Iris gefaßt, vorgezogen und abgeschnitten, so daß ein Kolobom entsteht. Es ist besonders wichtig, die Iriswurzel zu erreichen und so den Kammerwinkel
möglichst freizumachen. Hier verbleibende Irisreste vermögen den Erfolg zu vereiteln.
Hingegen ist es sicher nicht wichtig, die Iris in ganzer Breite auszuschneiden und ein
totales Kolobom zu erzeugen; es genügt auch die Anlegung eines peripheren Koloboms.
Auch die Iridenkleisis nach HOLTH (s. S. 143) hat sich beim akuten Glaukom sehr gut
bewährt und wird von vielen Operateuren der Iridektomie vorgezogen. Mit Hilfe der
Operation gelingt es meist, ausgezeichnete und sehr oft Dauererfolge bei voller Sehschärfe zu erzielen. Es gibt aber leider auch Fälle, in welchen die Druckregulierung
unzureichend oder nicht von Dauer ist, in welchen das akute Glaukom in ein chronisches
übergeht. Daraus ergibt sich die schon betonte Notwendigkeit, auch erfolgreich ope-
rierte Fälle unter weiterer Kontrolle zu halten.

b) Das chronische Glaukom

Unter chronischem Glaukom verstehen wir primäre Glaukome, bei welchen Erscheinungen am äußeren Auge vorhanden sind und die Drucksteigerung über lange
Zeit fortbesteht. Solche chronischen Glaukome können sich aus akuten Glaukomen
entwickeln oder auch von Anfang an als chronische Erkrankung auftreten. Vom
später zu erörternden Glaucoma simplex unterscheiden sie sich dadurch, daß bei letzterem Erscheinungen am äußeren Auge fehlen. Auch bei dieser Glaukomform ist mit
engem Kammerwinkel zu rechnen. Um Verwechslungen zu vermeiden, erscheint es
mir daher besser, nicht von Glaucoma chronicum simplex zu sprechen, obwohl das
Glaucoma simplex auch chronisch verläuft. Wir wollen also unter *Glaucoma chronicum Fälle mit chronischem Verlauf und äußeren Bulbussymptomen* verstehen, unter
Glaucoma simplex solche, die bei äußerlich normalem Bulbus ablaufen.

Die Symptome des chronischen Glaukoms sind im allgemeinen folgende: Oftmals,
doch nicht immer besteht eine leichte Gefäßstauung. Manchmal kommt es bei älteren
Fällen auch zur Bildung des Caput medusae (s. Abb. 174). Wir verstehen darunter ein
Hervortreten stark gefüllter Ziliarvenen, die durch Anastomosen verbunden sind, rund
um den Limbus. Die Hornhaut ist manchmal leicht getrübt, oft klar, die Vorderkammer
stets abgeflacht. An der Hornhauthinterfläche sieht man Pigmentverstreuungen. Die
Iris ist teilweise verfärbt und atrophisch, die Pupille erweitert. Auch neugebildete
Irisgefäße können sichtbar werden. Da es sich um ein chronisches Leiden handelt,
tritt stets eine Sehnervenschädigung ein, die sich in einer glaukomatösen Exkavation
und Atrophie äußert. Damit sind irreparable Sehstörungen verbunden. Diese betreffen
sowohl das zentrale Sehen wie auch das Gesichtsfeld, welches erhebliche Ausfälle aufweisen kann. Die sich hierbei ergebenden Formen und Möglichkeiten entsprechen
denen des Glaucoma simplex und werden dort näher geschildert. Der Druck ist stets

erhöht, erreicht jedoch nicht extreme Werte wie im akuten Anfall. Er bewegt sich meist zwischen 40—60 mm Hg. Gelegentlich können akute Anfälle diesem Zustand aufgepfropft sein.

Die Prognose ist stets ernst, Dauerheilungen sind seltener als beim akuten Glaukom, strenge Kontrolle, auch nach therapeutischen Erfolgen, ist unerläßlich.

Die Therapie bedient sich der schon erwähnten und beim Glaucoma simplex noch genauer zu beschreibenden konservativen Methoden. Wenn diese, was meist zutrifft, nicht ausreichen, wird operiert. Die Iridektomie ist bei dieser Glaukomform wenig wirksam; die bei Glaucoma simplex zur Anwendung kommenden Methoden (Trepanation, Cyclodialyse u. a.) beherrschen das Feld.

c) Das Glaucoma simplex

Das *Glaucoma simplex* ist *eine chronische Erkrankung, bei welcher die Drucksteigerung zu keinen Erscheinungen am äußeren Auge führt.* Die beim akuten Glaukom eingehend geschilderten Symptome fehlen ebenso wie Prodomalerscheinungen.

Die Symptome der Erkrankung bestehen daher nur in der *Erhöhung des intraokularen Druckes* und der allmählich eintretenden *Exkavation und Atrophie des Opticus*, die zum Verfall des zentralen Sehens und des Gesichtsfeldes führten. Eine gewisse Abflachung der Vorderkammer und Pigmentverstreuung kann manchmal, besonders bei länger bestehenden Fällen, vorhanden sein, ist aber keineswegs regelmäßig gegeben. Schmerzen fehlen stets. Bei dieser Glaukoform besteht im allgemeinen ein weiter Kammrwinkel (Weitwinkelglaukome).

Die Drucksteigerung bei Glaucoma simplex ist oft relativ gering (30—40 mm Hg), in anderen Fällen auch höher, doch kommen extreme Werte wie beim akuten Glaukom nicht zur Beobachtung. Wie schon erwähnt, kann für manches Auge ein Druck von 18—22 mm Hg schon pathologisch sein und zum Bilde des Glaucoma simplex führen.

Die Schädigung des Opticus ist eine Folge des auf die Papille einwirkenden Druckes. Während dieser im kindlichen Auge zur bereits geschilderten Dehnung der Bulbuswandung führt, hält die Sklera des Erwachsenen diesem Druck stand.

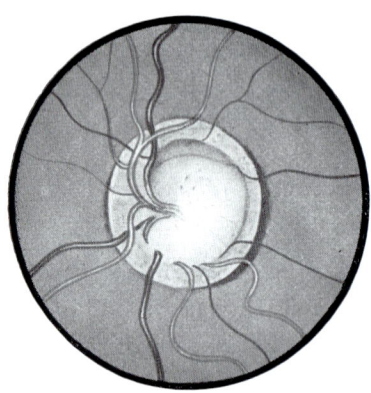

Abb. 162. Große Exkavation — beginnendes Glaukom

Lediglich das weiche Gewebe der Papille gibt nach. Die Lamina cribrosa wird zurückgedrängt und die physiologische Exkavation der Papille allmählich vergrößert, wobei Sehnervenfasern zugrunde gehen. Dabei spielen auch Schädigungen der Gefäße eine Rolle (ZINNscher Gefäßkranz S. 4). Natürlich tritt diese Auswirkung des hohen Druckes nicht sofort ein (siehe Glaucoma acutum), sondern bedarf längerer Zeit zur Entwicklung. Es ist daher klar, daß ein Glaucoma simplex sehr wohl auch schon bei noch scheinbar normalem Papillenbefund bestehen kann (erhöhter Druck). Ebenso kann eine große noch physiologisch erscheinende Exkavation (es gibt hier beträchtliche physiologische Schwankungen) bereits den Beginn einer glaukomatösen Veränderung darstellen (Abb. 162). Große, auch nicht eindeutig glaukomatöse Exkavation soll daher, besonders bei alten Personen und bei Einseitigkeit, Anlaß zur genauen Druck- und Funktionskontrolle geben (Druckkurven). Besonders schwierig kann die Diagnose einer beginnenden glaukomatösen Exkavation in myopischen Augen sein, die einen schrägen Sehnerveneintritt aufweisen. Im weiteren Verlauf kommt es zu einer Verdrängung des annähernd zentral gelagerten Gefäßbaumes der Papille gegen nasal und zu einer immer größer werdenden und schließlich den Rand der Papille erreichenden Aushöhlung des Fasciculus opticus (randständige Exkavation) (Abb. 163

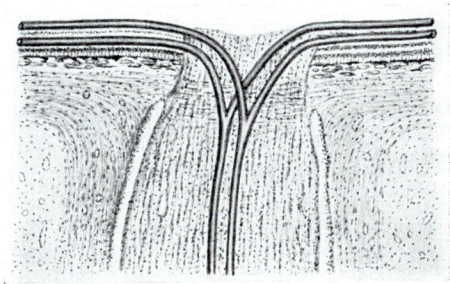

Abb. 163
Schematische Darstellung der normalen
Papille mit Gefäßeintritt

Abb. 164
Schematische Darstellung einer tiefen glaukomatösen Exkavation mit Gefäßabknickung

und 164). Diese Aushöhlung (Exkavation) kann mehrere Millimeter tief werden. Das Abknicken der Gefäße am Rande der Sehnervenscheibe zeigt die Exkavation an. Hand in Hand mit diesen Veränderungen geht eine graue Verfärbung (Atrophie) der

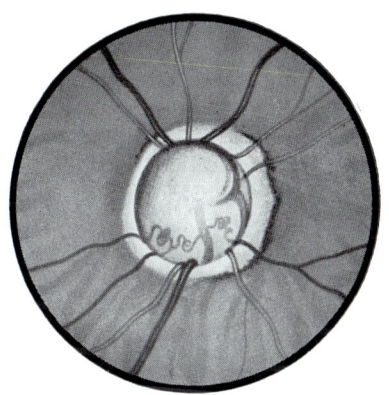

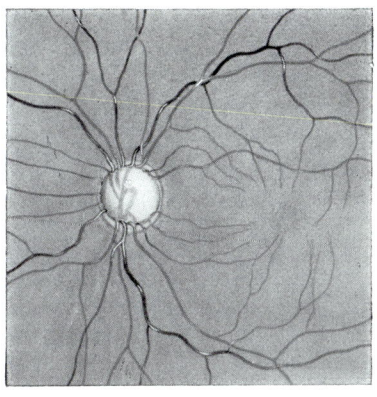

Abb. 165 a. Typische glaukomatöse
Exkavation mit Halo um die Papille

Abb. 165 b. Tiefe glaukomatöse Exkavation (umgekehrtes Bild)

Papille. In schweren Fällen kann im Endstadium eine völlige Obliteration der Gefäße eintreten. Um die Papille entwickelt sich meist eine gelbliche ringförmige Zone von geringer Breite (Halo glaucomatosus), die als degenerative Veränderung der umgebenden Aderhaut zu deuten ist (Abb. 165 a und b).

Gelegentlich kann das Bild einer glaukomatösen Exkavation und Atrophie auch in Augen vorhanden sein, die bei sorgfältigster Kontrolle stets normale, sogar niedrige Druckwerte aufweisen. Gleichzeitig finden sich dieselben funktionellen Störungen

(Visus, Gesichtsfeld), die wir beim Glaucoma simplex treffen. Man hat für solche Fälle
die Ausdrücke Glaukom ohne Hochdruck und Pseudoglaukom geprägt. Dabei kann
es sich um arteriosklerotische Prozessa oder auch um Hypophysentumoren handeln.
Es ist auch an die Möglichkeit zu denken, daß ein sehr niedriger Normativdruck vorliegt. Diese Fragen gehören in das Arbeitsgebiet des Facharztes.

Die Sehstörungen betreffen sowohl den zentralen Visus wie auch das Gesichtsfeld.
Der Verfall beider Funktionen geht keineswegs immer parallel. Wir sehen Fälle, in
welchen das zentrale Sehen sehr lange erhalten bleibt, während das Gesichtsfeld
schon weitgehend zerstört ist; so können hochgradige konzentrische Einschränkungen
(Abb. 166) etwa auf 5—10° bei noch normalem zentralen Visus (5/5) vorkommen.
In anderen Fällen wieder verfällt frühzeitig das zentrale Sehen, während das Gesichtsfeld noch relativ gut erhalten ist. Viel-
fach spielen sich beide Vorgänge etwa
gleichzeitig ab. Verlauf und Ausmaß des
Funktionsverfalles hängt natürlich von
der Zahl und Art der Sehnervenfasern
ab, die zuerst zugrunde gehen. Sehr
häufig begegnen wir dem sog. „nasalen
Sprung" (Abb. 167), d. h. einem sektorenförmigen Ausfall im nasalen Teil des
Gesichtsfeldes, als erstes Symptom der
beginnenden Gesichtsfeldstörung. Ein
weiteres, wichtiges Zeichen ist das vom
blinden Fleck ausgehende Skotom, welches bei Untersuchung an der BJER-
RUMschen Wand nachweisbar ist (Abb.
168). Diese Skotome pflegen bogenförmig
in verschiedener Breite dasZentrum zu
umgreifen und können auch die Gestalt
eines geschlossenen Ringes annehmen.
Später gewinnen diese Ausfälle Verbindung mit den von den Außengrenzen
heranrücken- den Ausfällen (Abb. 169).

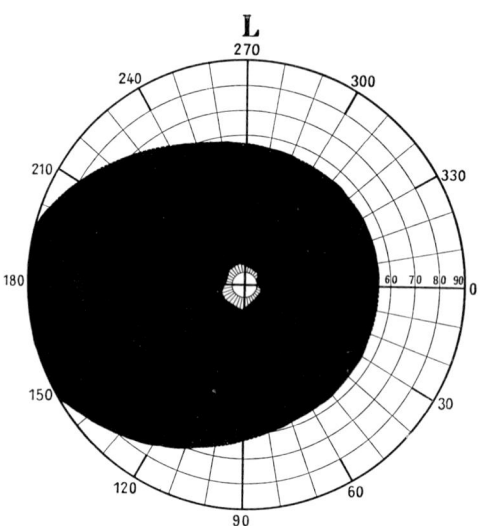

Abb. 166. Allseits hochgradig verengtes Gesichtsfeld bei vorgeschrittenem Glaucoma simplex

Wenn auch Ablauf und Reihenfolge der Funktionsstörung verschieden sind, so ist
doch der Endausgang beim unbehandelten Glaukom und leider manchmal auch beim
behandelten derselbe: völlige Blindheit. Die Prognose des Glaucoma simplex ist stets
ernst. Es befällt meist beide Augen, wobei aber zwischen der Erkrankung beider Augen
oft erhebliche Zeitspannen liegen. Der Umstand, daß Schmerzen und äußere Erscheinungen fehlen, führt dazu, daß die ersten Störungen von den Kranken oft übersehen
werden, besonders dann, wenn die Krankheit zunächst einseitig auftritt. Man sieht
immer wieder Fälle, in welchen ein Auge erblindet oder fast erblindet ist und auch am
zweiten Auge schon Störungen auftreten, bevor der Kranke sein Leiden bemerkt.
Wenn dann noch zugewartet wird in dem Glauben: „es werde schon wieder besser
werden", so kommt es dazu, daß solche Fälle schon in einem sehr schlechten Zustand
zum Arzt kommen. Diese leichte „Übersehbarkeit" des Glaucoma simplex zwingt den
Arzt zu genauester Kontrolle bei allen unklaren Sehstörungen. Insbesonders sei davor
gewarnt, bei Feststellung einer beginnenden Katarakt auf die Spiegeluntersuchung und
Druckprüfung zu verzichten und die Sehstörung einfach auf die beginnende Katarakt
zurückzuführen. Auf diese Weise kann ein Glaukom übersehen und damit schwerer
Schaden gestiftet werden.

Im allgemeinen erstreckt sich der Verlauf eines Glaukoms über viele Jahre, oft Jahrzehnte. Je früher die Behandlung einsetzt, desto besser ist die Prognose. Wenn in

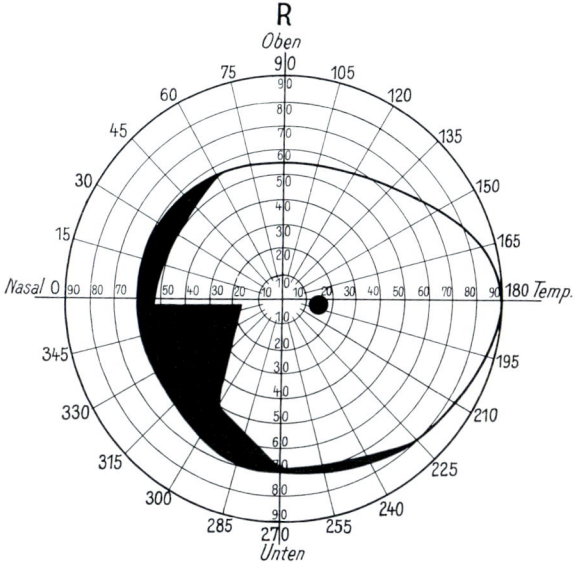

Abb. 167. Nasaler Sprung im Glaukomgesichtsfeld

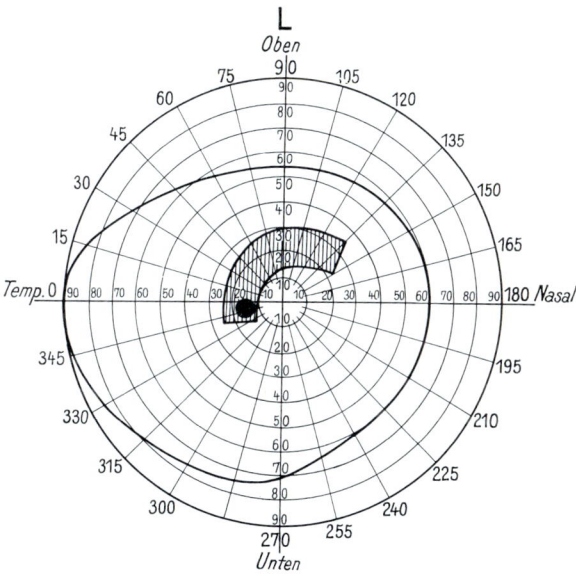

Abb. 168. Vom blinden Fleck ausgehendes Skotom

weit vorgeschrittenem Stadium operiert werden muß, so ist das Operationsrisiko erheblich. In solchen Fällen kann unmittelbar durch die Operation ein Verfall des

Gesichtsfeldzentrums ausgelöst werden oder man erlebt es, daß zwar die Drucknor-
malisierung gelingt, aber trotzdem der Verfall der Funktionen weitergeht, weil die
Sehnervenfasern schon irreparabel geschädigt sind. Bei rechtzeitig einsetzender Behandlung gelingt es oft, bei spät einsetzender manchmal, das Sehen durch Druck-
normalisierung zu retten. Stets kann aber beim Glaucoma simplex (und chronicum)
nur das gerettet werden, was zur Zeit der Behandlung noch vorhanden ist. Eine Wiedergewinnung bereits durch Nervenfaseratrophie zugrundegegangener Funktionsteile ist
nicht möglich. In anderen Fällen gelingt es durch zweckmäßige Therapie zwar nicht
das Leiden ganz abzustoppen, aber doch seinen Ablauf wesentlich zu verlangsamen
und die Erblindung auf lange Zeit hinauszuschieben. In Anbetracht der Tatsache, daß
die Krankheit meist erst im 5. oder 6. Lebensjahrzehnt oder noch später auftritt, kann

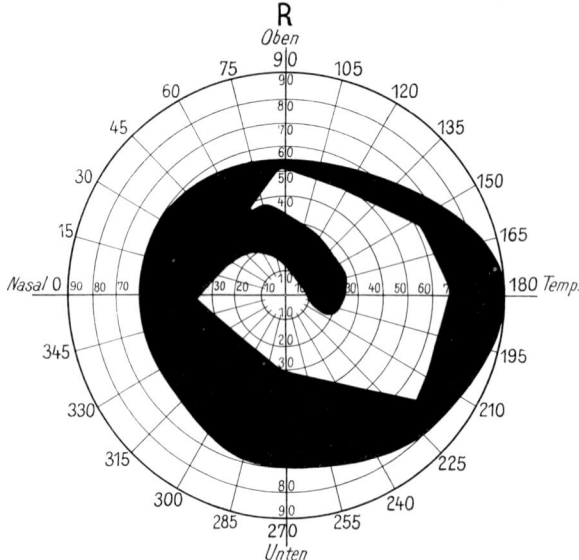

Abb. 169. Ausfälle von nasal haben Verbindung mit dem vom blinden Fleck ausgehenden
Defekt gewonnen

auch auf diesem Wege so mancher Kranke auf Lebensdauer vor der Erblindung bewahrt
werden. Die seltenen Fälle, in welchen das Glaukom schon in jugendlichen Jahren
(zwischen 20 und 40 Jahren) auftritt und die als *Glaucoma juvenile* bezeichnet werden,
sind prognostisch meist sehr ernst zu beurteilen. Leider gibt es aber auch Fälle, in
welchen alle therapeutischen Bemühungen erfolglos bleiben und das Leiden unaufhaltsam fortschreitet, ja sogar durch Eingriffe beschleunigt wird (Glaucoma malignum).

Die Ursache des Glaucoma simplex sowie die des primären Glaukoms überhaupt,
ist nicht bekannt. Zweifellos spielen dabei viele Faktoren, wie Bau des Auges (Kammerwinkel), Blutzirkulation und intraokularer Flüssigkeitswechsel, Rigidität der
Sklera, Verhalten des Glaskörpers, zentrale Einflüsse usw. eine Rolle. Vielfach wird
betont, daß das Glaukom wahrscheinlich überhaupt keine einheitliche Erkrankung
ist, sondern ein Symptomenbild, das verschiedenen Momenten seine Entstehung verdanken kann. Auch die pathologisch-anatomischen Untersuchungen bringen keine
Klarheit; viele der dabei regelmäßig erhobenen Befunde, wie Kammerwinkelsyn-

echien usw. (Abb. 170) sind Folgen, nicht Ursache des Prozesses. Die Vererbung spielt auch eine gewisse Rolle. Wir kennen Glaukomfamilien, wobei das Leiden in den späteren Generationen meist in jüngeren Jahren auftritt als bei den vorhergehenden. In sehr vielen Fällen läßt sich aber kein Anhaltspunkt für Erblichkeit gewinnen.

Die Therapie des Glaucoma simplex ist konservativ oder operativ. Grundsätzlich muß erst die konservative Behandlung versucht werden. Wenn es gelingt, den Druck auf konservativem Wege zu normalisieren, erübrigen sich chirurgische Eingriffe. Es muß allerdings durch genaue Druckkontrollen zu verschiedenen Tageszeiten festgestellt werden, ob der Druck tatsächlich zu allen Zeiten normalisiert ist. Diese Einstellung geschieht am besten und sichersten in Form einer mehrtägigen klinischen Beobachtung. Man soll nur dann konservativ behandeln, wenn die Normalisierung des Druckes mit höchstens 3maligem Eintropfen am Tag zu erreichen ist. Wenn mehr getropft werden muß, so wird dies erfahrungsgemäß nicht gewissenhaft durchgeführt. Wichtig ist auch die in bestimmten, in der ersten Zeit kurzen, später größeren (nicht über 1/4 Jahr) Zeitabständen wiederholte Prü-

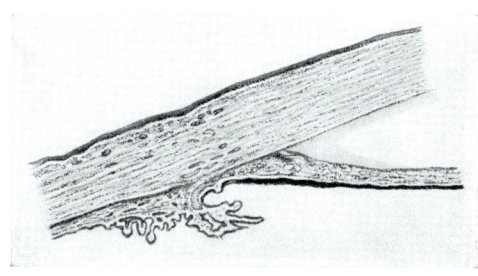

Abb. 170.   Kammerwinkelsynechie bei altem Glaukom (vgl. Abb. 131)

fung von Tension und Funktionen; verfallen letztere, so ist die Operation angezeigt. Im einzelnen ist die Indikationsstellung Sache des Facharztes, der sich dabei oft schweren Aufgaben und Entscheidungen gegenübersieht.

Zur konservativen Behandlung dienen in erster Linie die schon beim akuten Glaukom erwähnten Mittel: Pilocarpin (1—4%) und Eserin (1/4—1/2%). Die Wirkung dieser Mittel sehen wir in der mit der Pupillenverengung verbundenen Erweiterung des Kammerwinkels, der Vergrößerung der an der Resorption beteiligten Irisfläche und der Erweiterung der Blutgefäße. Die mit der Anwendung dieser Mittel verbundene Miosis kann bei bestimmten Formen von Cataracta incipiens das Sehen beeinträchtigen. Auch kann durch Akkommodationsreiz eine geringe Myopie verursacht werden. Über diese Möglichkeiten ist der Patient gegebenenfalls aufzuklären. Eserin ruft bei manchen Patienten starke Beschwerden hervor (Kopfschmerz, Unwohlsein) und kann in solchen Fällen nicht verwendet werden. Weitere bei der Glaukombehandlung bewährte Mittel sind Prostigmin (1—3%), Doryl (3/4%), Mintacol und Miotisal. Die besonders stark wirkenden Cholinesterasehemmer DFP-Öl und Tosmilen sind dem Augenarzt vorbehalten. Die Wirkung der verschiedenen Präparate kann bei verschiedenen Kranken und zu verschiedener Zeit unterschiedlich sein. Die augenärztliche Betreuung hat dies zu berücksichtigen. Dem Facharzt stehen noch andere Mittel, wie Adrenalin (Suprarenin) u. a. zu Gebote, die aber unter Kontrolle erfahrener Augenärzte verwendet werden sollen.

Neben der lokalen Behandlung spielt die Hygiene des Glaukomes eine wichtige Rolle. Vermeidung von Aufregungen, von starkem Kaffee, von reichlichem Genuß von Alkohol, Nikotin und Flüssigkeitsbeschränkung sind geboten. Das früher oft ausgesprochene absolute Kaffeeverbot soll nach neueren Untersuchungen und nach eigenen Erfahrungen nicht aufrecht erhalten werden. Daneben können gelegentlich Sedativa und milde Abführmittel gegeben werden. Auch die orale Gabe von Diamox (1—2 Tabletten à 250 mg) hat sich in neuerer Zeit einen guten Platz in der Glaukombehandlung erworben.

Bei der operativen Behandlung des Glaucoma simplex und Glaucoma chronicum bewährt sich die Iridektomie nicht. Hier stehen andere Methoden im Vordergrund, vor allem die Trepanation nach ELLIOT, die Iridenkleisis nach HOLTH und die Zyklodialyse nach HEINE. Sinn dieser Operationen ist es, einen vermehrten Flüssigkeitsabfluß herbeizuführen und so den Druck zu normalisieren.

Bei der *ELLIOTschen Trepanation* (Abb. 171 und 172) wird dieses Ziel dadurch erreicht, daß am Limbus, meist oben bei 12 Uhr, ein kleines Loch (Durchmesser 1,5 bis 2 mm) ausgestanzt wird, durch welches Flüssigkeit aus der Vorderkammer in den subkonjunktivalen Raum abfließen kann. Vor Anlegung der Fistel wird die Binde-

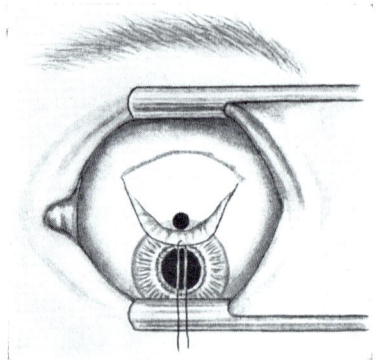

Abb. 171. Trepanation nach ELLIOT. Bindehautlappen nach dem Schnitt nach abwärts gezogen. Trepanation an der Hornhaut-Lederhaut-Grenze ausgeführt

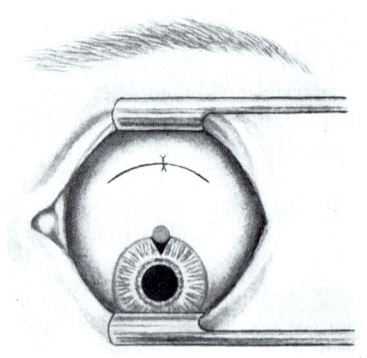

Abb. 172. Bindehautlappen wieder zurückgeschlagen und durch Naht befestigt; peripheres Kolobom sichtbar. Trepanationsöffnung unter der Bindehaut ist durch grauen Kreis bezeichnet

haut etwa in der Gegend des Ansatzes des geraden oberen Muskels eingeschnitten und ein Lappen mit Basis am Limbus gebildet, der nach erfolgter Trepanation und Ausschneidung eines kleinen Irisstückchens (periphere Iridektomie) durch das Trepanloch, wieder über die Lederhaut gedeckt wird. An der Stelle der Trepanation bildet sich meist eine kleine zystenartige Vorwölbung, ein Sickerkissen, aus.

Die Bildung einer fistelnden Narbe wird auch bei der *Iridencleisis antiglaucomatosa* nach HOLTH angestrebt; dabei wird nach Bildung eines Bindehautlappens (Basis am Limbus) ein Lanzenschnitt ausgeführt, die Iris vorgezogen und in meridionaler Richtung durchtrennt; ein, oder besser beide Zipfel werden in den Wundkanal eingelagert und sollen die Fistulierung sichern. Darauf wird der Bindehautlappen geschlossen.

Bei der *Zyklodiialyse* (nach HEINE) (Abb. 173) wird zunächst die Sklera (meist außen unten), nach Einschnitt in die Bindehaut, in etwa 6 mm Entfernung vom Limbus durch einen kleinen limus-parallel geführten Schnitt eröffnet. Darauf wird ein Spatel in diese Wunde (unter Vermeidung der Eröffnung des Glaskörperraumes durch Verletzung der Aderhaut) eingeführt, in die Vorderkammer vorgeschoben und dann durch seitliche Bewegung des Spatels eine Ablösung des Strahlenkörpers ausgeführt. Auf diese Weise soll eine Verbindung zwischen Vorderkammer und Suprachorioidealraum geschaffen werden, die den Flüssigkeitsabtransport erleichtert. Möglicherweise spielt beim Zustandekommen des Effektes der Operation auch eine partielle Atrophie des

Ziliarkörpers und dadurch eine Verminderung der Flüssigkeitsabsonderung mit eine Rolle. Der Eingriff kann mehrfach wiederholt werden.

In neuerer Zeit wurde auch das Diathermieverfahren der Glaukombehandlung dienstbar gemacht. Dies geschieht bei der *Cyclodiathermiepunktur* von VOGT durch multiple (bis zu 100 Einstiche) Stichelungen der Sklera im Bereiche des Ziliarkörpers mit der Diathermienadel. Man pflegt den Eingriff zunächst in einer Bulbushälfte aus-zuführen, doch kann einige Tage später der Eingriff in der anderen Bulbushälfte wiederholt werden. Andere Verfahren suchen durch Gefäßverödung (Arteria ciliaris posterior longa) den Druck zu beeinflussen. Hier-her gehören die Ciloanolyse und Cilo-Cykloano-lyse von SCHRECK. Auch durch oberflächliche Diathermieeinwirkung auf die Sklera konnte der Druck beeinflußt werden, was wahrscheinlich auf eine Beeinflussung der zuleitenden Nervenver-zweigungen zurückzuführen ist (Verfahren von L. und R. WEEKERS und Skleradiathermiepunk-tur von REISER). Diese auf Verwendung der Diathermie gegründeten Verfahren sind noch jun-gen Datums; sie erscheinen hoffnungsvoll, doch kann ein endgültiges Urteil höchstens bezüglich der VOGTschen Methode gegeben werden, über welche schon größere Beobachtungsreihen von verschiedenen Stellen vorliegen.

Die Art des Leidens bringt es mit sich, daß bei vielen Fällen mehrfache Eingriffe nötig werden; die Wahl derselben und die dem Einzelfall ange-paßte Indikationsstellung gehört zu den schwersten und sorgenvollsten Aufgaben des Facharztes bzw. der Kliniken.

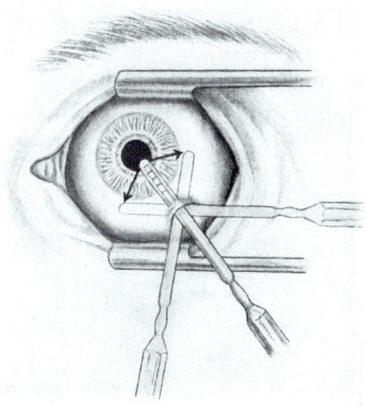

Abb. 173. Zyklodialyse nach HEINE. Der Spatel ist in die Vorderkammer eingeführt. Das Ausmaß der Drehung des Spatels ist durch die schwach gezeichneten Spatel angedeutet

d) Das absolute Glaukom

Unter Glaucoma absolutum verstehen wir keine besondere Form des grünen Stars, sondern den Zustand der Erblindung infolge von Drucksteigerungen. Das Glaucoma absolutum kann sich somit aus jeder der beschriebenen Glaukomformen und auch aus den noch zu besprechenden Sekundärglaukomen entwickeln. Da das Glaucoma simplex die häufigste Glaukomform ist, verdanken auch zahlreiche absolute Glaukome diesem bösartigen Leiden ihre Entstehung.

Das klinische Bild des absoluten Glaukoms ist vielgestaltig. In manchen Fällen zeigt das äußere Auge normale Verhältnisse. Lediglich die völlige Erblindung (Fehlen jedes Lichtscheines = Amaurose), die glaukomatöse Exkavation der Papille und der erhöhte Druck führen zur Diagnose.

Bei längerem Bestehen des Zustandes stellen sich aber meist Degenerationserschei-nungen ein. Bei Fällen, die sich aus einem akuten oder chronischen Glaukom ent-wickeln, sind natürlich von Anfang an die äußeren Zeichen dieser Erkrankung zu sehen. Die wichtigsten Zeichen, die am äußeren Auge beobachtet werden, sind Rötung des Bulbus (Caput medusae), Trübung der Hornhaut, vielfach mit oft schmerzhaften Blasenbildungen des Epithels verbunden, weite Pupille, flache Vorderkammer und Irisatrophie mit Gefäßneubildungen der Iris (Abb. 174). In späteren Stadien kommen manchmal spontane Blutungen in die Vorderkammer oder in den Glaskörper vor. Im weiteren Verlauf bilden sich oft bandartige Hornhautdegenerationen oder Pannus, totale Linsentrübungen und ein Ektropium uveae (siehe im Abschnitt Iris-Farbabweichungen). Im Bereich des Ziliarkörpers oder des Äquators entstehen gelegentlich Verdünnungen und Ausbuchtung der Lederhaut, in deren Bereich die Uvea dunkel durchschimmert (Skleralstaphylome).

Sofern die absoluten Glaukome keine Schmerzen verursachen, bedürfen sie keiner Behandlung. Sehr häufig führen diese Zustände aber zu sehr starken Schmerzen, die sich bis zur Unerträglichkeit steigern können. Diese Fälle bedürfen ärztlicher Hilfe. Manchmal gelingt es durch Röntgenbestrahlungen mit mittleren Dosen (mehrere Sitzungen zu 180—200 r), die Schmerzen zu beseitigen. Dasselbe läßt sich oft rascher und nachhaltiger durch retrobulbäre Injektionen von 2 ccm Alkohol (80—90%) nach vorheriger Anästhesie durch Novocaininjektion erzielen. Dabei müssen vielfach Muskellähmungen und Ptosis in Kauf genommen werden, die sich allerdings nach einigen Wochen zurückzubilden pflegen. Viele Augen mit absolutem Glaukom verfallen schließlich der Enukleation.

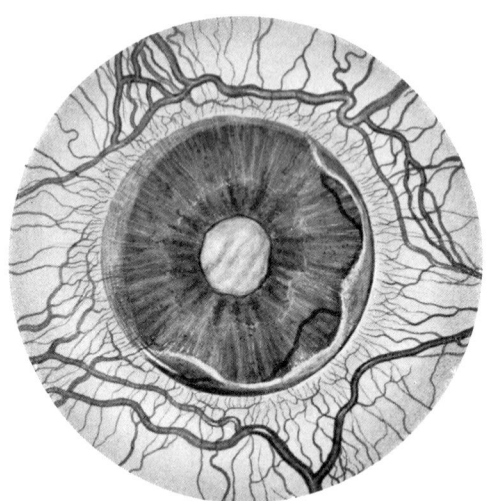

Abb. 174. Caput medusae, Gefäßneubildungen der Iris und Linsentrübung bei absolutem Glaukom

3. Die Sekundärglaukome

Unter sekundären Glaukomen verstehen wir Drucksteigerungen, die durch andere Erkrankungen des Auges ausgelöst werden. Die Gefahren und der Verlauf der Erkrankung entsprechen den Geschehnissen beim primären Glaukom. Die Drucksteigerung führt allmählich über die Sehnervenatrophie zur Erblindung — zum absoluten Glaukom.

Das äußere Bild kann mannigfaltig sein. Neben den Symptomen des Glaukoms finden wir die charakteristischen Zeichen der Grundkrankheit. Oftmals bestehen starke Schmerzen, Stauungsrötung des Bulbus, Mattigkeit der Hornhaut, flache Kammer, also Zeichen des akuten Anfalles. In anderen Fällen wieder fehlen, wenigstens zunächst, äußere Glaukomzeichen und nur die Druckmessung und Spiegeluntersuchung zeigen das Leiden an. In manchen Fällen können auch die Symptome der Grundkrankheit (matte Hornhaut, Rötung des Bulbus) die äußeren Glaukomsymptome verdecken (z. B. bei Keratitis parenchymatosa und manchen Formen der Iridozyklitis). Es ist daher dringend zu empfehlen, bei Krankheiten, die erfahrungsgemäß zum Glaukom führen können, zeitweise den Druck zu kontrollieren.

Die häufigsten Formen des Sekundärglaukoms sind:

1. Das Sekundärglaukom bei chronischer Iridozyklitis, welches meist Folge der Behinderung des Flüssigkeitswechsels durch die Seclusio pupillae ist. Dieses Krankheitsbild ist im Kapitel Iridozyklitis geschildert (s. Abb. 118 und 119). Auch ohne Seclusio pupillae können durch Änderung der Sekretionsverhältnisse (Vermehrung der Sekretion, erhöhter Eiweißgehalt) und Erhöhung des Abflußwiderstandes (Verstopfung des Kammerwinkels durch Exsudatpartikelchen) Drucksteigerungen bei Iritiden vorkommen (Iritis glaucomatosa). Dies gilt auch für die sekundären Iritiden, die bestimmte Hornhauterkrankungen zu begleiten pflegen. Hierher gehören die schon erwähnte Keratitis parenchymatosa, das Ulcus serpens und in selteneren Fällen auch der Herpes corneae und die Keratitis disciformis. Auch beim Zoster

tritt manchmal ein Glaukom auf, welches wahrscheinlich durch nervale Einflüsse zu erklären ist.

2. Intraokulare Tumoren aller Art führen, teils durch direkte Vermehrung des Bulbusinhaltes, teils auch bei entsprechender Lage durch Störung der Flüssigkeitsabfuhr, zu Sekundärglaukomen.

3. Auch Netzhauterkrankungen, und zwar die Thrombose der Zentralvene und die Retinopathia pigmentosa, sind oft Ursache von Sekundärglaukomen.

4. Linsentrübungen traumatischer Art können durch Aufquellung, wie schon erwähnt wurde, Drucksteigerungen auslösen. Auch nach kompliziert verlaufenen Staroperationen können durch Glaskörpereinklemmung und Verwachsungen verschiedener Art Glaukome entstehen.

5. Verletzungen des Auges vermögen auf verschiedene Weise, durch Blutungen, Linsenquellungen, Linsenluxationen, Entstehung vorderer und hinterer Synechien, Drucksteigerungen herbeizuführen, die im einzelnen noch im Kapitel Verletzungen erörtert werden.

6. Schließlich sind noch angeborene Mißbildungen zu nennen; dazu gehört neben dem ausführlich besprochenen Hydrophthalmus die Aniridie, die ebenfalls bereits im Kapitel Uvea erwähnt wurde.

7. Wichtig ist auch, darauf hinzuweisen, daß bei längerer Cortisontherapie, und zwar sowohl bei lokaler als bei allgemeiner Anwendung des Medikamentes Drucksteigerungen ausgelöst werden können, die den Sekundärglaukomen zuzuzählen sind. Absetzen der Präparate ist in solchen Fällen die einzig sichere Therapie. Die übliche antiglaukomatöse Therapie bei gleichzeitiger Fortgabe der Corticosteroide erwies sich meist wirkungslos.

Die Behandlung dieser Sekundärglaukome ist fachärztliche Aufgabe. Dabei sind die Grundsätze der Glaukombehandlung ebenso wie die für das Grundleiden geltenden therapeutischen Regeln zu beachten. Bemerkungen darüber finden sich auch in den Kapiteln über die Grundleiden.

D. Die Hypotonie

Die Hypotonie kommt symptomatisch und als selbständiges Leiden vor. Wir verstehen unter Hypotonie eine abnorme Weichheit des Bulbus, also einen Unterdruck. Wir nehmen dabei im allgemeinen einen Druck von 10—12 mm Hg als untere Grenze des normalen Druckes an.

Symptomatische Hypotonie besteht stets nach Eröffnungen des Bulbus durch Trauma oder Operation; sie kann zum Dauerzustand werden, wenn sich eine Wunde unvollkommen schließt und eine Fistel bestehen bleibt, die dann operativ verschlossen werden muß. Gelegentlich beobachtet man auch nach Prellungsverletzungen (ohne Eröffnung des Bulbus) vorübergehende Hypotonie. Auch bei zu starker Fistelwirkung nach ELLIOTscher Trepanation kann in seltenen Fällen Hypotonie entstehen.

Während in den genannten Fällen mechanische Momente Ursache der Hypotonie sind, kommen auch Störungen im Flüssigkeitshaushalt als auslösende Momente in Betracht. Hierher gehören die Hypotonie bei Cholera und wohl auch die im diabetischen Koma.

Ein charakteristisches Krankheitsbild ist die akute Hypotonie, wie wir sie z. B. bei Netzhautablösungen oder Prellungen des Bulbus manchmal sehen. Dieser Zustand ist mit einer abnormen Vertiefung der Vorderkammer verbunden. Die Iris zieht sich dabei zunächst nach rückwärts, zeigt dann eine fast rechtwinklige Abknickung, mit deren Hilfe sie sich in die Richtung des Iris-Linsendiaphragmas einstellt. Der Zustand ist oft mit Schmerzen verbunden und prognostisch ungünstig zu beurteilen. Diese Formen der Hypotonie sind als sekundäre Hypotonien anzusehen.

Als primäre, essentielle Hypotonie (Ophthalmomalazie) bezeichnen wir einen Zustand, der ohne ersichtliche Ursache plötzlich einsetzt und durch starke Erweichung des Bulbus, heftige neuralgische Schmerzen und das Auftreten von streifenartigen, oft buchstabenähnlichen Hornhauttrübungen gekennzeichnet ist. Diese sind unter dem Namen HAABsche Buchstaben-Keratitis bekannt und liegen oberflächlich, sub-

epithelial. Die Bezeichnung ist insofern zu beanstanden, als keine „Keratitis" im
eigentlichen Sinne vorliegt, sondern Faltungen der BOWMANschen Membran. Die Erkrankung neigt zu Rückfällen und der Endausgang ist manchmal ungünstig (Phthisis
bulbi). Die Ursache ist nicht sicher bekannt. Nach neueren Anschauungen dürfte eine
Dysfunktion des vegetativen Nervensystems im Spiele sein.

Die Therapie dieser Zustände ist eine meist undankbare fachärztliche Aufgabe,
für die sich bestimmte Regeln nicht aufstellen lassen.

XII. Die Erkrankungen der Retina

A. Anatomie

Die Netzhaut (Retina) kleidet das Innere des Bulbus aus. Sie liegt der Aderhaut
nur locker auf und ist lediglich am Sehnerveneintritt und dort, wo ihr lichtempfindlicher
Teil endet (Ora serrata), fest mit der Unterlage verbunden. Die Ora serrata liegt am
Ende des Ziliarkörpers, etwa 5 mm hinter der Iriswurzel. Von hier aus bis zur Papille
(Sehnerveneintritt) reicht der lichtempfindliche Teil der Retina (Pars optica). Die Pars
coeca retinae überkleidet als einfache Epithelschicht die Hinterfläche von Iris und
Ziliarkörper. Wir unterscheiden das der Uvea zugewendete Pigmentblatt und das
innere, gegen den Glaskörper gerichtete, aus mehreren Schichten bestehende, glasig-
durchsichtige Netzhautgewebe. Das Pigmentblatt haftet bei Ablösung der Retina an
der Aderhaut.

Das Netzhautgewebe läßt folgende Schichten erkennen (vom Pigmentepithel aus
gesehen):

1. die Schicht der Stäbchen und Zapfen
2. die Membrana limitans externa
3. die äußere Körnerschicht und HENLEsche Faserschicht
4. die äußere granulierte Schicht
5. die innere Körnerschicht
6. die innere granulierte Schicht
7. die Schicht der Ganglienzellen
8. die Schicht der Nervenfasern
9. die Membrana limitans interna

Die erstgenannten Schichten bilden die Neuroepithelschicht, die das erste Neuron
enthält; ihre wichtigsten Bestandteile sind die Stäbchen und Zapfen. Diese Zellen
zeigen einen kernlosen Teil, der durch die durchlöcherte Membrana limitans externa
vom kernhaltigen Teil der Zellen getrennt erscheint, die als äußere Körnerschicht
bezeichnet wird. Die HENLEsche Faserschicht und die äußere granulierte Schicht
(auch retikuläre oder plexiforme Schicht genannt) enthalten die Fasern der Sehzellen
und ihre Endigungen. Auch MÜLLERsche Stützfasern sind reichlich vorhanden. Diese
sind gliöser Natur und durchziehen die Retina von der Limitans interna zur Limitans
externa.

Die innere Körnerschicht, die aus Zellen verschiedener Art (vorwiegend bipolaren
Nervenzellen) besteht, gehört bereits der Gehirnschicht zu; dasselbe gilt von der
inneren granulierten (retikulären, plexiformen) Schicht, die aus einem feinen Netzwerk von Stützsubstanz und einem von Fortsätzen der Ganglienzellen gebildeten
nervösen Netzwerk zusammengesetzt ist.

Daran schließt sich die Schicht der Ganglienzellen, welche neben den schon erwähnten Fortsätzen gegen die granulierte Schicht auch solche gegen die Nervenfaserschicht entsendet. Letztere enthält nackte (marklose) Achsenzylinder, die am Fasci-

culus opticus am dichtesten gelagert sind und sich in radiärer Form peripherwärts
erstrecken. Die Gehirnschicht umfaßt das 2. und 3. Neuron.

Eine Sonderstellung nimmt die Macula lutea ein. Die Fasern des papillo-maku-
lären Bündels verlaufen vom Opticus direkt zur Macula, die anderen umgeben diese
bogenartig und vereinigen sich am temporalen Rand derselben. Die Netzhautschichten
erleiden ebenfalls eine Veränderung; während Ganglienzellen und innere Körner am
Rande der Macula eine Vermehrung erfahren, tritt eine Verschmälerung der Neuroepithelschicht ein, wobei die Stäbchen fast völlig zurücktreten. Gegen die Fovea zu,
die die Mitte der Macula bildet, verdünnen sich die Netzhautschichten stark und verschwinden schließlich, so daß im Zentrum der Fovea nur Zapfenzellen vorhanden
sind. Diese Anordnung hängt mit der Funktion der Macula als Stelle des schärfsten
Tagessehens zusammen, die eine dichte Anordnung der Zapfen zur Voraussetzung
hat. In der Peripherie nimmt die Zahl der Zapfen ab, während die dem Dämmerungs-
sehen dienenden Stäbchen, die in der Fovea ganz fehlen, eine erhebliche Vermehrung
erfahren. Die Blutversorgung der Netzhaut erfolgt in den inneren (Gehirnschichten)
durch die Arteria und Vena centralis retinae, während die äußeren Schichten von
der Choriocapillaris aus durch Diffusion ernährt werden.

B. Untersuchungsmethoden

Zur Untersuchung der Netzhaut dient der Augenspiegel, dessen Handhabung,
ebenso wie das Aussehen des normalen Fundus, bereits in den Abschnitten: Untersuchung der Uvea (S. 86) und Erkrankungen der Aderhaut (S. 105) besprochen wurde.
Zur Untersuchung der Netzhaut gehören auch die verschiedenen Prüfungen der Funktion (Sehschärfe, Gesichtsfeld, Adaptation), die im Kapitel: Brechungsverhältnisse,
Farben- und Lichtsinn behandelt werden.

C. Erkrankungen der Netzhaut

1. Zirkulationsstörungen

a) Die Embolie der Arteria centralis retinae

Das wichtigste Symptom dieses Zustandes ist die *Verengung der arteriellen Gefäße*,
die meist fadendünn erscheinen und oft Zerfall der Blutsäule in mehrere Stücke erkennen lassen. Schon nach kurzer Zeit beginnt sich der von der normalen Zirkulation
abgesperrte Bezirk der Netzhaut milchiggrau zu trüben. Grundlage dieser Trübung
ist ein *Ödem in der Nervenfaserschicht*. Da diese und daher auch das Ödem in der Macula
fehlen, hebt sich das Netzhautzentrum als *kirschroter Fleck* ab (Abb. 175).

Wenn nur ein Ast der Zentralarterie verschlossen ist, so beschränken sich die Gefäßveränderungen und das Ödem auf das Versorgungsgebiet dieses Astes. Nach einigen Wochen kommt es zur Aufsaugung des Ödems. Der Fundus gewinnt seine alte Farbe wieder.
Als Folge der Absperrung der Blutzufuhr entwickelt sich aber eine Atrophie der Papille,
die, je nachdem es sich um eine vollständige oder eine Astembolie handelte, total oder
partiell (auf einen Teil der Papille beschränkt) sein kann. Die Engstellung der Arterien
bleibt bestehen. Die Venen bleiben normal. Die Erkrankung ist mit einem Ausfall der
Funktion der betroffenen Netzhautteile verbunden. Die Patienten klagen meist über
plötzlich eintretende Erblindung. Manchmal gehen flüchtige Verdunkelungen voraus.
Sofern die Embolie auf einen Gefäßast beschränkt ist, erfolgt lediglich ein Gesichts-
feldausfall im betroffenen Sektor. Gelegentlich kann auch bei ausgedehnten Ausfällen
die Funktion der Macula erhalten bleiben, wenn nämlich diese durch eine sog. cilio-
retinale Arterie eine direkte arterielle Blutversorgung aus dem Ziliargefäßsystem erhält. Diese, dem ZINNschen Gefäßkranz entspringenden, kleinen Arterien tauchen am

temporalen Papillenrand aus der Tiefe auf und ziehen zur Macula; sie stellen eigentlich eine nicht sehr seltene Anomalie dar, die sonst bedeutungslos ist und lediglich bei Embolien einmal die erwähnten Vorteile bieten kann.

Die *Prognose* des Leidens ist ernst; die Mehrzahl der Fälle geht in Erblindung aus. Doppelseitigkeit kommt kaum vor. Die *Therapie* hat nur Aussicht auf Erfolg, wenn sie möglichst rasch einsetzt. Doch ist es nicht richtig, die Erfolgsmöglichkeit nur auf die ersten 30 Minuten nach Eintritt der Störung zu beschränken und bei später zum Arzt kommenden Fällen von vornherein auf jede Behandlung zu verzichten. Auch einige Tage nach Beginn der Erkrankung einsetzende Therapie kann gelegentlich noch zum Erfolg führen und soll daher versucht werden. Zur Behandlung sind konservative und operative Maßnahmen empfohlen worden. Unter den zur Anwendung kommenden Medikamenten spielen die gefäßerweiternden Mittel die Hauptrolle: Einatmen von Amylnitrit, ferner Injektionen von Eupaverin, Padutin, Priscol oder Acetylcholin. die subkutan und auch retrobulbär verabfolgt werden können. Auch intravenöse Injektionen von Ronicol werden empfohlen, ebenso wie Nepresol in Tablettenform. Unter den operativen Maßnahmen kommen Punktionen der Vorderkammer und Massage des Opticus zwischen zwei sog. Schielhaken nach Freilegung des hinteren Bulbusabschnittes in Betracht.

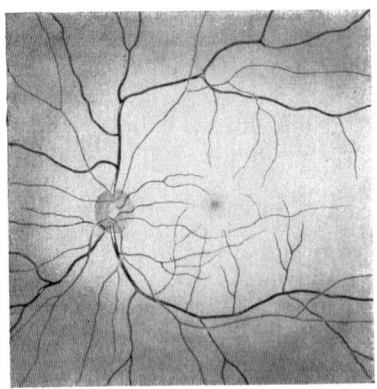

Abb. 175. Embolie der Arteria centralis retinae

Als *Ursache* der Erkrankung kommen nicht nur echte Embolien, Verstopfungen durch einen Embolus, in Frage, sondern auch Gefäßverschlüsse anderer Art (Gefäßwanderkrankungen, Thrombenbildungen). Die echte Embolie ist nach unseren heutigen Erkenntnissen sogar selten, die Gefäßverschlüsse anderer Genese überwiegen weit. Die internistische Untersuchung deckt meist Herz- oder Kreislaufstörungen auf.

Auch auf das Vorliegen einer Arteriitis temporalis ist zu achten (S. 176).

b) Die Thrombose der Zentralvene, präretinale und subretinale Blutungen

Die Thrombose der Vena centralis retinae ist durch das Auftreten oft radiär zur Papille angeordneter, oft aber auch wahllos über den ganzen Fundus verteilter *Blutungen* gekennzeichnet. Wenn die Thrombose nur einen Ast der Zentralvene betrifft. so sind die Blutungen auf dessen Umgebung beschränkt, während die übrige Netzhaut frei bleibt (Abb. 176). Im weiteren Verlauf treten zwischen den Blutungen oft *weiße Degenerationsherdchen* auf. Die Farbe der Blutungen hängt von ihrer Tiefenlage und ihrem Alter ab. Im allgemeinen erscheinen frische Blutungen hellrot, ältere dunkel: Blutungen in den inneren Schichten sind heller, solche in den äußeren dunkler. Die Venen sind meist gestaut und breit, die Papille ist manchmal verwaschen und leicht prominent.

Besonders sei an dieser Stelle auf den dunkelgrauroten-graugrünen Farbton *subretinaler* Blutungen hingewiesen, die, namentlich wenn sie eine leichte Vorwölbung der Netzhaut bedingen, gelegentlich zur Fehldiagnose eines Tumors Anlaß geben können. Diese subretinalen Blutungen gehören zwar nicht zum typischen Bild der Zentralvenenthrombose. können aber manchmal gleichzeitig mit einer solchen auf Grund desselben

Grundleidens entstehen. Ebenso können auf gleiche Weise auch *präretinale* Blutungen zustande kommen. Diese liegen zwischen Limitans interna und hinterer Glaskörperbegrenzung und haben ein charakteristisches Aussehen: es findet sich eine scheibenartige, meist helle Blutung, die keine Streifung oder dgl. erkennen läßt und die Netzhautgefäße verdeckt. Bei längerem Bestehen tritt eine Senkung der Blutkörperchen ein, wodurch der untere Teil der Blutung dunkler erscheint: dieser Teil schneidet gewöhnlich mit einer scharfen Linie ab, die horizontal verläuft, so daß ein dem Hyphaema in der Vorderkammer ähnliches Bild entsteht.

Die Thrombose der Zentralvene und die genannten Blutungen treten in der Regel auch plötzlich auf, doch wird dies von den Befallenen nicht so bemerkt, wie bei der Embolie, weil trotz der Blutungen die Ernährung der Retina und die Funktion meist nicht schlagartig erlischt. Die Sehstörungen zeigen verschiedene Grade. Manchmal wird noch relativ gut gesehen (6/24, 6/18 usw.), während in anderen Fällen der Visus auf Erkennen von Handbewegungen absinkt.

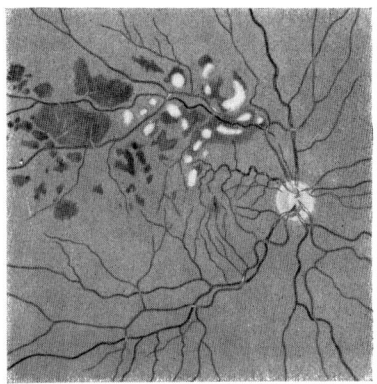

Die *Prognose* ist immer mit Vorsicht zu stellen. Sie ist bei Astthrombosen besser als bei solchen der Zentralvene. Besonders ist zu bedenken, daß nach Zentralvenenthrombose stets die Gefahr des Sekundärglaukoms droht und viele Augen als absolute Glaukome mit Erblindung enden. Thrombosen treten meist einseitig auf. Es gibt aber auch Ausnahmen von dieser Regel, wobei zwischen der Erkrankung beider Augen oft Jahre vergehen können.

Abb. 176. Thrombose der Zentralvene der Netzhaut im temporal oberen Ast

Die *Behandlung* hat vor allem auf Ruhe und Schonung Bedacht zu nehmen und außerdem das Grundleiden zu berücksichtigen. Lokal werden Kurzwellenbestrahlungen und subkonjunktivale Kochsalzinjektionen (1 ccm 1—2%) empfohlen, deren Wirkung aber keineswegs sicher ist. Außerdem werden gefäßabdichtende Mittel, wie Calcium, Vitamin C u. a. empfohlen, deren Wert aber umstritten ist.

Als *Ursachen* der Thrombosen sowie der prä- und subretinalen Blutungen sind Kreislaufstörungen anzusehen, die mit Arteriosklerose, Lues und Herzerkrankungen verschiedener Art zusammenhängen können.

Eingehende fachinternistische Untersuchung und Behandlung ist unbedingt erforderlich.

c) Die Periphlebitis retinae-juvenile rezidivierende Glaskörperblutung

Die Erkrankung befällt vorwiegend die venösen Gefäße der Netzhaut und gibt oft zu *Blutungen* in den Glaskörper oder in den retrovitrealen Raum Anlaß. Diese Blutungen lenken meist die Aufmerksamkeit auf das Leiden, weil sie eine plötzlich einsetzende, zumeist erhebliche Sehstörung hervorrufen. Sie pflegen sich rasch aufzusaugen, doch kommt es leider oft zu mehrfachen Rezidiven, die schließlich einen schlechten Endausgang (Erblindung des Auges) herbeiführen können. Wenn man nach Aufsaugung der Blutungen spiegelt, so sieht man *zarte, graue Einscheidungsstreifen* an den Gefäßen, die oft stellenweise zu kleinen knötchenartigen Gebilden verbreitert sind. *Verengungen der Gefäße* und kleine *Blutungen*, sowie manchmal *wundernetzartige Gefäßneubildungen* im erkrankten Bezirk vervollständigen das Bild.

Im weiteren Verlaufe kommt es zu *Bindegewebsbildungen* in Form von Strängen, die weit in den Glaskörperraum vorragen können und manchmal netzartige Verflechtungen zeigen. Im Bereiche der Stränge sind ebenfalls Gefäßneubildungen erkennbar (Abb. 177). Solange sich diese Prozesse auf die Netzhautperipherie beschränken, sind Sehstörungen nicht vorhanden oder nicht bedeutend. Bei längerem Verlauf des Leidens wird aber oft auch der hintere Pol des Bulbus in Mitleidenschaft gezogen. Hier entstehende, schwartenartige Bildungen können Papille und Macula ganz verdecken

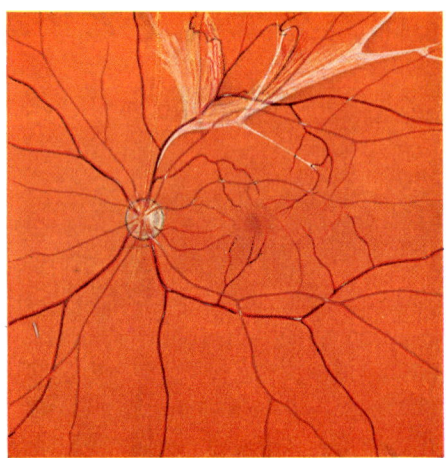

Abb. 177. Periphlebitis retinae mit Retinopathia proliferans

(Retinitis proliferans). In solchen Fällen bestehen hochgradige Sehstörungen. Schließlich kann Netzhautablösung und Erblindung eintreten. Auch durch sich gelegentlich entwickelnde Sekundärglaukome kann Erblindung bedingt werden.

Die Erkrankung befällt vorwiegend jüngere Männer und bleibt oft einseitig. Nicht ganz selten aber kommt auch doppelseitiges Auftreten vor; man kann dann bei Untersuchung des zweiten Bulbus, die stets erfolgen soll, besonders in der Peripherie ähnliche Veränderungen im Anfangsstadium finden.

Die *Ursache* ist im Einzelfall oft schwer zu klären. Die früher geltende Anschauung, wonach das Krankheitsbild durch Tuberkulose hervorgerufen wird, ist mindestens in diesem Umfange nicht mehr haltbar. In vielen Fällen spielen auch hyperergische Gefäßerkrankungen anderer

Art, so die Thrombangiitis obliterans (BUERGER), eine ausschlaggebende Rolle. Sicher darf man auch die Rolle der Fokalinfektion und die Einflüsse des Nervensystems nicht außer acht lassen. Gewisse Beziehungen zur multiplen Sklerose werden aus dem nicht seltenen Zusammentreffen beider Zustände erschlossen.

Die *Behandlung* erfordert Ruhe und Schonung. Sie soll nicht ambulant durchgeführt werden. Auch leistet die Lichtkoagulation gute Dienste und verhindert weitere Blutungen. Von mancher Seite werden Streptomycin und PAS (Paraaminosalicylsäure) angewendet. Heilstättenbehandlung ist oft erforderlich.

Die Prognose ist immer mit Vorsicht zu stellen, doch kann in vielen Fällen Ausheilung mit gutem Visus erzielt werden.

2. Erkrankungen der Netzhaut im Zusammenhang mit Allgemeinleiden

Wie sich schon aus den vorausgegangenen Ausführungen ergibt, stehen viele Netzhautleiden im Zusammenhang mit Allgemeinleiden. In diesem Abschnitt sollen aber nur jene Netzhautveränderungen behandelt werden, die als Begleiterscheinung deutlich nachweisbarer Allgemeinleiden auftreten, deren Träger also ohne weiteres als krank erkannt werden. Andere Netzhautveränderungen, bei welchen die Augenerkrankung anscheinend als selbständiges Leiden auftritt und bei welchen Zusammenhänge mit anderen Leiden erst durch oft mühsames Suchen nachgewiesen oder wahrscheinlich gemacht werden, sind in anderen Abschnitten dargestellt.

Veränderungen des Fundus bei Allgemeinleiden sind vielfach unter dem Namen „Retinitis" in die Literatur eingegangen. Diese Bezeichnung wird mit einem Beiwort wie „diabetica", „angiospastica" u. a. versehen und ist zum festen, jedem Arzt geläufigen Begriff geworden. Es muß aber darüber Klarheit herrschen, daß kein entzündlicher, sondern ein degenerativer Zustand vorliegt. Es hat daher auch nicht an Versuchen gefehlt, diese Namen durch bessere (Retinopathien) zu ersetzen; sie vermochten aber die alten Bezeichnungen leider nicht zu verdrängen. Es besteht auch kein Bedenken, die alten Bezeichnungen als Mittel zur Verständigung beizubehalten, wenn man sich dessen bewußt bleibt, daß es sich dabei eben nicht um Entzündungen handelt.

a) Die Retinopathia diabetica

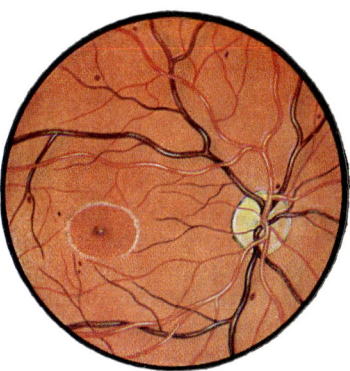

Die Befunde, die sich beim Augenspiegeln darbieten, können sehr verschiedenartig sein. In leichten Fällen künden oft nur punktförmige *Blutungen* die Beteiligung des Auges am Krankheitsgeschehen an. Neuere Forschungen haben ergeben, daß es sich oft nicht um Blutungen, sondern um kleinste *Kapillaraneurysmen* handelt (Abb. 178). In anderen Fällen findet man weiße, meist etwas glänzende, manchmal auch gelbliche kleine *Herdchen* (Abb. 179). Herdchen und Blutungen können in verschiedener,

Abb. 178. Befund bei beginnender Retinopathica diabetica

manchmal auch großer Zahl auftreten. Sie finden sich gewöhnlich im Gebiet des hinteren Augenpoles (um Papille und Macula) und entlang der Gefäße. Papille und Gefäße zeigen in der Regel keine Veränderungen, doch können gelegentlich auch Unschärfe der Papille und Gefäßveränderungen vorkommen, so daß dann das Bild mit der Retinopathia angiospastica verwechselt werden kann. In späteren Stadien entwickeln sich manchmal neben schweren Blutungen starke Bindegewebswucherungen, die zu derben Schwartenbildungen führen können *(Retinitis proliferans oder Hyaloretinitis maligna)* (Abb. 179). Diese schweren Veränderungen werden jetzt häufiger beobachtet als in früheren Zeiten. Dies ist wahrscheinlich darauf zurückzuführen, daß infolge der modernen Diabetesbehandlung die Diabetiker länger leben und daher den Eintritt schwerer Befunde noch erleben.

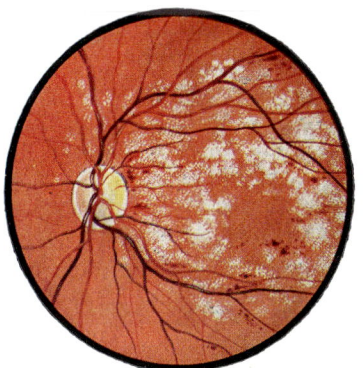

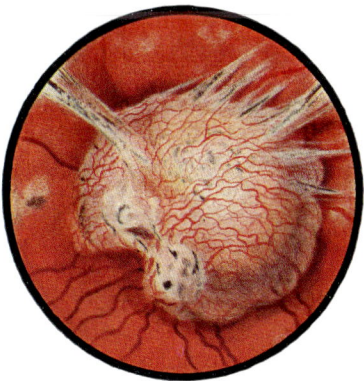

Abb. 179. Retinopathica diabetica mit multiplen weißen Herdchen und Blutungen

Abb. 180. Schwere Retinitis proliferans bei Diabetes, die die Papille und deren Umgebung völlig verdeckt

Während die leichten Veränderungen keine Sehstörung zu machen pflegen, ist bei massigen Blutungen und Herden mit erheblichen Herabsetzungen des Visus, bei schweren Schwartenbildungen sogar mit Erblindung zu rechnen. Gleichzeitig mit diesen Gefäßneubildungen im Augenhintergrund kommt es oft auch zu Gefäßneubildungen in der Iris (Rubeosis). Diese Gefäßneubildnngen, die bei länger bestehenden Diabetesfällen gesehen werden, finden sich sowohl im Bereich der Iriskrause als auch in der Nähe des Kammerwinkels, den sie oft auch erfüllen.

Die *Entstehungsweise* der Augenveränderungen ist noch nicht klar. Jedenfalls gehen sie keineswegs der Schwere des Diabetes parallel; dagegen scheint die Dauer der Krankheit eine gewisse Rolle zu spielen, aber nicht die allein ausschlaggebende. Auch die Auffassung, daß die Hintergrundsveränderungen an das gleichzeitige Bestehen eines Bluthochdruckes gebunden sind, hat sich nicht halten lassen. Wenn auch Verbindungen von Diabetes und Hypertonie oft beobachtet werden, so können doch, und nicht selten, Fundusveränderungen auch bei hochdruckfreien Diabetikern vorkommen. Damit soll nicht bestritten werden, daß schwere Gefäßveränderungen bei den malignen diabetischen Prozessen eine bedeutsame Rolle spielen, aber diese brauchen ihre Entstehung nicht dem Hochdruck zu verdanken.

Die Differentialdiagnose gegenüber der Retinopathia angiospastica wird nach Erörterung dieses Krankheitsbildes erwähnt werden.

Die *Behandlung* ist Sache der Zusammenarbeit des Augenarztes mit dem Internisten. In nicht zu weit vorgeschrittenen Fällen bewährt sich oft die Lichtkoagulation sehr gut. Manche Autoren halten bei Fundusveränderungen Einschränkung des Insulins für wichtig, doch wird von anderen eine Schädigung oder ungünstige Beeinflussung des Hintergrundprozesses durch Insulin mit Recht entschieden abgelehnt.

b) Die Retinopathia angiospastica und der Fundus hypertonicus

Die Fundusbefunde bei Nierenerkrankung wurden schon bald nach der Erfindung des Augenspiegels durch HERMANN V. HELMHOLTZ (1850) als Retinitis albuminurica beschrieben. Heute wissen wir, daß nur jene Nierenerkrankungen zu Hintergrundsveränderungen führen, die mit Blutdrucksteigerungen einhergehen und daß auch Blutdrucksteigerung ohne Nierenerkrankungen solche Augenbefunde hervorrufen. Es ist das Verdienst des Internisten FRANZ VOLHARD, die Bedeutung des Bluthochdruckes für den Augenbefund erkannt zu haben.

Entsprechend den verschiedenen Hochdruckformen unterscheiden wir auch zwei Formen von Augenhintergrundsveränderungen. Bei der *essentiellen Hypertonie*, dem *gutartigen Hochdruck* (roter Hochdruck VOLHARDS) finden wir oft den **Fundus hypertonicus:** Die Farbe des ganzen Fundus ist dabei sattrot, die Venen sind prall gefüllt, dunkel und oftmals flach geschlängelt. Vielfach findet sich ein immer wiederkehrender Wechsel von erweiterten und etwas verengten (oder weniger erweiterten) Stellen *(Kettenwurstvenen)*. An den Kreuzungsstellen der Venen mit den ebenfalls breiten, mit goldgelben Reflexen versehenen Arterien *(Kupferdrahtarterien)*, zeigen erstere oft eine Einbuchtung, ein Ausweichen nach der Tiefe (GUNNsche *Kreuzungsphänomene*). Diese Kreuzungserscheinungen kommen ebenso wie Gefäßeinscheidungen allerdings auch bei Arteriosklerotikern ohne Hypertonie zur Beobachtung. Eine bei Fundus hypertonicus häufig vorkommende Erscheinung ist die starke, *korkenzieherartige Schlängelung* der kleinen *Venolen* in der Umgebung der Macula. Neben diesen Gefäßveränderungen finden sich oftmals noch kleine oder auch größere *Blutungen* und gelbliche oder weiße *kleine Herde* in der Netzhaut, besonders in der Nähe des hinteren Augenpoles, doch gelegentlich auch in der Peripherie (Abb. 181). Blutungen und kleine Herdchen finden sich auch bei Arteriosklerose. Die Papille ist normal. Sehstörungen pflegen zu fehlen, sie können aber auftreten, wenn als Komplikation, was manchmal vorkommt, eine Thrombose der Zentralvene hinzutritt.

Ein anderes Bild bietet die bei schweren Nierenerkrankungen, die mit *malignem* oder *blassem Hochdruck* (VOLHARD) verbunden sind, auftretende **Retinopathia angiospastica.** Hier steht der Spasmus, die Verengung der Arterien im Vordergrunde, die meist mit blasser Fundusfarbe verbunden ist. Die *Arterienverengung* betrifft in schweren Fällen den ganzen Gefäßverlauf und alle Gefäße, in leichteren oft nur Teile davon, besonders das periphere Gebiet. Die partielle Verengung führt oft zu erheblichen Kaliberschwankungen an den Gefäßen, d. h., neben annähernd normalen Stücken des Gefäßrohres sieht man stark verengte Stellen. Deutlich sichtbare weiße Begleitstreifen als Ausdruck der Wandverdickung begleiten oft die Gefäße. In schweren Fällen sind manche Gefäße überhaupt nur als weiße, glänzende Streifen sichtbar *(Silberdrahtarterien).* Die Venen sind meist normal, manchmal auch kettenwurstartig, die kleinen Venolen verlaufen gestreckt. Die *Papille* ist unscharf, von einem bald stärkeren, bald geringeren *Ödem umgeben,* welches sich auch entlang der Gefäße nach peripher ausbreiten kann. In schweren Fällen schwillt die Papille stark an und gewinnt erhebliche Prominenz, so daß das Bild der typischen Stauungspapille entstehen kann. Außerdem finden sich *Blutungen und weiße Netzhautherde* in oft großer Zahl in der Peripherie und in der Macula, die auch durch ein Ödem grau verfärbt sein kann. Die Herde sind oft scharf begrenzt, weißglänzend *(Kalkspritzerherde)* oder auch unscharf begrenzt, verschwommen *(Baumwollflockenherde).* Gelegentlich sieht man auch stern- oder halbsternförmig um die Macula angeordnete Herde, doch ist dies keineswegs die Regel und kann außerdem auch bei anderen Erkrankungen vorkommen (Abb. 182).

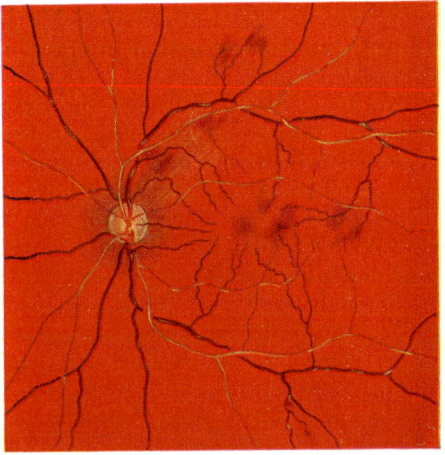

Abb. 181. Fundus hypertonicus mit Kupferdrahtarterien, Kreuzungsphänomenen und Blutungen

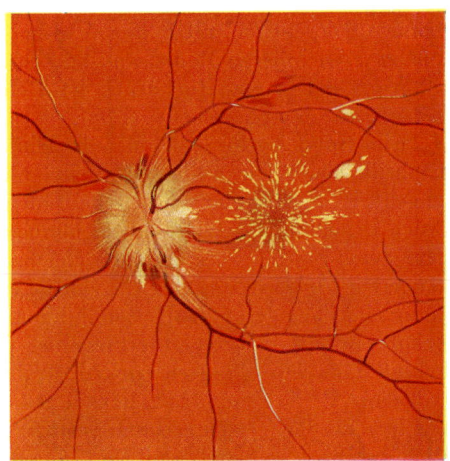

Abb. 182. Retinopathia angiospastica mit Ödem der Papille, Silberdrahtarterien, Blutungen und weißen Herden

Präretinale Blutungen und Venenthrombosen können gelegentlich das Bild komplizieren, in sehr schweren Fällen auch Netzhautablösung.

Die Sehstörungen richten sich nach Grad und Sitz der Netzhautveränderungen. Sehr oft fehlen sie ganz, doch können sie in schweren Fällen sehr erheblich sein.

Während der Fundus hypertonicus und die Retinopathia angiospastica in ihrer typischen Ausprägung leicht voneinander zu trennen sind, gibt es doch **Übergangsformen,** in welchen die Entscheidung nicht leicht ist. Es ist bekannt, daß das Hinzutreten von Symptomen der R. angiospastica zum Bild des Fundus hypertonicus oftmals als erstes Zeichen des Umschlages eines roten in einen blassen Hochdruck zu werten ist, welches den vom Internisten feststellbaren Symptomen dieses Geschehens vorauseilen kann.

An dieser Stelle muß auch die Frage beantwortet werden, ob eine Retinopathia diabetica auf Grund des Spiegelbefundes mit Sicherheit von einer Retinopathia angiospastica oder einem Fundus hypertonicus abgetrennt werden kann. Diese Sicherheit besteht nicht, da, wie erwähnt, auch beim Diabetes, wenn auch selten, Ödeme und Spasmen der Gefäße vorkommen können. Es kann mit dem Spiegel bestenfalls eine Wahrscheinlichkeitsdiagnose gestellt werden. Die Entscheidung bringt der Befund des Internisten.

Erwähnt muß noch werden, daß dem Facharzt und der Forschung heute Methoden zur Verfügung stehen, die es gestatten, den Blutdruck in den Netzhautgefäßen zu bestimmen und das Kaliber der Gefäße vergleichend zu messen.

Die *Prognose* ist bei Fundus hypertonicus günstig zu stellen. Eine Retinitis angiospastica hingegen zeigt das Vorliegen oder die Entwicklung eines blassen Hochdrucks und damit einer sehr schweren Erkrankung an, die meist in der Zeit von einigen Monaten bis wenigen Jahren zum Tode führt; vereinzelte Ausnahmen kommen bei strenger Einhaltung der Behandlungsvorschrift vor.

Die *Behandlung* muß vom Internisten durchgefunrt werden; sie stellt beim blassen Hochdruck an die Energie des Kranken große Anforderungen. Völlige Kochsalzentziehung steht im Vordergrund. Auch medikamentöse und operative Maßnahmen können gelegentlich mit Erfolg Anwendung finden. Einzelheiten müssen in den Lehrbüchern der inneren Medizin nachgesehen werden.

Auch bei rotem Hochdruck ist Befolgung der ärztlichen Anordnungen Voraussetzung für den günstigen Verlauf.

Eine Sonderstellung nehmen die **Hintergrundsveränderungen** bei **Schwangerschaftsnephritis** ein. Während das klinische Bild dem der Retinitis angiospastica weitgehend gleicht, ist doch die prognostische Bedeutung des Fundusbefundes nicht so ungünstig. Nach Beendigung der Gravidität können sich die Fundusveränderungen zurückbilden. Die Sehstörungen verschwinden gleichzeitig mit dem Absinken des Blutdruckes. Bei längerem Fortbestehen der Gravidität treten aber irreparable Schäden. auch Erblindung ein. Falls daher die Retinopathia nicht erst in der allerletzten Zeit der Schwangerschaft auftritt, ist die Unterbrechung der Gravidität unbedingt angezeigt. Der Entschluß dazu wird dadurch erleichtert, daß beim Fortbestand der Gravidität nicht nur mit einer Gefährdung des Sehens und Lebens der Mutter zu rechnen ist, sondern auch die Früchte häufig absterben oder nicht lebensfähig sind.

Es sei noch beigefügt, daß bei Eklampsie außer der Retinopathie auch eine Amaurose (Erblindung) bei normalem Hintergrundsbefund vorkommt. Der Sitz dieser Störung ist zentral, die Prognose meist günstig; der Augenbefund gibt in diesen Fällen keine Indikation zur Schwangerschaftsunterbrechung ab.

c) Die Retinitis septica

Die Beteiligung des Auges bei Sepsis kann in verschiedener Form erfolgen. Die häufigste ist die metastatische Ophthalmie. Dabei handelt es sich um eine schwere metastatische Infektion der Uvea. bei der Trübungen des Glaskörpers und Eiter-

bildung in der Vorderkammer im Vordergrund stehen, und die gewöhnlich in völlige
Vereiterung des Bulbus mit Glaskörperabszeß übergeht. Diese Erkrankung wird meist
erst im vorgeschrittenen Stadium diagnostiziert. Gelegentlich gehen diesen Erscheinungen aber andere Veränderungen voraus, die beim Spiegeln festgestellt werden können.
Daneben kommen auch Fälle vor, in welchen sich die Veränderungen auf die Netzhaut beschränken — Retinitis septica.

Wir sehen — ein- oder doppelseitig — das Auftreten kleiner *weißer Stippchen* und
Herde, sowie *Blutungen*. Manchmal kommen auch größere, verschwommene, weiße
Herde zur Beobachtung, in deren Umgebung feine Fältchenbildung der Retina be-
stehen kann. Gefäße, Papille und Glaskörper sind in typischen Fällen normal. Bei
Übergang zur metastatischen Ophthalmie leiten Schwellung des Opticus und Glas-
körpertrübungen zum geschilderten Vollbild dieser Erkrankung über.

Ursächlich handelt es sich bei diesem Krankheitsbild um Eindringen von Erregern
in das Auge. Die Ausprägung der verschiedenen Erscheinungsbilder hängt nicht nur
von Zahl und Virulenz der eingedrungenen Erreger, sondern wohl noch mehr von der
Reaktionslage des befallenen Organismus ab.

Die einfache septische Retinitis kann ohne wesentliche Folgen ausheilen, bei aus-
geprägter metastatischer Ophthalmie tritt, falls der Patient es erlebt, völlige Erblindung ein. Oftmals machen Schmerzen die Entfernung solcher Augen nötig (S. 100).

d) Die Netzhautveränderungen bei Blutkrankheiten

Bei **perniziöser Anämie** kommen *Netzhautblutungen* zur Beobachtung; manchmal
handelt es sich um kleine, gelegentlich um größere, auch *präretinale Hämorrhagien*.
Im Laufe längerer Zeit bilden sich auch kleine *gelblichweiße Herdchen* aus, die von
kleinen Blutungen umrahmt sind. Die Arterien pflegen dabei normal zu sein, die Venen
manchmal verbreitert. Papillenveränderungen im Sinne von Anschwellung und späterer
Abblassung sind sehr selten.

Auch bei **Leukämien** verschiedener Art sieht man oft Netzhautveränderungen,
doch haben die Versuche, die Art derselben zur Differentialdiagnose der verschiedenen
Leukämieformen zu benutzen, zu keinem Ergebnis geführt. Man findet: *Blutungen,
weiße Herde, starke Venenfüllung*, manchmal auch *Papillenschwellung* und *Ödeme*.
Sie haben nichts Charakteristisches an sich; ähnliche Befunde können auch bei Skorbut,
Möller-Barlowscher Erkrankung, Werlhofscher Krankheit und Krebskachexie
vorkommen, wo sie gelegentlich auch mit subretinalen Blutungen kombiniert auftreten können.

Charakteristisch für Leukämie ist aber ein sehr seltener Befund *(leukämischer
Fundus)*. Er zeichnet sich durch blaßrot-gelben Fundus mit unscharfer Papille und
geschlängelten Venen aus; auch die Gefäße sind blaß und haben breite helle Streifen.
Gelbliche, über den Fundus verstreute Herdchen, die von kleinen Blutungen umgeben
sind, vervollständigen oft das Bild.

Einen eigenartigen Befund kann man gelegentlich bei **Polyzythämie** erheben:
dunkel-blau-rote-lila Farbe des Fundus und der Gefäße bei starker Venenschlängelung
(Cyanosis retinae). Auch bei schweren **Stauungszuständen** (Lungenemphysem, Versagen des rechten Herzens) kommen Hintergrundsveränderungen vor. Sie bestehen
in Blutungen, Venenstauung und Papillenödem bei normaler Fundusfarbe *(Stauungs-
netzhaut)*.

Die *Prognose* und *Therapie* aller in diesem Abschnitt angeführten Veränderungen
richtet sich nach dem Grundleiden.

3. Besondere Erkrankungsformen der Netzhautmitte (Macula)

Die in den vorhergehenden Kapiteln geschilderten Netzhauterkrankungen können auch die Netzhautmitte befallen, was oft geschieht. Auch die noch später zu erörternden Hintergrundsveränderungen bei Myopie ziehen oft die Macula in Mitleidenschaft. Daneben gibt es aber Erkrankungen, die sich auf die Macula und deren Umgebung beschränken.

a) Die familiäre, hereditäre Maculaentartung

Diese Erkrankung kann zu verschiedenen Zeiten in Erscheinung treten. Je nach dem Termin des Auftretens unterscheiden wir eine infantile, juvenile, virile und senile Form. Das klinische Bild dieser Heredodegenerationen zeigt zunächst kleine, helle und dunkle Fleckchen in der Macula; später entsteht ein gut abgegrenzter, schmutziggrauer

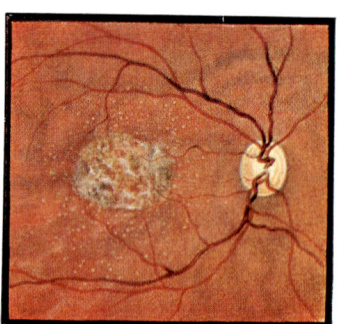

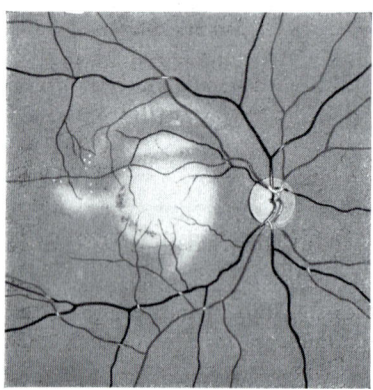

Abb. 183. Familiäre Macula-entartung

Abb. 184. Scheibenförmige Maculadegeneration mit weißen Herdchen in der Umgebung nach Art der sogenannten Retinitis circinata

bis gelblicher Herd, in dessen Bereich hellere und dunklere Flecken erkennbar sind (Abb. 183). Die Entwicklung vollzieht sich allmählich, aber unaufhaltsam. Therapeutische Maßnahmen sind erfolglos. Es sind umfangreiche Stammbäume dieser Leiden bekannt, in welchen die (bezüglich der Entstehungszeit) verschiedenen Formen vorkommen, z. B. Glieder mit juveniler und solche mit viriler oder seniler Form. Die Sehstörungen sind im Anfangsstadium gering, können aber später erhebliche, manchmal der praktischen Erblindung nahekommende Ausmaße annehmen.

b) Die scheibenförmige Entartung der Netzhautmitte (JUNIUS-KUHNT)

Dieser Zustand entwickelt sich im Alter und ist auf Gefäßveränderungen zurückzuführen. Das Vollbild der Erkrankung ist durch *scheibenförmige*, grauweiße Massen gekennzeichnet, die oft beträchtliche, *tumorartige* Vorwölbungen erkennen lassen und daher gelegentlich zur Fehldiagnose eines Aderhauttumors Anlaß geben. Daneben finden sich oft Blutungen und weiße, kranzartig angeordnete Fleckchen, die das Erkrankungsgebiet und oft auch das der Papille kreis- oder halbringartig umfassen (Abb. 184). In Anfangsstadien sind oft nur diese kranzförmig angeordneten, weißen Herdchen und einige kleine Blutungen und Fleckchen in der Mitte zu sehen. Dieser Zustand, der lange Zeit stationär bleiben kann, wurde oft unter dem Namen „*Retinitis circinata*" als eigenes Krankheitsbild beschrieben, gehört aber doch wohl zum Formenkreis der scheibenförmigen Maculaentartung. Gleichzeitiges Vorkommen beider Zustände an den beiden Augen desselben Patienten stützen auch diese Anschauung. Die scheibenförmige Maculadegeneration kommt einseitig oder doppelseitig vor, wobei zwischen dem Auftreten in beiden Augen oft lange Zeit verstreichen kann. Bei voller Entwicklung bestehen stets sehr starke Sehstörungen bis zur praktischen Erblindung (Erkennen von Handbewegungen).

c) Andere Formen der senilen Maculadegeneration

Neben der scheibenförmigen Maculadegeneration gibt es auch andere Formen seniler Degeneration, die besonders von HAAB beschrieben wurden. Man sieht dabei kleine, *gelbliche* Fleckchen und kleine, oft punkt-, oft linienartige *Pigmentherdchen*, die eine dunkle Sprenkelung des Maculagebietes hervorrufen. Diese Veränderungen sind oft recht fein und können bei enger Pupille übersehen werden. Die Sehstörungen sind oft gering, können aber auch bei feinen Veränderungen stark sein, wenn gerade die Elemente der Foveola betroffen sind.

An dieser Stelle muß auch der *Drusen der Glaslamelle* (der Aderhaut) gedacht werden. Es handelt sich dabei um kleine warzenartige Bildungen dieser Haut, die als kleine gelbliche Fleckchen zu sehen sind und manchmal die Retina leicht vorwölben. Sie können überall auftreten, sitzen aber häufig in der Gegend des hinteren Augenpoles. Meist sind sie für das Sehen bedeutungslos, doch kamen bei gehäuftem Auftreten im Maculagebiet auch Sehstörungen zur Beobachtung. Gelegentlich sind sie mit feinen Pigmentierungen untermischt; dies stellt wohl einen Übergang zu den eigentlichen Maculadegenerationen dar.

Die Maculaveränderungen bei Myopie werden in dem entsprechenden Kapitel erwähnt.

4. Entartungserkrankungen der Netzhaut

a) Die Pigmentdegeneration der Netzhaut (Retinopathia pigmentosa)

Die Aufmerksamkeit der Befallenen wird bei dieser Erkrankung meist durch die sog. *Nachtblindheit* (Hemeralopie) auf ihr Leiden gelenkt.

Die objektiven Symptome bestehen im, in der Regel doppelseitigen, Auftreten von *kleinen Pigmentfleckchen* zunächst in den peripheren Teilen der Netzhaut. Später entwickeln sich eckige, oft langgestreckte schwarze Flecken, die nach verschiedenen Seiten Ausläufer entsenden und sich oft zu netzförmigen Gebilden verflechten. In späteren Stadien dringen die Veränderungen manchmal gegen das Netzhautzentrum vor, doch bleiben die zentralen Teile meist frei. Nur in seltenen Fällen kommt es zu Veränderungen in der Macula. Neben diesen Herden beobachten wir eine oft sehr starke *Verengung aller Gefäße* der Netzhaut und eine *gelblich-blasse Verfärbung der Papille* (Abb. 185). Auch Gefäßsklerosen der Aderhautgefäße sind manchmal gleichzeitig wahrzunehmen. Häufig treten auch Linsentrübungen am hinteren Linsenpol hinzu.

Die subjektiven Störungen bestehen neben der schon erwähnten *Nachtblindheit*, der Unfähigkeit, sich bei Dämmerung und Dunkelheit zu orientieren (Störung der Dunkelanpassung, siehe auch unter Adaptation), auch in zentralen Sehstörungen, die manchmal geringfügig sind, in anderen Fällen aber hohe Grade erreichen. Die Gesichtsfelduntersuchung deckt zunächst ein *Ringskotom* (umschriebener, ringförmiger Gesichtsfelddefekt um das Zentrum) auf, zu dem eine von peripher vordringende, konzentrische Einengung des Gesichtsfeldes kommt, die sehr oft zu hochgradiger, oft *röhrenförmiger Einengung des Gesichtsfeldes* führt (Abb. 186).

11*

Der Krankheitsbeginn ist nicht einheitlich; er erfolgt manchmal im späten Kindesalter, meist aber erst später. Die Erkrankung führt in manchen Fällen schon in jungen
Jahren oder im besten Lebensalter zum Zustand praktischer Blindheit, während
andere Kranke sich sehr lange ein noch leidlich brauchbares Sehen bewahren.

Kombinationen der Erkrankung mit Gehörstörungen, Taubstummheit, geistigen
Defekten, überzähligen Bildungen von Fingern und Zehen und mit Störungen der inneren
Sekretion (Dystrophia adiposo-genitalis) kommen vor (Syndrom von LAURENCE-
MOON-BIEDL-BARDET).

Die Pigmentdegeneration der Netzhaut ist in vielen Fällen ein Erbleiden, wie zahlreiche Stammbäume beweisen. Blutsverwandtschaft der Eltern der Befallenen ist
nicht selten. Aber wir wissen heute, daß auch verschiedene Erkrankungen dieses Bild

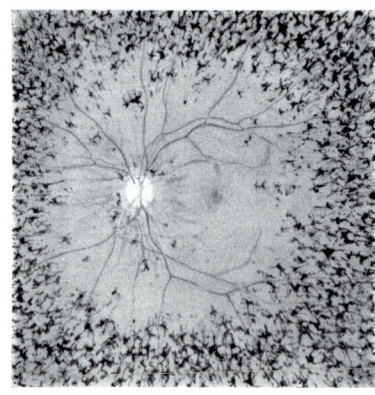

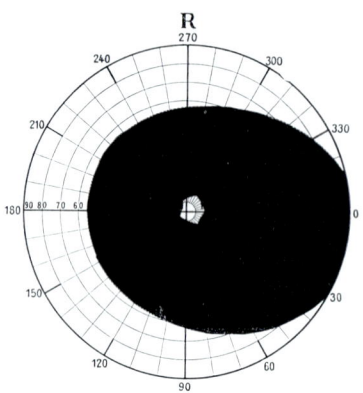

Abb. 185. Retinopathia pigmentosa (Pigment-   Abb. 186. Röhrenförmiges Gesichtsfeld bei
        degeneration der Netzhaut)   Retinopathia pigmentosa

hervorrufen können. Abgesehen davon, daß bei *Lues* ähnliche Zustände beobachtet
werden, sind auch Pigmentosafälle bekannt geworden, die auf *Masernerkrankung*
der Befallenen oder *Rötelinfektionen* der Mutter während der Gravidität zurückgeführt werden.

Neben den typischen Fällen kommen auch atypische zur Beobachtung, bei welchen
bei Vorhandensein der übrigen Symptome Pigmentherde fehlen oder nur ganz vereinzelt
aufzufinden sind (Retinopathia pigmentosa sine pigmento).

Eine sichere *Therapie* ist bisher nicht gefunden; gegenwärtig stehen Versuche mit
der Gewebetherapie nach FILATOW im Vordergrund des Interesses, doch ist auch
darüber zur Zeit noch kein abschließendes Urteil möglich.

b) Sonstige Entartungserkrankungen

Auch die sog. *Retinopathia punctata albescens*, die durch Anhäufung weißer Pünktchen ausgezeichnet ist, und die *Atrophia gyrata retinae et chorioideae*, deren Wesen in
einem Fehlen bzw. Verlust der Aderhaut durch Atrophie gekennzeichnet ist, gehören
zu den Entartungserkrankungen. Die subjektiven Symptome (Störungen von Visus,
Gesichtsfeld und Adaptation) entsprechen denen der Retinopathia pigmentosa. Gemeinsames Vorkommen dieser Zustände in denselben Stammbäumen sprechen für eine Ver-
wandtschaft mit der Retinopathia pigmentosa.

Weiterhin sei noch auf *Netzhautentartungen bei familiärer amaurotischer Idiotie*
hingewiesen. Wir unterscheiden eine infantile Form (TAY-SACHS), die in den ersten

(3.—6.) Lebensmonaten auftritt, von einer juvenilen (STOCK-SPIELMEYER), die sich zwischen dem 3. und 15. Lebensjahr entwickeln kann. Bei beiden Formen finden sich Opticusatrophien, bei ersterer außerdem ein grauer hofartiger Herd um die sich rot abhebende Macula, bei letzterer periphere Pigmentherde, die dem Pfeffer- und Salz-Fundus bei kongenitaler Lues (siehe unter Erkrankungen der Aderhaut) oder der Retinopathia pigmentosa ähnlich sind. Die Kinder erliegen meist innerhalb weniger Jahre dem Grundleiden. Therapeutische Möglichkeiten bestehen nicht.

Schließlich ist noch die *Pigmentstreifenerkrankung (Angioid Streaks)* zu erwähnen. Dabei entstehen graubraune Streifen, die teils konzentrisch zur Papille, teils radiär verlaufen. In späteren Stadien treten auch Makulaveränderungen auf. Bei dieser Erkrankung handelt es sich um Rißbildungen in der sog. Glasmembran der Aderhaut, die das Pigmentepithel in Mitleidenschaft ziehen. Häufig wird gleichzeitig eine als Pseudoxanthoma elasticum bezeichnete Hautveränderung festgestellt (GRÖNBLAD-STRANDBERGsches Syndrom).

5. Die Netzhautablösung

Da die Netzhaut nur an zwei Stellen (Ora serrata und Papille) fest mit ihrer Unterlage verbunden ist, kann sie aus verschiedenen Gründen von ihrer Unterlage abgedrängt oder abgezogen werden. Es entsteht eine Netzhautablösung (Ablatio retinae, Solutio retinae, Amotio retinae).

Die **objektiven Symptome** bestehen in einer *graugrünen* oder zart- bis dichtgrauen *Verfärbung* des abgehobenen Bezirkes, wobei sich oft wellenartig gelagerte Faltenbildungen erkennen lassen. Über diese Faltenbildung und über den Abhebungsrand ziehen die Gefäße hinweg, wobei das stärkere oder geringere Ansteigen der Gefäße, je nach der Höhe der Falte bzw. Blase, deutlich erkennbar ist. Die Gefäße erscheinen dabei meist dunkler. In beginnenden Fällen ist diese dunkle Färbung der Gefäße oft das erste Zeichen, welches den Verdacht auf Ablatio retinae wachruft. Ausdehnung und Höhe der Abhebung können verschieden sein; beides pflegt mit der Dauer der Erkrankung zuzunehmen. Als Endzustand resultiert meist eine allseitige, totale Abhebung. Oft sieht man umschriebene, scharf begrenzte Blasen.

Ein wichtiges Symptom ist der **Netzhautriß** (Abb. 187), der meist — aber nicht immer — nachweisbar ist. Die Risse (Foramina) zeigen verschiedene Form; oft sind sie zungenförmig oder unregelmäßig lochförmig oder hufeisenförmig. Bei vielen Rissen sieht man das aus- oder abgerissene Stück (Lochdeckel) über dem Riß schweben. Auch Abreißungen an der Ora serrata (Orarisse) und Maculalöcher kommen vor. Oft finden sich gleichzeitig Glaskörpertrübungen; fast regelmäßig treten diese in Spätstadien — bei totalen Ablösungen — hinzu. Schließlich kommt es in an *totaler Ablatio erblindeten Augen* oft zur Ausbildung einer *Iridozyklitis* und einer *Cataracta complicata*.

Die **subjektiven Symptome** bestehen meist zunächst im Auftreten von *schwarzen Punkten und Flecken* vor den Augen, wie sie auch bei Glaskörpertrübungen, die meist mit der Ablatio verbunden sind, beobachtet werden. Auch über Flimmern wird oft berichtet. Später senkt sich „*ein Vorhang* vor das Auge" und das Sehen erlischt damit praktisch. Es ist dies der Augenblick, wo die Macula von der Ablösungsblase ergriffen oder bedeckt wird. Zwischen den ersten Symptomen und der hochgradigen Sehstörung kann oft eine Frist von mehreren Monaten liegen, was sich daraus erklären läßt, daß es bei peripher beginnenden Ablösungen oft lange Zeit dauert, bis das Zentrum erreicht wird. Im allgemeinen pflegen sich zunächst oben beginnende Ablösungen (häufigster Entstehungsbeginn) langsamer oder rascher gegen unten, der Schwere folgend, zu vergrößern. Diese Kenntnis ist wichtig für die Beurteilung der Zusammenhangsfragen mit Unfällen. Es muß also zwischen einem Trauma, das zur Rißbildung führt, und der Feststellung einer Ablatio retinae keineswegs ein kurzfristiger zeitlicher Zusammenhang bestehen. Die seltenen, durch Risse unten verursachten Ablösungen können oft noch länger, in seltenen Fällen dauernd stationär bleiben.

Ursache der idiopathischen (primären) Netzhautablösung sind fast immer **Netzhautrisse,** zu welchen die Netzhaut des myopischen und des alternden Auges besonders disponiert ist, da sich in diesen Fällen periphere Degenerationen der Netzhaut zu finden pflegen. Gelegentlich treten aber auch in scheinbar gesunden, jugendlichen Augen Netz-

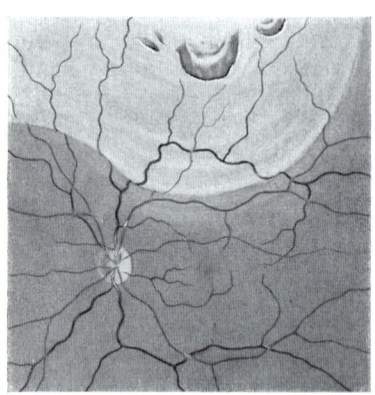

Abb. 187. Ablatio retinae mit mehreren Rissen

hautablösungen auf. Der Ablösung der Retina geht in der Regel eine Abhebung des Glaskörpers von der Netzhaut voran, wobei einzelne Verbindungen (Synechien) zwischen beiden Gebilden bestehen bleiben, die dann bei Schleuderbewegungen, wie sie bei Blickbewegungen, besonders bei raschen Blickwendungen zustande kommen, ein Einreißen der Netzhaut verursachen. Durch diese Risse dringt Glaskörperflüssigkeit hinter die Netzhaut und verursacht so die fortschreitende Ablösung. Wie schon erwähnt, können Traumen Ursache solcher Vorgänge sein, die aber auch ohne äußere Einwirkung in Gang kommen können. Unter den Traumen spielen neben direkten Prellungen des Auges auch Erschütterungen des Gesamtkörpers (Sturz, Fall, Stoß gegen den Kopf usw.) eine erhebliche Rolle. Auch schwere Arbeitsleistungen, besonders in gebückter Stellung, vermögen auslösend zu wirken, besonders, wenn es sich um Arbeiten handelt, die das Ausmaß der gewohnheitsmäßigen (berufsüblichen) Leistungen übersteigen. Zweifellos sind aber spontane Netzhautablösungen wesentlich häufiger als traumatische. Bei Beurteilung des Einzelfalles wird daher immer große Kritik bei Beantwortung der Zusammenhangsfrage erforderlich sein.

Neben den durch Risse bedingten Ablösungen der Netzhaut kommen auch solche vor, die durch *Exsudation aus Netzhaut und Aderhaut* hervorgerufen werden. Wir sehen derartige Fälle bei Erkrankungen der Aderhaut, bei Retinopathia angiospastica und gravidarum, bei Periphlebitis retinae u. a. Auch nach perforierenden Verletzungen und unglücklich verlaufenen Operationen (Glaskörperverlust), die zu Schrumpfungen und Schwartenbildungen im Glaskörper führen, können durch Zug Netzhautablösungen verursacht werden. Dasselbe gilt von schweren Iridozyklitiden, die mit Glaskörperveränderungen kompliziert sind.

Bei der **Behandlung** der Netzhautablösung stehen, da die durch Risse verursachten Ablösungen weitaus in der Mehrzahl sind, die **operativen Verfahren** im Vordergrund, die den **Rißverschluß** zum Ziele haben. Diese Verfahren gehen auf den Lausanner Ophthalmologen GONIN zurück. GONIN suchte nach möglichst genauer Lokalisation des Risses durch Eingehen an der entsprechenden Stelle mit einem glühenden Paquelinbrenner durch die Sklera den Riß zu treffen und durch die der Brennung folgende Narbenbildung zu verschließen. Die Originalmethode GONINS wird heute nicht mehr geübt, doch blieb sein Gedanke richtungweisend. Später versuchte man Narbenbildung durch Ätzung der durch kleine Trepanationsstellen freigelegten Aderhaut mit Ätzkali herbeizuführen. Heute stehen die Elektrokoagulationsmethoden im Vordergrund des

Interesses. Dabei versucht man Koagulationsherde durch Erhitzung zu erzeugen. Die Herde sollen den Rißrand umgeben und bei der folgenden Vernarbung fixieren bzw. das Loch verschließen. In manchen Fällen ist auch eine Abriegelung peripherer Risse gegen die Netzhaut durch eine dichte Kette derartiger Herde geboten, die dann nach Vernarbung einen festen Wall gegen das Fortschreiten der Ablösung bilden. Während des Eingriffes wird die richtige Lage der einzelnen Herde durch wiederholtes Augenspiegeln kontrolliert und so evtl. Abweichungen von der gewünschten Herdlage korrigiert. Durch Aufnähung von Plomben (CUSTODIS) auf die Sklera an der der Rißlage entsprechender Stelle kann die Aderhaut der Netzhaut angenähert und die entzündliche Verwachsung gefördert werden. In manchen Fällen bewährt sich auch die Verkürzung des ganzen Bulbus durch Ausschneidung von 2—3 mm breiten Lederhautstreifen (LINDNER), wodurch die Anlegung der Retina begünstigt wird. Bei flachen Ablösungen bringt auch die Lichtkoagulation (MEYER-SCHWICKERATH) gute Erfolge.

Zur Vor- und Nachbehandlung der Ablatio dient die LINDNERsche *Lochbrille* (Abb. 188). Es handelt sich dabei um eine allseits dicht den Orbitalrändern anliegende lichtdichte Brille, die nur zentral, der Pupille gegenüberliegend, ein kleines Loch enthält. Der Kranke kann nur durch dieses Loch sehen und muß ruhige Blickhaltung bewahren. Bei bestehendem Wunsch, die Fixation zu wechseln, kann dies nur durch Kopfdrehungen bewerkstelligt werden. Auf diese Weise werden die das Fortschreiten der Ablatio begünstigenden Blickwendungen des Bulbus, die Schleuderungen des meist abgehobenen Glaskörpers mit sich bringen, vermieden.

Abb. 188. Lochbrille nach LINDNER

Bei Ablösungen, die nicht durch Risse bedingt sind, z. B. bei Retinopathia angiospastica usw., kommen operative Verfahren im allgemeinen nicht in Betracht; die Behandlung des Grundleidens tritt hier in ihre Rechte. Wohl aber kann bei idiopathischen Ablösungen (die also nicht durch Entzündungen usw. bedingt sind), bei welchen aber ein Riß nicht gefunden wird, operiert werden. Man wird in diesen Fällen gewöhnlich die Stelle der höchsten Abhebung für die Operation wählen oder die Bulbusverkürzung anwenden.

Die operative Behandlung der Ablatio retinae stellt einen der größten Fortschritte der Ophthalmologie in den letzten Jahrzehnten dar. Trotzdem bleibt die Erkrankung ein ernstes Leiden, welches ein langes Krankenlager bei strenger Ruhe erfordert. Die Heilungserfolge betragen etwa 70—80% der Gesamtfälle. Größe und Lage der Risse, Alter der Ablösung und andere Momente spielen dabei eine Rolle.

6. Geschwülste der Netzhaut

a) Das Netzhautgliom (Retinoblastom)

Das **Netzhautgliom** ist eine sehr *bösartige Geschwulst*, die meist im *Alter unter 4 Jahren* entsteht. Gliome in höherem Alter sind extrem selten; es sind aber Fälle im Alter bis zu 16 Jahren beobachtet worden. Familiäres Vorkommen von Gliomen ist vielfach beschrieben worden. Die Erkrankung tritt einseitig oder doppelseitig auf. Bei jedem einseitigen Gliom ist eine genaue Untersuchung des zweiten Auges (unter Erweiterung der Pupille) erforderlich, die leider nicht selten (etwa $\frac{1}{3}$ der Fälle) einen beginnenden Tumor auch am zweiten Auge aufdeckt.

Die Entwicklung der Geschwulst durchläuft verschiedene Stadien. Im ersten Stadium ist der Tumor nur mit dem Augenspiegel erkennbar. Da die kleinen Kinder nicht über Sehstörungen klagen, wird das Gliom am ersten Auge in diesem Stadium meist nicht bemerkt. Wie erwähnt, entdeckt man aber bei fortgeschrittener Erkrankung des ersten Auges oft Anfangsstadien im Partnerauge. In diesem Stadium sieht man *gelbweiße*, oft *höckerige* und von Blutgefäßen durchzogene, erhabene *Herde* in der Netzhaut, die an verschiedenen Stellen sitzen können. Gelegentlich kommen auch multiple Herde zur Beobachtung. Das weitere Wachstum erfolgt entweder unter Vordrängung oder unter Durchbruch der Netzhaut.

Wenn der Tumor bereits einen erheblichen Teil des Augeninnern erfüllt, wird er mit freiem Auge durch die Pupille sichtbar. Man erkennt dann einen gelben Schein aus der Tiefe, später auch deutlich die höckerige Geschwulst. Dieses Stadium wird als **„amaurotisches Katzenauge"** bezeichnet. Weiteres Wachstum bedingt, infolge starker Vermehrung des Augeninhaltes, ein *Sekundärglaukom.* Daran schließen sich als letzte Stadien der Durchbruch durch die Bulbuswand. der entweder nach außen oder gegen die Orbita erfolgen kann, und die Metastasierung an. Nach Durchwachsung des Bulbus können faustgroße Tumoren entstehen, die aus der Orbita vorwachsen. Der Tod an **Metastasen,** vorzugsweise Schädelmetastasen, erfolgt meist 1—1½ Jahre nach Feststellung der Geschwulst.

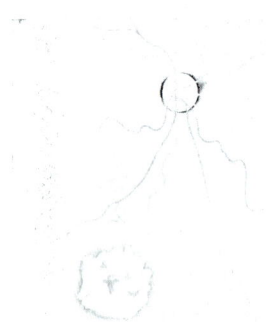

Differentialdiagnostisch ist wichtig, daß das Bild des amaurotischen Katzenauges auch als Folge schwerer entzündlicher Erkrankungen mit Schwartenbildung und durch Mißbildungen im Auge entstehen kann **(Pseudogliom).** Die Unterscheidung ist manchmal auf Grund der Anamnese (Entzündungen des Auges, schwere infektiöse Allgemeinerkrankungen, die zur metastatischen Ophthalmie führen können) möglich. Zu Verwechslungen kann auch die sog. **retrolentale Fibroplasie** führen. Es handelt sich da-

Abb. 189. Spontan geheiltes, verkalktes Netzhautgliom

bei um eine Erkrankung, die meist bei Frühgeburten, die im Inkubator unter zu hohem Sauerstoffgehalt aufgezogen wurden, entsteht. Zweifellos steht zu hohe Sauerstoffkonzentration im Inkubator und abruptes Absetzen des Sauerstoffes unter den auslösenden Ursachen im Vordergrund. Daneben scheinen auch kindliche Asphyxien eine Rolle zu spielen. Sie beginnt mit *Blutungen* und *Gefäßveränderungen* der Netzhaut und führt über eine *Netzhautablösung* zur *Schwartenbildung* hinter der Linse. Es können dabei Bilder entstehen, die dem Pseudogliom entsprechen. Im Zweifelsfalle ist zu bedenken, daß in diesen Fällen Blindheit des Auges besteht und daher die Entfernung zu rechtfertigen ist.

Die *Prognose* ist stets sehr ernst. Viele Gliomkranke sterben trotz Enukleation an Metastasen. Ganz vereinzelt sind aber auch Spontanheilungen durch nekrotischen Zerfall des Tumors bekannt geworden (Abb. 189).

Die *Behandlung* hat bei *Einseitigkeit* immer in der *Enukleation* des Tumorauges zu bestehen. Schwierig ist die Entscheidung bei *Doppelseitigkeit,* da von den Eltern die Einwilligung zur Enukleation beider Augen begreiflicherweise meist nicht erteilt wird. In diesen Fällen pflegt man das schlechtere Auge zu entfernen und am besseren eine *Röntgen- oder Radiumbestrahlung durchzuführen,* die Tumorrückbildung herbeiführen kann. Oft folgt aber später neuerliches Wachstum, das doch zum traurigen Ende führt. Immerhin sind aber Dauererfolge mit Bestrahlung erzielt worden, so daß in so verzweifelten Fällen dieser Versuch erlaubt ist. Die Eltern müssen aber über dessen

Unsicherheit orientiert werden. Auch die Versuche, den Tumor durch Elektrokoagu-
lation oder Lichtkoagulation zu zerstören, sind oft erfolgreich.

b) Sonstige Tumoren der Netzhaut

Hier ist in erster Linie die **Angiomatosis retinae** (Abb. 190 u. 191) zu nennen. Es
handelt sich dabei nicht um maligne, metastasierende Geschwülste. Wir sehen in der
Netzhaut, meist peripher, rote Knoten und Tumoren, zu welchen enorm verdickte
und geschlängelte Gefäße (Arterien und Venen) ziehen, welche im Gebiet des Tumors
Anastomosen bilden. Derartige Tumoren können auch multipel auftreten. In späteren
Stadien treten oft Netzhautherde und Netzhautablösungen hinzu. Schließlich geht das
Auge meist auf dem Wege über das Sekundärglaukom zugrunde. Das Leiden kann sich
über viele Jahre hinziehen und tritt auch doppelseitig auf. In vielen Fällen findet

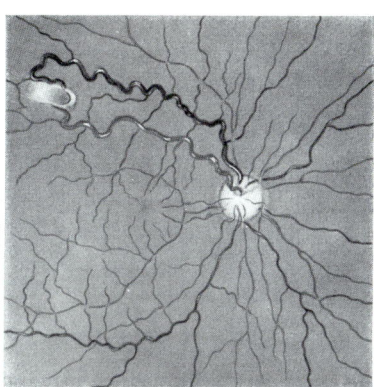

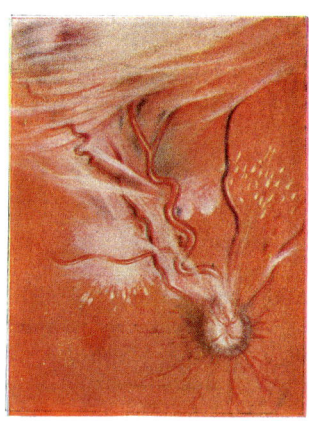

Abb. 190
Angiomatosis retinae

Abb. 191. Angiomatosis retinae. Der Tumor
schimmert durch die abgelöste Netzhaut

man gleichzeitig ähnliche Geschwulstbildungen in anderen Organen, insbesondere Zysten
im Kleinhirn.

Bei *Behandlung* der Tumoren durch Lichtkoagulation sind mehrfach Erfolge erzielt worden. Die Behandlung der Hirntumoren ist Sache der Neurochirurgen.

Auch bei **tuberöser Hirnsklerose,** bei STURGE-WEBERscher **Erkrankung und** RECK-
LINGHAUSENscher **Krankheit** kommen tumorartige Veränderungen der Netzhaut vor.

XIII. Erkrankungen des Sehnerven und der Sehbahn

A. Anatomie

Der Sehnerv (Fasciculus opticus) ist kein peripherer Nerv, sondern ein vorgeschobener Gehirnteil. Er setzt etwas nasal vom hinteren Augenpol an; seine Endigung
im Auge ist als Papille mit dem Augenspiegel sichtbar; sie wurde bereits beschrieben
(S. 105). Vom hinteren Bulbusabschnitt zieht der Opticus, zunächst leicht S-förmig
gewunden, durch die Orbita, tritt dann in den Canalis fasciculi optici ein (intrakanali-
kulärer Abschnitt) und gelangt so in die Schädelhöhle, wo sich beide Optici zum
Chiasma vereinigen. Der Sehnerv ist von den 3 Hirnhäuten umgeben. Die äußere Duralscheide ist in der Orbita derb und fest, erfährt im Canalis fasciculi optici noch eine

weitere Verstärkung durch das Periost und endet bei Eintritt in die Schädelhöhle. Die
beiden zarten Häute, die dem Sehnerven unmittelbar anliegende Pialscheide und die
zwischen beiden befindliche, meist mit der Duralscheide verbundene Arachnoidal-
scheide, begleiten den Opticus auch weiterhin. Die Zwischenscheidenräume sind mit
Liquor cerebrospinalis gefüllt und enden am Bulbus blind. Der Fasciculus opticus selbst
ist von einem bindegewebigen Septenwerk durchzogen, welches auch die ernährenden
Blutgefäße enthält. Innerhalb dieses Septenwerkes finden sich die Nervenfaserbündel und
Gliaelemente, welche bei der Ernährung der Nervenfasern eine wichtige Rolle spielen.
Die Nervenfasern besitzen ziemlich dichte Markscheiden, die beim Eintritt der Fasern
in die Netzhaut enden. Eine besondere Rolle spielt das papillo-makuläre Bündel, welches die von der Macula kommenden Fasern enthält: es liegt zunächst im temporalen
Teil des Opticus und gelangt etwa in der Mitte seines orbitalen Anteiles in axiale Lage,
die es dann beibehält. Etwa 6—12 mm hinter dem Bulbus treten die Zentralgefäße in
den Opticus ein und ziehen in ihm zur Papille. An der Ernährung des Opticus beteiligen
sich diese Gefäße nicht; diese erfolgt durch andere Ästchen der Arteria ophthalmica.
Im Chiasma erfahren die Opticusfasern eine partielle Kreuzung; diese, sowie der weitere
Verlauf der Sehbahn, wurde bereits beschrieben (S. 3).

B. Untersuchungsmethoden

Zur Untersuchung des Sehnerven dient in erster Linie der Augenspiegel. Darüber
hinaus gehören alle Arten der Funktionsprüfung (Visus, Gesichtsfeld, Farbensinn,
Adaptation) zu den Methoden, die zur Feststellung von Erkrankungen der Sehbahn
dienen. Aus bestimmten Ausfällen können oft wichtige Schlüsse gezogen werden.
Einzelheiten finden sich in den entsprechenden Abschnitten.

Das ophthalmoskopische Bild der normalen Papille wurde bereits auf S. 105 geschildert. Manchmal verlieren die Sehnervenfasern ihre Markscheiden nicht bei Eintritt in den Bulbus. Dann sieht man, an die Papille anschließend, *flammenartige, weiße,
streifig gezeichnete* Flecken, sog. *markhaltige Nervenfasern*. Gelegentlich können diese
Veränderungen auch in der Netzhaut, abseits der Papille liegen (Abb. 192).

C. Erkrankungen des Sehnerven

1. Die Stauungspapille

Das hervorstechendste Zeichen der Stauungspapille ist die *Vortreibung gegen den
Glaskörperraum*; diese *Prominenz* der Papille kann *sehr hohe Grade* erreichen. Sie wird
in Dioptrien gemessen. Zu diesem Zweck stellt man beim Augenspiegeln mit einem
Spiegel, der das Vorschalten von Linsen gestattet, zunächst auf die Kuppe der Vorwölbung und dann auf die umgebende Netzhaut ein und ermittelt den Unterschied
zwischen beiden Einstellungen in Dioptrien. Eine Niveaudifferenz von 3 Dioptrien
entspricht etwa einer wirklichen Prominenz von 1 mm, eine solche von 12 Dioptrien
einem Vortreten von 4 mm usw. *Stauungspapillen von 6—8 Dioptrien* sind *keine Seltenheiten*, es kommen aber auch höhere Werte zur Beobachtung. Man darf natürlich
nicht vergessen, daß jede hochgradige Stauungspapille ein Anfangsstadium mit nur
geringer Niveaudifferenz durchlaufen muß und man daher aus geringer Prominenz
nicht unbedingt folgern darf, daß keine Stauungspapille vorliege. Schon in den
Anfangsstadien tritt eine Rötung der Papille und eine Verwaschenheit der Grenzen
ein, die weiter zunimmt. Später kommt es auch zu *Blutungen in der Umgebung*

der Papille (Abb. 193) und zur Bildung von *weißen Herdchen*, die manchmal an eine
Sternfigur in der Macula erinnern. Die *Venen* sind meist *deutlich gestaut* und auf der
Papille treten zahlreiche Kapillaren hervor. In *späteren Stadien* kommt es, wenn nicht
eingegriffen wird, zu einer allmählichen *Abblassung der Papille*, die schließlich unter
Rückgang der Prominenz in *völlige Atrophie* übergeht. Unscharfe Papillengrenzen
und Einscheidungen der Gefäße lassen diese Art der Atrophie später als „postneuritische" Atrophie von anderen Formen des Sehnervenschwundes abtrennen.

Stauungspapillen treten meist doppelseitig auf, kommen aber auch einseitig vor.
Sie können sich sehr rasch entwickeln und nach Entlastung ebenso rasch zurückbilden
(in 24 Stunden). In der Regel dauern Entwicklung und Rückbildung längere Zeit.

Die Funktion ist in den ersten Stadien meist normal, was differentialdiagnostisch
gegenüber der Neuritis fasciculi optici wichtig ist. Später, mit Eintritt der Atrophie,
kommt es zum Verfall der Funktion und schließlich zur Erblindung.

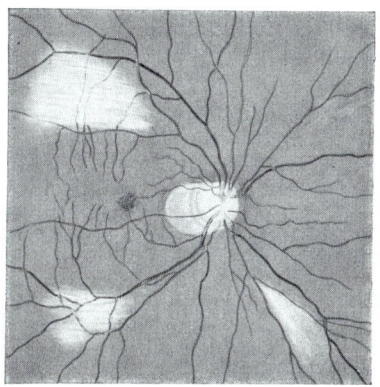

Abb. 192. Markhaltige Sehnervenfasern abseits der Papille an drei Stellen in der Netzhaut

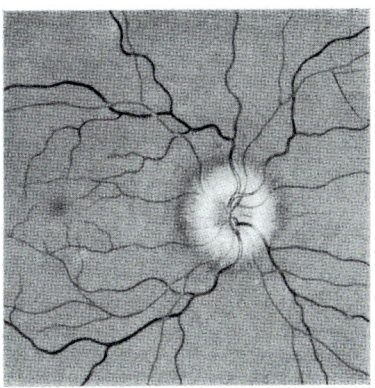

Abb. 193. Stauungspapille

Über die Entstehung der Stauungspapille gehen die Meinungen noch auseinander.
Im Vordergrund steht die Anschauung, wonach sich der gesteigerte Hirndruck in
die Opticusscheiden fortsetzt und so eine Abflußbehinderung schafft, die zur Stauung
führt. Auch eine direkte Fortsetzung einer Hirnschwellung auf den Opticus wurde in
Erwägung gezogen. Ursache der Stauungspapille ist in der Regel erhöhter Hirndruck.
Die *häufigste Ursache* ist der *Hirntumor*. Nicht alle Hirntumoren führen aber zur
Stauungspapille; ihr Fehlen erlaubt daher nie, einen solchen auszuschließen, falls
sonstige Symptome dafür sprechen. Manchmal entwickelt sich die Stauungspapille
erst in späteren Stadien der Tumoren; bei Verdachtsfällen sind daher öfters wieder-
holte Spiegeluntersuchungen geboten. Neben Hirntumoren rufen aber auch *andere
Prozesse* Stauungspapillen hervor: Hirnabszesse, Blutungen in der Schädelkapsel,
Meningitiden verschiedener Genese, Hydrozephalus, Turmschädel, Nephrosklerose,
Blutkrankheiten u. a.

Einseitige Stauungspapillen kommen auch bei orbitalen Erkrankungen zur Beobachtung (Sehnerventumoren, Scheidenhämatom des Opticus, entzündliche Prozesse). Hier sei auch das FOSTER-KENNEDYsche Syndrom erwähnt, welches in einfacher Atrophie auf der Seite eines Tumors der vorderen Schädelgrube und Stauungspapille auf der Gegenseite besteht. Der erhöhte Hirndruck führt zur Stauung, die sich

aber an dem schon vorher durch Druck atrophierten Opticus nicht mehr auswirken kann. Interessant ist das Vorkommen einer *Stauungspapille bei abnormer Erweichung des Bulbus* nach perforierenden Verletzungen und bei Fisteln des Bulbus. Ursache ist auch hier das Mißverhältnis zwischen Bulbusdruck und intrakraniellem Druck. Der in diesen Fällen geringe Venendruck ist Anlaß einer Abflußbehinderung durch den normalen Druck im Sehnervenscheidenraum.

Die *Prognose* der Stauungspapille ist ernst. Bei erhöhtem intrakraniellem Druck ist, spätestens bei den ersten Zeichen von Visusverschlechterung, ein Eingriff erforderlich. Die Fortschritte der modernen Hirnchirurgie bringen es mit sich, daß heute viele Tumoren und Abszesse erfolgreich operiert werden können. Wenn das nicht möglich ist, muß aber wenigstens eine Entlastungsoperation ausgeführt werden, um das Sehen zu erhalten. Bei Stauungspapillen durch Allgemeinerkrankungen (Nephrosklerosen, Leukämien usw.) sind operative Eingriffe nicht angezeigt.

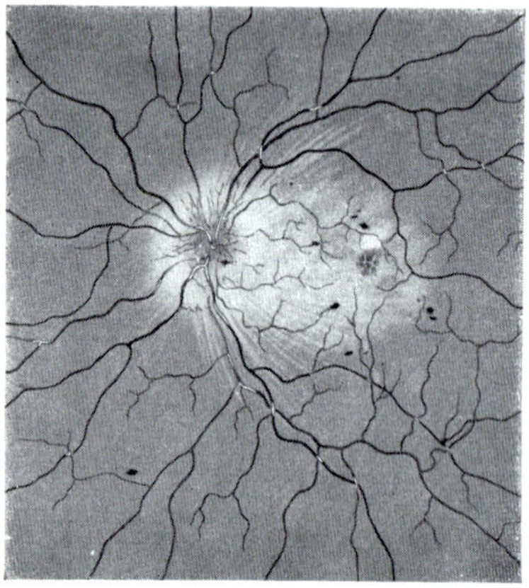

2. Entzündliche Erkrankungen des Sehnerven

Entzündungen des Sehnerven können sich im papillennahen Teil des Opticus abspielen und die Sehnervenscheibe befallen bzw. einbeziehen, oder sie können in dem hinter dem Bulbus gelegenen Teil des Sehnervenstammes zur Entwicklung kommen, wobei dann das Aussehen der Papille zunächst völlig normal bleibt. Im ersteren Falle sprechen wir von einer Neuritis fasciculi optici oder Neuritis optica, im letzteren von einer Neuritis retrobulbaris.

Abb. 194. Neuritis fasciculi optici mit Ödem der Umgebung und Blutungen in der Retina

a) Die Neuritis fasciculi optici

Bei diesem Zustand erscheint die *Papille unscharf*, ihre *Grenzen sind verwaschen*. Dies ist durch ein Ödem bedingt, welches die Umgebung des Sehnerven ergreift und sich in die umgebende Retina erstreckt, wo es oft eine streifige Zeichnung hervorruft. In schweren Fällen kann eine Abgrenzung der Papille auch nicht annähernd erkennbar sein, während in leichten Fällen eine nur geringe Unschärfe derselben den Zustand verrät. Die Papille selbst ist dabei oft *hyperämisch*, der Gefäßtrichter durch die Gewebsschwellung verstrichen. Dazu gesellt sich eine gewisse, durch die Schwellung bedingte *Prominenz*, die allerdings 2 Dioptrien nicht zu übersteigen pflegt. In der Umgebung treten manchmal *Blutungen* und *weiße Herdchen* (Abb. 194) auf. An den Gefäßen finden sich oft zarte weiße Einscheidungen, die einer Infiltration der perivaskulären Lymphräume entsprechen. Feine Glaskörpertrübungen sind häufig Begleitsymptome der Erkrankung, dichte in schweren Fällen.

Neben diesen Symptomen findet man eine meist *hochgradige Herabsetzung der Sehschärfe*, die sich in schweren Fällen gelegentlich bis zur Erblindung steigern kann. Diese Sehstörung tritt schon in den Anfangsstadien des Leidens auf und setzt oft plötzlich ein.

Im weiteren Verlauf der Erkrankung kommt es zur Rückbildung der entzündlichen Erscheinungen, die in leichten Fällen zur restitutio ad integrum führen kann, meist aber von einer *Abblassung der Papille* begleitet ist. Diese kann je nach Schwere und Dauer des Prozesses zwischen *leichter temporaler Verfärbung* und *völliger Atrophie* schwanken. Außerdem bleibt oft eine *leichte Unschärfe* der Papille zurück, die auch später noch die Diagnose auf *postneuritische Atrophie* zu stellen erlaubt. Auch *weiße Begleitstreifen* an den Gefäßen gehören diesem Bilde zu. Sie sind der Ausdruck von Bindegewebswucherungen in den perivaskulären Lymphräumen.

Differentialdiagnostische Schwierigkeiten können gegenüber der beginnenden Stauungspapille entstehen, die in diesem Stadium auch oft nur geringe Prominenz zeigt. Hier kann die Funktionsprüfung Entscheidung bringen. Bei Neuritis fasciculi optici besteht von Anfang an starke Herabsetzung der Funktionen, während bei Stauungspapille in den Anfangsstadien meist normales Sehen vorhanden ist. In späteren Stadien der Stauungspapille tritt allerdings auch der Funktionsverfall ein, aber zu diesem Zeitpunkt erlauben die stärkere Prominenz der Stauungspapille und die sonstigen Symptome die Unterscheidung zwischen beiden Krankheitsbildern.

Zu Verwechslungen kann auch die sog. *Pseudoneuritis* Anlaß geben. Es handelt sich bei diesem nicht häufigen Zustand um eine Unschärfe und leichte Verwaschenheit der Papille, die manchmal mit auffallender Schlängelung der Gefäße *(Tortuositas vasorum)* verbunden ist. Sie findet sich vorwiegend in hypermetropischen und astigmatischen Augen. Da diese auch mit Schwachsichtigkeit (Amblyopie) behaftet sein können, so ist das Kriterium der Sehschärfe zur Differentialdiagnose nicht mit Sicherheit zu verwerten. Anamnese und Verlauf können zur Unterscheidung von echter Neuritis herangezogen werden, da die Pseudoneuritis im Gegensatz zur entzündlichen Erkrankung stets einen stationären Zustand darstellt.

Als *Ursache* der Neuritis fasciculi optici kommen verschiedene Momente in Betracht. Deshalb ist stets eine eingehende Allgemeinuntersuchung erforderlich. In vielen Fällen bleibt allerdings trotz aller Bemühungen die Ätiologie unklar. Die wichtigsten ätiologischen Faktoren sind: Erkrankungen des Zentralnervensystems, wie Meningitis und Hirnabszeß (beide Erkrankungen können auch Stauungspapillen hervorrufen). Infektionskrankheiten (Masern, Scharlach, Typhus, Malaria, Grippe u. a.), Fokalinfektionen (Zähne, Tonsillen, Nebenhöhlen), aus der Umgebung fortgeleitete Prozesse (Orbitalphlegmone, Nebenhöhlenerkrankungen), Lues, Tuberkulose u. a. Auch kann eine Neuritis Begleiterscheinung einer Retinitis bzw. Retinopathie verschiedenen Ursprungs sein (Nierenleiden, Diabetes). In diesen Fällen spricht man von Neuroretinitis.

Die *Therapie* soll, wenn eine Ätiologie sichergestellt ist, kausal, d. h. gegen das Grundleiden gerichtet sein (Herdsanierung!). Außerdem kommen in unklaren Fällen besonders Fieberkuren (Milchinjektion, Pyrifer u. a.), Schwitzkuren, Butazolidin, Vitamin B und C sowie Corticoide in Betracht. Die Therapie soll rasch einsetzen und nicht durch das Suchen nach ätiologischen Faktoren verzögert werden (LINDNER), da dabei kostbare Zeit verloren gehen kann.

b) Die Neuritis retrobulbaris und die toxische Neuropathie

Wie schon erwähnt, liegt der *Herd* bei diesen Fällen erheblich *hinter der Papille*, so daß diese zunächst normal erscheint. Im Gegensatz zu diesem scheinbar normalen objektiven Befund stehen schwere Sehstörungen, die bis zur völligen Blindheit gehen können. Die Diagnose ist also zunächst nur aus den Angaben des Patienten zu stellen, wenn nicht (bei völliger Blindheit) Fehlen der Lichtreaktion besteht. Daher der alte Satz: „Wenn der Patient nichts sieht und der Arzt nichts sieht, handelt es sich um eine retrobulbäre Neuritis."

Bei längerem Bestand der Erkrankung entwickelt sich eine absteigende Degeneration des Sehnerven, die nach einigen Wochen in Form einer *Abblassung der Papille* sichtbar wird. Diese kann zwischen leichter *temporaler Abblassung* (häufig) und *völ-*

liger Atrophie der Papille (seltener) schwanken. Bei sehr rascher Abheilung kann die Papille unverändert bleiben.

Die Sehstörungen bestehen in verschieden starker Herabsetzung der Sehschärfe. Diese hat in einem Zentralskotom ihren Grund, welches auf eine Schädigung des papillomakulären Bündels im Sehnerven zurückzuführen ist. Dieses Bündel umfaßt die von der Macula stammenden Fasern, die Träger der zentralen Sehschärfe und besonders empfindlich sind. Wenn vorwiegend dieses papillo-makuläre Bündel befallen ist, spricht man von axialer Neuritis, bei Ausdehnung des Prozesses auf den ganzen Querschnitt des Opticus von Querschnittsneuritis.

Wir unterscheiden akute und chronische Formen der Neuritis retrobulbaris. Erstere setzen meist plötzlich, oft mit fast völliger Erblindung ein, und sind meist einseitig. Doppelseitigkeit kommt aber auch vor. Gleichzeitig bestehen oft Kopfschmerzen oder Druckgefühl in der Orbita. Die Prognose dieser akuten Formen ist meist günstig. In Tagen oder Wochen kann völlige Wiederherstellung des Visus eintreten. Gelegentlich können aber auch ernste Schäden zurückbleiben.

Bei Erforschung der *Ätiologie* ist stets an multiple Sklerose zu denken. Dabei muß man wissen, daß die retrobulbäre Neuritis als erstes Symptom dieser Erkrankung auftreten und den übrigen Symptomen um Jahre vorauseilen kann. Erkrankungen der Nasennebenhöhlen vermögen auch eine retrobulbäre Neuritis hervorzurufen, doch wurde die Häufigkeit dieser Ätiologie zeitweise weit überschätzt. Auch Fokalinfektionen und Infektionskrankheiten (Scharlach, Diphtherie u. a.) können eine ursächliche Rolle spielen.

Bei der *Therapie* haben sich Fieberkuren sowie Corticoide bewährt. Herdsanierung und evtl. Behandlung der Nebenhöhlen sind erforderlich. Oft haben die Fälle eine starke Tendenz zur Spontanheilung, so daß auch nicht selten gute Ausgänge ohne Therapie vorkommen. Manche Berichte über besondere Wirksamkeit jeweils moderner Präparate finden in dieser Tatsache ihre Erklärung.

Für die früher als chronische retrobulbäre Neuritis bezeichneten Fälle hat LINDNER mit Recht die Bezeichnung *Neuropathie des Sehnerven* vorgeschlagen, da sicher keine echten Entzündungen vorliegen. Die Symptome dieser chronisch verlaufenden Prozesse sind ebenfalls zunächst Sehstörungen bei normalem Befund am Fundus und später temporale oder vollständige Atrophie der Sehnerven. Diese Erkrankungen sind meist doppelseitig, doch kommen, vor allem bei den Methylalkoholschäden, auch einseitige Fälle oder wenigstens erhebliche graduelle Unterschiede im Befund beider Augen vor. Eine bekannte Ursache, die übrigens seltener geworden ist, ist die (Äthyl)-*Alkohol-Tabak-Schädigung*. Voraussetzung ist der reichliche und lange fortgesetzte Genuß von Alkohol und Tabak, wobei besonders minderwertige, hochkonzentrierte Spirituosen und starke oder schlechte Pfeifen- und Zigarettentabaksorten in Frage kommen. Gelegentliche Exzesse pflegen die Erkrankung nicht herbeizuführen. Zentralskotome, zunächst für rot und grün, später für weiß und alle Farben, gehören zu diesem Zustand. Die Sehschärfe ist stark herabgesetzt, doch gehört Erblindung nicht zu dem Bild. Absolute Enthaltsamkeit ist die wichtigste therapeutische Maßnahme und wohl nur bei klinischer Behandlung zu erreichen. Injektionen von gefäßerweiternden Mitteln, Vitamin B und C können unterstützend wirken.

Hier sind auch die *Schädigungen durch Methylalkohol* zu erwähnen, die durch Verwechslungen mit Äthylalkohol, besonders in Mangel- und Notzeiten, so auch nach dem 2. Weltkrieg, gehäuft beobachtet wurden. Die Sehstörung setzt meist plötzlich und oft mit völliger Erblindung ein. Besserungen können folgen, die auch sehr weitgehend und dauernd sein können. Manchmal sind aber die Besserungen, die in den ersten Tagen auftreten, nur vorübergehender Art. Viele Fälle enden mit dauernder Erblindung.

Die *Behandlung* ist unsicher; rasches Erbrechen nach der Vergiftung begünstigt den guten Ausgang. Wiederholte Lumbalpunktionen, Magenspülungen, Fieberkuren (Pyrifer) u. a. haben sich anscheinend bewährt. Der Internist ist zuzuziehen.

Toxische Neuropathien können in seltenen Fällen auch durch Diabetes bedingt sein, weshalb in jedem Fall an diese Möglichkeit zu denken ist. Auch Bleivergiftungen, sowie solche durch Thallium, Arsen, Chinin, Optochin, Filix mas können ähnliche Zustände hervorrufen. Bei Chinin- und Optochinvergiftungen besteht allerdings ein anderes Fundusbild: Verengung der Gefäße und Ischämie der Netzhaut.

Schließlich sei noch der *hereditären* (LEBERschen) *Form der Neuropathie* gedacht, die zunächst Sehstörungen bei normalen ophthalmoskopischen Befunden zeigt, aber bald Atrophie des Opticus erkennen läßt. Sie wird rezessiv-geschlechtsgebunden vererbt und beginnt meist um das 20. Lebensjahr. Sie wird durch gesunde Frauen (Konduktoren) auf die Söhne übertragen. Frauen erkranken nur sehr selten. Es kommt zu Zentralskotomen und erheblicher Sehstörung, doch nicht zur Erblindung. Die Therapie ist machtlos.

3. Die Atrophien des Sehnerven

Die Atrophie des Sehnerven ist ein Ausdruck des Gewebsschwundes und mit Verlust der Funktion verbunden. Vollständige Atrophie des Sehnerven bedeutet Erblindung. Sehr häufig ist aber der Schwund nicht vollständig, so daß die klinische Diagnose: Opticusatrophie keineswegs Erblindung bedeutet. Der sichtbare Ausdruck der Atrophie ist eine Entfärbung der Papille. Der Grad der Verfärbung ist aber nicht immer ein genauer Ausdruck der Funktionsstörung; es gibt manchmal helle Verfärbung des Opticus bei noch guter Funktion. Man hat dies damit erklärt, daß in diesen Fällen die Atrophie besonders das Stützgewebe befallen hat, während die Nervenfasern noch relativ gut erhalten sind. Es wurde dafür der Ausdruck Hypotrophie des Opticus geprägt.

Je nach ihren Entstehungsursachen unterscheiden wir verschiedene Formen der Atrophie, die auch klinisch meist zu trennen sind.

a) Die einfache oder primäre oder genuine Atrophie

Charakteristisch für diese Form der Atrophie ist eine *glänzend-weiße Verfärbung* der Papille bei Aufrechterhaltung der *scharfen Begrenzung* (Abb. 195).

Eine der wichtigsten *Ursachen* dieser Atrophie ist die **Tabes dorsalis.** Sie findet sich meist gleichzeitig mit tabischen Pupillenstörungen und sonstigen Symptomen der Erkrankung, befällt aber keineswegs alle Tabiker. Die Erkrankung beginnt mit einer allmählich und verschieden rasch (wenige Wochen — viele Jahre), aber unaufhaltsam bis zum bitteren Ende fortschreitenden Verfärbung der Papillen. Entsprechend verfallen auch Visus und Gesichtsfeld. Der Endausgang ist stets die völlige Erblindung. Die Erkrankung ist in der Regel doppelseitig, doch tritt sie nicht immer an beiden Augen gleichzeitig auf. Es kommt auch vor, daß sie wenigstens auf (oft lange) Lebensdauer des Kranken einseitig bleibt. Diese Sehnervenerkrankung kommt auch bei anderen metaluischen Prozessen (Paralyse, Taboparalyse) vor. Die *Therapie* ist machtlos, oft schädlich. Dies gilt besonders für die Fiebertherapie, die unterlassen werden soll. Milde, vorsichtige Wismuttherapie und Penicillinbehandlung können empfohlen werden. Ständige augenärztliche Funktionskontrolle ist bei jeder Behandlung geboten.

Eine weitere Ursache für die einfache Atrophie sind **vaskuläre Störungen** (Vaskuläre Atrophie). Auch hier besteht porzellanweiße Farbe der Papille bei scharfer Begrenzung.

Gewöhnlich geben Verengungen der Gefäße, besonders der Arterien, einen Hinweis auf die Ursache. Diese kann sowohl durch direkten Druck sklerotischer Gefäße auf den Opticus, wie auch durch Ernährungsstörungen infolge Gefäßveränderungen wirksam werden. Die Entwicklung des Prozesses erfolgt meist langsam. Zu den vaskulären Erkrankungen gehört auch die Opticusatrophie bei **Arteriitis temporalis,** die allerdings oft unter dem Bilde der postneuritischen Atrophie auftritt. Sie kann sich sehr rasch entwickeln. Zu dem Krankheitsbild gehören außerdem starke Kopfschmerzen, Fieber, rheumatische Beschwerden, starke Erhöhung der Blutkörperchensenkungsgeschwindigkeit und Schmerzhaftigkeit der Temporalarterien, die meist als derbe Stränge fühlbar sind.

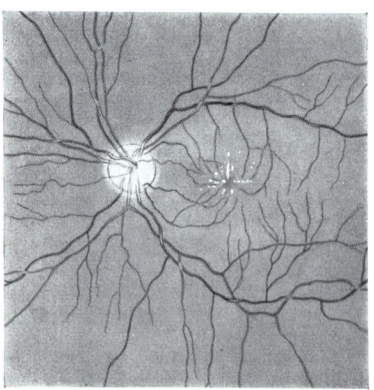 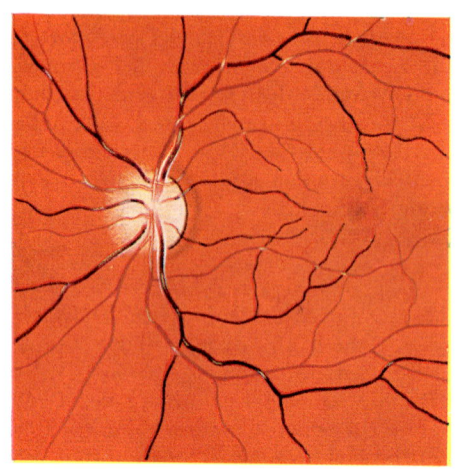

Abb. 195. Einfache Opticusatrophie nach Gefäßerkrankung mit kleinen Herdchen in der Macula   Abb. 196
Postneuritische Atrophie

Außerdem entsteht das Bild der einfachen Atrophie nach **Traumen** (Basisbrüchen, Frakturen im Bereiche des Canalis fasciculi optici), wobei eine Abreißung oder Abquetschung des Opticus entstehen kann. Hier tritt meist sofortige Erblindung und Lichtstarre der Pupille des befallenen Auges auf, während die Papille zunächst noch normal erscheint. Im Verlaufe mehrerer Wochen entwickelt sich dann — von der geschädigten Stelle aus deszendierend — die sichtbare Atrophie der Papille.

Auch durch **Druckschäden,** z. B. bei *Hypophysentumoren* oder *Turmschädel,* kommen einfache Atrophien des Opticus zustande.

Zu den einfachen Atrophien gehören dem Bilde nach auch die partiellen Atrophien (temporale Abblassung), wie sie nach retrobulbärer Neuritis (z. B. bei multipler Sklerose) entstehen.

b) Die postneuritischen Atrophien

Diese Form ist, wie schon erwähnt wurde, durch *weiße Verfärbung der Papille* bei *unscharfer Begrenzung* gekennzeichnet. Meist bestehen gleichzeitige Einscheidungen der Gefäße (Abb. 196) und manchmal schmutziggraue Verfärbung der die Papille umgebenden Netzhaut. Es handelt sich um Folgezustände nach Neuritis fasciculi optici oder Stauungspapille. Die Sehstörung hängt vom Zeitpunkt der Rückbildung des Grundleidens ab. Sie kann zwischen verschiedengradigen Herabsetzungen des Visus bis Erblindung schwanken.

c) Die retinitische Atrophie

Bei diesen Fällen besteht eine *gelbliche bis schmutziggelbe* Verfärbung der Papille bei *unscharfer Begrenzung*. Meist besteht auch eine *Verengung der Gefäße*. Wir finden diese Form vor allem bei der *Retinopathia pigmentosa* (Pigmentdegeneration der Netzhaut), außerdem auch nach Ablauf schwerer Fälle von Chorioretinitis und bei erheblichen myopischen Degenerationen. Die Sehstörungen ergeben sich aus dem Stande des Grundleidens; sie sind meist beträchtlich, bedeuten jedoch keineswegs stets Erblindung.

d) Die glaukomatöse Atrophie

Diese Form wurde bereits im Kapitel „Glaukom" beschrieben. Es sei hier nur noch kurz erwähnt, daß die Farbe der Papille dabei *grau — graugrün* bei *scharfer Begrenzung* ist und daß diese Atrophie mit einer erheblichen *Aushöhlung* der Papille verbunden ist.

Ein durchaus ähnliches Bild kann auch ohne Glaukom als senile Atrophie entstehen und durch arteriosklerotische Prozesse bedingt sein (Pseudoglaukom). Die Entscheidung zwischen beiden Formen kann oft schwer sein (siehe Abschnitt Glaukom).

4. Die Geschwülste des Sehnerven

Primäre Tumoren des Fasciculus opticus und seiner Scheiden sind selten. Sie verursachen in der Regel eine Verdrängung des Bulbus gerade nach vorn ohne Abweichung nach der Seite und ohne wesentliche Beeinträchtigung der Beweglichkeit. Der Augenspiegel zeigt stauungspapillenartige Zustände, die später postneuritischen Atrophien Platz machen. Die Entwicklung einer einfachen Atrophie ist seltener. Erhebliche Sehstörungen (bis zur Erblindung) gehören zum Bilde der Krankheit. Die wichtigste Form der Sehnervengeschwulst ist das Gliom des Fasciculus opticus. Es steht den Gliomen des Gehirns nahe und hat mit dem so außerordentlich malignen Netzhautgliom nichts gemein. Die Geschwülste entwickeln sich besonders im Kindes- und Jugendalter. Die Operation zeigt ampullenartige, oft sehr erhebliche Verdickung des Sehnervenstammes, wobei der Teil unmittelbar hinter dem Bulbus meist frei bleibt. Die Tumoren können auch zur Schädelbasis vorwachsen. In diesem Falle ist im Röntgenbild eine Vergrößerung des Canalis fasciculi optici nachzuweisen. Metastasenbildung gehört nicht zum Bilde der Erkrankung. In einer Reihe von Fällen bestehen Beziehungen zur Neurofibromatose (v. Recklinghausen).

Die *Behandlung* besteht in der Entfernung der Tumoren. Diese kann entweder von vorn unter Opferung des für das Sehen wertlosen Bulbus oder durch seitliche Aufklappung der Orbita nach Krönlein erfolgen. Bei Einwachsen in die Schädelhöhle ist die Mitwirkung eines Neurochirurgen erforderlich.

Neben diesen an sich seltenen Tumoren des Sehnerven, die die Dura nie durchbrechen, kommen noch seltenere Geschwülste vor, die von den Sehnervenscheiden ihren Ausgang nehmen (Endotheliome). Sie bieten dieselben Symptome wie die Optikusgliome; bei Ausbreitung in der Orbita können aber auch erhebliche Seitenverdrängung des Bulbus und andere Symptome orbitaler Tumoren auftreten.

Sekundär können Tumoren der Netzhaut (Gliome), Aderhaut oder Orbita in den Sehnerven einbrechen.

Ganz vereinzelt sind auch Tumoren der Papille beschrieben.

D. Die Erkrankungen des Chiasmas

Im Chiasma findet, wie bereits ausgeführt (S. 3), eine Halbkreuzung der Sehnerven statt. Dies hat zur Folge, daß hier wirksam werdende Schäden in der Regel beide Augen betreffen. Das Chiasma ist auf der im Türkensattel locker eingebetteten Hypophyse gelagert und von ihr durch Dura getrennt. Diese Duramembran wird vom Hypophysenstiel durchbohrt, welcher in der Nähe des hinteren Chiasmawinkels zum dritten Ventrikel zieht. Es bestehen also auch nachbarschaftliche Beziehungen zu diesen Gebilden.

Die Pathologie des Chiasmas wird daher in erster Linie von Erkrankungen der benachbarten Gebilde, besonders der Hypophyse, bestimmt. Das charakteristische Zeichen der Chiasmaerkrankung ist die *bitemporale Hemianopsie*, das ist der Ausfall beider temporaler Gesichtsfeldhälften. In Anfangsstadien sind oft nur Quadrantenausfälle vorhanden, und zwar infolge der Lagebeziehungen zur Hypophyse zunächst Ausfälle der äußeren oberen Quadranten. Bei vorgeschrittenen Fällen werden auch die nasalen Hälften befallen, so daß schließlich volle Erblindung eines oder beider Augen eintreten kann. Wie schon bei der Besprechung der *Opticusatrophie* erwähnt, wird diese Veränderung bei Hypophysentumoren oft beobachtet, während sich Stauungspapillen nur sehr selten entwickeln. Entsprechend der Hemianopsie wird auch hemianopische Pupillenstarre beschrieben, deren exakter Nachweis aber nicht einfach ist. Bei den Hypophysentumoren handelt es sich meist um sog. chromophobe Adenome; seltener sind die chromophilen Adenome, die in der Regel mit Akromegalie verbunden sind. Es kommen aber auch Hypophysentumoren ohne nachweisbare endokrine Symptome, wie solche ohne Gesichtsfeldstörungen zur Beobachtung. Ein wichtiges diagnostisches Merkmal ist die **Veränderung der Sella im Röntgenbild.** Intraselläre Tumoren verursachen starke Vergrößerungen der Sella und Destruktion derselben, während supraselläre Geschwülste vorwiegend den Sellaeingang vergrößern, den Boden aber unverändert lassen.

Ursache des Chiasmasyndromes (bitemporale Hemianopsie und Opticusatrophie) können neben eigentlichen Hypophysentumoren noch andere Faktoren sein: supraselläre Tumoren (meist Meningeome), Hypophysenganggeschwülste (Kraniopharyngeome), Tumoren des Chiasmas selbst (sehr selten), Erweiterungen des dritten Ventrikels, Aneurysmen der Carotis interna, verschiedene Erkrankungen (selten) wie Lues, Meningitis, multiple Sklerose, schließlich Verletzungen des Chiasmas bei Schädelbrüchen usw.

Kurz erwähnt muß noch die **Arachnoiditis opticochiasmatica** werden, die ähnliche Symptome, sowohl seitens des Gesichtsfeldes, als auch seitens der Papille, hervorzurufen vermag. Bei diesem Prozeß handelt es sich um Folgezustände von Entzündungen, die durch Bildung von Membranen, Strängen und Verwachsungen im Chiasmagebiet gekennzeichnet sind. Diese Veränderungen können durch Entzündungen wie Meningitis, Infektionskrankheiten, Traumen mit anschließender meningealer Reizung u. a. hervorgerufen werden.

Die *Therapie* der Veränderungen im Bereiche des Chiasmas ist vorwiegend chirurgisch. Die moderne Gehirnchirurgie erzielt dabei sehr gute Resultate; dies gilt sowohl für Tumoren als auch für Aneurysmen der Carotis interna und auch für die Arachnoiditis opticochiasmatica. Bei letzterer wirkt die Lösung der entstandenen Verwachsungen oft sehr gut. Bei Tumoren wurden auch mit Röntgenbestrahlungen gute Ergebnisse erzielt, doch ist infolge der modernen Entwicklung der Gehirnchirurgie das Schwergewicht mit Recht wieder auf die chirurgischen Methoden verlagert worden.

E. Erkrankungen der Sehbahn und der höheren optischen Zentren

Da in der Sehbahn hinter dem Chiasma die gekreuzten Fasern des gegenseitigen Auges und die ungekreuzten Fasern des gleichseitigen Auges verlaufen, so werden hier wirksam werdende Schädigungen sog. *homonyme Hemianopsien* hervorrufen, also

Ausfall der temporalen Hälfte des Gesichtsfeldes des einen und der nasalen des anderen Auges. Eine rechtsseitige Schädigung z. B. führt zu einem Ausfall der rechten Netzhauthälften und damit der linken Gesichtsfeldhälften beider Augen, also der nasalen Hälfte des rechten und der temporalen Hälfte des linken Auges. Das Vorliegen einer homonymen linksseitigen Hemianopsie spricht also für einen Herd in der rechten Sehbahn hinter dem Chiasma. Die genauere Lokalisation ist aber mit dieser Feststellung noch nicht gegeben. Die Störung kann im Tractus opticus, Corpus geniculatum laterale, in der Sehstrahlung oder im Sulcus calcarinus liegen.

Zur weiteren Diagnose können der Fundusbefund, die Pupillenverhältnisse und die Gesichtsfeldausfälle benutzt werden. Bei Schädigungen zwischen Chiasma und Corpus geniculatum laterale pflegen sich bei längerem Bestand Opticusatrophien zu entwickeln, die bei höher gelegenen Störungen ausbleiben. Die hemianopische Pupillenreaktion spricht nach verbreiteter Meinung für eine Schädigung vor dem Corpus geniculatum laterale, normale Pupillenreaktion für eine solche an höher gelegener Stelle. Diese auf die übliche Lehre vom Verlauf der Pupillenfasern gegründete Meinung ist aber nicht unbestritten. Auf die Schwierigkeit des Nachweises wurde schon hingewiesen. Bezüglich der Gesichtsfeldausfälle ist zu bemerken, daß vollkommene Hemianopsien mehr für Traktusschäden, Quadrantenausfälle mehr für solche in den oberen Teilen der Sehbahn sprechen. Doppelseitige Hemianopsien sprechen für Sitz der Schädigung in der Mittellinie des Gehirns, in der Gegend der beiden Hinterhauptpole. Bei homonymen Hemianopsien ist oft ein kleiner Bezirk unmittelbar um den Fixierpunkt ausgespart; dies bedeutet, daß bei doppelseitigen Hemianopsien ein kleines Restgesichtsfeld verbleibt, welches aber infolge seiner Enge (röhrenförmig) keine große praktische Bedeutung hat. Die Kleinheit des Gesichtsfeldes gestattet keine freie Bewegung und Orientierung im Raume, trotz oft guter zentraler Sehschärfe. Das Vorhandensein von Maculaausparungen spricht für Sitz der Schädigung in den oberen Teilen der Sehbahn, ihr Fehlen mehr für Tractusschäden.

Als *Ursache* von Störungen in der Sehbahn kommen vor allem *Tumoren und Blutungen (Apoplexien)* in Betracht. Auch Meningitis und Enzephalitis können eine Rolle spielen.

Schädigungen der Sehzentren kommen vor allem bei Kriegsverletzungen zur Beobachtung (Verletzung des Hinterhauptes). Natürlich können auch hier Blutungen oder Tumoren wirksam sein. Wir sprechen bei auf diese Art hervorgerufenen Erblindungen von Rindenblindheit.

Schließlich sei eine Erscheinung erwähnt, die auf zentrale Gefäßkrämpfe zurückgeführt wird, das **Flimmerskotom**. Es besteht in anfallsweise auftretenden hemianopischen Sehstörungen, denen oft Zentralskotome vorausgehen.

Begleiterscheinungen sind oft halbseitige Kopfschmerzen, Übelkeit, Erbrechen. Sehen von Blitzen, Funken usw. gehen oft dem eigentlichen Anfall voraus, können aber in leichten Fällen auch die einzige Erscheinung bleiben. Vererbung und Neigung zur Migräne spielen eine Rolle; äußere Faktoren (Wetter) können auslösend wirken.

XIV. Die Störungen der Augenmuskeln und die Pupillenstörungen

A. Anatomie und Physiologie

Die Bewegungen des Augapfels werden durch 6 Muskeln bewerkstelligt. Die 4 Geraden (Rectus superior, Rectus inferior, Rectus temporalis, Rectus nasalis) entspringen am Anulus tendineus, der um den Canalis fasciculi optici angeordnet ist. An dieser Stelle

entspringt auch der Musculus obliquus superior. Dieser zieht aber nicht direkt zum
Augapfel, sondern zur Trochlea, die im inneren oberen Orbitalteil gelegen ist; er
schlingt sich als sehnenartiges Band um diese Trochlea, die als sein physiologischer
Ursprung anzusehen ist und seine Wirkungsrichtung bestimmt. Er zieht dann zum
Bulbus, wo er etwas temporal hinter und unter dem Rectus superior in die Sklera ein-
strahlt. Der Obliquus inferior entspringt am Boden der Orbita unweit der Tränensackgrube und zieht zum Bulbus, wo er am hinteren Abschnitt nicht fern vom Gebiet
der Macula ansetzt. Die Innervation der äußeren Augenmuskeln erfolgt mit Ausnahme
des Rectus temporalis und Obliquus superior durch den Nervus oculomotorius, der auch
den Levator palpebrae superioris versorgt. Der Rectus temporalis wird vom N. abducens, der Obliquus superior vom N. trochlearis innerviert. Die Kerne der Augenmuskeln
liegen unter dem Aquaeductus mesencephali (Sylvii) am Boden des 4. Ventrikels. Die
Augenbewegungen werden von Rindenzentren gelenkt; diese Fragen sind sehr schwierig
und noch nicht in allen Punkten eindeutig geklärt.

Die Wirkung der seitlichen Muskeln ist eine rein horizontale. Hingegen ist die
Wirkung der Vertikalmotoren keine rein hebende oder senkende. Diese Muskeln haben
außerdem noch eine horizontale (Abduktion oder Adduktion) und eine rollende Wirkung. Der Rectus superior und der Obliquus inferior sind Heber, während der Rectus
inferior und der Obliquus superior senkende Funktion haben. Außerdem wirken die
beiden Obliqui abduzierend und die beiden Recti adduzierend. Die rollende Wirkung
des Rectus superior und Obliquus superior ist einwärts, die des Rectus inferior und
Obliquus inferior auswärts gerichtet. Die Größenordnung der drei Wirkungen ändert
sich je nach der Augenstellung. So ist die hebende bzw. senkende Wirkung der Recti
in Abduktionsstellung der Augen am stärksten, die der Obliqui in Adduktionsstellung.
Die stärkste Rollwirkung wird jeweils bei umgekehrten Verhältnissen erreicht, d. h.,
die Rollwirkung der Recti ist bei Adduktion, die der Obliqui bei Abduktion am stärksten. Durch das Zusammenwirken beider Heber und beider Senker, die als Roller entgegengesetzte Funktionen haben, wird eine fast gleichmäßige Senkung und Hebung
aus jeder Gesichtslinie heraus ermöglicht.

Die Stellung der Bulbi in den Augenhöhlen wird durch anatomische und nervöse
Faktoren bestimmt. Erstere sind gegeben durch Form und Größe der Orbitae und
der Bulbi, durch Entwicklung und Ansatzstellen der Muskeln, durch das orbitale Fettgewebe und die Beziehung zu den Lidern und Faszien u. a. Dabei ist zu bemerken, daß
die Augenmuskeln nicht nur der Bewegung dienen, sondern auch auf die Stellung des
Bulbus von Einfluß sind. Dies ergibt sich z. B. daraus, daß Durchschneidung der vier
geraden Augenmuskeln oder auch einzelner Muskeln einen Exophthalmus hervorruft,
welcher übrigens auch bei totalen Ophthalmoplegien beobachtet wird. Die nervösen
Faktoren sind durch die willkürlichen Bewegungen, den Fusionszwang, die Kopplung
Akkommodation—Konvergenz u. a. gegeben. Alle Bewegungen der Bulbi sind durch
Tätigkeit mehrerer Gruppen bestimmt. Jeder Impuls trifft beide Augen. So wird bei
Rechtswendung des Blickes der rechte Rectus temporalis und der linke Rectus nasalis
innerviert, während gleichzeitig eine Erschlaffung der Antagonisten, also rechts des
Rectus nasalis, links des Rectus temporalis erfolgt. Bei Hebungen und Senkungen und
kombinierten Blickwendungen, z. B. Blick nach rechts oben oder links unten, sind nach
dem oben Gesagten noch mehr Muskeln an jeder Aktion beteiligt. Neben diesen gleichsinnigen Bewegungen gibt es aber auch gegensinnige, vor allem die Konvergenz beider
Augen beim Nahesehen. Hier wirken beide Recti nasales zusammen, während gleichzeitig eine Erschlaffung beider Recti temporales eintritt. Ein Unterschied besteht insofern, als die gleichsinnigen Bewegungen unabhängig vom Sehen sind, also auch ein
blindes Auge seinem Partner folgt wie ein sehendes, während dies bei der Konvergenz-

bewegung nicht oder nur beschränkt geschieht. Die Erregungen zu den erwähnten verschiedenen Bewegungen gehen von verschiedenen Hirnzentren aus.

Die *funktionelle Zusammengehörigkeit* beider Augen zu einem Doppelauge im Sinne HERINGS ist Voraussetzung für das binokulare Sehen. Wenn man sich beide Netzhäute so übereinander gelegt denkt, daß die Maculae einander decken, so ergibt sich, daß auch bestimmte andere Punkte aufeinanderliegen, sich decken. Man bezeichnet sie als korrespondierende Stellen oder Deckstellen. Gegenstände, die auf korrespondierenden Netzhautstellen zur Abbildung gelangen, werden binokulär einfach gesehen. Einander nicht deckende Punkte werden disparate Stellen genannt. Bei Reizung disparater Stellen entstehen Doppelbilder, falls die Disparation ein gewisses Ausmaß erreicht. Bei geringen Graden der Disparation kommt kein Doppelsehen zustande, der betreffende Punkt wird aber näher oder ferner gesehen. Die Disparation spielt also eine wesentliche Rolle für das Tiefenwahrnehmen. Beim stereoskopischen Sehen spielen aber noch andere Dinge, wie Perspektive, Parallaxe, Netzhautbildgröße u. a. eine Rolle. Bei Betrachtung eines Gegenstandes, der nicht auf Deckstellen zur Abbildung kommt, müßte doppelt gesehen werden. Dies geschieht aber nicht immer, weil ein zentral geregelter Vorgang, der *Fusionszwang*, eingreift und eine Bewegung (Konvergenz- oder Divergenzbewegung) auslöst, durch welche die Abbildung auf deckenden Stellen herbeigeführt wird. Dieser Vorgang ist vom Willen und Bewußtsein unabhängig. Diesem Fusionszwang sind auch Grenzen gesetzt. Wir sprechen von *Fusionsbreite* und können diese auch durch Vorsetzen von Prismen messen. Prismen sind Gläser, welche die Strahlen ablenken, und zwar gegen die Basis des Prismas und um den halben Kantenwinkel. Die Stärke des Prismas, welches überwunden wird, ohne daß Doppelbilder auftreten, gibt die Fusionsbreite an, die individuell verschieden ist. Sie ist im Sinne der Konvergenz (Überwindung adduzierender Prismen) erheblich größer als im Sinne der Divergenz und in vertikaler Richtung.

Die Pupillen verdanken ihre Größe und ihre Reaktionen der Wirksamkeit zweier Muskeln. Der Musculus sphincter pupillae besitzt eine parasympathisch-sympathische Doppelinnervation, wobei der parasympathische Anteil überwiegt (Nervus oculomotorius). Der Musculus dilatator pupillae untersteht dem Sympathicus. Tonussteigerungen und -verminderungen beider Muskeln werden bei den Bewegungen der Pupille wirksam. Die aszendierenden Pupillenfasern erfahren ebenfalls im Chiasma eine Halbkreuzung. Im Bereiche des Corpus geniculatum laterale trennen sie sich von den visuellen Fasern und gelangen zu den kleinzelligen, paarigen Lateralkernen im Gebiete der Okulomotoriuskerne, wo sie durch ein Schaltsystem mit den deszendierenden Fasern im Okulomotorius in Verbindung treten. Sie erreichen den Bulbus über das Ganglion ciliare. Dabei tritt die Pupillenbahn jedes Auges mit beiden Sphinkterkernen in Verbindung. Dies ist die Grundlage für das Mitreagieren der zweiten Pupille bei Belichtung der einen (konsensuelle Reaktion).

Das Zentrum für den Dilatator liegt, wie angenommen wird, im Centrum ciliospinale von BUDGE, an der Grenze von Hals- und Brustmark und wird von höheren sympathischen Zentren beeinflußt. Die Fasern gelangen zum Ganglion cervicale craniale (supremum), von hier im Plexus caroticus und über das Ganglion semilunare (GASSERI) und den ersten Trigeminusast in die Orbita, wo sie über die Nervi ciliares longae unter Umgehung des Ganglion ciliare den Dilatator erreichen.

B. Untersuchungsmethoden

Für die Untersuchung der Augenmuskelverhältnisse gibt oft schon die *einfache Betrachtung* wichtige und entscheidende Hinweise. Wenn wir bemerken, daß die Gesichtslinien nicht parallel stehen, so sprechen wir von Schielen oder Strabismus. Je nach der Richtung läßt sich leicht zwischen Einwärtsschielen (Konvergenzschielen) und Auswärtsschielen (Divergenzschielen) unterscheiden.

Die nächste grobe Prüfung erfolgt, indem man *Blickwendungen* nach allen Seiten (rechts, links, oben, unten) ausführen läßt. Dabei kann festgestellt werden, ob die Stellung beider Augen zueinander bei allen Blickwendungen gleich bleibt oder nicht; im ersten Fall haben wir ein *Begleitschielen* vor uns: das schielende Auge „begleitet" das Partnerauge gewissermaßen auf seinen Wegen. Der Ablenkungswinkel bleibt gleich. In anderen Fällen ergibt sich, daß ein Auge bei Blickwendung nach einer Seite mehr oder minder stark zurückbleibt, der Winkel also bei Blick nach dieser Seite größer wird. Beim Blick nach der anderen Seite wird der Schielwinkel kleiner, ja, er kann ganz verschwinden. In diesem Falle liegt eine *Lähmung eines Muskels*, ein Strabismus paralyticus vor. Bei Wendung nach der Seite des gelähmten Muskels nimmt der Schielwinkel zu, bei Wendung nach der Gegenseite ab.

Diese grobe Prüfung reicht aber meist nicht zur klaren Diagnosestellung aus. Bei dem paralytischen Schielen bestehen in der Regel *Doppelbilder*, die sich daraus erklären, daß die Bilder eines Gegenstandes in beiden Augen auf disparate Stellen der Retina fallen. Der Abstand der Doppelbilder wird desto größer angegeben, je weiter die Bewegung in der Wirkungsrichtung des gelähmten Muskels angestrebt wird. Zur exakten Prüfung verwendet man ein *Rotglas*, welches vor ein Auge gesetzt wird; auf diese Weise erscheint das Bild des einen Auges rot, das des anderen Auges weiß. So ist es möglich, die Bilder beider Augen auseinanderzuhalten, ihre gegenseitige Lage festzustellen und für die Diagnose zu verwerten. Zur Prüfung durch den praktischen Arzt genügt eine *Kerze und ein Rotglas*. Der Augenarzt verwendet dazu das sog. *Maddoxkreuz*, an dem man den Abstand der Doppelbilder (des roten und weißen Bildes) messend festhalten kann. Grundsatz ist dabei, daß 1. *der Abstand der Doppelbilder bei Blickwendung in der Wirkungsrichtung des gelähmten Muskels zunimmt und 2. das Scheinbild des gelähmten Auges in der Richtung verlagert ist, die der Wirkung des gelähmten Muskels entspricht.*

Die Untersuchung mit Kerze und Rotglas sei an Beispielen geschildert: Dem Patienten wird vor ein Auge ein Rotglas gegeben, das andere Auge bleibt frei. Nehmen wir an, es besteht eine frische Lähmung des rechten Rectus temporalis, also des rechten Außenwenders. Der Patient hält den Kopf gerade und folgt der Kerze mit dem Blick. Wenn wir die Kerze nach links führen, also bei Linkswendung des Blickes, wird einfach gesehen, da hierbei am rechten Auge der Rectus nasalis benötigt wird. Sobald wir die Kerze nach rechts führen, treten Doppelbilder auf, da nunmehr der gelähmte rechte Rectus temporalis in Aktion treten soll, der dies aber nicht, oder nur in vermindertem Ausmaße kann. Das Bild der Kerze fällt nun in diesem Auge nasal von der Macula auf die Netzhaut und wird daher nach außen lokalisiert. Es erscheint also rechts vom Bild des linken Auges. Je weiter die Kerze nach rechts geführt wird, desto weiter nach links von der Macula liegt das Netzhautbild, um so weiter nach rechts wird das Scheinbild lokalisiert. Der Abstand der Doppelbilder nimmt zu. Es bestehen gleichnamige Doppelbilder. Wenn umgekehrtes Verhalten vorliegen würde (z. B. bei Lähmung eines Rectus nasalis), würden wir von gekreuzten Doppelbildern sprechen.

Wenn aber ein Heber oder Senker gelähmt ist (z. B. der Obliquus superior sinister), so würden bei seitlichen Bewegungen der Kerzen keine seitendistanten Doppelbilder auftreten. Höchstens wird ein ganz geringer Höhenunterschied bei Linkswendung wahrgenommen werden. Wir heben und senken nun die Kerze und stellen dabei (da der Obliquus superior ein Senker ist) fest, daß bei Blicksenkung Doppelbilder auftreten und mit dem Grade der Senkung zunehmen. Wir achten nun darauf, ob das

Bild des rechten oder linken Auges tiefer steht. Da ein Auge ein Rotglas besitzt, so ist diese Frage leicht beantwortet. Wenn sich z. B. das Rotglas vor dem rechten Auge befindet, so wird bei Lähmung eines linksseitigen Senkers das weiße Bild tiefer angegeben werden, da dieses Auge höher steht. Wir wissen nun, daß ein Senker des linken Auges betroffen ist und haben nur noch festzustellen, ob es sich um den Rectus inferior oder Obliquus superior handelt. Dies kann entschieden werden, indem wir die Kerze in stark gesenkter Stellung nach rechts und links führen, wobei der Grad der Senkung der Kerze rechts und links gleich sein muß. Wir wissen, daß bei Adduktion der Blicklinie besonders die schrägen und bei Abduktion die geraden Muskeln wirksam sind. Wenn, wie angenommen, eine Lähmung des linken Obliquus superior vorliegt, so wird bei Adduktion der Blicklinie des linken Auges, also bei Blickwendung nach rechts unten, der größte Abstand

bestehen. Die Diagnose von Augenmuskelparesen ist in typischen Fällen oft leicht, in komplizierten, besonders bei Lähmung mehrerer Muskeln und eingetretenen Sekundärkontrakturen oft sehr schwer und erfordert viel Erfahrung. Sie gehört im allgemeinen in das Arbeitsgebiet des Facharztes. Diesem stehen dazu besondere Einrichtungen, wie die Wandtafeln von W. R. HESS, C. H. SATTLER und HARMS zur Verfügung, die genaues Festhalten der Resultate und daher Urteile über den Verlauf einer Erkrankung erlauben.

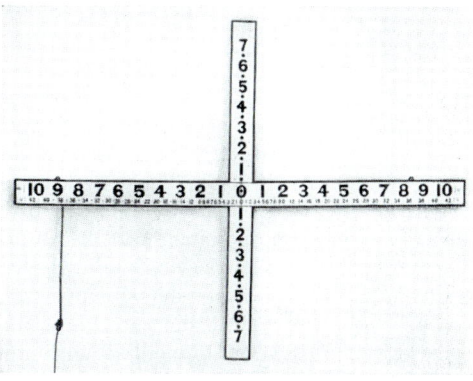

Abb. 197. Maddoxkreuz; in der Mitte des Kreuzes (in der 0) befindet sich ein kleines Lämpchen

Wichtig ist bei Augenmuskelstörungen, besonders beim konkomitierenden Schielen, die Feststellung des *Schielwinkels*. Seine Feststellung kann auf verschiedene Weise erfolgen. Die einfachste Form, die auch von der Sehschärfe unabhängig ist, ist die Prüfung am Maddoxkreuz (Abb. 197). Das fixierende Auge ist dabei auf das Zentrum (Lämpchen) gerichtet, wobei in 5 m Abstand geprüft werden soll. Das Schielauge steht in Ablenkung. Man fordert nun den Untersuchten auf, den Blick auf eine der Zahlen des Kreuzes zu richten und fährt damit so lange fort, bis am Schielauge das Bild des zentralen Lämpchens am Kreuz gerade im Hornhautzentrum erscheint. Die Zahl am Kreuz, bei deren Fixation dies eintritt, gibt den Schielwinkel an. Dem Facharzt stehen noch andere Verfahren zur Verfügung.

Neben der Feststellung der Winkelgröße ist zu prüfen, ob *einseitiges* oder *alternierendes* Schielen vorliegt. Im ersten Falle schielt dauernd dasselbe Auge, während das andere fixiert. Beim alternierenden Schielen können beide Augen in der Fixation abwechseln, während jeweils das andere in Schielstellung geht. Die Prüfung erfolgt in einfacher Weise, indem man das fixierende Auge mit der Hand verdeckt; dadurch wird das bisher schielende Auge gezwungen, die Fixation zu übernehmen, während das andere unter der abdeckenden Hand in Schielstellung geht. Wenn man nun das verdeckte Auge freigibt, so bestehen zwei Möglichkeiten. Entweder das bisher abgedeckte Auge übernimmt sofort wieder die Fixation und das andere geht wieder in Schielstellung; in diesem Falle liegt einseitiges Schielen vor, wobei in der Regel das fixierende Auge das besser sehende ist. Die andere Möglichkeit besteht darin, daß das durch Verdecken des erstfixierenden Auges zur Fixation gezwungene Auge die Fixation beibehält, während das andere, bisher abgedeckte Auge in Schielstellung verbleibt; in diesem Falle liegt ein alternierendes Schielen vor, wobei in der Regel die Sehschärfe beider Augen annähernd gleich ist.

Weiterhin ist festzustellen, ob bei Blickwendungen Überfunktion oder Unterfunktion eines Muskels besteht. Wenn z. B. bei Adduktion der Augapfel deutlich weiter in den inneren Lidwinkel geht als gewöhnlich, so sprechen wir von einer Überfunktion, einem Plus der Adduktion, bei unternormaler Bewegung von einem Minus der Bewegung.

Es gibt auch *latentes Schielen*. Dabei handelt es sich um Personen, deren anomale Ruhelage durch den Fusionszwang latent gehalten wird. Um sich über diese Verhältnisse Klarheit zu verschaffen, ist es erforderlich, den Fusionszwang auszuschalten. Dies kann geschehen, indem man das Bild des einen Auges so verändert, daß es mit dem anderen keine Ähnlichkeit mehr hat und daher beim Auftreffen auf disparate Netzhautstellen nicht als Doppelbild desselben Gegenstandes wirkt und daher den Fusionsmechanismus nicht auslöst. Um dieses Ziel zu erreichen, wird vor ein Auge ein sog. *Maddoxzylinder* gesetzt (Abb. 198). Dieser besteht aus einer Reihe eng aneinandergelagerter zylindrischer Glasstäbchen, die zweckmäßig rot gefärbt sind. Wenn durch dieses Glas die Lichtquelle am Maddoxkreuz (Abb. 197) fixiert wird, sieht das Auge nicht ein Lämpchen, wie das andere Auge, sondern eine rote Linie, die senkrecht zu den zylindrischen Stäbchen verläuft, also bei horizontaler Stellung derselben vertikal. Somit sieht ein Auge das Lämpchen, das andere die rote Linie, und die Reizung der Fusion unterbleibt, da kein Doppelbild vorhanden ist. Bei idealer Ruhelage *(Orthophorie)* wird natürlich der rote Strich durch das Lämpchen gehen. Bei latentem Schielen *(Heterophorie)* verläuft die Linie aber in einiger Entfernung seitlich vom Lämpchen. Aus dem Grade der Abweichung der Linie (der Zahl des Kreuzes, bei welcher der Strich dieses schneidet)

Abb. 198
Maddoxzylinder

läßt sich der Grad und die Art der Heterophorie genau festlegen (Prüfung in 5 m Entfernung). Latentes Schielen läßt sich auch durch Verdecken eines Auges nachweisen: das verdeckte Auge geht dabei in Schielstellung. Bei Freigabe tritt eine deutliche Einstellungsbewegung auf, d. h., das Auge nimmt unter Einfluß der Fusion wieder die gewöhnliche Stellung ein.

Die *Untersuchung des Pupillenspieles* geschieht am besten bei Tageslicht, nachdem man sich vorher über die Weite der Pupillen und evtl. Ungleichheiten derselben (Anisokorie) ein Urteil gebildet hat. Sodann werden beide Augen mit den Händen bedeckt. Man gibt nun zunächst ein Auge frei und beobachtet, ob eine Reaktion auftritt. Dann werden wieder beide Augen bedeckt und nun das andere Auge freigegeben, um dessen direkte Lichtreaktion zu überprüfen. Wenn die direkte Lichtreaktion beider Augen geprüft ist, wird abwechselnd ein Auge bedeckt, während das andere frei bleibt. Bei Freigabe des bedeckten Auges und Beobachtung des Partners läßt sich die konsensuelle Reaktion am anderen Auge leicht feststellen. Dabei ist darauf zu achten, daß nicht durch Fixieren eines nahe gelegenen Objektes eine Konvergenzreaktion ausgelöst und irrtümlich als Lichtreaktion gedeutet wird. Die Untersuchung auf Lichtreaktion kann auch im Dunkelzimmer mit seitlicher Beleuchtung vorgenommen werden. Dabei können oft noch Reste einer Reaktion aufgedeckt werden, die bei Tageslichtprüfung entgehen können. Da die Lichtreaktion auch vom jeweiligen Adaptationszustand (Anpassung an eine bestimmte Beleuchtung) abhängig ist, muß darauf geachtet werden, daß ein entsprechend starker Lichtunterschied bei der Prüfung Verwendung findet.

Der Augenarzt bedient sich zur genauen Prüfung auch des Hornhautmikroskops und eigener Apparate, die Pupilloskope genannt werden, und eine messende Prüfung gestatten. Zur Prüfung der sog. hemianopischen Pupillenreaktion (die bei Ausfall einer Gesichtsfeldhälfte bei Belichtung der intakten Hälfte entsteht) dient das Hemikinesimeter. Diese Untersuchungen gehören ausschließlich in das Arbeitsgebiet des Facharztes.

Die Konvergenzreaktion prüft man, indem man zunächst in die Ferne blicken und dann einen dem Auge nahe befindlichen Gegenstand (vorgehaltenen Finger) fixieren läßt.

C. Störungen der Augenmuskeln

1. Die Heterophorien

Wie schon bei Besprechung der Untersuchungsmethoden erwähnt, handelt es sich dabei um latentes Schielen, welches bei beidäugigem Sehen durch den Fusionszwang ausgeglichen ist. Heterophorien sind häufiger als das ideale Muskelgleichgewicht, die Orthophorie. Etwa ¾ aller Menschen haben eine Heterophorie. Wir unterscheiden eine *Esophorie* (latente Konvergenz) von der *Exophorie* (latente Divergenz). Latente Abweichung nach oben wird *Hyperphorie*, nach unten *Hypophorie* genannt. Eine latente (bei Abdeckung auftretende) Verrollung heißt *Zyklophorie*. Die praktisch wichtigen Formen sind die Exophorie und Esophorie. Erstere kommt mehr bei Erwachsenen, letztere mehr bei Kindern vor. Sie verursachen vielfach keine Beschwerden und werden bei der Untersuchung als Zufallsbefund entdeckt. Bei starken latenten Abweichungen, besonders bei gleichzeitig bestehender Nervosität, allgemeinen Erschöpfungszuständen oder Alkoholgenuß können aber erhebliche Beschwerden auftreten. Sie bestehen in Kopfschmerzen, leichter Ermüdbarkeit, besonders beim Lesen, gelegentlich sogar in Brechreiz. Man bezeichnet diese Beschwerden als *muskuläre Asthenopie*. Es kommt nicht selten vor, daß derartige Patienten wegen ihrer unklaren Beschwerden in verschiedenster Weise wegen „Nervosität" u. a. behandelt werden, bis schließlich eine augenärztliche Untersuchung den wahren Grund aufdeckt und eine schlagartige Beseitigung der Beschwerden herbeiführt. Man soll sich daher bei Patienten mit Kopfschmerzen nicht auf eine Untersuchung des Augenhintergrundes beschränken, sondern stets auch eine genaue Prüfung der Refraktion und der Muskelverhältnisse anschließen.

Die genaue Prüfung auf Heterophorie erfolgt, wie angegeben, am Maddoxkreuz mit den Maddoxstäbchen; dabei ergibt sich bei latenter Konvergenz (Esophorie) Lage des roten Striches zum Bild der Flamme im Sinne gleichnamiger, bei Exophorie im Sinne gekreuzter Doppelbilder.

Wenn die Heterophorie keine Beschwerden macht, ist *Behandlung* unnötig. Bei Beschwerden, die am häufigsten bei Exophorie als Nahbeschwerden auftreten, kommt Behandlung mit Prismen in Betracht, die gleichmäßig auf beide Augen verteilt werden sollen. Bei Exophorie muß die Basis des Prismas nasal, bei Esophorie temporal liegen. Mehr als Prismen von 3—4° beiderseits werden nicht vertragen. Außerdem ist genaue Korrektion von Refraktionsfehlern erforderlich, die oft allein schon Milderung der Beschwerden bringt. In schweren Fällen können gelegentlich auch operative Eingriffe erforderlich werden.

2. Das konkomitierende Schielen

Das Begleitschielen ist dadurch charakterisiert, daß keine Einschränkung der Beweglichkeit besteht; beide Augen führen jede Bewegung aus, doch stehen die Augenachsen nicht parallel. Das Schielauge begleitet das fixierende Auge bei allen Bewegungen; die Stellung beider Augen zueinander bleibt dabei immer gleich. Wir bezeichnen den Ablenkungsgrad als Schielwinkel. Die Ablenkung, die bei Fixation des führenden Auges und Abweichung des Schielauges gegeben ist, bezeichnen wir als *primären Schielwinkel*. Wenn durch Verdecken des fixierenden Auges das Schielauge zur Fixation gezwungen wird, so geht ersteres in Schielstellung; wir bezeichnen den Grad dieser Ablenkung als *sekundären Schielwinkel*. Beim konkomitierenden Schielen sind primärer und sekundärer Schielwinkel einander gleich.

Das Schielen kann *periodisch* oder *konstant* sein. Im ersteren Fall besteht es nur zeitweise. Meist ist dies das Anfangsstadium, welches später in konstantes Schielen übergeht. Auch aus einem latenten Schielen (Heterophorie) kann sich manifestes Schielen entwickeln. Oftmals sind äußere Momente, wie Allgemeinerkrankungen, die zu Erschöpfungszuständen und damit zur Fusionsschwäche führen, Verlust oder starke Verminderung der Sehschärfe eines Auges (kein Anreiz zur Fusion) unmittelbarer Anlaß zur Manifestation eines früher latenten Schielens.

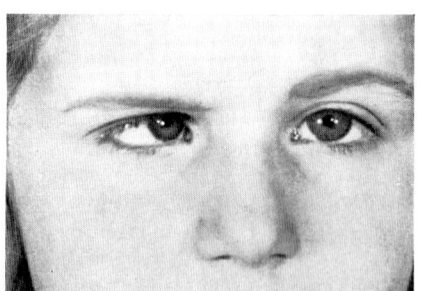

Abb. 199. Strabismus convergens des rechten Auges

a) Der Strabismus convergens

Diese Schielform tritt gewöhnlich in den ersten Lebensjahren auf. Der Schielwinkel kann dabei verschieden groß sein (bis zu 40° und mehr) (Abb. 199). Wie schon erwähnt, unterscheiden wir einseitiges und alternierendes Schielen. Das erstere ist gewöhnlich mit einer Sehschwäche *(Amblyopie)* eines Auges verbunden. Diese kann verschiedene Grade haben; zwischen geringer Herabsetzung und Erkennen von Handbewegungen kommen alle Übergänge vor. Die Amblyopie ist Folge, nicht Ursache des Schielens. Sie kommt dadurch zustande, daß zur Vermeidung von Doppelbildern das Bild des einen Auges unterdrückt wird, so daß schließlich die Amblyopia ex anopsia (durch Nichtgebrauch) entsteht. Anatomische Veränderungen sind dabei nicht vorhanden. Bei alternierend Schielenden wird abwechselnd das Bild eines Auges unterdrückt, daher kommt es zu keiner Amblyopie. Trotzdem fehlt auch bei diesen Fällen die Zusammenarbeit beider Augen, das stereoskopische Sehen. Häufig kommt es auch bei einseitigem Schielen zur Ausbildung einer falschen (anomalen) Netzhautkorrespondenz (Sehrichtungsgemeinschaft). Dabei entwickelt sich ein Zusammenspiel von nicht korrespondierenden Netzhautstellen, also der Macula eines Auges mit einer anderen Netzhautstelle des zweiten Auges.

In vielen Fällen von *Strabismus convergens* besteht *Hypermetropie* und manchmal läßt sich durch deren Vollkorrektion das Schielen wieder beseitigen. Die Übersichtigkeit spielt in diesen Fälle zweifellos eine Rolle bei der Entstehung des Strabismus. Die Ursache hierfür liegt in der zentralen Koppelung von Akkommodation und Konvergenz. Da der Hypermetrope im jugendlichen Alter, wie später ausgeführt werden wird (siehe unter Refraktionsanomalien), seinen Sehfehler durch Akkommodation korrigiert, so erhält ein solches Augenpaar auch dauernd Konvergenzimpulse, die die Schielstellung herbeiführen können. Dabei stellt sich die Frage, warum nicht alle Hypermetropen schielen. Der Grund dafür kann darin liegen, daß der Fusionszwang der Neigung zum Schielen entgegenwirkt. Seine verschiedene Stärke kann erklären, warum in einem Falle Schielen auftritt (schwache Fusion), im anderen unterbleibt (starke Fusion). Außerdem spielen aber auch andere Faktoren, wie statische Muskelverhältnisse und erbliche Faktoren eine entscheidende Rolle. Die Bedeutung dieser Faktoren ergibt sich auch aus der Tatsache, daß der Strabismus convergens keinswegs nur bei Hypermetropie vorkommt, sondern auch bei Emmetropie und Myopie. Dies zeigt, daß auch die Muskelverhältnisse und die Erbfaktoren allein Strabismus bedingen können.

Manchmal bildet sich Schielen im Laufe der Jahre spontan zurück. Darauf kann und darf man sich aber nicht verlassen.

Die moderne *Behandlung* des Schielens hat nicht nur die Beseitigung der kosmetischen Störung (der Schielstellung), sondern die Wiederherstellung der guten Sehschärfe beiderseits und des stereoskopischen Sehens zum Ziele. Dieses Ziel ist nur bei frühzeitigem Beginn der Behandlung erreichbar. Bei Schielenden, die erst in höheren Jahren zur Behandlung kommen, kann meist nurmehr ein kosmetischer Effekt erzielt werden.

Bei vorhandener *Hypermetropie* ist möglichst frühzeitig mit *Vollkorrektion* des Sehfehlers zu beginnen. Dies kann durch Brillenverordnung schon bei Kindern von 1 Jahr geschehen. Da Kinder und Jugendliche ihre Hypermetropie durch Akkommodation verdecken, ist zur Untersuchung Lähmung der Akkommodation durch Atropin erforderlich. Um die Akkommodation restlos auszuschalten, muß durch mehrere (mindestens drei) Tage Atropin gegeben werden. Danach kann die Refraktion objektiv durch Skiaskopie oder ein anderes Verfahren genau bestimmt, d. h. der Grad der Hypermetropie ermittelt werden.

Bei einseitiger Amblyopie gelingt es im Kindesalter oft, die Sehschärfe wieder zu bessern, indem das bessere Auge am besten durch *Verkleben* (Okklusion) mit einem Stückchen schwarzen Tuches vom Sehakt ausgeschlossen und so das amblyope Auge zum Sehen gezwungen wird. In einigen Wochen bis Monaten kann so normale Sehschärfe wiedererlangt werden. Je jünger das Kind, desto besser; bei Kindern über 8 bis 10 Jahren sind Erfolge unsicher oder nur teilweise erreichbar. Bei dem Verkleben muß man besonders bei Kindern unter 5 bis 6 Jahren darauf achten, daß nicht das verklebte Auge schwachsichtig wird. Sollte dies eintreten, so läßt sich aber durch Verkleben des anderen Auges, welches meist nur durch kurze Zeit nötig ist, der Fehler wieder beseitigen. Sehr wichtig ist es oft zunächst, die Entstehung oder Festigung einer anomalen Netzhautkorrespondenz zu verhindern. Dies ist oft durch Okklusion des schlechteren Auges oder wechselnde Okklusion beider Augen zu erreichen. Dadurch kann die spätere Übungsbehandlung erleichtert werden. Einzelheiten können hier nicht erörtert werden. Die entsprechenden Entscheidungen sind ausschließlich fachärztliche Aufgabe.

Besonders wichtig sind die *Übungen zur Wiedererlangung des normalen Binokularsehens*, die zu den geschilderten Methoden treten müssen. Dabei ist besonders die Beseitigung der anomalen und Herbeiführung der normalen Netzhautkorrespondenz wichtig, aber oft sehr schwierig. Neben einfachen Stereoskopen, die in günstigen Fällen dazu führen sollen, die Bilder beider Augen zu verschmelzen, gibt es verschiedene Apparate, die diesem Ziele dienen. Diese Dinge gehören in das Arbeitsgebiet des Facharztes und erfordern Übung, Erfahrung und viel Geduld. In neuester Zeit sind in der konservativen Schielbehandlung, besonders durch Übungen, die in Form von das kindliche Interesse weckenden Spieleinrichtungen angewandt werden, vielfach gute Erfolge erreicht worden (Bangerter). Diese Übungen zielen sowohl auf Beseitigung der Amblyopie (Pleoptik) als auch auf Wiedergewinnung des normalen binokularen Sehens (Orthoptik) hin.

Wenn konservative Methoden nicht zum Ziele führen oder wegen Alters oder aus anderen Gründen (z.B. Herde in der Macula) nicht in Betracht kommen, muß operiert werden. Die *Operation* bringt rein kosmetische Erfolge, kann aber auch in Kombination mit konservativen Verfahren im entsprechenden Alter zur funktionellen Heilung führen. Es gibt sehr viele Methoden zur operativen Schielbehandlung, wohl deshalb, weil es keine absolut sicher erfolgbringende gibt. Im wesentlichen kommen zwei Prinzipien in Betracht: die Schwächung des Rectus nasalis, der zu stark nach innen zieht durch Rücklagerung (des Ansatzes am Bulbus) und die Stärkung des Rectus temporalis durch Vorverlagerung (des Ansatzes am Bulbus), die meist mit einer Muskelverkürzung verbunden wird. Welche der beiden Methoden im Einzelfalle in Betracht kommt oder ob beide kombiniert werden müssen, hängt vom Fall und der Einstellung des Operateurs ab. Da das Schielen eine schlechte Stellung beider Augen zueinander ist, kommt nicht nur ein Eingriff am Schielauge, sondern — besonders wenn dies nicht ausreicht — auch ein solcher am fixierenden Auge in Frage. Zur Beseitigung des Schielens sind oft

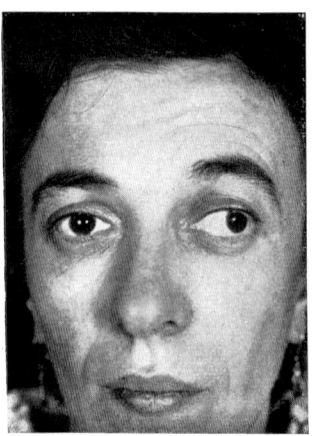

mehrere Eingriffe nötig. Gelegentlich kommen auch, besonders bei starker Amblyopie, Übereffekte vor, die aber wieder korrigiert werden können.

Die für den praktischen Arzt wichtigste Aufgabe ist, *schielende Kinder möglichst frühzeitig* dem *Facharzt zuzuführen.* Das früher manchmal empfohlene Zuwarten bis zum 12. oder 14. Lebensjahr muß heute als Kunstfehler bezeichnet werden.

b) Der Strabismus divergens

Das Auswärtsschielen (Abb. 200) ist seltener als das Einwärtsschielen; es entwickelt sich meist erst im mittleren und höheren Lebensalter. Als Ursache kommen Anomalien der Ruhelage, anatomische Verhältnisse der Muskeln und Orbita, Insuffizienz der Konvergenz und Störungen der Fusion in Betracht. Das Auswärtsschielen tritt meist einseitig, nicht alternierend auf. Amblyopia ex anopsia kommt dabei nicht vor. Myopie ist nicht selten, doch bestehen keine so klaren Beziehungen wie zwischen Hypermetropie und Konvergenzschielen. Der

Abb. 200. Strabismus divergens des linken Auges

die Entstehung eines Strabismus divergens begünstigende Einfluß der Myopie liegt darin, daß der Myope auch in der Nähe nicht zu akkommodieren braucht und daher weniger Konvergenzimpulse erhält. Die Korrektion der Myopie pflegt den Strabismus divergens nicht zu beeinflussen. Gelegentlich entsteht Divergenzschielen auch nach Operation von Einwärtsschielen, besonders bei einfacher Durchschneidung der Recti nasales. Die konservative Behandlung des Auswärtsschielens ist wenig aussichtsreich. Die *operative Korrektur* besteht in Schwächung des Rectus temporalis und Vorlagerung des Rectus nasalis.

c) Das Höhenschielen

Die Vertikalablenkungen treten entweder in Form des *Strabismus sursum vergens* (Ablenkung nach oben) oder des *Strabismus deorsum vergens* (Ablenkung nach unten) auf. Ursache ist eine Anomalie der Ruhelage. Geringe Grade können mit Prismen ausgeglichen werden, höhere bedürfen der operativen Behandlung.

Eine andere häufigere Form der Höhenablenkung ist der *Höherstand des adduzierten Auges* (Abb. 201). Sie kann einseitig oder doppelseitig bestehen und ist gewöhnlich mit seitlicher Ablenkung verbunden. Beim Blick geradeaus stehen die Augen gleich hoch, nur bei Adduktion tritt der Höhenunterschied auf. Die Behandlung ist *operativ* und geschieht durch Eingriffe am schrägen Heber (Musculus obliquus inferior).

Außerdem gibt es noch die sog. dissoziierten Vertikalbewegungen, die eine rein nervöse Störung darstellen. Dabei wechselt der Schielwinkel stets, das Auge steht bald höher, bald tiefer als das Fixationsauge. Diese Dinge sind von vorwiegend spezialistischem Interesse.

d) Das scheinbare Schielen

Gelegentlich findet man Menschen, die zu schielen scheinen, bei welchen aber bei Abdecken eines Auges keine Einstellungsbewegungen erfolgen. Das binokulare Sehen ist dabei intakt. Dies erklärt sich daraus, daß die anatomische Augenachse nicht mit

der Visierlinie zusammenfällt, sondern etwas davon abweicht. Wir bezeichnen diese Abweichung als Winkel γ. Dieser Winkel ist positiv, wenn die optische Achse nasal von der anatomischen Achse verläuft, negativ bei umgekehrtem Verhalten. Wenn dieser Winkel groß ist, täuscht er bei positivem Vorzeichen Auswärtsschielen, bei negativem Einwärtsschielen vor. Selbstverständlich dürfen diese Fälle nicht operiert werden. Die Prüfung des Winkels kann am Perimeter erfolgen. Während der Patient das Zentrum des Perimeters fixiert, visiert man über den Perimeterbogen das Hornhautzentrum an. Die am Perimeterbogen abzu-

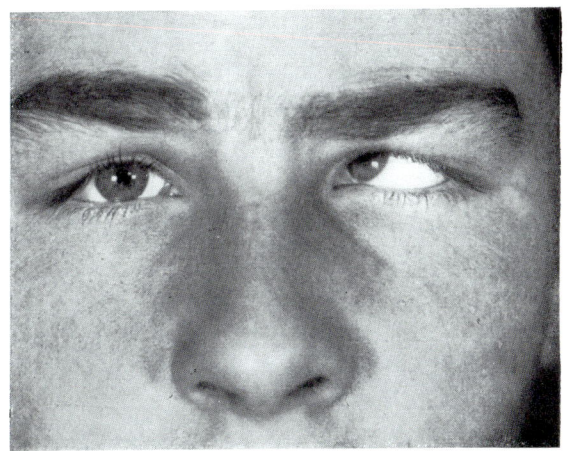

Abb. 201. Einwärtsschielen mit Höherstand des adduzierten Auges

lesende Gradzahl, von der aus man genau das Zentrum der Cornea anvisieren kann, ergibt den Winkel γ. Zweckmäßig bedient man sich dazu einer Lichtquelle (Kerzenflamme u. a.), die man den Perimeterbogen entlang führt, bis das Bild derselben genau im Hornhautzentrum erscheint.

3. Die Augenmuskellähmungen einschließlich der Blicklähmungen

Die wichtigsten Symptome der Augenmuskellähmung sind die *Beschränkung der Beweglichkeit* in der Wirkungsrichtung des gelähmten Muskels und das Auftreten von *Doppelbildern*. Bei hochgradigen Störungen ist das erste Symptom sehr deutlich, bei geringen kann aber das Zurückbleiben kaum bemerkbar sein. In diesen Fällen hilft die geschilderte Prüfung auf Doppelbilder. Bei länger bestehenden Lähmungen kommt es zu Sekundärkontrakturen der Antagonisten (z. B. bei einer Abduzensparese zum Einwärtsschielen), die bei alten Lähmungen das klinische Bild verwischen und die Diagnose erschweren können. Die subjektiven Symptome beim Auftreten einer Augenmuskellähmung sind Doppelbilder sowie Schwindel- und Unsicherheitsgefühl. Die Lähmungen treten meist plötzlich auf. Die Doppelbilder werden sehr störend empfunden, besonders bei Seitenwendern und Senkern. Lähmungen der zur Hebung bestimmten Muskeln machen weniger Beschwerden, weil wir diese Blickrichtung nicht so oft brauchen und leichter durch Kopfbewegungen ersetzen können. Auch bei anderen Muskellähmungen tritt das Bestreben zutage, die Blickwendungen nach der Richtung der

Störung durch Kopfwendungen zu ersetzen. Diese Kopfdrehungen erfolgen in der Richtung, in der der gelähmte Muskel zu wirken hat. Bei Lähmung des rechten Außenwenders z. B. wird durch Kopfdrehungen nach rechts erreicht, daß die rechtsgelegenen Gegenstände ohne besondere Blickbewegung nach rechts einfach gesehen werden, da ja der Kopf und damit der Blick geradeaus nach dieser Seite gerichtet ist. Bei notwendigem Blick gegen links (also auch im Verhältnis zur Körperachse geradeaus) werden die Linkswender betätigt, die intakt sind, und daher keine Doppelbilder verursachen. Natürlich wird bei Heber- und Senkerlähmungen auch versucht, die rollende Komponente dieser Muskeln durch Kopfhaltung mit auszugleichen. So entsteht z. B. die typische Kopfhaltung bei Trochlearisparesen: Neigung des Kopfes zur Schulter der gesunden Seite und gleichzeitige Senkung. Derartige Ausgleichsversuche sind aber immer nur von beschränktem Wert; sie können die Beschwerden vermindern, stellen aber nie eine ausreichende Dauerlösung dar. Bei Lähmungen, die sehr lange bestehen, kann der Patient die Unterdrückung des Doppelbildes erlernen, so daß sich die Störung schließlich verliert.

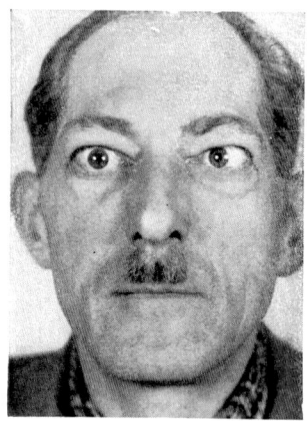

Abb. 202. Abduzenslähmung rechts und links bei Basedow. Primärstellung mit Fixation des rechten Auges; das linke Auge steht in leichter Konvergenz (Sekundärkontraktur)

Sehr wichtig ist die Tatsache, daß bei *Lähmungsschielen* der *sekundäre Schielwinkel größer* ist *als der primäre* (siehe auch unter konkomitierendes Schielen). Der Grund hierfür liegt darin, daß beim sekundären Schielwinkel das gelähmte Auge durch Verdecken des anderen zur Fixation gezwungen wird. Um aber dieses Auge in die hierzu erforderliche Stellung zu bringen, bedarf es eines stärkeren, meist wesentlich stärkeren Impulses, als ein gesundes Auge braucht. Da aber alle Impulse beiden für eine Blickwendung erforderlichen Muskeln (z. B. dem rechten M. temporalis und dem linken M. nasalis) in gleicher Weise zufließen, so wird am gesunden Auge ein viel stärkerer Wendungseffekt eintreten, d. h., es wird in eine stärkere Schielstellung gehen (sekundärer Schielwinkel).

Die Diagnose der betroffenen Muskeln im einzelnen stützt sich in erster Linie auf die Doppelbilder. Wenn seitendistante Doppelbilder vorhanden sind, liegt eine Lähmung eines Seitenwenders vor. Auf Grund des Gesagten (Untersuchungsmethoden) ist zunächst festzustellen, ob gleichnamige oder gekreuzte Doppelbilder vorliegen. Im ersten Fall ist ein Außenwender befallen (Abduzensparese) (Abb. 202, 203, 204), im letzteren ein Innenwender. Wenn diese Frage geklärt ist, prüft man, nach welcher Richtung die Distanz der Doppelbilder zunimmt. Geschieht dies bei Rechtswendung des Blickes, so handelt es sich um einen Rechtswender, also bei Gleichnamigkeit um den Rectus temporalis rechts, bei Ungleichnamigkeit (gekreuzte Doppelbilder) um den Rectus nasalis des linken Auges. Bei Parese der Vertikalmotoren besteht Höhendistanz. Man stellt zunächst fest, ob der Abstand der Doppelbilder bei Hebung oder Senkung zunimmt. Im ersten Fall ist ein Heber gelähmt, im zweiten ein Senker. Die nächste Feststellung zielt auf die Erkennung des erkrankten Auges ab. Es ist dies stets das Auge, dessen Bild weiter von der Mittellinie entfernt ist, also bei Senkerparese tiefer, bei Heberparese höher steht. Die dritte Frage ist die, ob ein schräger oder gerader Heber oder Senker betroffen ist. Diese Entscheidung wird durch die Prüfung beantwortet, ob bei Adduktion der Gesichtslinie des kranken Auges oder bei Abduktion derselben der größere Abstand vorhanden ist. Bei größter Distanz bei Abduktion (des als

betroffen erkannten Auges) ist ein gerader, im umgekehrten Fall ein schräger Heber
oder Senker befallen.

Die *Ursache der Augenmuskellähmung* muß durch Anamnese und Allgemeinuntersuchung geklärt werden. Sie kann im ganzen Verlauf der Nervenbahn ihren Sitz haben.
Erforderlich ist in jedem Falle eine Röntgenaufnahme des Schädels, die unter Umständen durch Spezialaufnahmen zu ergänzen ist, eine genaue neurologische und internistische Untersuchung, Blutuntersuchung auf Lues, evtl. Lumbalpunktion und rhinologische Untersuchung. Als ätiologische Faktoren sind zu nennen: Tumoren, Traumen
(Schädelbrüche), Vergiftungen, Arteriosklerose und sonstige Gefäßerkrankung (Embolien, Aneurysmen), Lues und ihre Folgeerkrankungen, Rheumatismus, Grippe,
Tuberkulose, multiple Sklerose, Meningitis, Encephalitis, Poliomyelitis, Myasthenia

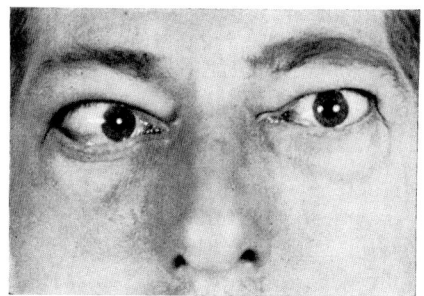 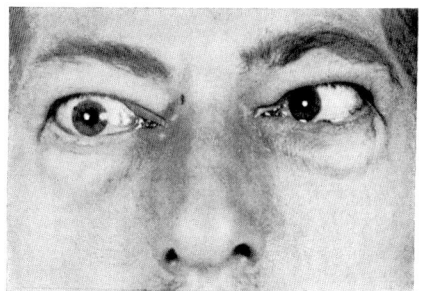

Abb. 203. Derselbe Fall: Linksblick; das linke   Abb. 204.   Derselbe Fall: Rechtsblick; das
Auge bewegt sich nicht über die Mittellinie   rechte Auge folgt nicht

gravis, Zoster ophthalmicus, Diabetes u. a. Die genaue Feststellung der Ursache und
die Lokalisation der Schädigung ist eine Aufgabe, die auch der Facharzt, auch unter
Zuhilfenahme von Fachmännern anderer Fächer, oft nur schwer und nicht immer
vollkommen zu lösen vermag.

Gelegentlich sieht man mit migräneartigen Kopfschmerzen verbundene Ophthalmoplegien, die vergehen und rezidivieren können; manchmal sind nur einzelne Muskeln
betroffen. Die Diagnose ophthalmoplegische Migräne darf aber nur nach genauer
neurologischer Untersuchung und Ausschluß anderer Ursachen gestellt werden. Bei
plötzlich auftretenden Zuständen muß stets an ein Aneurysma gedacht werden.

Die *Therapie* hängt von dem Grundleiden ab (Lues, Rheumatismus, Behandlung
von Tumoren usw.).

Wichtig sind symptomatische Maßnahmen wie Ruhe, Schonung. Bei störenden
Doppelbildern kann es notwendig werden, ein Auge für kürzere oder länger Zeit mit
einem Mattglas oder einer schwarzen Klappe zu verschließen. In manchen Fällen
helfen auch Prismen. Operative Maßnahmen sollen, abgesehen von direkten Muskel-
zerreißungen, nicht früher als ½ bis 1 Jahr nach Eintritt der Lähmung in Betracht
gezogen werden, da innerhalb dieser Frist noch spontane Besserung möglich ist. In
Betracht kommen die schon beim konkomitierenden Schielen erwähnten Methoden
der Rück- und Vorlagerung und außerdem noch andere Verfahren, wie die VOGTsche
Operation und Muskeltransplantationen. Die Indikationsstellung ist Sache des Facharztes.

Neben *Lähmungen* einzelner Muskeln gibt es Lähmungen *von Muskelgruppen.* Die
wichtigste ist die totale Lähmung des N. oculomotorius. Hierbei sind betroffen: der
quergestreifte Lidheber, die Recti nasalis, superior, inferior und der Obliquus inferior.

Demnach sind der Rectus temporalis (N. abducens) und der Obliquus superior (N. trochlearis) wirksam. Dies hat zur Folge, daß der Augapfel nach außen und meist etwas nach unten abgewichen ist (Abb. 205), was meist wegen der Ptosis erst erkennbar wird, wenn man das herabhängende Oberlid passiv hebt. Da auch die inneren

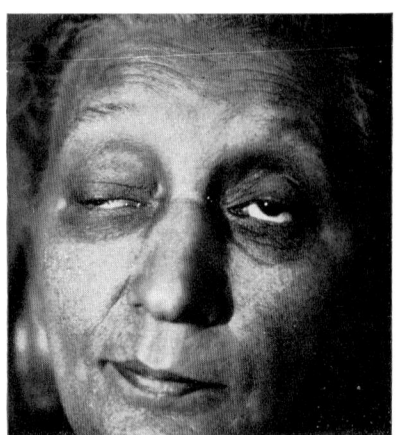

Äste des Oculomotorius außer Funktion sind, besteht gleichzeitig eine weite, reaktionslose Pupille (Lähmung des M. sphincter pupillae) und eine Lähmung der Akkommodation (Lähmung des M. ciliaris). Unter Ophthalmoplegien verstehen wir Lähmung mehrerer Muskeln, die von verschiedenen Nerven versorgt sind. Die Ophthalmoplegia totalis externa ist z. B. eine Lähmung der äußeren Augenmuskeln, während wir eine Lähmung der inneren Augenmuskeln als Ophthalmoplegia interna bezeichnen. (Absolute Pupillenstarre und Akkommodationslähmung.)

Bezüglich *Ätiologie* und *Therapie* gilt das früher Gesagte mit dem Beifügen, daß bei multiplen Lähmungen die operativen Verfahren meist nicht in Betracht kommen.

Abb. 205. Oculomotoriuslähmung rechts: Ptosis. Ablenkung des rechten Auges gegen außen und etwas nach unten

Es gibt auch *kongenitale Augenmuskellähmungen*. Dabei fehlen Doppelbilder; die genaue Diagnose kann, zumal es sich oft um atypische Zustände handelt, schwierig sein. Es kommen aber auch typische Bilder, wie Abduzensparese, Oculomotoriuslähmungen und völlige Bewegungslosigkeit der Bulbi als kongenitale Störungen vor. Bei diesen angeborenen Störungen spielt Vererbung oft eine Rolle. Die eigentlichen anatomischen Ursachen können Anomalien bzw. Aplasien der Muskeln oder auch der Kerngebiete sein.

Erwähnt sei noch, daß bei angeborener oder früh erworbener Trochlearisparese das Bild des okulären Schiefhalses (Torticollis) entstehen kann.

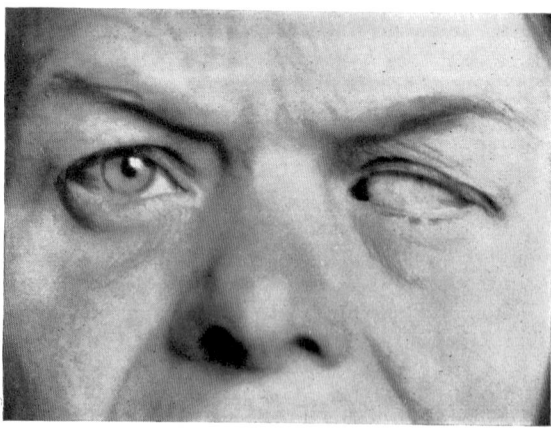

Die **Blicklähmungen** sind Störungen, die gleichzeitig die zu einer Bewegung einander zugeordneten Muskeln beider Augen befallen, also z. B. die für den Blick nach rechts bestimmten Muskeln, den Rectus temporalis dexter und Rectus nasalis sinister. Ebenso gibt es Blicklähmungen nach links, nach oben und nach unten. Bei Blicklähmungen nach oben bleibt das BELLsche Phänomen erhalten, d. h., bei Lidschluß gehen die Bulbi nach oben. Doppelbilder pflegen bei Blicklähmungen zu fehlen; sie können aber im Rückbildungsstadium vorkommen, wenn einer

Abb. 206. Alte Abduzensparese mit extremer Sekundärkontraktur des Antagonisten

der Muskeln seine Funktion rascher wiedergewinnt als der andere. Bei den Blicklähmungen sind die Muskeln nur für die gemeinsame Tätigkeit ausgeschaltet. Es kann z. B. im erwähnten Beispiel der Rectus nasalis links für die Seitenwendung nach rechts gelähmt sein, während er für die Konvergenz vollkommen normal funktioniert. In anderen Fällen kann das für willkürliche Bewegung gelähmte Muskelpaar bei Vestibularisreizung erregt werden. Wieder in anderen Fällen kann die willkürliche Bewegung nach einer Seite fehlen, aber die Führungsbewegung erhalten sein. Unter Führungsbewegungen versteht man Bewegungen, die entstehen, wenn man den Kranken auffordert, einen Gegenstand. z. B. einen Finger, zu fixieren und diesen dann nach verschiedenen Richtungen führt. Eine relativ häufige Form der Blicklähmung entsteht bei Apoplexien; dabei treten die Augen unter Einfluß der funktionierenden Antagonisten in Ablenkung nach der Seite der gesunden Muskeln (Déviation conjugée). Ursache der Blicklähmungen sind Schädigungen der supranukleären Bahnen und Zentren. Die genaue Analyse dieser seltenen Zustände ist Aufgabe des Augenarztes bzw. des Neurologen. Sie kann wichtige lokalisatorische Hinweise bezüglich des Sitzes eines Herdes abgeben. Zu den Blicklähmungen gehört auch die Konvergenzparese. Sie ist leicht festzustellen, wenn man den Untersuchten auffordert, den Finger zu fixieren und diesem den Finger bis auf 5 bis 10 cm an die Augen heranführt. Wenn ein Auge frühzeitig abweicht, so liegt ein Defekt der Konvergenz vor. Ursache einer Konvergenzlähmung können eine Enzephalitis, ein Trauma, ein Tumor u. a. sein. Bei Prüfung von Doppelbildern können in der Ferne gekreuzte Doppelbilder nachgewiesen werden, deren Abstand nach beiden Seiten abnimmt.

Die Akkommodationslähmung wird unter Akkommodation besprochen.

4. Der Nystagmus

Unter Nystagmus (Augenzittern) verstehen wir regelmäßig wiederkehrende gleichmäßig oder unregelmäßig pendelnde, manchmal auch rollende Bewegungen der Augen. die vom Willen unabhängig sind. Wir unterscheiden je nach der Richtung einen horizontalen, einen vertikalen und einen rotatorischen Nystagmus. Auch Kombinationsformen kommen zur Beobachtung. Einseitiger Nystagmus ist selten.

Wohl aber sieht man gelegentlich, daß der Nystagmus erst nach Verdecken eines Auges auftritt, manifest wird (latenter Nystagmus). Wir kennen einen *physiologischen Nystagmus*, der bei vielen Menschen bei extremem Seitenblick auftritt (Endstellungs-Nystagmus). Zu den physiologischen Erscheinungen gehört auch der optokinetische Nystagmus, der auftritt, wenn man bewegte Gegenstände betrachtet, z. B. eine in Rotation befindliche Trommel, die mit schwarz-weißen Streifen bezogen ist. Optokinetischer Nystagmus tritt auch auf, wenn man aus einem fahrenden Zug blickt und die außen befindlichen Gegenstände betrachtet. Dieser Nystagmus entsteht durch den Versuch, die sich scheinbar rasch vorbeibewegenden Gegenstände zu fixieren. Er besteht aus einer langsamen und einer raschen (ruckartigen) Phase, die entgegengesetzte Richtung hat.

Eine weitere Nystagmusform ist der *vestibuläre* (oder labyrinthäre) *Nystagmus*. Er entsteht durch Drehung von Kopf oder Körper (Drehstuhl). Er geht in der Drehrichtung und nach Aufhören der Drehbewegung in Gegenrichtung. Auch bei kalorischer Labyrinthreizung tritt Nystagmus auf, und zwar bei Eindringen von kaltem Wasser in einen Gehörgang nach der Gegenseite, bei Einführen von warmem Wasser nach der Seite der Reizung.

Zu den pathologischen Nystagmusformen gehört der *Nystagmus bei herabgesetzter Sehleistung*; er tritt nur auf, wenn diese Herabsetzung des Visus schon in früher Kindheit auftritt, z. B. bei Narben nach Blennorrhoe, angeborenem Star, Albinismus, totaler Farbenblindheit. Bei völliger Blindheit findet man an Stelle eines typischen Nystagmus manchmal völlig ungeordnete Augenbewegungen. Hierher gehört auch der Nystagmus bei sog. Spasmus nutans kleiner Kinder; er ist mit Kopfwackeln verbunden und findet sich bei Kindern, die in schlecht beleuchteten Räumen leben.

Eine in Bergbaugebieten häufige, in anderen Gebieten unbekannte Nystagmusform ist der *Nystagmus der Bergarbeiter*. Er tritt bei Arbeitern auf, die lange im Kohlenbergbau unter Tag gearbeitet haben. Da dabei Scheinbilder auftreten, ist diese Form mit starken Störungen verbunden. Nach Aufgabe dieser Arbeit verschwindet das Augenzittern wieder, oft aber erst nach langer Zeit.

Weiterhin kennen wir *erblichen Nystagmus*, der mit anderen Erbleiden gekoppelt, aber auch als einzige Veränderung auftreten kann. Meist, aber nicht immer, ist er mit starken Verminderungen der Sehschärfe (Amblyopie) verbunden.

Schließlich kann *Nystagmus* noch *als Symptom von Erkrankungen des Zentralnervensystems* auftreten, so bei multipler Sklerose und Hirntumoren, besonders im Kleinhirngebiet.

D. Störungen der Pupillen

Die Weite der normalen Pupille schwankt bei durchschnittlicher Helligkeit zwischen 2 und 5 mm; beide Pupillen sind in der Regel gleich weit. Pupillen junger Individuen pflegen unter gleichen sonstigen Verhältnissen weiter zu sein als die alter Personen. In der Dämmerung und im Dunkeln sind die Pupillen erheblich weiter. Wir bezeichnen den Zustand weiter Pupillen als Mydriasis, den enger Pupillen als Miosis. Beide Zustände können durch pharmakologische Einwirkungen herbeigeführt werden. Die eine Erweiterung bedingenden Medikamente heißen Mydriatica; hierzu gehören in erster Linie die durch Sphinkterlähmung (parasympathicolytisch) wirkenden Mittel Atropin, Scopolamin, Homatropin, ferner die durch Sympathikusreizung (sympathikomimetisch) wirkenden, gleichzeitig aber auch den Sphinktertonus mildernden Mittel: Kokain, Suprarenin, Ephetonin, Mydrial u.a. — Mittel, die die Pupille verengen, werden Miotica genannt; sie wirken durch Reizung des Sphinkters (parasympathicomimetisch): Pilocarpin, Eserin, Prostigmin, Physostigmin, Doryl, Histamin, Morphin u. a. Die Einwirkung dieser Medikamente kann nicht nur vom Bindehautsack aus erfolgen, sondern auch bei innerer Darreichung (z. B. Atropin, Morphin). Man muß sich, bevor man eine Pupillenstörung diagnostiziert, stets vergewissern, ob nicht eine Einwirkung eines der genannten Medikamente vorliegt.

Es sollen nun zunächst Störungen der Verengungsreaktionen besprochen werden. Hierzu gehören in erster Linie die direkte und „konsensuelle" Lichtreaktion sowie die Konvergenzreaktion. Selbstverständlich können Reaktionsstörungen auch mechanisch durch Verwachsungen der Pupille (Synechien) bedingt sein; diese Fälle gehören aber nicht zu den Pupillenstörungen im eigentlichen Sinne. Wir kennen folgende Pupillenstörungen:

1. Die amaurotische Starre. Sie tritt bei Amaurose auf, mit Ausnahme jener seltenen Fälle, in welchen die Ursache der Amaurose in den zentralen Bahnen und Zentren gelegen ist. Bei Amaurose ist die direkte Lichtreaktion aufgehoben. Bei einseitiger Amaurose fehlt die Lichtreaktion der kranken Seite; ebenso ist vom kranken Auge aus keine konsensuelle Reaktion am zweiten Auge auslösbar. Hingegen kann am amaurotischen Auge die konsensuelle Reaktion vom gesunden oder weniger geschädigten zweiten Auge aus herbeigeführt werden.

Bei doppelseitiger Amaurose fehlt selbstverständlich auch die konsensuelle Reaktion beiderseits. Die Konvergenzreaktion ist erhalten. Bei Ausfall nur einer Gesichtsfeldhälfte (bei Chiasma- oder Traktusschäden) können die schon erwähnten hemianopischen Starren auftreten. Belichtung der ausgefallenen Hälften rufen weder direkte noch konsensuelle Reaktionen hervor. Die erwähnten Störungen verdanken ihre Entstehung somit einer Störung in der zentripetalen Pupillenbahn. Die Verwertbarkeit der hemianopischen Reaktion zur Diagnose eines Herdes vor dem Corpus geniculatum laterale ist bestritten (HARMS), da sie auch bei Unterbrechung der Sehbahn hinter dem seitlichen Kniehöcker beobachtet wurde.

2. Die absolute Pupillenstarre ist durch Fehlen von Licht- und Konvergenzreaktionen gekennzeichnet. Sie kommt doppel- und einseitig vor. Die Pupille ist dabei meist weiter als normal. Ursache dieser Störung ist eine Schädigung im Kerngebiet des Oculomotorius oder in der zentrifugalen Bahn. Wenn die Schädigung im Kerngebiet keine vollkommene ist, so entsteht das Bild der unvollkommenen absoluten Starre; dabei findet sich eine Aufhebung oder Abschwächung der Lichtreaktionen bei erhaltener bzw. nur wenig abgeschwächter Konvergenzreaktion. Dieser Zustand ist oft das Anfangsstadium einer vollkommenen absoluten Starre. Häufig ist eine Lues cerebrospinalis oder metaluische Erkrankung Ursache dieser Störungsformen. Daneben kommen noch Tumoren, Enzephalitis, Traumen u. a. Ursachen in Betracht. Auch eine Prellung des Auges vermag manchmal den Zustand hervorzurufen.

3. Die reflektorische Starre (Phänomen von ARGYLL-ROBERTSON) ist wohl die häufigste Pupillenstörung. Ihr Kennzeichen ist Aufhebung der Lichtreaktionen bei erhaltener, oft gesteigerter Konvergenzreaktion. Die Pupillen sind dabei verengt und ungleich (Anisokorie), oft entrundet. Auch diese Störung kann doppelseitig und einseitig vorkommen. Bei unvollständiger Ausprägung des Zustandes spricht man von reflektorischer Trägheit.

Bemerkenswert ist, daß die reflektorisch starre Pupille auch auf Mydriatica nicht oder nicht ausgiebig anspricht, wodurch sie von der seltenen, pseudoreflektorischen Starre zu unterscheiden ist.

Die gelegentlich zur Beobachtung kommenden „wurmförmigen Zuckungen" sind auf eine Aufhebung der Reaktion in einzelnen Teilen des Sphinkters zurückzuführen. Sie sind oft ein Vorstadium der reflektorischen Starre. Die reflektorische Starre kann manchmal mit einer unvollkommenen absoluten verwechselt werden. Ein wichtiges Unterscheidungsmerkmal ist dabei die Pupillenweite: Verengung bei echter reflektorischer Starre, Erweiterung bei absoluter Starre. Außerdem ist bei unvollkommener absoluter Starre die Konvergenzreaktion oft nicht so prompt wie bei reflektorischer Starre. Sitz der Störung sind die Schaltneurone des Reflexbogens. Die echte reflektorische Starre ist ein typisches Symptom der Tabes bzw. Taboparalyse. In seltenen Fällen kommen auch traumatische Schädigungen, Enzephalitis oder Tumoren als Ursache in Betracht.

4. Die Lidschlußreaktion (Orbikularisphänomen) besteht darin, daß bei angestrebtem und ausgeführtem Lidschluß eine Verengung der Pupille auftritt. Man kann sie feststellen, indem man den Patienten auffordert, das Auge zu schließen, dabei aber die Lider festhält. Die Lidschlußreaktion ist bei absoluten und reflektorischen Starren erhalten. Wenn sie neben der Licht- und Konvergenzreaktion fehlt, spricht man von **totaler Pupillenstarre.**

5. Die Pupillotonie. Unter Pupillotonie versteht man ein Zustandsbild, das mit echter reflektorischer Starre leicht verwechselt werden kann, aber mit Lues nichts zu tun hat. Es besteht dabei, meist einseitig, seltener doppelseitig, Fehlen der Lichtreaktion und verlangsamte (tonische) Konvergenzreaktion. Manchmal kann nach längerem Dunkelaufenthalt doch eine abgeschwächte, tonisch verlaufende Lichtreaktion ausgelöst werden. Die Verengung der Pupille bei Konvergenz kann 10 bis

20 Sekunden dauern, die Wiedererweiterung noch länger. Bei Einseitigkeit ist die erkrankte Pupille meist weiter als die des Partnerauges. In manchen Fällen besteht gleichzeitig auch ein tonisch-verlangsamter Ablauf der Akkommodation. Die Ursache dieses Zustandes ist noch nicht restlos geklärt, doch scheidet, wie erwähnt, Lues aus. Sehr oft bestehen gleichzeitig Störungen der Patellar- und Achillessehnenreflexe (ADIEsches Syndrom).

6. Reine Konvergenzstarre bei erhaltener Konvergenzeinstellung und bei erhaltenen Lichtreaktionen ist sehr selten und bezüglich ihrer Ursachen nicht geklärt.

Störungen der Erweiterung der Pupille sind viel seltener. Sie entstehen bei Sympathikuslähmungen. Das typische Beispiel hierfür ist der HORNERsche Symptomenkomplex, der aus Ptosis, Miosis und Enophthalmus besteht. Er wurde bereits im Abschnitt über Liderkrankungen geschildert und erklärt. In solchen Fällen gelingt auch die Erweiterung durch Sympathikusreizmittel nicht (z. B. Cocaineinträufelung bleibt erfolglos). Dies kann diagnostisch verwertet werden. Daneben gibt es noch seltene Erweiterungsstörungen bei psychiatrischen Erkrankungen. Auch angeborener Dilatatormangel kommt vor.

XV. Die Erkrankungen der Orbita

A. Anatomie

Die Orbita bildet einen nach vorne offenen Trichter von pyramidenartiger Gestalt. An ihrer Begrenzung beteiligen sich sieben Knochen.

Die temporale Wand wird von Teilen des Stirnbeins, des Jochbeins und des großen Keilbeinflügels gebildet. Das Dach besteht aus Anteilen des Stirnbeins und des kleinen Keilbeinflügels. An dem Boden der Augenhöhle beteiligen sich Oberkiefer, Jochbein und Gaumenbein. Die nasale Wand schließlich umfaßt Teile des Oberkiefers, des Keilbeins, des Siebbeins und das Tränenbein.

Die laterale Orbitalwand ist die festeste, die nasale die schwächste. Dies begünstigt neben den Gefäßverbindungen das Übergreifen von Nebenhöhlenerkrankungen auf die Orbita.

Die Orbita zeigt mehrere Öffnungen. Die wichtigsten sind: die *Fissura orbitalis cerebralis* (superior), welche zur Schädelhöhle führt und zum Durchtritt der Nervi oculomotorius, trochlearis, abducens und trigeminus (1. Ast N. ophthalmicus) sowie der Vena orbitalis superior dient. Zur Schädelhöhle führt weiterhin der *Canalis fasciculi optici* (Foramen opticum), durch welchen der Fasciculus opticus und die Arteria ophthalmica in die Orbita treten. Die *Fissura orbitalis sphenomaxillaris* (inferior) führt zur Fossa pterygopalatina und Fossa infratemporalis. Sie wird von kleinen Venenästen und den Nervi infraorbitalis et zygomaticus durchquert und von glatter Muskulatur (MÜLLERscher Muskel) überbrückt bzw. erfüllt. Das *Foramen rotundum* wird von Teilen des 2. Astes des Trigeminus (N. maxillaris) durchzogen. Durch die Foramina ethmoidalia laufen Nervenästchen und Gefäße, die die Verbindung zwischen Nasenhöhle, Siebbein und Orbita herstellen.

Die Orbita ist von Periost ausgekleidet, welches an den Orbitalrändern mit dem bereits erwähnten Septum orbitale (Fascia tarso-orbitalis) verbunden ist, das seinerseits in die Tarsi übergeht. So ist ein vollkommener Abschluß gegen außen gegeben. In der Gegend des Canalis fasciculi optici ist das Periost mit der Duralscheide des Opticus verbunden. Der Inhalt der Orbita besteht, abgesehen von Bulbus, Muskeln, Nerven und Gefäßen (siehe S. 5 und 179), aus Fettgewebe, welches für weiche Lagerung des Bulbus und Schutz vor Erschütterungen sorgt. Zwischen temporalem Muskel und Sehnerv liegt das Ganglion ciliare, etwa 15 mm hinter dem Bulbus.

Erwähnt sei noch, daß der Sehnerv in leicht S-förmiger Krümmung durch die Orbita zieht, wodurch auch ein Schutz gegen plötzliche Lageveränderungen in der Orbita gegeben ist.

Der Bulbus wird innerhalb der Orbita von einer bindegewebigen Kapsel, der TENONschen Faszie (Capsula bulbi) umgeben. Sie liegt dem Bulbus ziemlich eng an und ist durch feine Faserverbindungen mit ihm verbunden. Ein durchgehender Spaltraum zwischen beiden besteht nicht. Die TENONsche Faszie ist vielfach mit einer Art Gelenkkapsel verglichen worden. Von dieser Kapsel gibt es auch Verbindungen zum Periost der Orbitalwand.

B. Untersuchungsmethoden

Viele Veränderungen der Orbita können schon bei einfacher Betrachtung wahrgenommen werden, z. B. Vortreten eines Bulbus (Exophthalmus) oder Zurücksinken desselben (Enophthlamus). Abtasten des Orbitalgebietes mit dem Finger kann ebenfalls die Diagnose fördern; dabei können unter Umständen Neubildungen und ihr ungefährer Sitz festgestellt werden, sofern sie nicht zu tief liegen. Auch Prüfung der Muskelverhältnisse gehört zur Untersuchung der Orbita, da orbitale Veränderungen sehr oft Bewegungseinschränkungen zur Folge haben. Eine sehr wichtige Maßnahme bei Erkrankungen der Orbita ist die Röntgenuntersuchung, die oft wertvolle Aufschlüsse erbringen kann. Auch eingehende Allgemeinuntersuchung darf nicht unterlassen werden, wobei die Untersuchung der Nebenhöhlen der Nase besonders wichtig ist. Zur genauen Messung des Exophthalmus bedient sich der Facharzt des Spiegelexophthalmometers von HERTEL (Abb. 207). Dieser Apparat besteht beiderseits aus

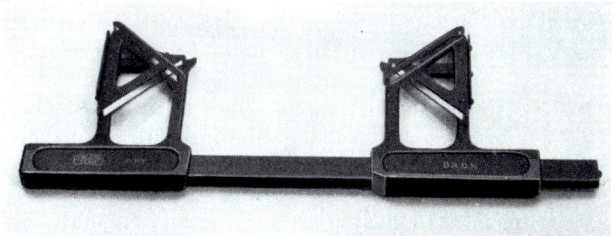

Abb. 207. Spiegelexophthalmometer nach HERTEL

zwei senkrecht aufeinandergestellten Spiegeln, wobei sich in einem die Hornhaut spiegelt, im anderen eine Millimeterskala. Man kann dabei bei gerader Kopfhaltung und exakter Ansetzung des Apparates, beiderseits an den äußeren Orbitalrändern, vergleichen, wie der Hornhautscheitel zur Millimeterskala liegt; dabei können Unterschiede gut und leicht festgestellt werden.

C. Erkrankungen der Orbita

1. Abweichungen der Lage des Bulbus und Zirkulationsstörungen

Gewöhnlich ist die Lage beider Augäpfel in den Orbitae gleich. Vortreten oder Zurücksinken eines Bulbus deuten in der Regel auf krankhafte Vorgänge hin. Man darf aber bei Beurteilung der Lage der Bulbi nicht übersehen, daß auch unter nor-

malen Umständen verschiedenes Verhalten vorkommt. So gibt es Menschen, deren
Augen unter normalen Verhältnissen relativ weit hervortreten, während andere tief in
der Orbita liegen und daher kleiner wirken, ohne es aber zu sein. Größenverhältnisse
und Fettgehalt der Orbitae und Form der Bulbi spielen dabei eine Rolle. Wir finden
z. B. oft bei Kurzsichtigen (Langbau des Auges) relativ stark vortretende Augen. Da
gelegentlich *höhere Myopie* auch einseitig vorkommt, kann dadurch ein einseitiger
Exophthalmus hervorgerufen bzw. vorgetäuscht werden, ohne daß krankhafte Veränderungen in der Orbita bestehen. Vorübergehendes Vortreten der Bulbi kann auch

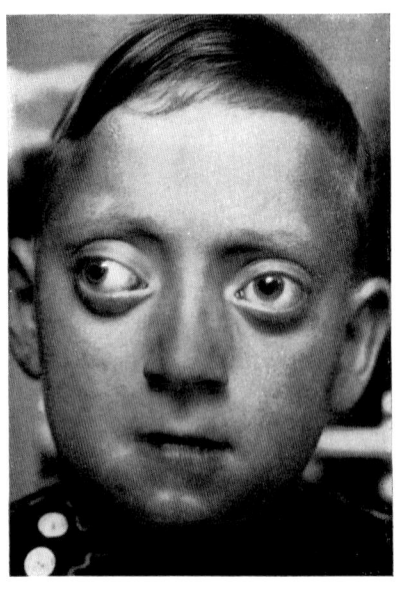

Abb. 208. Exophthalmus und Strabismus divergens bei Turmschädel

bei starken, psychischen Erregungszuständen
durch Sympathikusreizung (daher auch gleichzeitig weite Pupillen!) verursacht werden, gelegentliches Zurücksinken kommt bei starkem
Wasserverlust (Durchfälle) zur Beobachtung.
Auch Mißbildungen des Schädels vermögen,
einseitig oder doppelseitig, *Vortreten des Bulbus*
herbeizuführen (*Turmschädel* [Abb. 208], *Dysostosis cranio-facialis* [CROUZON], *Dysostosis multi-
plex* [HURLER] und ähnliche Zustände). Dasselbe gilt von verschiedenen Erkrankungen im
Bereich der Schädelknochen (z. B. HAND-
SCHÜLLER-CHRISTIANsche *Erkrankung*, Leon-
tiasis ossea, Marmorknochenkrankheit). Häufiger
als diese seltenen Erkrankungen kann eine *Muko-
zele* (Ausbuchtung einer Nasennebenhöhle infolge
chronischer Entzündung) einen Exophthalmus
hervorrufen. Besonders kommen Mukozelen der
Stirnhöhle und Keilbeinhöhle in Betracht (Röntgenbild, rhinologische Untersuchung!). Auch Ge-
hirnbrüche — **Enzephalozelen** —, besonders die
hintere Enzephalozele, können Ursache eines
Exophthalmus sein; bei diesem Zustand fällt besonders die Zurückdrängbarkeit des Bulbus, die
Pulsation und das Übergehen des Exophthalmus in einen Enophthalmus bei längerer
Ruhelage auf.

Auch **Störungen seitens des Gefäßsystems** können zum Exophthalmus führen. Hier
sind zuerst die Blutungen in die Orbita **(Orbitalhämatome)** zu erwähnen. Oft läßt ein
gleichzeitig bestehendes Lidhämatom den Zustand leicht erkennen. Häufigste Ursache
orbitaler Blutungen sind schwere Verletzungen, besonders Prellungen der Orbita oder
Kompressionen des Brustkorbes. Es kommen auch Spontanblutungen vor, und zwar
bei Erkrankungen, die mit besonderer Blutungsneigung verbunden sind (Hämophilie,
Skorbut, Arteriosklerose u. a.). Die Prognose ist meist günstig, zur Behandlung dienen
Ruhe, feuchte Umschläge und evtl. entsprechende Behandlung des Grundleidens.

Eine wichtige Veränderung ist der **pulsierende Exophthalmus.** Er ist dadurch gekennzeichnet, daß der oft nur leicht vorgetriebene Augapfel Pulsation zeigt und bei
Betasten fühlen läßt. Außerdem besteht ein blasendes Geräusch, welches bei Aufsetzen eines Stethoskopes über der Orbita bzw. Schläfengegend hörbar ist und welches
vom Patienten subjektiv als sehr störend empfunden wird. Die Erkrankung beginnt
gewöhnlich plötzlich mit Auftreten dieses Geräusches und Kopfschmerz, während
die sicht- und fühlbare Pulsation und Vortreibung des Bulbus meist erst Tage oder
Wochen später auftritt. Bei lange bestehenden Fällen kann auch eine pulsierende

Geschwulst über dem inneren Augenwinkel sichtbar werden. Als Begleitsymptome können Augenmuskellähmungen, Sehnervenerkrankungen (Stauung, Atrophie) und Stauungen der konjunktivalen und episkleralen Gefäße sowie Drucksteigerungen im Bulbus vorkommen. Der Visus kann normal bleiben, kann aber auch durch Opticusschädigung bis zur Erblindung herabgesetzt werden. Ursache des Zustandes ist eine Ruptur der Arteria carotis interna im Sinus cavernosus und damit die Entstehung eines arteriovenösen Aneurysmas. Auslösend für diese Ruptur können ernste Traumen (Schuß, Stich, Schädelbruch) sein. Die Symptome können aber auch spontan auftreten (Gefäßerkrankung: Arteriosklerose)
oder bei Neigung zur Spontanruptur durch geringfügige Ereignisse ausgelöst werden. Der Exophthalmus tritt in der Regel auf der Seite der Schädigung ein, doch kommt (sehr selten) unter besonderen Verhältnissen auch Auftreten auf der Gegenseite (gekreuzter pulsierender Exophthalmus) vor. Die Prognose ist ernst, doch können in vielen Fällen Heilungen erzielt werden. Die Behandlung kann zunächst konservativ sein und besteht dann in systematischer, allmählich gesteigerter Kompression der Arteria carotis communis am Hals. Meist aber ist chirurgische Behandlung erforderlich, die in Unterbindung bzw. Verengung der Arteria carotis interna oder communis besteht. Die Methode ist Sache des Chirurgen. Bei alten Personen ist besondere Vorsicht geboten. Vereinzelt kommen auch Spontanheilungen durch Thrombosierung zur Beobachtung.

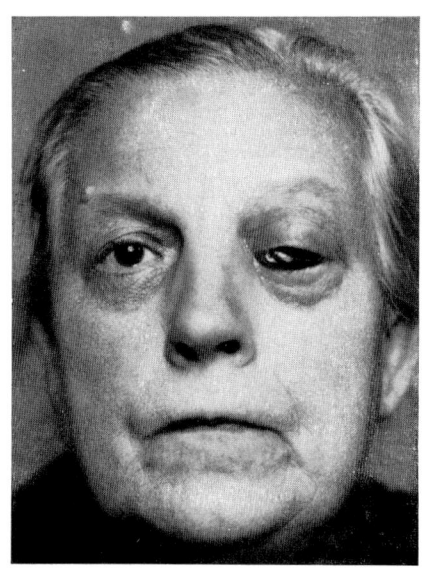

Abb. 209. Akuter Exophthalmus bei blander Thrombose des Sinus cavernosus

Der intermittierende Exophthalmus ist durch gelegentliches Auftreten des Exophthalmus gekennzeichnet, während in der Zwischenzeit normale Bulbuslage, manchmal sogar Enophthalmus, besteht. Der Exophthalmus tritt besonders bei Kopfneigung nach vorne, Bücken, Druck auf die Halsvenen oder Pressen auf. Manchmal sieht man gleichzeitig Varixbildungen an den Lidern oder der Bindehaut. Der Visus pflegt dabei nicht zu leiden. Ursache sind variköse Erweiterungen der orbitalen Venen. Behandlung ist nur in schweren Fällen erforderlich, dann jedoch schwierig. Operationen können in Frage kommen.

Auch **Thrombosen im Bereiche des Sinus cavernosus** können zu orbitalen Symptomen führen, die einseitig oder doppelseitig zur Beobachtung kommen. Es handelt sich dabei um meist starken Exophthalmus mit Schwellung der Lider und der Bindehaut (Chemose). Außerdem können Sehstörungen durch Opticusschäden auftreten.

Die sog. *blande Thrombose* des Sinus cavernosus führt meist zu plötzlich auftretendem Exophthalmus (Abb. 209) mit Muskelparesen und oft schweren Allgemeinerscheinungen (Erbrechen, Benommenheit, Kopfschmerz). Es kann vollständige Rückbildung der Erscheinungen mit Wiederherstellung des anfangs gestörten Visus eintreten. Die *septische Kavernosusthrombose*, die u. a. von Ohrenerkrankungen oder Gesichtsfurunkeln ausgehen kann, tritt ebenfalls oft mit schweren Orbitalerkrankungen auf, die mit starken entzündlichen Erscheinungen verbunden sind und dem Bilde der Orbitalphlegmone ähneln. Dabei besteht ein schwerer allgemeiner Krankheitszustand.

Diese Form der Thrombose kann sich auch im Anschluß an Orbitalphlegmonen entwickeln. Die Prognose dieser septischen Thrombosen ist stets quoad vitam sehr ernst. Breite Eröffnung der Orbita (wobei meist kein Eiter gefunden wird), ja sogar Exenteratio orbitae sind früher empfohlen worden. Heute besitzen wir in energischer Anwendung von Antibiotika Mittel, welche die Prognose dieser Erkrankung, sowohl bezüglich des Lebens als auch bezüglich des Sehens, verbessert hat und entstellende Eingriffe (Exenteratio orbitae) vermeidbar macht.

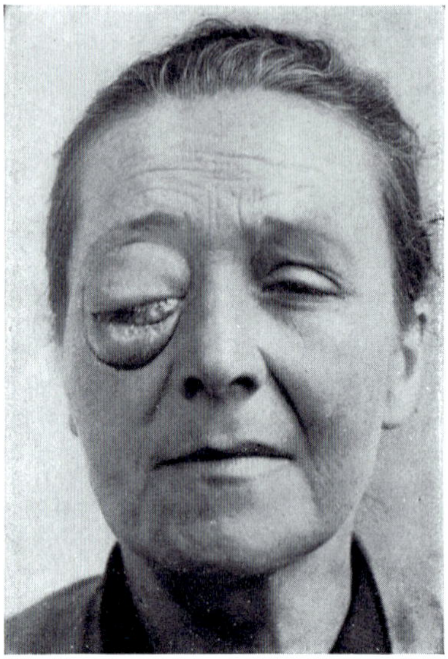

2. Akute Entzündungen der Orbita und Tenonitis

Abb. 210. Orbitalphlegmone

Der Typus der akuten Entzündung der Orbita ist die **Orbitalphlegmone** (Abb. 210). Die Symptome dieser Erkrankung bestehen in starker entzündlicher Schwellung der Lider und Bindehaut, erheblicher Vortreibung des intensiv geröteten Bulbus und Behinderung bzw. Aufhebung der Beweglichkeit. Dabei bestehen starke Schmerzen, besonders bei Berührung oder Bewegungsversuch, allgemeines Krankheitsgefühl und oft Temperatursteigerungen. Der Sehnerv ist gefährdet (Neuritis, Stauungspapille, Atrophie), doch nicht immer geschädigt. Jede akute eitrige Entzündung im Bereiche der Orbita ist mit der Gefahr der Kavernosusthrombose und Meningitis verbunden und daher als lebensgefährliche Erkrankung anzusehen.

Das geschilderte klinische Bild kann sich auf verschiedene Weise entwickeln. Entweder handelt es sich um einen subperiostalen Abszeß, also eine Erkrankung, die sich hinter dem Periost abspielt, oder um eine eigentliche eitrige Entzündung des Orbitalinhaltes. Die klinische Unterscheidung ist nicht immer mit Sicherheit möglich. Manchmal können subperiostale Eiterherde in die Orbita durchbrechen.

Als *Ursache* beider Zustände kommen *Erkrankungen der Nebenhöhlen der Nase* in Betracht (Abb. 211). Sofortige rhinologische Untersuchung ist daher bei allen Fällen dieser Art ein dringendes Gebot! Weiterhin können eitrige Prozesse der Umgebung, d. h. des Gesichtes und der Lider, auf die Orbita übergreifen (klappenlose Venenverbindungen!); besonders Gesichtsfurunkel (Oberlippenfurunkel) sind gefährlich. Hordeola, Lidabszesse und Tränensackeiterungen führen nur selten zu orbitalen Erkrankungen. Beim Erysipel treten gelegentlich Orbitalphlegmonen auf, die manchmal wegen ihres Sitzes in der Tiefe und den Anschwellungen im Gesicht nicht leicht zu erkennen sind. Schließlich können auch septische Allgemeinerkrankungen und direkte Verletzungen der Orbita zu Phlegmonen führen. Bei ähnlichen Prozessen im Säuglingsalter, die mit Unterlidschwellung zu beginnen pflegen, ist an osteomyelitische Vorgänge im Oberkiefer zu denken, die oft mit Zahnkeimen in Verbindung stehen.

Die *Behandlung* hat rasch einzusetzen; daher werden die gelegentlich beobachteten Spontanperforationen nach außen nur selten gesehen. Bei Ausgang von den Nasennebenhöhlen ist sofortige Eröffnung derselben von der Nase aus durchzuführen; dies führt meist zu einem raschen Umschwung des Krankheitsbildes und macht in diesen Fällen Eingriffe an der Orbita selbst überflüssig. In allen anderen Fällen ist breite

Eröffnung geboten. Wenn ein subperiostaler Abszeß vermutet wird, soll dabei möglichst so vorgegangen werden, daß die Orbita selbst nicht berührt wird. In allen Fällen ist stets eine energische antibiotische Therapie durchzuführen, die bei beginnenden Fällen auch allein Heilung bringen kann.

Die **Tenonitis** ist durch Beschränkung der Beweglichkeit, Schmerzen, besonders bei Versuch zur Bulbusbewegung, Chemose, Injektion des Bulbus, leichte Lidschwellung und geringem Exophthalmus gekennzeichnet. Sie kann mit einer Orbitalphlegmone verwechselt werden. Zur Differentialdiagnose dient, daß bei Orbitalphlegmonen die Symptome stärker ausgeprägt sind und der Prozeß fortschreitet, während der Zustand bei Tenonitis auf einer gewissen Stufe stehenbleibt. Außerdem fehlen bei Tenonitis meist die allgemeinen Krankheitserscheinungen (Fieber, Mattigkeit). Ursache der Symptome ist eine Entzündung im Bereiche der TENONschen Faszie; dabei handelt es sich sehr häufig um eine sog. *Scleritis posterior*, also um eine Entzündung der Sklera im hinteren Bulbusabschnitt. Man kann akute (manchmal eitrige) Formen und chronische Formen unterscheiden; die Symptome sind bei der akuten Form deutlicher, bei der chronischen weniger stark ausgeprägt.

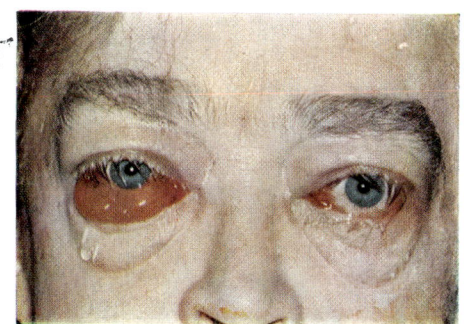

Abb. 211. Exophthalmus mit Chemose

Dies gilt besonders für die entzündlichen Erscheinungen am vorderen Abschnitt. Als Komplikation kommen bei schweren Fällen von Scleritis posterior Chorioiditis, Netzhautablösung, Papillenschwellung und Glaskörpertrübungen vor. Unter den ätiologischen Faktoren sind besonders Rheumatismus und sonstige allergisch-hyperergische Reaktionen zu nennen. Bei akut-eitrigen Formen spielen metastatische Vorgänge eine Rolle (Sepsis, Influenza u. a.). Die Therapie ist in der Regel konservativ (Schwitzprozeduren, Sulfonamide, Antibiotika), nur selten (bei eitrigen Prozessen) ist eine chirurgische Eröffnung nötig.

3. Chronische Entzündungen und sog. Pseudotumoren der Orbita

Bei **chronischen Entzündungen** fehlen alle Symptome akuter Erkrankung, wie Schwellungen, entzündliche Rötungen, Fieber usw. Die Symptome bestehen daher nur in Beschränkungen der Beweglichkeit und Exophthalmus. Sie sind daher diagnostisch von den akuten Entzündungen leicht abgrenzbar, während ihre Unterscheidung von Tumoren oft sehr schwer und gelegentlich erst intra operationem möglich sein kann. Als Ursache kommen tuberkulöse und luische Periostitis in Frage. Es ist wichtig zu wissen, daß luische Prozesse der Orbita nicht selten bei negativem sonstigem Befund, einschließlich der serologischen Reaktionen, ablaufen können. Bei unklaren Fällen empfiehlt es sich daher, einige Neosalvarsaninjektionen probeweise zu verabfolgen. Bei Vorliegen einer Lues erfolgt darauf oft rasche und prompte Rückbildung der Erscheinungen. Daneben ist stets auch an leukämische und aleukämische Erkrankungen zu denken, die ebenfalls Orbitaltumoren vortäuschen können. Sie sind oft doppelseitig. Sämtliche orbitalen Prozesse können durch Sehnervenschädigung oder Erzeugung eines sehr hochgradigen Exophthalmus (Keratitis e lagophthalmo) das Sehen gefährden, doch gehören derartige Auswirkungen bei den chronisch-entzündlichen Prozessen keineswegs zur Regel.

13 a

Unter **Pseudotumoren** versteht man Prozesse, die klinisch das Bild eines Orbitaltumors bieten, bei welchen aber die Operation keinen solchen aufdeckt. Man findet
histologisch oft nur ganz uncharakteristische Entzündungserscheinungen oder Schwellung und Verdickung des Gewebes. Manchmal liegt auch eine Myositis der äußeren
Augenmuskeln vor. In anderen Fällen sieht man lymphozytäre Infiltrationen. Übergänge zu den unter chronischen Entzündungen beschriebenen Prozessen können bestehen, wie überhaupt sich die Zahl der „Pseudotumoren" mit zunehmender Verbesserung der Untersuchungsmöglichkeit verkleinert. Typische chronische Entzündungen
sollen nicht als Pseudotumoren bezeichnet werden. Röntgenbestrahlungen können
Erfolge bringen.

4. Veränderungen bei Morbus Basedow

Das bekannteste Symptom seitens der Augen bei Morbus Basedow ist der *Exophthalmus* (siehe Abb. 212). Er tritt meist doppelseitig auf, kann aber auch einseitig vorkommen. Solche einseitigen Fälle sind gelegentlich fälschlich als Orbitaltumoren diagnostiziert worden. Der Exophthalmus bei Basedow entwickelt sich meist allmählich.

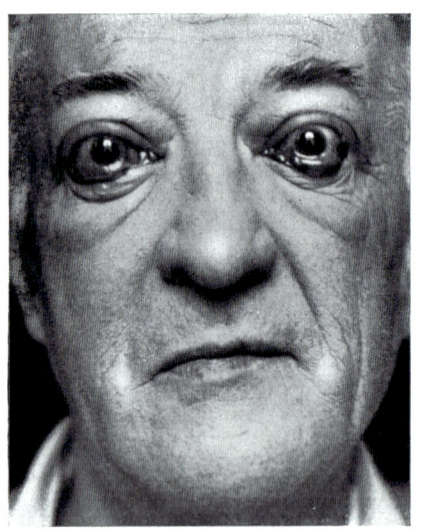

Abb. 212. Maligner Exophthalmus mit
Vorquellen der Bindehaut

Er kann aber auch plötzlich, z. B. bei
starken seelischen Erschütterungen auftreten
(Schreck-Basedow). Bei hochgradigem Exophthalmus können die Lider nicht mehr über
dem Bulbus geschlossen werden; es entsteht
dann die Gefahr der Keratitis e lagophthalmo, die unter Umständen zum Verlust des
Auges führen kann. Bei Heilung der BASE-
DOWschen Erkrankung pflegt der Exophthalmus zurückzugehen, doch tritt dies keineswegs immer ein. Neben dem Exophthalmus
kommen noch andere Symptome seitens der
Augen vor. Es sind dies:
    1. Das DALRYMPLE*sche Zeichen*, das Klaffen
der Lidspalte, welches durch eine Retraktion des
Oberlides bedingt ist,
    2. das GRAEFE*sche Symptom*; es besteht da-
rin, daß das Oberlid bei Blicksenkung dem Bulbus nicht folgt, wodurch der schon bei Ruhelage
des Blickes sichtbare weiße Skleralstreifen über
der Hornhaut breiter wird,
    3. das MÖBIUS*sche Zeichen*, die Konvergenz-
schwäche und
    4. das STELLWAG*sche Zeichen*, die auffallend
geringe Häufigkeit des Lidschlages.

Außer diesen typischen Zeichen können bei M. Basedow auch Augenmuskellähmungen auftreten.
Gelegentlich tritt nach Strumaoperation bei Basedow eine Verstärkung des Exophthalmus auf, die bedrohliche Formen annehmen kann. Es handelt sich um den
sog. **malignen Exophthalmus** (Abb. 212). Die Symptome dieser Erkrankung sind
starker Exophthalmus, derbe Schwellung der Bindehaut, die wulstartig aus der Lidspalte vorquillt und manchmal durch die Lider stranguliert erscheint. In späteren
Stadien kommt es zu Austrocknungserscheinungen der Hornhaut und zur Keratitis
e lagophthalmo. Der maligne Exophthalmus kann einseitig auftreten, meist ist er
doppelseitig. Er kommt aber nicht nur bei oder nach Basedow vor, sondern kann auch
ohne diese Grundlage in Erscheinung treten; dies gilt übrigens auch für andere okuläre

Basedow-Symptome. Als Ursache dieser Erscheinungen werden Störungen im Hypophysen-Zwischenhirn-System angenommen. Augen- und Schilddrüsensymptome sind gleichgeordnete Symptome dieser übergeordneten Störung. Das Studium des Jodstoffwechsels der Schilddrüse durch Radio-Jod-(J[131])-Untersuchung hat uns gute Einblicke in diese Vorgänge gebracht.

Die Behandlung bei Morbus Basedow richtet sich gegen das Grundleiden. Bei malignem Exophthalmus sind Sedativa anzuwenden. Weiterhin haben sich Sexualhormone und Röntgenbestrahlung der Hypophyse und Orbita bewährt. In seltenen Fällen konnten durch Schilddrüsenpräparate Erfolge erzielt werden. Sehr gute Erfolge wurden in letzter Zeit mit der Radio-Jod-Behandlung erzielt (radiologische Resektion der Schilddrüse), die mit der Röntgenbestrahlung verbunden werden kann. Strumektomie oder thyreostatische Behandlung ist bei Augenbefunden oft gefährlich. Bei bedrohlichem Exophthalmus, wie er gelegentlich bei typischem Basedow, häufiger bei malignem Exophthalmus vorkommt, muß radikal eingegriffen werden, um den Verlust der Augen durch Keratitis e lagophthalmo nach Möglichkeit zu verhindern. Häufig erzielt man mit breiten Ausschneidungen aus der starren gequollenen und chemotischen Bindehaut Erfolge, in anderen Fällen muß eine Entlastung durch Entfernung des Orbi-

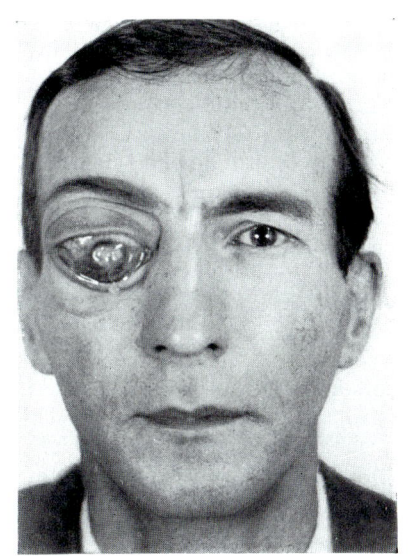

Abb. 213. Fibrom der Orbita mit 20jähriger Anamnese; Keratitis e lagophthalmo

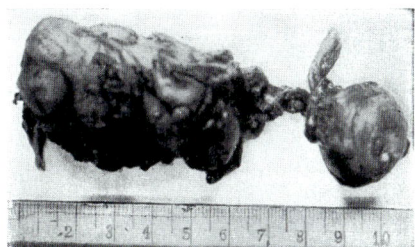

Abb. 214. Anatomisches Präparat dieses Falles (Fibrom)

taldaches oder -bodens vorgenommen werden. Leider gibt es Fälle, in welchen trotz aller Bemühungen das Sehvermögen verlorengeht. Es besteht Grund zur Hoffnung, daß die neuen Methoden (Bestrahlung, Radio-Jod [J[131]]) diese Gefahren wesentlich verringern und die erwähnten Eingriffe immer mehr entbehrlich machen werden.

5. Tumoren der Orbita

Die *Kennzeichen* eines Orbitaltumors sind *Exophthalmus* und *Einschränkung der Beweglichkeit*. Beide Symptome können in weiten Grenzen schwanken. Der Exophthalmus kann in Anfangsstadien geringgradig sein. Später kann er sich bis zur Luxation des Bulbus vor die Lider steigern. Gleichzeitig kann eine seitliche Lagerung des Bulbus eintreten, deren Richtung von dem Sitz des Tumors abhängig ist, z. B. wird ein in den oberen Teil der Orbita wachsender Tumor den Bulbus gegen vorne und unten drängen. Die Beweglichkeitsstörungen können entweder durch Schädigung von Muskeln oder Nerven oder durch rein mechanische Hinderung der Beweglichkeit infolge des raumfordernden Wachstums bedingt sein. Natürlich können auch mehrere dieser Faktoren zusammenwirken. Schmerzen sind selten, sie gehören nicht zum typischen Bild des Orbitaltumors. Die Funktion des Bulbus kann dabei lange normal sein, doch kann natürlich auch der Sehnerv und die Netzhaut geschädigt werden. Stauungspapille sowie Atrophia fasciculi optici kommen vor. Die Netzhaut kann bei starkem Druck auf den Bulbus Faltenbildung erkennen lassen. In vorgeschrittenen Stadien, wenn der Lidschutz der Hornhaut unvollkommen wird, entsteht die bekannte Keratitis e lagophthalmo, die zur Zerstörung der Hornhaut und Erblindung führen kann. Einbruch eines Orbitaltumors in den Bulbus gehört zu den größten Seltenheiten, hingegen können intrabulbäre Tumoren (Netzhautgliome, sog. Aderhautsarkome) in die Orbita einbrechen und dort das Bild eines Orbitaltumors vortäuschen. Diese Vorkommnisse wurden in den betreffenden Kapiteln besprochen.

Tumoren der Orbita können von Knochen, Periost oder vom Orbitalinhalt ausgehen. Wir unterscheiden gutartige und bösartige Tumoren der Orbita.

Zu den **gutartigen Tumoren** gehören die **Dermoidzysten**; sie werden meist im Bereiche des inneren oder äußeren Lidwinkels sichtbar und entstehen auf Grund angeborener Fehlbildungen; sie können relativ oberflächlich sitzen, aber auch sehr tief reichen. Es gibt auch sog. Zwerchsackdermoide, die teils in, teils außerhalb der Orbita wachsen, wobei beide Teile durch eine Knochenlücke zusammenhängen. Mukozelen der Nebenhöhlen und Enzephalozelen wurden bereits erwähnt; sie sind keine eigentlichen Orbitalgeschwülste. Echte Orbitalgeschwülste sind **Angiome** (meist in Form der **kavernösen Hämangiome**), **Fibrome** (Abb. 213, 214), **Lipome, Neurofibrome, Lymphome, Osteome** und **Exostosen.** In manchen Fällen kann die Abgrenzung gegen chronisch-entzündliche Prozesse schwierig sein. Die Röntgendiagnose erlaubt eine sichere Feststellung der Osteome, Exostosen, Enzephalozelen, Mukozelen und Zwerchsackdermoide, in anderen Fällen liefert sie oft keine sicheren Resultate. Ein typisches Bild gibt das **Keilbeinmeningeom.** Dabei besteht Exophthalmus, meist mäßigen Grades, Vorwölbung der Schläfenpartie der befallenen Seite und röntgeno-

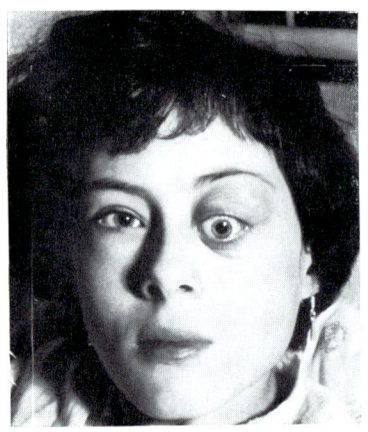

Abb. 215. Sarkom der Orbita mit starker Verdrängung des Bulbus nach unten und vorn

logisch hyperostotische Verdichtung der Keilbeinflügel. Die aussichtsreiche Operation gehört in das Gebiet des Chirurgen. Schließlich sei auch noch erwähnt, daß (sehr selten) **Echinococcus-** und **Zystizerkusblasen** in der Orbita gesehen werden.

Unter den **malignen Geschwülsten** steht das **Orbitalsarkom** an erster Stelle (Abb. 215). Während sich gutartige Geschwülste über viele Jahre, oft Jahrzehnte erstrecken, entwickelt sich das Sarkom rasch; in früher Jugend auftretende Sarkome sind besonders bösartig. Die Gefahr der Metastasenbildung ist ebenso groß wie die des Einbruchs in die Schädelhöhle und die Nebenhöhlen. In gleicher Weise können auch Tumoren dieser Gebiete auf die Orbita übergreifen. Das Röntgenbild gibt oft, wenn auch in frühen Stadien nicht immer, die Möglichkeit der Diagnose.

Auch **Endotheliome** kommen in der Orbita vor. Primäre **Karzinome** der Orbita sind sehr selten, metastatische Tumoren dieser Art hingegen häufiger (Abb. 216). Auf die Möglichkeit des Übergreifens von Tumoren der Lider, der Tränendrüse (Abb. 217) und der Nebenhöhlen auf die Orbita wurde schon hingewiesen.

Die *Behandlung* der Orbitaltumoren ist vorwiegend *operativ*, doch sind auch gute Erfolge bei Bestrahlung berichtet. Als Operationsverfahren kommen in Betracht: die *Orbitotomie*, die KRÖNLEINsche Operation und die Exenteratio orbitae. Ersteres Verfahren leistet mehr, als ihm oft zugetraut wird: Eröffnung der Orbita entlang eines (dem vermuteten Tumorsitz nahen) Orbitalrandes erlaubt es sehr oft, gutartige und auch abgekapselte bösartige Geschwülste zu entfernen. Die KRÖNLEINsche *Operation* besteht in Aufklappung der temporalen Orbitalwand und leistet Gutes. Die moderne Chirurgie bedient sich auch des Weges durch das Orbitaldach. Dieser, in das Arbeitsgebiet des Neurochirurgen fallende Eingriff, ist in vielen Fällen der KRÖNLEINschen Operation überlegen. Die *Exenteratio orbitae* schließlich besteht in Ausräumung des gesamten Orbitalinhaltes einschließlich des Periostes bis zur Orbitalspitze; sie ist bei vorgeschrittenen malignen Tumoren oft das einzige noch mögliche Verfahren.

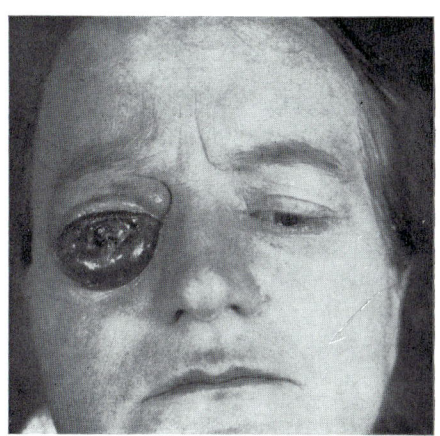

Abb. 216. Metastatisches Karzinom der Orbita mit Keratitis e lagophthalmo

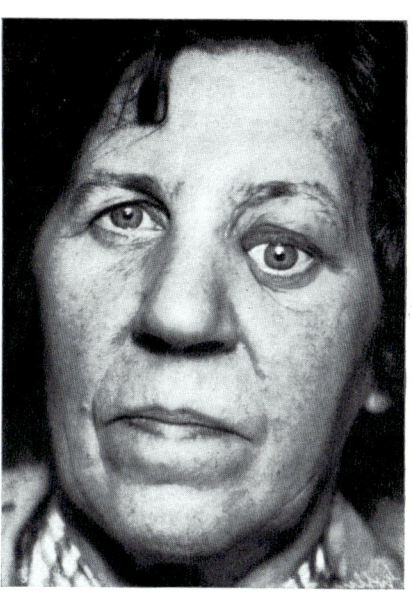

Abb. 217. Orbitaltumor ausgehend von der Tränendrüse (Mischgeschwulst)

XVI. Verletzungen im Bereich des Auges und sympathische Ophthalmie

A. Untersuchungsmethoden

Zur Untersuchung nach Augenverletzungen sind alle bei Besprechung der einzelnen Teile des Auges erwähnten Methoden anzuwenden. Wenn starke Lidschwellung, Reizzustände und Blepharospasmus bestehen, müssen die Lider mit DESMARRESschen Lidhaltern geöffnet werden. Betäubung mit Cornecain oder einem anderen Anästhetikum ist oft erforderlich.

Jede, auch die scheinbar geringfügigste Verletzung erfordert eine eingehende Untersuchung aller Teile einschließlich des Augenhintergrundes. Das Fehlen gröberer äußerer Erscheinungen darf nie dazu verleiten, eine Verletzung leicht zu nehmen. Ein derartiges Verhalten könnte zum Übersehen wichtiger Veränderungen führen; als Beispiele seien nur die Subluxation der Linse oder das Eindringen von kleinen Fremdkörpern in das Augeninnere genannt. In jedem Falle, in dem nach der Anamnese nur der entfernte

Verdacht einer perforierenden Verletzung besteht (z. B. alle, auch die scheinbar leichtesten und folgenlosen Verletzungen bei Arbeiten von Schlossern, Steinklopfern u. a.), ist unbedingt das Eindringen eines kleinen Splitters als möglich anzusehen und entsprechend zu handeln. Zum Nachweis von Splittern dient in erster Linie das **Röntgenbild.** Schon eine einfache Aufnahme vermag das Vorhandensein eines Splitters im Auge aufzudecken. Da aber für die spätere Entfernung auch die **Lokalisation** des Fremdkörpers in der Augenhöhle von Wichtigkeit ist, hat sich das **Verfahren von** COMBERG weiteste Verbreitung erworben, welches eine annähernd genaue Lokalisation mit einfachsten Mitteln erlaubt. Es

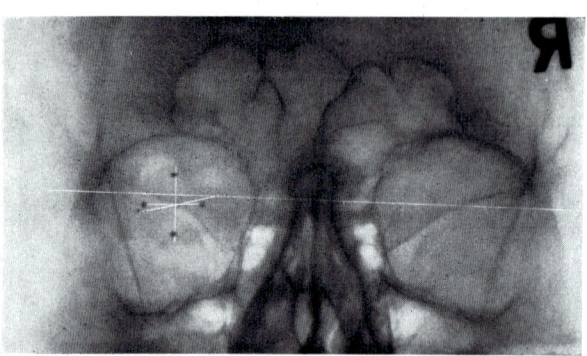

Abb. 218. Röntgenaufnahme (*p. a.*) bei Fremdkörper mit COMBERGscher Glasschale

hat sich gerade durch seine Einfachheit und relative Genauigkeit gegenüber anderen Verfahren durchgesetzt, welche teils an komplizierte Apparaturen gebunden sind. Das Wesentliche an dem Verfahren besteht in einer Glasschale, welche vier Bleimarken enthält; diese Schale wird nach Betäubung mit Psicain oder Cornecain der Hornhaut so aufgesetzt, daß die vier Bleimarken etwa dem Limbus anliegen und so

in der Aufnahme dessen Lage markieren. Auf den Aufnahmen in zwei Ebenen erscheinen nun die erwähnten vier Bleimarken und der Fremdkörper. Da die Bleimarken dem Limbus entsprechen, kann nun bei den Aufnahmen die Lage des Splitters zum Limbus annähernd genau bestimmt werden. Dies geschieht in folgender Weise:

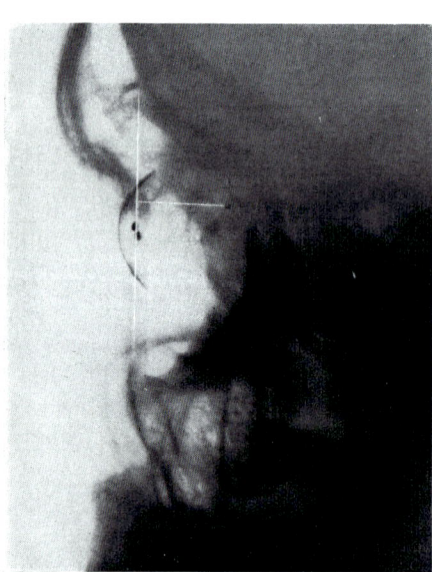

Abb. 219. Seitliche Aufnahme bei Fremdkörper mit COMBERGscher Schale

Auf der ersten (p. a.) Aufnahme werden die vier Bleimarken diagonal miteinander verbunden. Der Schnittpunkt der beiden Linien markiert die Augenachse. Es kann nun sofort erkannt und ausgemessen werden, in welcher Lage zur Achse der Fremdkörper liegt (z. B. temporal unten) und wie weit er davon entfernt ist.

Der Meridian des Fremdkörpersitzes läßt sich bestimmen, indem man den Winkel feststellt, den eine durch Fremdkörper und Augenachse (Schnittpunkt der beiden Diagonalen) gelegte Linie und die Horizontale einschließen. Letztere kann man durch Verbindung der beiden im Röntgenbild sichtbaren Suturae zygomaticofrontales darstellen (Abb. 218). Diese Werte werden in ein Schema (I) eingetragen. Es fehlt nun noch die Tiefenlage des Fremdkörpers. Sie läßt sich an der zweiten (seitlichen) Aufnahme leicht ermitteln. Man markiert auf dieser

Aufnahme den Limbus durch eine unmittelbar vor den Marken gelegene, diese be-
rührende, vertikale Linie und fällt vom Fremdkörper aus auf diese Linie das Lot. Nun
kann man den Abstand Fremdkörper—Limbus und damit die Tiefenlage des ersteren
bestimmen (Abb. 219). Dieser Wert wird in ein Schema (II) unter Berücksichtigung
des Abstandes von der Augenachse eingetragen (Abb. 220). Ein gewisser Vergrößerungs-
faktor der Aufnahme muß als Fehlerquelle dabei berücksichtigt und von den gemessenen Werten abgezogen werden (etwa $^1/_{10}$ des gemessenen Wertes). In vielen Fällen
ergibt diese Bildauswertung unbedingte Klarheit über den Fremdkörpersitz (intrabul-
bär oder extrabulbär).

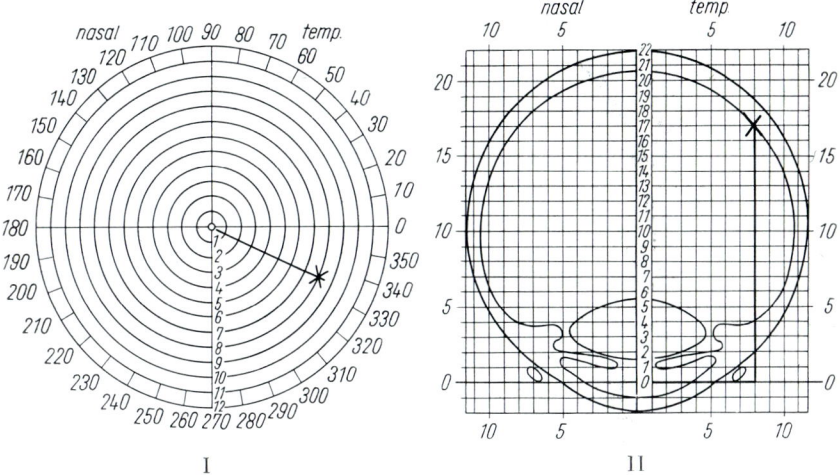

I   II

Abb. 220. Schema zur Einzeichnung der Fremdkörperlage nach COMBERG

Bei nahe der Bulbusgrenze gelegenen Fremdkörpern kann gelegentlich doch noch
ein Zweifel über die Lage bestehen, der sich aus der in gewissen Grenzen wechselnden
Augenlänge ergibt. In diesen Fällen kann die **Einblasung von steriler Luft** hinter den
Bulbus zur Klärung führen, die mit Hilfe einer gewöhnlichen Spritze mit abgebogener
Kanüle erfolgt. Die Luft als optisch dünneres Medium ergibt im Röntgenbild einen

helleren Streifen hinter dem Bulbus und
gestattet so die hintere Bulbuswand zu bestimmen. Liegt der Fremdkörper nun bul-
buswärts von der Luftzone, so ist er intra-
bulbär zu suchen; bei Lage orbitalwärts
vom Luftraum befindet er sich extrabulbär.
Sehr kleine Fremdkörper können sich manchmal dem Nachweis dadurch entziehen, daß
sie sich von den Knochenschatten nicht genug abheben und durch diese verdeckt
werden. In diesen Fällen kann, wenigstens
für den vorderen Augenabschnitt, das
skelettfreie Verfahren von VOGT helfen
(Abb. 221). Man führt dabei kleine, den Zahn-

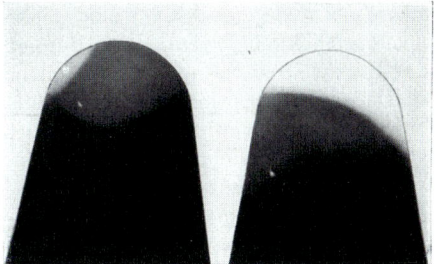

Abb. 221. Skelettfreie Aufnahme nach VOGT
mit kleinem Splitter (grauer Punkt)

filmen ähnliche Filme nasal und unten möglichst tief in die Orbita; die Aufnahme erfolgt von vorn temporal, so daß kein Knochen getroffen wird. Bei begründetem Ver-

dacht auf Splitterverletzung und negativem Ausfall der üblichen Aufnahmen sollte das skelettfreie Verfahren stets angewendet werden.

Durch die Fortschritte der Röntgendiagnostik haben die früher üblichen Sideroskope — nach dem Prinzip der Magnetnadel arbeitende Instrumente — an Bedeutung sehr verloren.

Ein wichtiges, allerdings auch nur für Eisensplitter anwendbares Verfahren ist der **Magnetversuch.** Bringt man dazu das Auge in unmittelbare Nähe eines Riesenmagneten (Elektromagneten) und, schaltet diesen ein, so kann sich der Splitter im Auge bewegen und Schmerzen auslösen, die vom Patienten angegeben werden. Man muß dabei, besonders bei empfindlichen Patienten, aber darauf achten, daß nicht zufällige Berührung der Lider oder Bindehaut mit dem Magneten fälschlich als Schmerzreaktion angegeben werden. Die Röntgenaufnahme hat bei Verletzungen der Orbita auch außerhalb der Fremdkörperdiagnostik großen Wert, so z. B. zur Diagnose von Frakturen im Bereich der Orbita.

B. Verletzungen des Bulbus und seiner Umgebung
1. Stumpfe Verletzungen

Als Ursachen von stumpfen Verletzungen kommen Faustschläge, Anstoßen an Gegenstände, wie Tisch, Stuhl, Schrank, Skistock, Schädigungen durch Fußball, Tennisball, Holzstücke, Kuhhornstoß u. a. vor. Diese stumpfen Verletzungen führen oft zu Schädigungen innerhalb der Orbita und des Auges ohne äußere Wunden, sie können aber auch äußere Wunden, z. B. Skleralrupturen, verursachen. Im folgenden sollen nun die Schädigungen der einzelnen Teile besprochen werden. Vorweggenommen sei dabei, daß sich diese Verletzungsfolgen in mannigfacher Weise kombinieren und so Krankheitsbilder verschiedener Intensität, bis zur völligen Zerstörung des Auges, hervorrufen können. Selbstverständlich sind auch Kombinationen von stumpfen Verletzungen und direkten Perforationen möglich. Sofern der Bulbus geschädigt wird, tritt neben den später beschriebenen Veränderungen an den einzelnen Teilen eine mehr oder minder heftige ziliare oder gemischte Injektion auf.

a) Verletzungen der Orbita

Als Folge stumpfer Verletzung der Orbita ist in erster Linie das **Orbitalhämatom** zu nennen, welches schon im Abschnitt über Orbitalerkrankungen erwähnt wurde. Meist kündigt ein gleichzeitig bestehendes *Lidhämatom* (Verfärbung) den Zustand an. Die Blutung in die Orbita führt oft zu sehr starkem *Exophthalmus* und zur *Beschränkung der Beweglichkeit*. Die in solchen Fällen stets erforderliche Röntgenaufnahme deckt manchmal *Frakturen* im Bereiche des Orbitalskeletts auf, die mit Dislokation der Bruchteile verbunden sein können. Als Folge solcher Dislokationen oder auch der sich an die Resorption der Blutungen anschließenden Schrumpfungen im Fettgewebe kann sich ein Enophthalmus, ein Zurücksinken des Augapfels als Dauerzustand entwickeln. Wir bezeichnen diesen Zustand als *traumatischen Enophthalmus.* Auch *Augenmuskelparesen* können als Dauerfolgen oder vorübergehende Erscheinungen auftreten.

Die **Behandlung** von orbitalen Verletzungen besteht in feuchten Verbänden und Ruhe. In späteren Stadien kann Wärmeanwendung die Resorption von Blutungen fördern.

b) Verletzungen der Lider

Stumpfe Verletzungen der Lider führen zu *Lidhämatomen,* die unter Liderkrankungen beschrieben sind, oder zum *Emphysem* der Lider, welches in demselben Abschnitt erwähnt ist. Ursache dieses Zustandes ist ein Einbruch der Lamina papyracea des Siebbeins. Beide Zustände pflegen folgenlos abzuheilen. Schließlich kann auch bei stumpfen Verletzungen ein Zerreißen der Lider zustande kommen *(Platzwunden)*. Sie sind möglichst rasch zu nähen. Die Naht von Lidwunden soll dem Facharzt vorbehalten bleiben. Dies gilt besonders bei Verletzung der Lidkanten und Lidabriß. Oberflächliche Abschürfungen sind mit Verbänden, am besten Salbenverbänden zu behandeln. Bei Hämatomen sind feuchte Umschläge und Verbände anzuwenden. Nach einigen Tagen kann Wärmeapplikation erfolgen.

c) Verletzungen der Bindehaut

Hier kommen in erster Linie *subkonjunktivale Blutungen* in Betracht; sie bedürfen keiner besonderen Behandlung. *Bindehautrisse*, die ebenfalls gelegentlich bei Prellungen, häufiger allerdings bei scharfen Verletzungen vorkommen, erfordern nur in seltenen Fällen eine Naht. Diese ist bei großen Rissen und bei gleichzeitiger Ruptur der Sklera notwendig.

d) Verletzungen der Hornhaut und Vorderkammer

Eine häufige Folge von stumpfen Verletzungen ist die **Erosio corneae**. Wir verstehen darunter einen oberflächlichen Defekt — den Verlust von Epithelzellen der Hornhaut (Abb. 222). Sie ist meist mit erheblichen Schmerzen verbunden. Der Nachweis einer Erosion kann durch Eintropfen von 2% Fluoreszeinlösung erleichtert werden. Dabei färbt sich der sonst oft schwer sichtbare Defekt deutlich grün (S. 62). Sie bedeutet stets die Gefahr einer Infektion und damit des Ulcus serpens. Jede Erosion ist daher exakt mit einem Verband zu versorgen. Außerdem ist Noviformsalbe (5%) oder Irgamidsalbe einzustreichen. Natürlich kann auch Penicillin

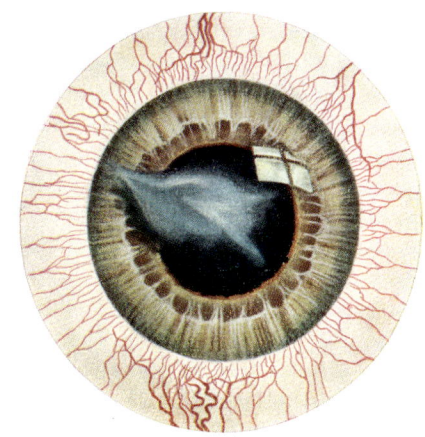

Abb. 222. Ausgedehnte, unregelmäßig gestaltete Erosion der Hornhaut

verwendet werden, doch heilen die Erosionen auch ohne diese Mittel störungsfrei ab. Die Schmerzen schwinden meist sofort nach Ruhigstellung des Auges durch Verband.

Nach Abheilen von Erosionen kommt es manchmal ohne ersichtlichen Anlaß zu *Rezidiven der Erosion* (rezidivierende Hornhauterosion). Ursache ist eine Minderwertigkeit des neugebildeten Epithels. Möglicherweise spielen neurodystrophische Störungen mit eine ursächliche Rolle. Die Behandlung entspricht der der primären Erosion, doch sollen die Verbände nachts durch längere Zeit fortgesetzt werden. In schweren Fällen kann eine Abschabung des Hornhautepithels (Abrasio corneae) nötig werden.

Als Prellungsfolgen an der Cornea kommen auch **Trübungen der Hornhaut** durch Quellung vor, wobei oft Einrisse der DESCEMETschen Membran nachweisbar sind. Unter Verbänden pflegen sich diese Veränderungen zurückzubilden. Gelegentlich kommt es nach Descemetrissen zur Ausbildung von in die Vorderkammer vorragenden Leisten. Wir sehen dies besonders nach Hornhautschädigung bei Zangengeburt.

Eine der häufigsten Prellungsfolgen ist das **Hyphaema**, die Blutung in die Vorderkammer. In leichten Fällen können diese Blutungen das einzige Zeichen der stattgefundenen Verletzung sein. Manchmal handelt es sich um ganz kleine Blutungen am Boden der Kammer, in anderen Fällen reichen sie bis zur Hälfte der Vorderkammer, in schweren können sie diese ganz erfüllen. Unter Ruhe und feuchten Verbänden pflegen sie sich meist rasch und folgenlos zurückzubilden. Bei großen Blutungen besteht allerdings die Gefahr eines *Eindringens von Blutfarbstoff in die Hornhaut (Hornhautdurchblutung)*. Dadurch werden scheibenförmige, grünliche Trübungen hervorgerufen die sich kaum aufzuhellen pflegen und dauernde Sehstörungen verursachen. Bei großen Blutungen, die keine Tendenz zur baldigen Resorption zeigen, ist deshalb eine Entfernung des Blutes durch Punktion der Vorderkammer geboten.

e) Verletzungen der Iris und des Strahlenkörpers

Unter dem Einfluß einer Prellung kann es zum Abriß der Iris an ihrem Ansatz am Ziliarkörper, — **Iridodialyse** — oder zu Einrissen im Schließmuskel der Iris — **Sphinkterrissen** — kommen. Natürlich können beide Schädigungen, die übrigens meist

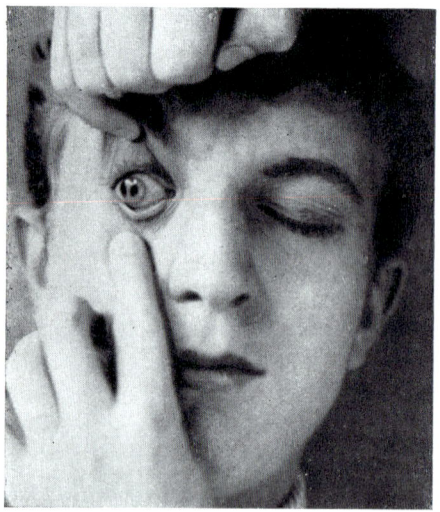

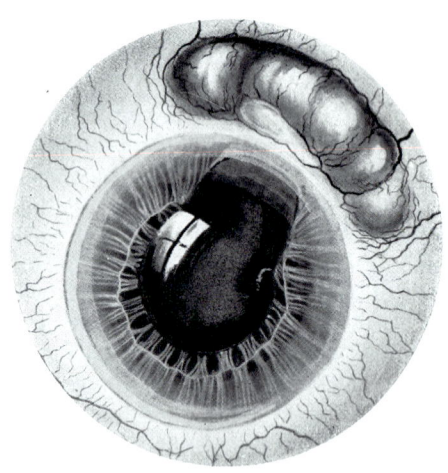

Abb. 223. Iridodialyse außen; Pupille temporal abgeflacht

Abb. 224. Subkonjunktivale Skeralruptur oben mit Vorfall von Uveagewebe

mit Blutungen verbunden sind, auch gleichzeitig auftreten. Bei der Iridodialyse entstehen an Stelle des Abrisses schwarze Stellen, die durch das Fehlen der Iris an diesen Orten verursacht sind. Sie liegen stets in der Nähe des Kammerwinkels und können in jedem Teile des Auges (oben, unten usw.) auftreten (Abb. 223). Bei größeren Abrissen pflegt eine Abflachung der Pupille an der dem Abriß entsprechenden Stelle bemerkbar zu sein.

Eine besonders schwere Prellungsfolge ist die **traumatische Aniridie,** die allseitige Ablösung der Iris von ihrem Ansatz. Sie kommt meist nur bei Verletzungen mit gleichzeitiger Eröffnung des Augapfels (Skleralrupturen) zustande.

Die Sphinkterrisse sind durch kleinere und größere Einkerbungen des Pupillarrandes kenntlich, die einzeln oder multipel an beliebigen Stellen des Pupillarrandes auftreten können.

Auch sog. **Iridoplegien,** traumatische Lähmungen des Schließmuskels mit Erweiterung der Pupille (Mydriasis), kommen zur Beobachtung, manchmal mit Akkommodationslähmung verbunden. Sie können sich zurückbilden, doch bleiben oft Reste der

Veränderung im Sinne einer Erweiterung der Pupille mit abgeschwächter Reaktion zurück. Auch krampfartige Miosis und Myopie durch Ziliarmuskelschädigung werden beschrieben; sie bilden sich meist rasch zurück.

Die **Behandlung** der traumatischen Irisverletzungen ist im allgemeinen konservativ (Ruhe, Verbände). Nur bei umfangreicheren Iridodialysen kommt eine operative Wieder-anlegung der Iris in Betracht, die aber erst nach Abklingen der akuten Erscheinungen erfolgen soll.

f) Verletzungen der Sklera

Die Sklera ist im allgemeinen derb und fest und leistet leichten und mittleren Prel-lungen genügend Widerstand. Bei sehr schweren Kontusionen kann es aber zum Platzen der Sklera — einer **Skleralruptur** — kommen. Bei Entstehung derartiger Zustände bestehen zwei Möglichkeiten: Ent-weder tritt gleichzeitig eine Ruptur der Bindehaut ein oder diese bleibt über der

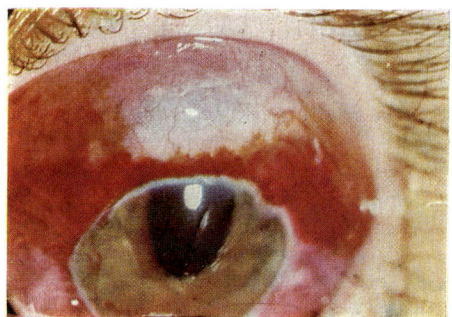

Abb. 225 Skleralruptur

defekten Sklera intakt. Im ersten Falle sprechen wir von *offenen*, im zweiten von *gedeckten* oder *subkonjunktivalen Skleralrupturen* (Abb. 224, 225). Manchmal entstehen auch nur oberflächliche — nicht durchgreifende — Dehiszenzen der Lederhaut, die als zarte dunkle Striche sichtbar sind. Klinisch ist allerdings meist nicht sicher zu entscheiden, ob nicht doch eine durchgreifende, wenig klaffende Ruptur vorliegt. Die

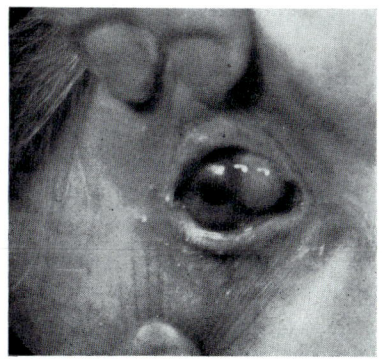

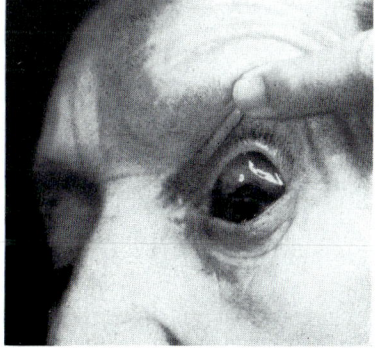

a   b

Abb. 226a und b. Subkonjunktivale Linsenluxation bei Skleralruptur

Skleralrupturen liegen meist konzentrisch zum Limbus in 2 bis 3 mm Entfernung da-von. Dies erklärt sich aus der geringen Widerstandsfähigkeit der Lederhaut an dieser Stelle, die mit dem Durchtritt von Gefäßen und der Lage des Sinus venosus sclerae zusammenhängt. Die Länge und die Lage (oben, unten usw.) können verschieden sein.

Es ist verständlich, daß so schwere Verletzungen niemals die Sklera allein betreffen, sondern daß stets noch andere ernste Schäden, wie intraokulare Blutungen, Linsen-luxation, Aniridie usw. vorliegen. Frische subkonjunktivale Skleralrupturen sind oft infolge subkonjunktivaler Blutungen oder starker entzündlicher Injektion nicht leicht zu erkennen, besonders wenn keine Vorbuckelung durch Vordrängen tieferer Teile im Rißgebiet vorliegt. Durch die erwähnten Komplikationen (Blutung, Injektion) können die blauschwarzen, konzentrisch zum Limbus gelegenen Streifen verdeckt werden, die die Zeichen der Ruptur sind. Vorwölbungen an der Verletzungsstelle und Erweichung des Bulbus sprechen stets für eine Ruptur.

Da oft gleichzeitig mit der Skleralruptur Linsenluxationen, Irisabreißungen usw. erfolgen, besteht die Möglichkeit, daß diese Teile durch die offene Wunde nach außen geschleudert werden. Bei offenen Skleralrupturen werden diese Teile oft weit aus dem Auge geschleudert (z. B. die Linse) und sind nicht mehr auffindbar. Bei subkonjunktivalen Rupturen können Uvea, Linse und Glaskörper in die Wunde verdrängt oder durch diese nach außen unter die Bindehaut verlagert werden (Abb. 226).

Die **Prognose** der Skleralrupturen ist stets ernst; viele Augen gehen verloren oder büßen ihre Sehkraft ganz oder weitgehend ein. Es gibt aber auch Fälle, in welchen nach Verlust der Linse mit Starglas wieder gute Sehschärfe erzielt wurde.

Die **Behandlung** muß bei offenen Rupturen stets operativ sein und hat den Verschluß der Wunde und damit die Vermeidung der Infektion zum Ziel. Vorliegende Teile des inneren Auges (Uvea, Linse, Glaskörper) müssen abgetragen werden. Bei subkonjunktivalen Rupturen kann man sich oft zunächst konservativ verhalten, da die Infektionsgefahr durch die intakte Bindehaut stark vermindert ist. Unter die Bindehaut verlagerte Teile müssen später entfernt werden. Selbstverständlich gehört schon jeder Verdacht auf Skleralruptur in fachärztliche Behandlung. Vom Schutz durch Antibiotika wird man stets Gebrauch machen.

g) Verletzungen der Linse

Der Linse drohen bei Bulbuskontusionen zwei Gefahren, die der Luxation oder Subluxation und die der Trübung.

Die **Linsenluxation** entsteht, wenn infolge der Gewalt des Traumas die Fibrae suspensoriae (Zonulafasern) zerreißen. Die Linse verliert damit ihren festen Halt und kann ihren Ort verändern. Wenn nur ein Teil der Fasern reißt, entsteht Linsenschlottern *(Subluxation)*,

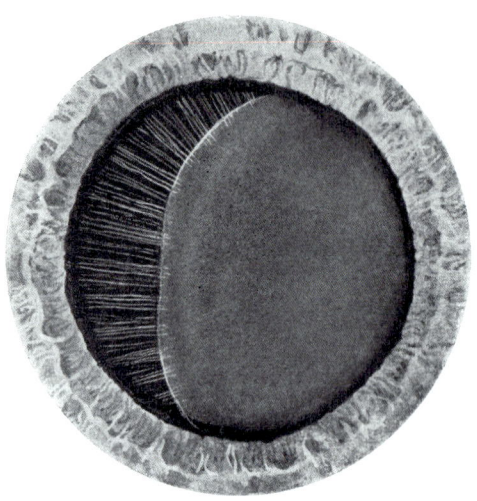

Abb. 227. Nicht vollständige Luxation der Linse, Zonulafasern sichtbar

und, da die Iris der Linse aufliegt, auch Irisschlottern, ohne daß eine grobe Lageveränderung eintritt. Je nach dem Umfang der Verletzung können diese Symptome stärker oder schwächer ausgeprägt sein (Abb. 227). Auch ungleiche Tiefe der Vorderkammer gehört zu den Symptomen der Linsensubluxation. Bei vollständigem Zerreißen der Zonula Zinnii (Apparatus suspensorius lentis) entfernt sich die Linse ganz aus ihrer Lage. Sie kann entweder nach vorn, in die Vorderkammer verlagert werden oder — häufiger — nach rückwärts in den Glaskörper. Sie kann dort versinken und unsichtbar werden oder zum Teil noch in der Pupille erkennbar sein. In solchen Fällen kann unter Umständen monokulare Diplopie auftreten, wie dies schon im Kapitel über die kongenitale Linsenluxation angeführt und begründet wurde. Manchmal kann man die versunkene Linse noch mit dem Augenspiegel oder bei bestimmten Blickrichtungen sehen. Gewöhnlich erfolgt früher oder später Trübung der luxierten Linse. Oft werden dadurch schwere Reizzustände des Auges hervorgerufen. Auch die Gefahr des Sekundärglaukoms ist bei Linsenluxation gegeben, und zwar sowohl bei Verlagerung in die Vorderkammer als auch in den Glaskörper. Bei gleichzeitigem Eintritt einer Skleralruptur kann die Linse durch die Öffnung nach außen geschleudert werden. Bei subkonjunktivalen Rupturen findet man sie gelegentlich zwischen Sklera und Bindehaut liegend.

Trübungen der Linse bei Bulbusprellungen werden als **Kontusionskatarakte** bezeichnet. Sie können durch Kapselriß oder auch durch Störungen der Kapseldurchlässigkeit und Verschiebungen innerhalb der Linse entstehen. Diese Veränderung sowie auch die sog. VOSSIUSsche Ringtrübung wurden im Kapitel über Linsenerkrankungen (S. 125 und 126) beschrieben. Gelegentlich können, wenn sich ein Kapselriß rasch wieder schließt, auch umschriebene Linsentrübungen resultieren.

h) Verletzungen des Glaskörpers

Eine häufige Folge schwerer Kontusionen ist die **Glaskörperblutung.** Das Blut stammt dabei aus den den Glaskörper umgebenden Augenhäuten. Geringfügige Blutungen sind als schwarze Flocken und Schlieren (siehe unter Erkrankungen des Glaskörpers) sichtbar, bei dichten Blutungen ist kein rotes Licht aus dem Auge zu erhalten; oft kann man bei diesen Fällen schon mit der Spaltlampe oder bei seitlicher Beleuchtung die Blutmassen hinter der Linse erkennen. In solchen Fällen kann oft die Lichtempfindung fehlen, obwohl Netzhaut und Opticus intakt sind. Der Grund hierfür liegt in der Absorption des Lichtes durch die dichten

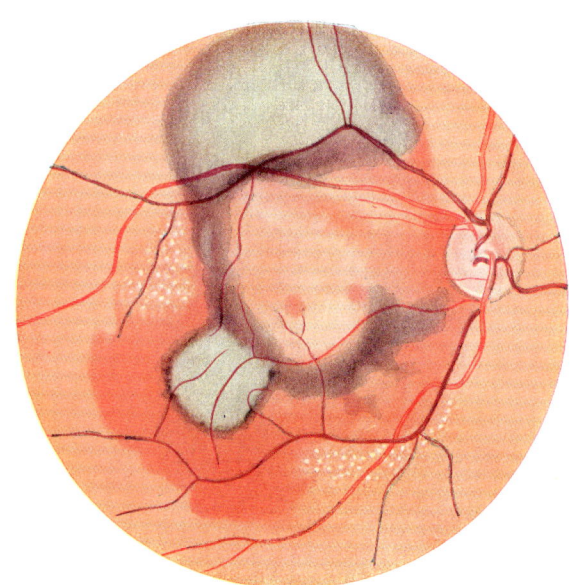

Abb. 228. Schwere Prellungsfolge am Augenhintergrund; retinale (rote) und subretinale (blaugrau) Blutungen, beginnende Narbenbildung und Pigmentierung (zentral)

Blutmassen. Geringe Blutungen und manchmal auch umfangreiche können sich gut aufsaugen. Bei letzteren besteht allerdings immer die Gefahr der Bildung von bindegewebigen Schwarten oder Strängen, die zu schweren Dauerschäden führen und auch durch Schrumpfung eine Netzhautablösung veranlassen können.

Kontusionen können auch Zerfall des Gerüstes und **Abhebung des Glaskörpers** herbeiführen. Auch hier steht subjektiv das Sehen von schwarzen Wolken und Flocken oder auch Lichterscheinungen im Vordergrund. Letztere werden durch Zerren des abgehobenen Glaskörpers an der Netzhaut ausgelöst. Bei Luxationen und Subluxationen kann der Glaskörper zwischen Iris und Linse in die Vorderkammer geraten und evtl. ein Sekundärglaukom auslösen, bei Skleralrupturen kann er nach außen vorfallen. Über die Behandlung der Glaskörpertrübungen ist im Abschnitt über Glaskörpererkrankungen das Nötige gesagt.

i) Verletzungen von Aderhaut, Netzhaut und Sehnerv

In der Aderhaut kann es zu schweren Blutungen und Gewebszerreißungen kommen. Diese können an der Einwirkungsstelle der Gewalt selbst erfolgen **(direkte Rupturen)** oder entfernt davon durch Contre-coup **(indirekte Rupturen).** Die erstere Form tritt besonders bei Schußverletzungen der Orbita oder ihrer Umgebung (Kieferdurchschüsse usw.) auf und führt oft zu sehr ausgedehnten, weißen Narben und oft prominenten Schwartenbildungen, die sich landkartenartig über den Augenhintergrund, besonders das Gebiet des hinteren Pols, ausbreiten können. Pigmentklumpen und in frischen Fällen Blutreste vervollständigen das Bild (Abb. 228) *(Chorioretinitis sclopetaria)*. Die Netzhaut ist im geschädigten Bezirk auch zerstört. Oft besteht gleichzeitig Atrophie des Fasciculus opticus. In ganz frischen Fällen stehen Blutungen im Vordergrund. Oft verdeckt zunächst eine Glaskörperblutung den Einblick.

Die *indirekten* Rupturen, die meist bei leichterer Prellung der vorderen Partien zu sehen sind, führen zu weißen bogenartigen Rupturen, die meist konzentrisch zur Papille verlaufen (Abb. 229), gelegentlich aber auch andere Bilder bieten können. Manchmal sieht man auch mehrere Rupturen an verschiedenen Stellen. In frischem Zustand ver-

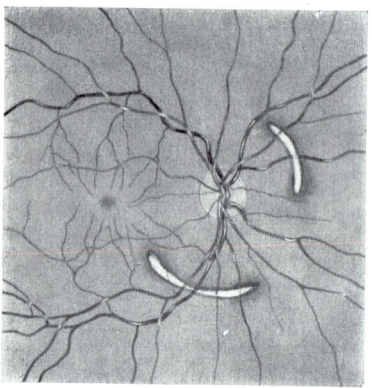
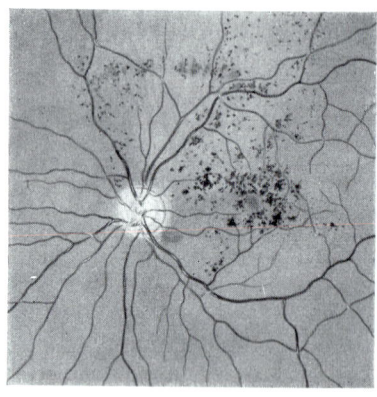

Abb. 229. Aderhautruptur oberhalb und unter-   Abb. 230. Blutungsreste und Pigmentierungen
halb der Papille von Blutungen umrahmt   der Netzhaut nach Prellungsverletzung

decken meist Blutungen die eigentlichen Veränderungen; später findet man auch Pigmentierungen im Bereich oder in der Umgebung der Risse. Der Grad der Sehstörungen hängt vom Ausmaß und der Lage der Herde ab. Bei Freibleiben der Macula kann manchmal noch guter Visus bestehen, bei schweren Zerstörungen im Maculagebiet und Opticusatrophie kann vollständige Erblindung eintreten. Einer besonderen Therapie sind diese Veränderungen nicht zugänglich.

Die Netzhaut kann ebenfalls durch Kontusion geschädigt werden. Eine flüchtige Veränderung stellt die sog. **Commotio retinae** (BERLINsches Ödem) dar. Sie besteht in einer grauweißen Trübung kleinerer oder größerer Netzhautbezirke, meist um den hinteren Pol. Das der Veränderung zugrunde liegende Ödem pflegt sich in einigen Tagen bis Wochen zurückzubilden. Oft tritt wieder voller Visus ein; in anderen Fällen verbleiben Pigmentierungen im Bereiche der geschädigten Netzhautstellen (Abb. 230). Manchmal entwickelt sich im Anschluß an ein Ödem auch im Maculabezirk eine runde, scharf begrenzte, rötliche Stelle, die von Pigment umgeben sein kann — **ein Maculaloch.** Diese traumatischen Maculalöcher führen in der Regel nicht zur Netzhautablösung. Sie haben eine erhebliche Sehstörung zur Folge und erfordern keine

Therapie. Auch Blutungen aus den Gefäßen in, vor und unter der Netzhaut können entstehen; sie ergeben die Bilder der im Abschnitt Netzhauterkrankungen genauer beschriebenen retinalen, präretinalen oder subretinalen Blutungen. Schließlich können auch Rißbildungen in der Netzhaut entstehen, die zur Ausbildung einer **Netzhautablösung** führen (s. S. 165). Wichtig ist für die Begutachtung, daß solche traumatischen Netzhautablösungen nicht sofort zu entstehen brauchen, sondern daß zwischen dem Trauma und der Entdeckung der Ablösung, d. h. dem Eintritt ernsterer Sehstörung. oft ein längerer Zeitraum liegen kann. Bemerkt sei auch, daß nicht nur direkte Bulbusprellungen, sondern auch Erschütterungen des Kopfes oder Körpers auslösend für eine Ablatio retinae sein können, wie schon bei Besprechung dieser Erkrankung ausgeführt wurde. Die gutachtliche Beurteilung derartiger Zusammenhänge stellt den Augenarzt oft vor schwere Entscheidungen. Wichtig ist dabei, daß eine bestehende Disposition zur Ablatio (z. B. bei Myopie) allein kein Grund ist, um eine traumatische Entstehung abzulehnen. Über Therapie siehe Abschnitt Ablatio retinae. Bei rißbedingten, posttraumatischen Ablösungen ist die Prognose nicht ungünstig. Bei Ablösung durch Schwartenbildung und Schrumpfung im Glaskörper ist in der Regel kein Erfolg der Operation zu erwarten.

Die bei Durchschüssen der Orbita, Schädelbasisbruch usw. auftretenden Opticusschäden sind meist durch direkte Verletzung des Opticus durch Geschoß, Knochensplitter usw. hervorgerufen. An dieser Stelle muß noch die sog. **Evulsio fasciculi optici** erwähnt werden, die Ausreißung des Opticus aus dem Bulbus, die durch schwere Kontusionen hervorgerufen werden kann. In frischen Fällen verdeckt meist eine schwere Blutung das entstandene Loch, welches später durch eine weiße, schwartenartige Narbe verschlossen wird. Dieser Zustand bedeutet selbstverständlich Amaurose und ist therapeutisch nicht zu beeinflussen.

k) Beeinflussung des Druckes

Daß nach Kontusionsverletzungen **Sekundärglaukome** auftreten können, z. B. bei *Linsenluxation*, wurde schon erwähnt.

Bei Luxation in die Vorderkammer tritt beinahe regelmäßig ein Glaukom auf, weil die Linse direkt die Abflußwege blockiert. Bei Luxation in den Glaskörperraum oder Subluxation kann die Iriswurzel gegen den Kammerwinkel gedrängt werden und diesen verlegen. Auch kann ein vermehrter Reiz zur Absonderung ausgeübt bzw. der Eiweißgehalt des Kammerwassers erhöht werden. Letztere Erklärung gilt wohl auch für die sog. *Kontusionsglaukome*, bei welchen ohne ersichtliche Gründe (wie Linsenluxation) ein Glaukom auftritt. Möglicherweise spielt dabei auch das Verhalten des Glaskörpers eine Rolle. Die Behandlung des Glaukoms richtet sich nach den bei Erörterung dieses Leidens angegebenen Grundsätzen. Bei Linsenluxation ist eine Entfernung der verlagerten Linse erforderlich.

Auch **Hypotonien** kommen nach Bulbusprellungen vor; sie zwingen stets, an eine Skleralruptur zu denken (s. d.), doch kann vorübergehende Hypotonie nach Prellung gelegentlich auch ohne Bulbuseröffnung auftreten. Die Ursache ist nicht klar (nervale Einflüsse?).

2. Verletzung des Auges durch scharfe Gegenstände ohne Verbleiben eines Fremdkörpers im Auge

a) Verletzungen der Orbita

Verletzungen der Orbita können durch Schuß, Stich, Hufschlag, Pfählung u. a. entstehen. Sie sind oft mit Verletzungen des Schädels, der Nebenhöhlen usw. verbunden. Der Augenarzt hat in allen Fällen den Rhinologen und evtl. den Chirurgen beizuziehen. Röntgenaufnahme des Schädels ist in jedem Fall unerläßlich. Auch ist nach evtl. in der Orbita verbliebenem Fremdkörper (Griffel, Schirmspitzen, Holz-

splitter usw.) zu fahnden. Grundsatz ist, daß jede Orbitalverletzung in die Fachklinik
gehört, der die weitere Entscheidung obliegt. Oft verbirgt sich hinter relativ kleinen
Eintrittswunden eine schwere Verletzung in der Tiefe. Besonders gefährlich sind Eröffnungen der Nebenhöhlen und Schädelkapsel wegen der Infektionsgefahr. Solche
Verletzungen sind stets lebensgefährlich. Nötigenfalls ist breite Freilegung des Ver-
letzungsgebietes erforderlich.

Als Symptome von Orbitalverletzungen können *Exophthalmus*, *Blutungen* und
Störungen der Augenmuskeln (Abb. 231) auftreten. Letztere können durch direkte Ab-
risse der Muskeln, durch Nervenschädigung, Splitter oder Blutungen bedingt sein. Sehr
oft sind gleichzeitig Zerreißung der Lider und Schädigungen des Bulbus vorhanden.
In schweren Fällen kann der Augapfel nach Zerreißung mehrerer oder aller Muskeln

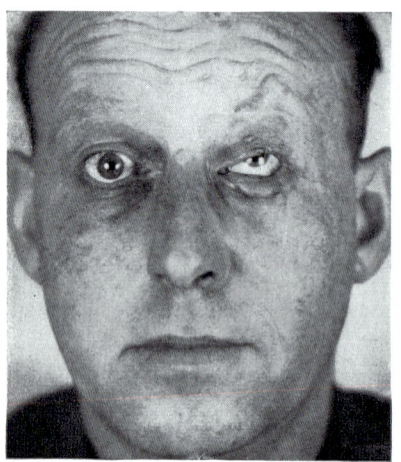

völlig aus seiner Lage gerissen — luxiert —
werden. Solche *Luxationen des Bulbus* können
nach vorne oder auch in die Nebenhöhlen erfolgen. Bei völliger Ausreißung des Augapfels
sprechen wir von *Evulsio bulbi*.

Auf den *prognostischen Ernst* aller Orbitalverletzungen wurde schon hingewiesen. Sie
können durch Mitverletzung der Nebenhöhlen
und des Schädels einschließlich des Gehirns zu
lebensbedrohenden Komplikationen führen.
Bei Mitverletzung des Bulbus hängt die Prognose von dem Grade dieser Schädigung ab.
Muskelstörungen können zu Doppelbildern
führen, falls das Sehen erhalten ist, Verletzungen des Opticus Erblindung herbeiführen. Geringfügige Verletzungen heilen manchmal ohne
bleibende Schädigung ab.

Abb. 231. Zustand nach schwerer Orbitalverletzung durch ein Bierglas. Haut-
narben nach Lidverletzungen. Schädigung des Musculus rectus inferior

Die Behandlung von Orbitalverletzungen
ist, wie erwähnt, stets Sache des Facharztes. Die
Aufgabe des praktischen Arztes beschränkt sich
auf Verband und Sorge für den raschen Transport zum Facharzt. Dieser kann je nach den Um-
ständen abgerissene Muskeln nähen, Bulbuswunden durch Naht oder Deckung versorgen. In schweren Fällen muß oft der Bulbus geopfert werden; bei Notwendigkeit der
Versorgung vorliegender Hirnteile kann auch die Exenteratio orbitae erforderlich sein.
In vielen Fällen ist die Mithilfe oder Übernahme des Falles durch den Rhinologen oder
Chirurgen nötig. Schutz durch Antibiotika ist nach allen derartigen Verletzungen ebenso geboten, wie Tetanusantitoxininjektion. Dies gilt auch für Verletzung anderer Teile
des Auges, da gelegentlich auch Bindehaut- oder Hornhautverletzungen zum Tetanus
führen können.

b) Verletzungen der Lider und Tränenorgane

Durch scharfe Verletzungen können an den Lidern **Schnittwunden** und **Stichwunden**
(Abb. 232) entstehen; oberflächliche Wunden kommen ebenso zur Beobachtung wie
solche, die die ganze Liddicke durchsetzen. Lidwunden sollen möglichst bald nach
der Verletzung genäht werden. Besonderer Wert ist dabei auf exakte Vereinigung der
Lidränder zu legen, falls diese durchtrennt sind. Diese Aufgabe soll dem Facharzt
überlassen werden. Bei unzureichender Vereinigung der Lidränder entstehen *Lidkolobome*, die später neuerlicher korrigierender Eingriffe bedürfen. Verschmutzte Teile

sind vor der Naht auszuschneiden. Sofern die Naht starke Spannung bringt, kann man diese durch Durchtrennung des äußeren Lidbändchens beseitigen. Diese läßt sich leicht durchführen, indem man mit einem Messerchen zwischen äußerem Lidwinkel und Orbitalrand eingeht. Man merkt das Durchtrennen des Lidbändchens sofort daran, daß die Spannung ruckartig nachläßt. Die Wiederverheilung des Bändchens erfolgt spontan.

Bei Lidverletzungen kann es auch zu einer **Durchtrennung der Tränenröhrchen** kommen, die mit Narbenstrikturen heilen, wenn nicht durch Naht der Röhrchen die Durchgängigkeit gesichert wird. Diese Behandlung kann nur vom Facharzt richtig ausgeführt werden. Erfolgt sie nicht rechtzeitig, so ergibt sich störendes Tränen, welches später durch komplizierte Eingriffe wieder beseitigt werden muß. Bei ausgedehnten Wunden, die auch den Tränensack zerstören, ist meist dessen Entfernung nötig.

c) Verletzungen der Bindehaut

In der Bindehaut können **Blutungen** und **Risse** entstehen. Kleine Risse ohne Verletzung sonstiger Teile bedürfen meist keiner Naht. Bei Verletzung der Conjunctiva tarsi oder der Übergangsfalte im Zusammenhang mit Lidverletzungen ist exakte Naht erforderlich. Bei schweren Verletzungen mit Verlust größerer Teile der Bindehaut können plastische Operationen mit Lippenschleimhaut nötig werden.

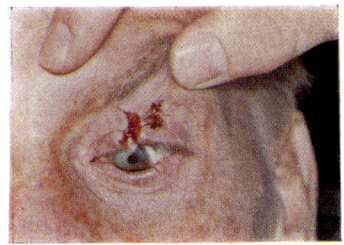

Abb. 232. Schnittwunde im Oberlid mit Hornhautperforation und Irisprolaps

d) Verletzungen der Hornhaut

Verletzungen der Hornhaut durch scharfe Gegenstände vermögen zunächst die schon als Folge einer stumpfen Verletzung (S. 209) besprochene Erosion hervorzurufen. Schädigung der Hornhaut durch gegen das Auge schlagende Baumzweige, durch Kratzen mit Fingernägeln (besonders durch kleine Kinder) u.a. können die beschriebene Veränderung hervorrufen, ja, sind häufiger als stumpfe Verletzungen Ursache der Erosion. Wenn derartige Verletzungen auch das Stroma der Hornhaut betreffen, dauert die Abheilung länger und hinterläßt meist dichtere Narben, die je nach Größe und Lage Sehstörungen verschiedenen Grades verursachen. Die Behandlung derartiger Hornhautverletzungen entspricht der der Erosion; bei Mitreizung der Iris ist Atropin erforderlich.

Wir gelangen nun zu den so wichtigen perforierenden Verletzungen des Bulbus, bei welchen Cornea und Uvea meist gemeinsam betroffen werden. Allerdings kommen auch isolierte Verletzungen der Hornhaut vor. Nach jeder Verletzung des Bulbus ist durch genaue Untersuchung zu klären, ob eine **Perforation** vorliegt oder nicht. Falls eine solche gegeben ist, so ist das weitere Schicksal des Bulbus, abgesehen von der Größe der Wunde und dem Umfang der primär eingetretenen Zerstörungen vor allem von zwei Faktoren abhängig, nämlich davon, ob

1. eine Infektion der Wunde erfolgt ist,

und

2. ein Fremdkörper im Bulbus verblieben ist oder nicht.

Diese Fragen sind durch genaue Untersuchung einschließlich Röntgenuntersuchung (siehe Untersuchungsmethoden) und gründliche Aufnahme der Anamnese zu klären.

Zunächst sollen nun die unmittelbaren Verletzungsfolgen an der Cornea geschildert werden. Sie bestehen in mehr oder minder großen Wunden (Abb. 233), die alle Schichten durchsetzen. Sie können sehr klein sein, z.B. beim Eindringen kleinster Metallsplitter, oder auch größere Teile der Hornhaut einnehmen, ja oft die ganze

Hornhaut spalten. Bei senkrecht zur Hornhaut auftreffenden Schädigungen entstehen glatte, scharfrandige Wunden, bei in schräger Richtung einwirkenden oft Lappenwunden, die die Cornea in schräger Richtung durchsetzen.

Bei ganz kleinen Perforationswunden und raschem Durchdringen des Fremdkörpers kann die Vorderkammer erhalten bleiben. In der Regel aber führt die Perforationswunde zum Abfluß des Vorderkammerwassers. Dies kann verschiedene Folgen haben. Bei zentral gelegenen Wunden, wenn also der Wundstelle keine Regenbogenhaut gegenüberliegt, kann die Wunde ohne weitere Komplikation verheilen. Bei größeren Wunden in Bezirken, die der Regenbogenhautlage entsprechen, wird durch Abfluß des Kammerwassers diese Haut an die Cornea herangebracht. Dabei wird, je nach Größe und Art der Wunde, die Iris vorfallen, also durch die Wunde nach außen gelangen *(Irisprolaps)* (Abb. 234). oder sich wenigstens der Wunde anlagern oder in diese einlagern (Abb. 235). Dieser letztere Vorgang führt dann im Heilungsverlauf zur narbigen Fixierung der Iris an der Hornhaut, zur *vorderen Synechie.* Die Art des Prolapses hängt neben der Größe der Hornhautwunde auch davon ab, ob intakte Iris vor-

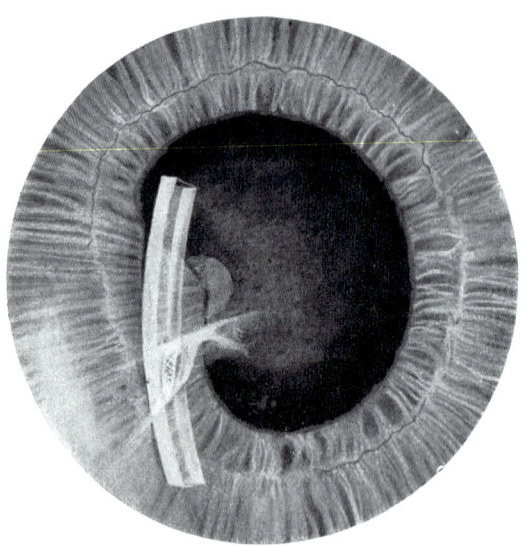

Abb. 233. Mehrstrahlige Perforationswunde der Hornhaut, sekundäre Iritis mit breiter, hinterer Synechie, Pigment- und Exsudatauflagerungen auf der vorderen Linsenkapsel

fällt. oder ob gleichzeitig auch Zerstörungen in der Regenbogenhaut selbst erfolgen.

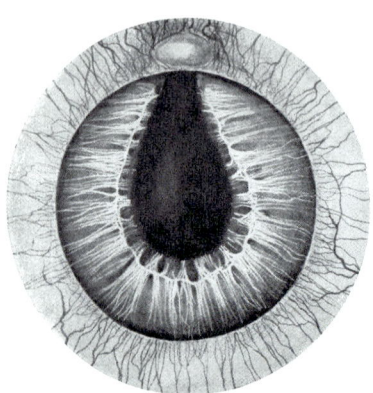

Abb. 234. Irisprolaps bei Perforation am Limbus oben; Verziehung der Pupille in dieser Richtung

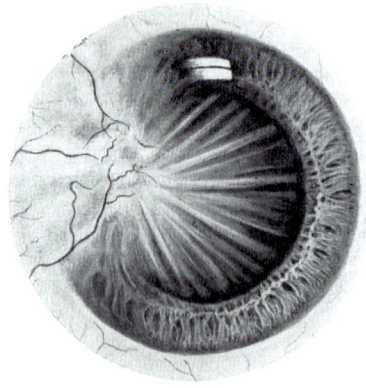

Abb. 235. Hornhautnarbe nach perforierender Verletzung mit Anheftung der Iris (vordere Synechie) und Anheftung der Linsenkapsel an der Hornhautnarbe

Die **Prognose** der Hornhautverletzung selbst hängt vom Umfang derselben ab. Kleine und nicht durchgreifende Wunden können rasch und mit relativ zarter Narbenbildung abheilen. Liegen diese zarten Narben in peripheren Hornhautteilen, so kann die Sehstörung fehlen oder sehr gering sein; bei zentralen Narben ist, vor allem wenn sie umfangreicher sind, mit erheblichen Störungen zu rechnen. Komplikationen seitens der Iris führen meist zur Entstehung von Regenbogenhautkolobomen, die unter Umständen durch Blendung störend wirken können. Trotzdem kann auch bei kleinen Hornhautnarben und kleinen Kolobomen oft guter Visus erzielt werden.

Die **Behandlung** der Hornhautwunden ist bei nichtperforierenden Wunden konservativ (Verbände mit Noviformsalbe). Auch bei kleinen Perforationen ohne Beteiligung der Iris kommt man mit diesem Verfahren aus. Größere Wunden sind zu verschließen. Dazu dient entweder die *Bindehautplastik nach* KUHNT oder die *Hornhautnaht*. Das erstere Verfahren besteht darin, daß die Conjunctiva bulbi vom Limbus aus von ihrer Unterlage getrennt und mobilisiert wird, was infolge der lockeren Verbindung zur Sklera und der Dehnbarkeit der Bindehaut nicht schwer ist. Darauf läßt sich die Bindehaut schürzenartig über die Wunde ziehen. Sie wird durch Nähte in dieser Lage mit der Episklera vernäht, so daß sie nicht zurückgleiten kann. Am weitesten läßt sich die Bindehaut von oben herabziehen, und zwar nötigenfalls bis zur völligen Überdeckung der ganzen Cornea. Bei zentralen Wunden nimmt man daher am besten die Bindehaut von oben, nur bei peripheren von der nächstgelegenen Seite. Viele Autoren bevorzugen auch die *Hornhautnaht* mit Frauenhaar, die ebenfalls sehr gute Ergebnisse bringt. Vorliegende Iris- oder Glaskörperteile werden vor Verschluß der

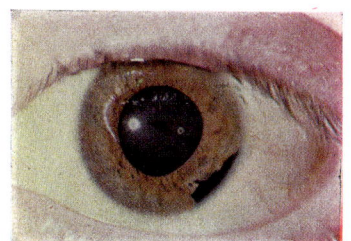

Abb. 236. Zerreißung der Iris nach perforierender Verletzung durch Glassplitter; die Linse ist wegen Wundstars entfernt

Wunde abgetragen. Reposition vorliegender Iristeile kommt nur bei kleinen und frischen Prolapsen in Betracht wegen der damit verbundenen Infektionsgefahr. Im Zeitalter der Antibiotika ist allerdings ein großzügigeres Verhalten in diesem Punkte möglich. Nach Verschluß der Wunde ist stets an die mögliche Infektion und entsprechende Vorbeugung zu denken. Dazu diente früher die intramuskuläre Injektion (10 ccm) sterilisierter Milch, während jetzt Schutz durch Antibiotica bevorzugt wird. Besonders bewährt sich in neuester Zeit zur Infektionsbekämpfung und -verhütung das Reverin wegen seines breiten Wirkungsspektrums. Auf die Notwendigkeit der Tetanusprophylaxe wurde schon hingewiesen.

e) Verletzungen der Uvea

Der einfache Vorfall (Prolaps) der intakten Regenbogenhaut als Folge einer Hornhautperforation wurde schon erwähnt. Wenn aber der verletzende Fremdkörper die Iris selbst erreicht, können noch andere Schäden entstehen (Abb. 236). Bei kleinen Fremdkörpern kann es zu umschriebenen *Lochbildungen* in der Iris kommen. Diese liegen der Hornhautnarbe direkt oder schräg gegenüber und verraten so die Einwirkungsrichtung. Manchmal können kleine Löcher im Gewebe der Iris so versteckt sein, daß sie — besonders bei künstlich erweiterter Pupille — kaum zu sehen sind. Diese kleinen Löcher sind fast immer Folge von Verletzungen mit kleinen Metallsplittern, die auf diese Weise in das Auge eindringen. Bei größeren Wunden kann es zu einer Zerschneidung oder Zerreißung der Iris in größerem Umfange kommen. Die Gewebsteile pflegen dabei als *Prolaps* in die Wunde der Cornea eingelagert zu sein. Meist sind Beschädigungen

dieser Art mit intraocularen Blutungen verbunden. Bei Verletzungen im Bereich der
Sklera kann es zum Vorfall oder der Verletzung des Ziliarkörpers kommen; dies ist
wegen der sich meist anschließenden schweren Entzündungen stets ein sehr ernstes
Ereignis.

Als Verletzungsspätfolgen im Bereiche der Uvea sind noch die **traumatischen Iriszysten** (Abb. 237) zu nennen. Sie entwickeln sich meist aus Epithelzellen, die von
außen (Cornea, Conjunctiva) in die Vorderkammer verlagert werden, oder auch aus
Verletzungen der Iris selbst. Diese Zysten pflegen zu wachsen und gefährden dadurch
das Auge in hohem Maße, da sie zum Sekundärglaukom und sonstigen Komplikationen
führen.

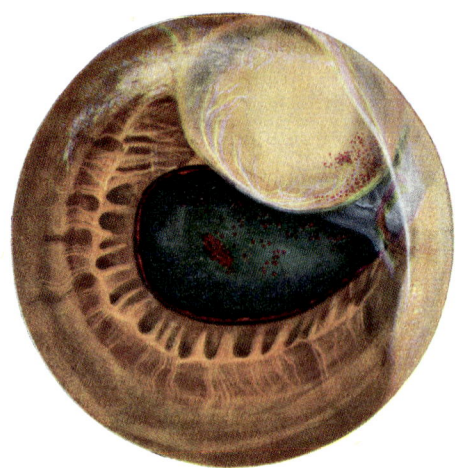

Abb. 237. Iriszyste und Kolobom der Iris
nach perforierender Verletzung; narbige Hornhauttrübung; Pigmentauflagerungen auf der
Linse

Die **Prognose** hängt von dem Umfang
der Irisverletzung und den Begleitum-
ständen (Blutungen usw.) ab, wie schon
bei Besprechung der Hornhautverletzungen ausgeführt wurde. Auch bezüglich der
Behandlung sei auf diese Darlegungen
verwiesen. Kleine Irislöcher bedürfen keiner besonderen Maßnahmen, abgesehen von
der Entfernung evtl. eingedrungener
Fremdkörper. Iriszysten gefährden das
Auge durch Drucksteigerung. Sie müssen
operativ entfernt oder durch Diathermie
verödet werden. Manchmal wirkt auch
Röntgenbestrahlung in diesem Sinne.

f) Verletzungen der Sklera

Verletzungen durch Stich, Fremdkörper usw. können auch die Sklera treffen
und *perforieren*. Beim Eindringen kleinster Splitter kann die Wunde sehr klein sein
und sich rasch wieder schließen, so daß sie sich oft dem Nachweis entzieht. *Subkonjunktivale Blutungen* in der Umgebung geben manchmal einen Hinweis auf die Verletzungsstelle,
doch können auch diese fehlen. Bei umfangreicheren Perforationen kommt es leicht
zu Verletzungen des *Ziliarkörpers*, manchmal zum Vorfall von Teilen dieses Gebildes
und von *Glaskörper*. Liegt die Verletzung hinter dem Ziliarkörpergebiet, so wird die
Aderhaut verletzt; auch sie und die Netzhaut können bei schweren Verletzungen neben
Glaskörper vorfallen. Schwere Perforationen sind meist mit Blutungen und oft auch
mit *Veränderungen der Kammertiefe* verbunden. Diese kann, je nachdem ob die Vorderkammer abfließt oder größere Mengen vom Glaskörper verlorengehen, in einer Aufhebung bzw. Abflachung der Vorderkammer oder in einer Vertiefung derselben bestehen. Wichtig ist, daß Skleralverletzungen auch durch die Lider hindurch erfolgen
können. Bei allen das Lid durchsetzenden Verletzungen ist an diese Möglichkeit zu
denken. Auf diese Weise können auch weit hinten gelegene Skleralperforationen entstehen, die durch Vertiefung der Kammer, Glaskörperblutungen usw. gekennzeichnet
sind. Eine andere, meist weniger folgenschwere Form der hinteren Perforation kann
entstehen, wenn kleine Fremdkörper die Bulbuswand zweifach durchschlagen, also
vorne eindringen und hinten wieder austreten, um in der Orbita liegenzubleiben.
Wir sprechen in solchen Fällen von *Doppelperforationen*. Die dabei auftretenden Schädigungen sind meist nicht sehr umfangreich, sie bestehen in Blutungen in der Netz-

haut und Aderhaut in der Umgebung der Austrittsstelle und später in pigmentierten Narben in diesem Gebiet. Oft sind auch einzelne Glaskörpertrübungen vorhanden. Die Sehstörungen pflegen dabei gering zu sein, falls nicht die Macula oder ihre Umgebung betroffen ist.

Bei schweren Skleralperforationen, insbesondere bei Verletzungen des Ziliarkörpers, schwerem Glaskörperverlust und ausgedehnten Blutungen ist die **Prognose** mindestens quod visum, oft auch bezüglich der Erhaltung des Auges, ernst. Bei den häufigeren Skleralverletzungen im vorderen Abschnitt ist *Verschluß der Wunde* nach Abtragung vorliegender Teile erforderlich. Die schon erwähnten Schutzmaßnahmen gegen Infektionen sind einzuleiten. Bei sehr ausgedehnten Zerstörungen der Sklera und schweren sonstigen Verletzungsfolgen (Blutungen, Korpusverlust, Vorfall von Uvea usw.) ist manchmal die Erhaltung des Bulbus aussichtslos und seine sofortige Entfernung geboten.

g) Verletzungen der Linse

Die Verletzungsfolgen an der Linse bei direkten Perforationen bestehen, falls die Linse getroffen wird, in Eröffnung der Linsenkapsel und anschließender Bildung einer traumatischen Katarakt, die im Kapitel über Linsenerkrankungen beschrieben ist.

h) Verletzungen des Glaskörpers

Bei direkten Verletzungen, die den Glaskörperraum treffen, kommt es oft zum *Austritt von Glaskörper* und zu *Glaskörperblutungen*, welche den den Glaskörper umgebenden Gebilden (Strahlenkörper, Netzhaut und Aderhaut) entstammen.

Geringe Korpusverluste können vom Auge ersetzt und folgenlos ertragen werden, mäßige Blutungen sich ebenso aufsaugen. Bei schweren Korpusverlusten und Blutungen ist die Prognose ungünstiger; Schwartenbildung und dichte, bleibende Trübungen können das Sehen schwer schädigen oder vernichten. Die **Behandlung** von Glaskörpervorfällen besteht in Abtragung und Verschluß der Wunde. Bei Blutungen kann die Resorption durch subkonjunktivale Injektionen einer 1- oder 2%igen NaCl-Lösung oder durch Kurzwellenbestrahlung gefördert werden. Nachblutungen soll, durch die bei schweren Verletzungen selbstverständliche Bettruhe, durch feuchte Verbände und blutungshemmende Medikamente vorgebeugt werden.

i) Verletzungen der Aderhaut, der Netzhaut und des Sehnerven

Bei direkten Perforationen können, wie schon unter Skleralverletzungen erwähnt, *Netzhaut und Aderhaut vorfallen* und zerrissen werden. Meist bestehen gleichzeitig Glaskörperblutungen und schwere sonstige Verletzungsfolgen.

Die **Prognose** dieser Fälle ist stets sehr ernst, meist kommt es zur Netzhautablösung und Schrumpfung des Bulbus, falls nicht auf Grund der Schwere der Gesamtverletzung schon vorher die Enukleation erforderlich wurde.

Direkte Verletzungen des Opticus sind sehr selten; Durchtrennungen können vorkommen. Meist sind dabei schwere sonstige Verletzungsfolgen im Bereiche der Orbita vorhanden.

k) Die Infektionen des Bulbus nach Verletzungen

Jede perforierende Verletzung bringt die Gefahr der **Infektion** mit sich. Wie schon erwähnt, trachtet man ihr durch raschen Verschluß der Wunde und Maßnahmen, wie Milchinjektion und Antibiotika (Reverin u. a.), vorzubeugen und hat damit auch in einem hohen Prozentsatz der Fälle Erfolg. Man kann sagen, daß heute unter der Voraussetzung rasch herbeigeführter fachärztlicher Behandlung der größte Teil der per-

forierenden Verletzungen vor der akuten eitrigen Infektion bewahrt werden kann und
daß auch eingetretene Infektionen abgestoppt und zur Heilung gebracht werden können. Es muß freilich, auch in der Ära der Antibiotika, zugegeben werden, daß anatomische Heilungen von Infektionen häufiger sind als funktionelle. Damit ist gemeint,
daß es wohl sehr oft gelingt, die Infektion zur Ausheilung zu bringen, daß aber oft
durch Schwartenbildung, Synechien, Glaskörpertrübung usw. der funktionelle Erfolg — die Wiedergewinnung eines brauchbaren Sehvermögens — vereitelt wird.

Die ersten klinischen Zeichen einer beginnenden Infektion sind gewöhnlich *schmutzige
Verfärbung* und *schmieriger Belag* an den *Wundrändern*; dazu treten Trübung
der Vorderkammer, *Hypopyon* und sonstige Zeichen einer eitrigen Iritis bzw. Uveitis
(Synechien usw.). Schwere Infektionen führen weiterhin zur Infektion des Glaskörpers

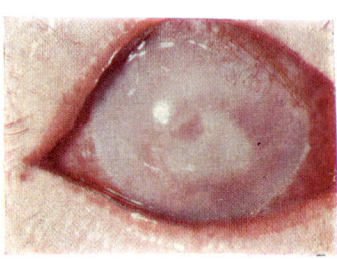

Abb. 238. Panophthalmie

(Glaskörperabszeß) und zur **Panophthalmie** (Vereiterung des Auges) (Abb. 238) und damit zum Verlust des Auges. Zum Bilde der Panophthalmie gehören *Chemose* der *Bindehaut* und oft auch *Lidschwellung* und *Exophthalmus*.

Die **Behandlung** der Infektion besteht in der lokalen und parenteralen Anwendung von Antibiotika
und Sulfonamiden. Auch Spülung der Vorderkammer
mit Antibiotica kann angewendet werden. Bei beginnender Infektion der Wundränder bringt manchmal Kauterisation derselben den Prozeß zum Stehen.
Selbstverständlich ist auch Atropin und Wärme
anzuwenden.

Bei Heilungen im ersten Stadium der Infektion kann noch brauchbares Sehvermögen erzielt werden, bei Heilung in späteren Stadien ist dies, wie erwähnt, meist
nicht mehr zu erreichen. Es kommt zur Schwartenbildung, zum Pseudogliom und oft
zur Phthisis bulbi. In den meisten Fällen von **Panophthalmie** muß das Auge entfernt
werden. In diesen Fällen ist die **Exenteration des Bulbus** angezeigt, da die Enukleation
mit der Gefahr der Weiterverbreitung der Infektion und der Meningitis belastet ist.
Im Gegensatz zur **Enukleation,** bei welcher der Bulbus im ganzen nach Durchtrennung
von Bindehaut, Augenmuskeln und Opticus, also einschließlich der Lederhaut, entfernt
wird, wird bei der Exenteration die Lederhaut und Bindehaut belassen, so daß keine
Möglichkeit für das Eindringen von Eiter in die Tiefe besteht. Man trägt zu diesem
Zwecke die Hornhaut ab und räumt den vereiterten Bulbus unter Erhaltung der Skleralkapsel mit Löffeln aus. Dabei darf kein Uvearest im Skleralsack verbleiben, weil
sonst die Gefahr der sympathischen Ophthalmie gegeben ist.

Erwähnt sei noch, daß Bulbusinfektionen nicht nur im unmittelbaren Anschluß
an die Verletzung entstehen können, sondern auch noch später, und zwar dann, wenn
Irisprolapse in die Wunde einheilen. Von solchen *eingeheilten Prolapsen* (Abb. 239)
können noch *nach Jahren Infektionen ausgehen*, da entlang der Iris Einwanderung von
Keimen in das Auge möglich ist. Diese Tatsache unterstützt die schon erwähnte For-
derung, Prolapse unbedingt zu beseitigen.

Neben diesen akuten, eitrigen Infektionen sehen wir nicht selten auch *schleichende
Entzündungen* nach Verletzungen. Diese bieten klinisch das Bild der *chronischen
Iridozyklitis*. Die nach jeder ernsteren Verletzung zunächst selbstverständlich vor-
handene ziliare Injektion geht bei Abheilung nicht zurück, sondern verstärkt sich.
Es entwickeln sich Präzipitate, Synechien, Glaskörpertrübungen usw. Auch solche
Fälle können zur Abheilung kommen, wobei die übliche Behandlung der Iridozyklitis
in ihre Rechte tritt. Auch Allgemeinbehandlung mit Antibiotica wirkt günstig. Viel-

fach bewährt sich in diesen Fällen auch die alte Quecksilberschmierkur. Der Augenarzt fürchtet diese schleichenden Infektionen nach Verletzungen (wie auch nach Operationen) sehr, weil sie stets die *Gefahr der sympathi-
schen Ophthalmie* für das zweite Auge mit sich bringen. Nach akuten, eitrigen Infektionen ist diese erfahrungsgemäß viel seltener. Wegen dieser Gefahr der
sympathischen Ophthalmie müssen Augen, die nach
Perforationsverletzungen oder Operationen von schweren Entzündungen befallen werden, entfernt werden,
sobald die Lichtprojektion nicht mehr richtig und damit
das Auge für das Sehen verloren ist.

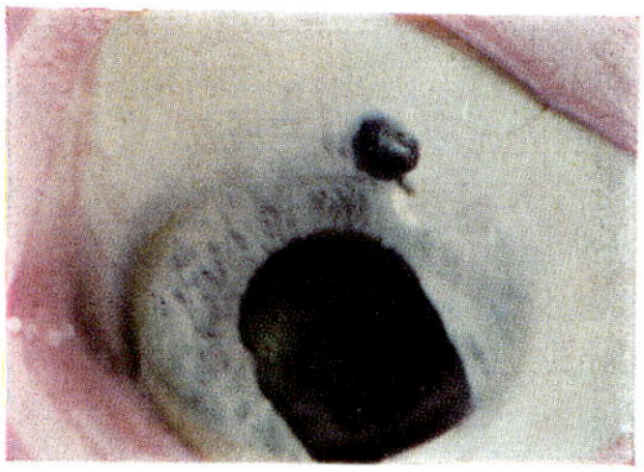

3. Verletzungen mit Verbleiben eines Fremdkörpers

Abb. 239. Eingeheilter alter Irisprolaps

Zu den Verletzungen mit Verbleiben eines Fremdkörpers gehören zunächst die *oberflächlichen Fremd-
körper* in *Hornhaut* und *Bindehaut*. Die Fremdkörper in der Bindehaut, die bei Eisen-
bahnfahrten, bei Wind usw. in den Bindehautsack gelangen, sitzen oft unter dem Oberlid,
im Sulcus subtarsalis, einer feinen Furche, die sich an der Innenseite des Oberlides wenige Millimeter hinter der Lidkante hinzieht. Außerdem können sie auch in
anderen Teilen des Bindehautsackes, an der Conjunctiva bulbi haften. Sie verursachen erhebliche Beschwerden, die durch Wegwischen des Fremdkörpers mit einem
feuchten Tupfer oder im Notfall auch mit einem Taschentuch beseitigt werden können. Es ist wichtig zu wissen, daß manchmal Fremdkörper, besonders die mit feinen
Borsten versehenen Getreidegrannen, sich in der oberen Übergangsfalte festsetzen können. Bei unklaren Fremdkörperbeschwerden versäume man daher nicht, das Lid
doppelt zu ektropionieren und die obere Übergangsfalte zu besichtigen. Man soll
auch daran denken, daß abgestoßene Cilien manchmal in ein Tränenröhrchen geraten,
aus dessen Öffnung hervorragen und starke Beschwerden verursachen können. Sie lassen
sich mit einer Pinzette leicht entfernen.

Oft setzen sich Fremdkörper verschiedener Art — Staubteilchen, kleine Metallsplitter (Schmirgelscheibe) — auch in der Hornhaut fest. Sie müssen nach Betäubung
des Auges mit Cornecain (1—3%) oder einem anderen Mittel mittels Fremdkörper-
nadel entfernt werden. Ganz locker sitzende Teilchen werden oft schon beim Eintropfen des Betäubungsmittels weggespült. Bei längerem Verweilen von eisenhaltigen
Fremdkörpern in der Hornhaut bildet sich oft ein Rosthof in der Umgebung, der
ebenfalls entfernt, und zwar ausgekratzt werden muß. Salbenverband mit Noviform-,
Irgamid- oder antibiotikahaltiger Salbe durch 24 Stunden genügt meist, um die kleine
Wunde folgenlos zur Abheilung zu bringen.

Bei **perforierenden Verletzungen** mit Verbleiben eines Fremdkörpers im Auge können
selbstverständlich alle jene Veränderungen eintreten, die bei Verletzungen ohne Verbleiben eines Fremdkörpers beschrieben wurden, also Wunden der Hornhaut oder
Lederhaut, Vorfall innerer Teile des Auges (Uvea, Glaskörper), Linsentrübungen usw.
Je nach der Größe der eindringenden Splitter können die Veränderungen schwer oder
sehr schwer — bis zur völligen Zertrümmerung des Bulbus — sein. Auf den Umstand,
daß kleinste Splitter oft keine leicht erkennbaren Folgen hinterlassen, wurde schon
hingewiesen. Dies gilt insbesondere für Splitter, die im Bereich der Sklera eindringen.
Die Wichtigkeit der Röntgenuntersuchung zur Feststellung derartiger Verletzungsfolgen wurde schon erwähnt.

Die **Diagnose** der Verletzung durch größere Splitter (Abb. 240) ist wegen der Begleitsymptome in der Regel leicht, die kleinster Splitter oft sehr schwer. Manche Splitter

können schon mit den üblichen Untersuchungsmethoden (seitliche Beleuchtung, Spaltlampe, Augenspiegel) gesehen werden. Oft aber verhindern Blutungen, Linsentrübungen oder Lage des Splitters (z. B. im Ziliarkörper oder in den peripheren Netzhautteilen) diese Art der Diagnose.

Bei manchen Verletzungen, besonders bei *Sprengkörperverletzungen* und Kriegsverletzungen findet sich eine *Vielzahl* von *kleinen Splittern* im Bulbus, in der Orbita
und in den Lidern. Die Lokalisation der Splitter ist bei derartigen Verletzungen auch
mit dem Röntgenverfahren oft schwierig, ja unmöglich, da manchmal nicht sicher zu
entscheiden ist, welche Splitterschatten auf den beiden Aufnahmen von demselben
Splitterchen stammen und daher bei der Auswertung zueinander in Beziehung zu
setzen sind.

Für das **Schicksal der** betroffenen **Augen** ist, abgesehen von dem Grade der unmittelbaren Zerstörungen und der Infektionsgefahr, die Art der Splitter von Bedeu-

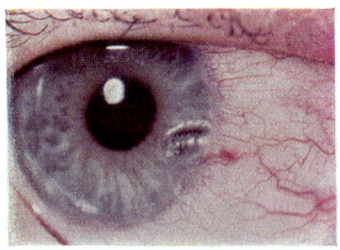

Abb. 240. Leichtmetallfremdkör-
per auf der Iris

tung. Es gibt Splitter, die auch bei Vorhandensein
in größerer Zahl im Auge reizlos einheilen und Jahre
oder Jahrzehnte störungsfrei bei guter Funktion des
Auges vertragen werden. Dazu gehören kleine Stein-
splitter, Glassplitterchen, bestimmte Leichtmetall-
splitterchen usw. Andere Splitter verursachen auf
chemischem Wege Veränderungen im Auge, die zu
schweren Schädigungen führen. Dies sind die Eisen-
und Stahlsplitter und die Kupfersplitter. Erstere
verursachen das Bild der **Siderosis,** der Verrostung
des Bulbus. Diese Veränderungen treten frühestens
mehrere Wochen, oft aber erst viele Monate nach
der Verletzung in Erscheinung. Im allgemeinen er-
folgt die Verrostung bei Splittern im hinteren Bulbusabschnitt rascher und intensiver als
bei solchen im vorderen. Gelegentlich kommt es vor, daß kleine Splitter so rasch und
fest abgekapselt werden, daß es zu keiner Einwirkung auf die übrigen Teile des Auges
kommt. Das sind aber seltene Ausnahmen, auf die man sich bei Entscheidung über
die therapeutischen Maßnahmen nie verlassen darf. Die Symptome der Siderosis treten

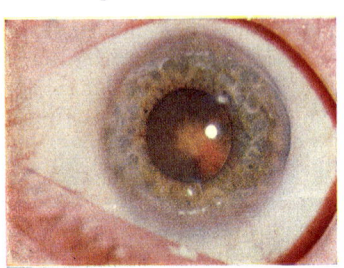

Abb. 241. Chalkosis

an Iris, Linse und Netzhaut auf. Besonders auffallend
sind die Veränderungen an der *Iris;* diese nimmt
eine *grünbraune* bis *braune Färbung* an, die sich von
der des anderen Auges meist sofort unterscheidet.
Lediglich bei braunen Irides kann der Farbunter-
schied wenig auffallend sein. Die *Linse* ist in der
Regel *getrübt* und zeigt *braune Punkte* und *Flecken*
unter der vorderen Kapsel. Die für das Schicksal des
Auges entscheidenden Veränderungen betreffen die
Netzhaut. Die Verrostung der nervösen Netzhaut-
elemente führt zu Sehstörungen, die schließlich Erblindung hervorrufen. Deshalb bringt die Extraktion
der getrübten Linse in vorgeschrittenen Fällen auch keinen Erfolg. Bei beginnender
Siderosis mit noch guter Lichtempfindung und Projektion kann die Extraktion der
getrübten Linse in Verbindung mit Entfernung des Splitters manchmal noch ein gewisses Sehvermögen retten.

Auch die **kupferhaltigen Splitter** veranlassen chemische Prozesse, die das Auge
schädigen können **(Chalkosis).** Sie führen zur Ablagerung von Kupfersalzen unter der

vorderen Linsenkapsel, in Hornhaut und Netzhaut. Besonders auffallend ist die strahlig angeordnete grünlich bis bräunlich schimmernde Veränderung der Linse (Sonnenblumenstar). Gelegentlich kommt es nach Kupfersplitterverletzungen zu aseptischen Eiterungen im Auge, die zu schlechtem Endausgang führen können. Es sind aber auch Fälle beschrieben, in welchen sich chalkotische Veränderungen spontan zurückgebildet haben.

Bei der **Behandlung** derartiger Verletzungen sind zunächst alle jene Regeln zu beachten, welche bei Verletzungen ohne Verbleiben des Splitters erwähnt wurden. Dann ist die Frage zu entscheiden, ob der Splitter operativ zu entfernen ist oder ob er belassen werden kann. Bei Eisensplittern ist die Entfernung stets geboten, sofern sich der Splitter im Bulbus befindet. Bei Doppelperforationen, d. h. in Fällen, in welchen der Splitter den Bulbus durch die hintere Bulbuswand wieder verlassen hat und in der Orbita liegt, ist die Entfernung nicht erforderlich. Erfreulicherweise steht uns gerade zur Entfernung der so gefährlichen Eisensplitter ein ausgezeichnetes Verfahren in der **Magnetextraktion** zur Verfügung. Dazu kommen starke Elektromagneten in Betracht, die eine beträchtliche Zugkraft ausüben. Es gibt verschiedene Modelle; eigene Erfahrungen sprechen besonders für das Gerät von MELLINGER (Abb. 242), welches die Vorzüge eines starken Magneten mit denen der leicht handhabbaren, aber schwächeren Handmagneten (Abb. 243) verbindet. Bei diesen wie auch beim MELLINGERschen Gerät gestatten Feinansätze (Abb. 244, 245) die Einführung in das Augeninnere. Die Extraktion kann bei frischen Verletzungen durch die Einschlagwunde erfolgen. Wenn diese schon verschlossen ist, extrahiert man zweckmäßig auf dem kürzesten Weg, d. h., man bestimmt röntgenologisch die Lage des Splitters, eröffnet die Sklera oder Vorderkammer (je nach Lage des Splitters) an einer dem Splittersitz möglichst nahe gelegenen Stelle und führt so die Extraktion durch. Bei sehr brüsker Extraktion besteht die Gefahr, daß der austretende Splitter noch weitere Schädigungen (Zerreißung von Irisgewebe usw.) stiftet. Vorsichtiges Vorgehen, das selbstverständlich dem erfahrenen Facharzt vorbehalten bleibt, ist daher geboten. Leider bedeutet eine erfolgreiche Splitterextraktion keineswegs immer die Rettung des Auges. Oft kommt es trotzdem früher oder später zur Netzhautablösung, die durch Strangbildungen und Schrumpfungen im Auge zu er-

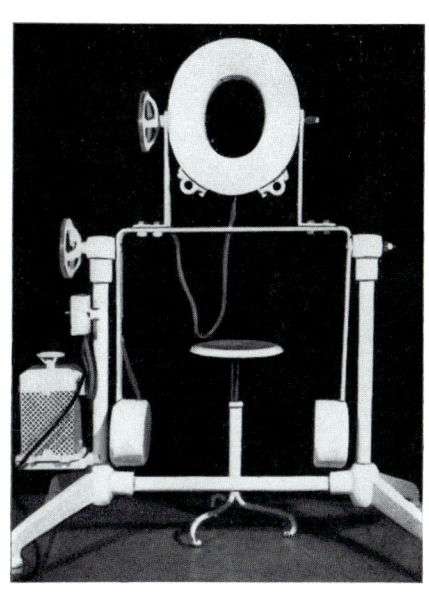

Abb. 242. MELLINGERscher Innenpolmagnet in Normalstellung zur Arbeit am sitzenden Patienten. Der Kopf wird in den Ring gelegt und der Magnetzug mit verschiedenen Stäben ausgeführt, die der Arzt hält. Der Magnet ist schwenkbar und kann auch am liegenden Patienten verwendet werden

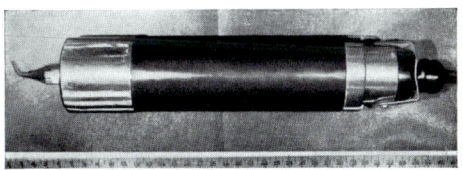

Abb. 243. Handmagnet

klären ist. Diese Formen der Netzhautablösung geben sehr ungünstige Heilungsaussichten.

Schwieriger liegen die Dinge bei nichtmagnetischen Splittern. Hier müssen zwei Tatsachen bedacht werden: 1. daß kleine Splitter oft folgenlos einheilen können und 2. daß die Entfernung nicht magnetischer Splitter nur dann technisch relativ einfach ist, wenn sie sich in der Vorderkammer befinden, daß die Extraktion aber in den meisten Fällen einen schweren Eingriff darstellt, dessen Erfolg keineswegs sicher ist. Das Aufsuchen eines im hinteren Augenabschnitt befindlichen Fremdkörpers mit Pinzetten oder ähnlichen Instrumenten ist schwer und meist mit starkem Glaskörperverlust verbunden. Man wird sich daher im allgemeinen bei nichtmagnetischen Splittern möglichst abwartend verhalten. Nur wenn starke Reizzustände auftreten und die Gefahr des Belassens des Splitters größer erscheint als die der keineswegs ungefährlichen Extraktion, wird man sich zum Eingriff entschließen. Eine Ausnahme machen natürlich Fremdkörper, die so günstig liegen, daß ihre Entfernung keine Schwierigkeiten bietet. Diese Regel gilt auch für Kupfersplitter.

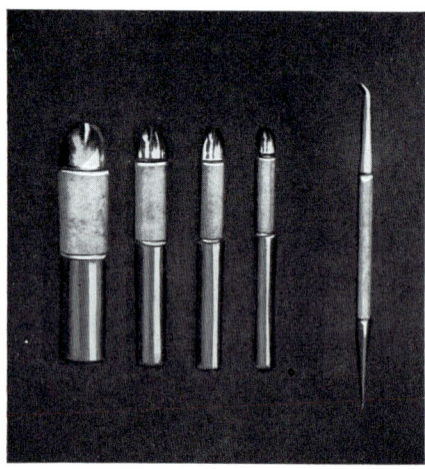

Abb. 244. Verschiedene Stäbe zur Ausübung des Zuges beim Innenpolmagnet; der zarte Stab (rechts) kann beliebig in den Bulbus eingeführt werden

4. Verbrennungen, Verätzungen und Erfrierungen

Verbrennungen und Verätzungen betreffen Lider, Bindehaut und Hornhaut. Verbrennungen können durch Flammen, kochendes Fett. flüssiges Metall, glühende Eisenstücke, Starkstrom usw. entstehen. An der **Lidhaut** ergeben sich dabei. je nach Schwere des Schadens, die auch für andere Hautteile typischen Veränderungen: Rötung — Blasenbildung — Nekrose.

Bei **Verbrennungen** 3. Grades mit schweren Nekrosen kommt es im Heilverlauf zu starken Narbenbildungen im Gesicht und in der Lidhaut, die zu Stellungsanomalien der Lider **(Narbenektropien)** führen (Abb. 246). Verbrennungen der Bindehaut führen ebenfalls in leichten Fällen zur Rötung der Konjunktiva, in schweren zur Chemose und Nekrose. **Nekrose** der **Bindehaut** zeigt sich in weißer Verfärbung der Bindehaut und dem Fehlen von Gefäßen. Diese Veränderung kann die ganze Bindehaut betreffen oder auch auf einzelne Teile — oft insel-

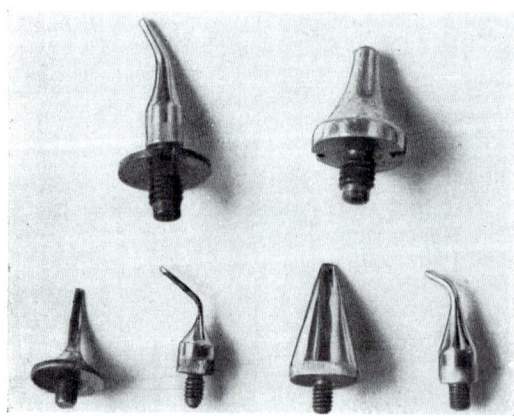

Abb. 245. Verschiedene Ansätze zum Handmagnet

förmig — beschränkt bleiben. Die Gefahr ernster Veränderungen dieser Art liegt in den sich bei Abheilung entwickelnden Verwachsungen zwischen Innenfläche des Lides und der Bindehaut — bei Hornhautschädigungen auch der Hornhaut (**Symblepharon**) —. Diese Verwachsungen können sich auf einzelne Stellen beschränken (partielles Symblepharon) oder den ganzen Bindehautsack befallen (totales Symblepharon) (Abb. 247). Die Gefahr des Symblepharons besteht in Behinderung der Beweglichkeit des Bulbus, was bei erhaltener Sehschärfe zu Doppelbildern führen kann, in fehlendem Lidschlag und fehlendem Schutz der Hornhaut. Weiterhin können sich Austrocknungserscheinungen infolge mangelnder Befeuchtung des Auges ergeben. Die Gefahr der Keratitis e lagophthalmo droht.

Bei Schädigung (Verbrennung) der Hornhaut kann es zu ausgedehnten **Hornhauttrübungen** kommen; wenn diese — in leichten Fällen — oberflächlich sind (Epihtelschädigung), so kann eine Regeneration erfolgen; bei tiefgreifenden Schädigungen resultieren meist derbe Narben, die je nach Größe und Lage dauernde Sehstörungen oft schwerster Art bedingen.

Die Folgen der **Verätzungen** ähneln denen bei Verbrennungen. An Lidern (Abb. 248) und Bindehaut leichte Rötung bis schwerste Nekrose mit den geschilderten Folgen, an der Hornhaut Trübungen verschiedener Intensität

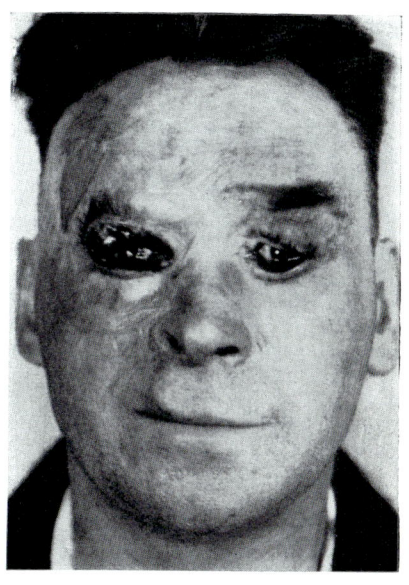

Abb. 246. Narbenektropium nach schwerer Verbrennung durch Starkstrom

(Abb. 249). Gleichzeitig bestehen oft schwere Verätzungen im ganzen Gesicht und den benachbarten Körperteilen. Ein besonders charakteristisches Bild bei schwersten Verätzungen ist das „*gekochte Fischauge*". Dabei sind Bindehaut, Hornhaut — und oft auch die Sklera — vollkommen weiß und nekrotisch. Insbesondere die Cornea sieht aus wie die Augen bei gekochtem Fisch. Diese Veränderung ist der Ausdruck einer schwersten Verätzung mit so gut wie immer ganz schlechter Prognose.

Ursache von Verätzungen sind *Säuren* und *Laugen, Kalk* und *Ammoniak*. Bei *Säureverätzungen* kommt es zu einer Koagulationsnekrose. Dabei ist der Umfang des entstandenen Schadens gleich erkennbar. Man kann daher mit einiger Sicherheit eine Prognose bezüglich des Endausganges stellen. Anders ist es bei *Laugenverätzungen*. Die hier eintretende Kolliquationsnekrose wirkt langsam,

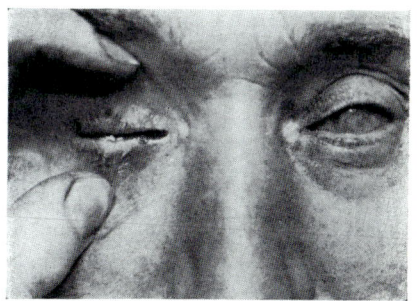

Abb. 247. Totales Symblepharon rechts, schwere Hornhautnarben links

so daß der Umfang des Schadens nicht gleich zu übersehen ist. Die Prognose muß daher in solchen Fällen mit größter Vorsicht gestellt werden; anfänglich relativ unbedeutend aussehende Verätzungen können doch zu schweren Folgen führen. Einen

gewissen Hinweis gibt die Sensibilitätsprüfung: starke Herabsetzung derselben mahnt
zu besonders vorsichtiger Prognosestellung. Eine zur Gruppe der Laugenverätzungen
gehörende, besonders schwere Verletzung ist die *Verätzung mit Ammoniak*; sie kann
nicht nur zu ausgedehnten Nekrosen an Bindehaut und Hornhaut führen, sondern auch

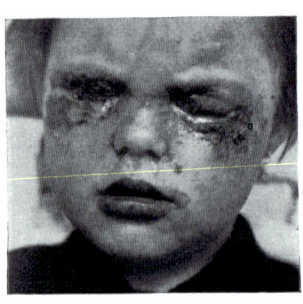

solche der Sklera und Iris, sowie Linsentrübungen hervorrufen, wenn das Ammoniak in größeren Mengen und
hoher Konzentration in das Auge gerät. Eine häufige
Form der Verätzung ist die durch gelöschten oder unge-
löschten Kalk (Abb. 250). Auch hier drohen Symblepharonbildung und dichte Hornhautnarben (Abb. 251);
manchmal können letztere später durch Hornhautüberpflanzung beseitigt werden (Abb. 252 a u. b). Geringfügige Schädigungen durch einzelne Spritzer geben natürlich eine bessere Prognose. Schließlich muß noch der
Verätzungen mit *Anilinfarben*, die besonders in Form
der Tintenstiftverätzung auftritt, gedacht werden. Sie
entstehen meist dadurch, daß beim Spitzen von Stiften
Staub oder kleine Teilchen in den Bindehautsack gelangen, wo sie eine intensiv violette Verfärbung hervor-

Abb. 248. Frische Verätzung
durch Tränengas, Schädigung
der Lider

rufen. Während diese Verfärbungen als leichte Verletzungen anzusehen sind und folgenlos wieder abheilen, sind jene Fälle ernster, in welchen Teilchen von Tintenstiften —
sei es durch Zufall, sei es durch Selbstbeschädigung — tiefer in das Gewebe eindringen. Diese Verletzungen sind schwer, sie verursachen tiefgreifende Nekrosen und haben
schon oft zum Verlust von Augen geführt.

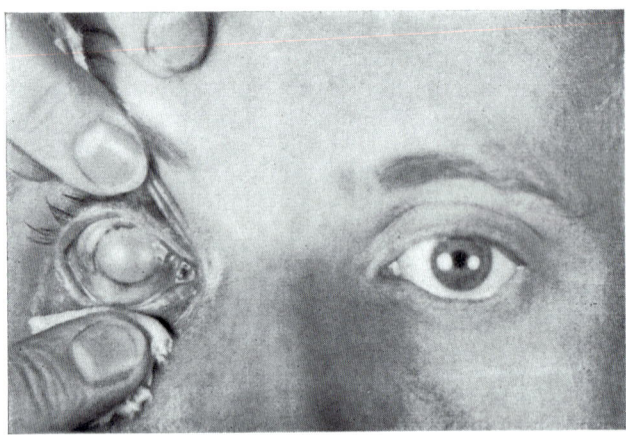

Abb. 249. Nekrose der Bindehaut und dichte Hornhauttrübung nach frischer Kalkverätzung

Besonders müssen hier noch die **Explosions-** und **Sprengverletzungen** erwähnt werden
die bei Bauarbeitern, in Bergwerken, in chemischen Fabriken und als Kriegsverletzungen
vorkommen. Es handelt sich dabei oft um Kombinationen von Verbrennungen, Verätzungen, oberflächlichen Übersplitterungen mit Fremdkörpern und Perforationen. Die
Gesichter sind dabei meist pulvergeschwärzt, geschwollen und mit Fremdkörpern
bedeckt (Abb. 253). Dasselbe gilt für die Lider, die Wunden und Zerreißungen erkennen lassen. Auch die Bulbi sind mit Fremdkörpern besetzt, die Bindehautsäcke
verschmutzt und vielfach zerrissen, die Augäpfel mehrfach durchschlagen. Die Prognose

kann relativ günstig sein, wenn keine Perforation des Bulbus vorliegt, obwohl auch bei oberflächlicher Übersplitterung der Bulbi durch Narbenbildung erhebliche Sehstörungen herbeigeführt werden können. Bei den leider in solchen Fällen häufigen

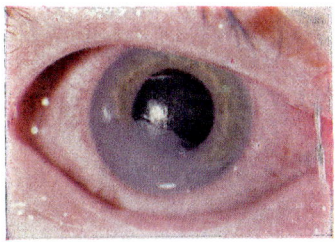

Abb. 250. Frische Kalkverätzung mit Hornhauttrübung und Verfärbung der Bindehaut

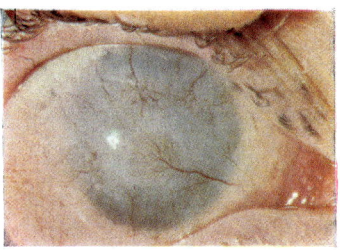

Abb. 251. Vernarbung und Vaskularisation der Cornea nach Verätzung

Perforationen ist die Prognose stets ernst. Doppelseitige Erblindung ist nicht selten. Bei Behandlung derartiger Verletzungen sind die bei Perforationen und Verbrennungen üblichen Methoden sinngemäß anzuwenden.

Bei **Behandlung** aller Verätzungen kommt es zunächst auf die *Sofortbehandlung* an. Sie hat die rascheste und gründlichste Reinigung von eingedrungenen Schädlichkeiten zum Ziel und muß von jedem Arzt und Sanitätsgehilfen ausgeführt werden können. Das erste ist eine möglichst gründliche Spülung des verletzten Auges, wozu Wasser verwendet werden kann (mechanischer Reinigungsfaktor). Wenn man den schädlichen Agentien entgegenwirken, sie neutralisieren will, so kann man, falls vorhanden, bei Säureschäden Lösung von Natrium bicarbonicum (1—2%), bei Laugen- und Tintenstiftverätzungen Acidum tanicum (5%) oder Essigsäure (1%) verwenden. Auch 10%ige Cebionlösungen subkonjunktival oder in Tropfenform werden empfohlen. Sofern die Verätzung nicht durch Flüssigkeiten erfolgt ist und feste Bestandteile (Kalk, Mörtel, Tintenstift) im Bindehautsack verblieben sind, müssen diese genauestens entfernt werden, soweit sie

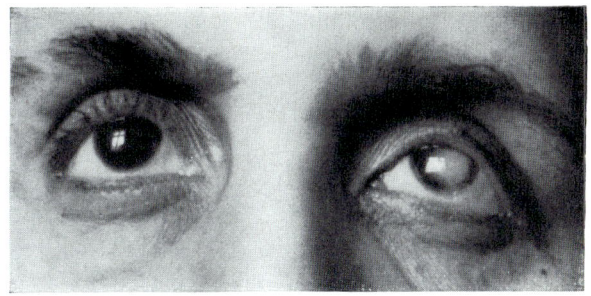

a

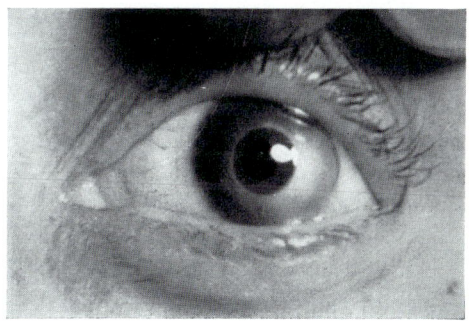

b

Abb. 252. a) Hornhauttrübung nach Verätzung links; b) Zustand des linken Auges nach erfolgreicher Hornhautübertragung

nicht durch die Spülung ausgewaschen sind. Dazu bedarf es der Betäubung des Auges durch Cocain (4%), Cornecain (1—3%) oder ein anderes Betäubungsmittel. Darauf werden die Teile mit Pinzetten oder feuchten Tupfern entfernt, wobei man nie vergessen darf, auch die obere Übergangsfalte durch doppeltes Ektropionieren sichtbar

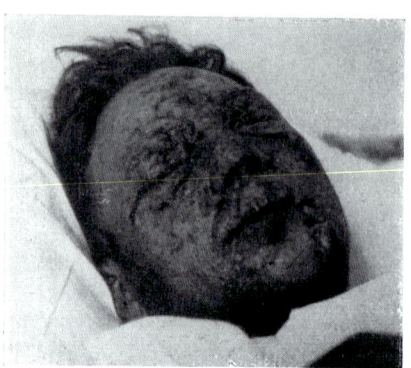

zu machen. Bei in das Gewebe eingespießten Fremdkörpern (Tintenstift) ist eine Exzision des Gewebes erforderlich, die allerdings schon in das Aufgabengebiet des Facharztes gehört. Rasche und gründliche Reinigung ist oft entscheidend für das Schicksal des Auges. Die *zweite Phase* der *Behandlung*, die meist vom Facharzt auszuführen ist, hat die Kontrolle bezüglich der richtig ausgeführten Hilfe (Suchen nach Fremdkörperresten, Spülung mit neutralisierenden Mitteln) und die Einleitung der Heilung unter Vermeidung der Symblepharonbildung zum Ziel. Bei leichten Fällen kommt

Abb. 253. Frische Explosionsverletzung durch gefundenen Sprengkörper

man mit Salbenbehandlung und Verbänden rasch zum Ziel. Ernstere Fälle bedürfen sehr sorgfältiger Pflege. Neben Anwendung von Salben (Vogansalbe 2%, Noviformsalbe 5%) und — oft stündlichem — Eintropfen von Paraffin (liqu.) oder Olivenöl bewähren sich das wiederholte Eintropfen von 10%igem Priscol oder 10%ige Priscolsalbe, in schweren Fällen auch subkonjunktivale Injektionen dieses Mittels. Die früher von vielen Seiten propagierte Transplantation von Lippenschleimhaut ist heute nicht mehr erforderlich. Die Ablösung der Bindehaut rund um den Limbus und Unterminierung derselben (PASSOW) leistet oft gute Dienste. Bei umfangreichen Nekrosen mit

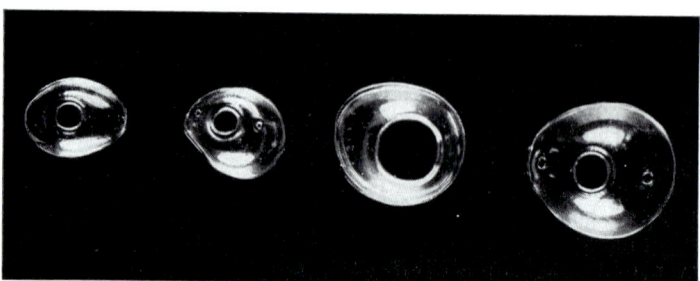

Abb. 254. Symblepharonprothesen zur Verhütung von Verwachsungen im Bindehautsack

Gefahr der Symblepharonbildung legt man zarte Glasschalen *(Symblepharonprothesen)* über den Bulbus in die Lidspalte (Abb. 254). Damit wird erreicht, daß die (verätzte) Conjunctiva bulbi nicht mit der Conjunctiva tarsi verwachsen kann (Symblepharon), da die zwischenliegende Glasschale dies verhindert. Dieses Verfahren bewährt sich meist gut, kann allerdings in sehr schweren Fällen versagen. Dies geschieht dann, wenn die Narbenschrumpfung und Verwachsung in den Übergangsfalten beginnt und die Prothese so allmählich aus dem Bindehautsack herausgedrängt wird. Wenn ein Symblepharon entstanden ist, kann später durch *plastische Eingriffe* (meist unter Verwendung von Lippenschleimhaut) dessen Beseitigung versucht werden. Allerdings sind solche Eingriffe nur aussichtsreich, wenn die Narben bereits fest und konsolidiert sind. Man darf also nicht zu früh operieren. Nach besonders schweren Verletzungen, die trotz aller Maßnahmen zum Verlust des Auges und zu schweren Schrumpfungen führen, entsteht manchmal eine völlige Schrumpfung und Verödung des Bindehautsackes mit Einziehung der Lider in die Orbita (Abb. 255). In solchen Fällen kann die Prothesenfähigkeit der Augenhöhle nur durch komplizierte Plastiken erzielt werden. Manchmal kann der Defekt auch durch sog. Vorlegeprothesen einigermaßen befriedigend ausgeglichen werden. Es handelt sich dabei um Bulbus und Lider nachahmende Prothesen, die vor die Höhle gelegt und an der Brille befestigt werden (Abb. 256). Sie können auch nach Exenteratio orbitae Verwendung finden.

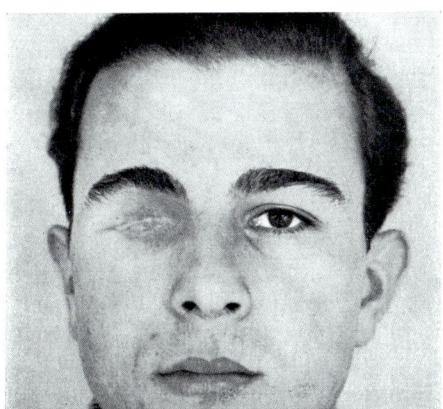

Abb. 255. Völlige Verödung der Orbita nach Verbrennung

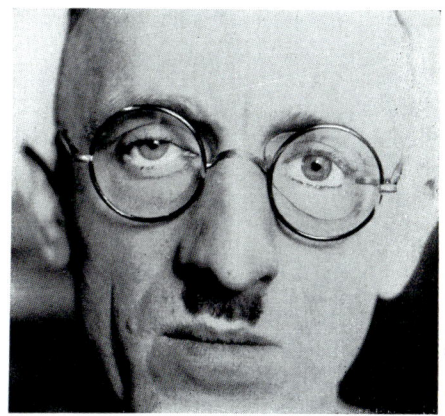

Abb. 256. Vorlegeprothese vor der linken Augenhöhle, an der Brille befestigt

Während Verbrennungen und Verätzungen häufige Schädigungen sind, kommen **Erfrierungen** nur sehr selten vor. Sie sind im Hochgebirgskrieg und bei Fliegern beschrieben worden. Es kann sich neben Schädigungen der Haut um oberflächliche Hornhautschädigungen handeln. Die Prognose ist gut, die Behandlung einfach (Salbenverbände).

5. Schädigungen durch Strahlenwirkung

Zu den häufigsten Strahlenschädigungen gehört die durch Ultraviolett. Wir kennen sie unter dem Bilde der **Ophthalmia electrica** — des Verblitzens — und unter dem der **Ophthalmia nivalis** — der Schneeblindheit. Beide Veränderungen sind durch starke Lichtscheu und Schmerzen gekennzeichnet, die das Öffnen der Augen in schweren Fällen unmöglich machen und daher das Sehen ausschließen (daher fälschlich Schneeblindheit genannt). Starkes Fremdkörpergefühl wird meist angegeben. Die Untersuchung ergibt starkes Tränen, Lichtscheu und gemischte Injektion. Bei genauer Untersuchung findet man immer feine oberflächliche Trübungen der Cornea. Wichtig ist, daß die Beschwerden nicht unmittelbar nach der Schädigung, sondern oft erst Stunden nachher auftreten. Den Betroffenen ist daher der Zusammenhang nicht immer klar; sie geben erst auf Befragen an, einige Stunden vorher z. B. beim Schweißen einer Straßenbahnschiene zugesehen oder eine Bestrahlung mit der Quarzlampe, der sog. künstlichen Höhensonne, ohne Schutz der Augen erhalten zu haben usw. Die Schneeblindheit entsteht durch Reflexion des im Hochgebirge in erhöhtem Maße vorhandenen ultravioletten Lichtes durch den Schnee. Die individuelle Empfindlichkeit hierfür ist verschieden.

Die **Prognose** der Erkrankung ist gut; die sehr starken Beschwerden verschwinden in wenigen Tagen folgenlos. Die **Behandlung** besteht in Anwendung von Borsalbe oder Noviformsalbe. Kalte Umschläge und Verbände werden oft angenehm empfunden. Kokain ist, da es selbst oberflächliche Hornhautschädigungen verursacht, nicht zu empfehlen, als erste Hilfe, besonders im Hochgebirge, aber manchmal nicht zu vermeiden. Anwendung in Salbenform ist vorzuziehen. Auf keinen Fall darf es dem Patienten zum Selbstgebrauch überlassen werden. Wichtig ist der Schutz gegen Ultraviolettschäden durch Schutzgläser (Umbralgläser [ZEISS], Perfa-Colorgläser [RODENSTOCK]). Da das gewöhnliche Glas Ultraviolett absorbiert, sind Brillenträger schon an sich in gewissem Grade geschützt.

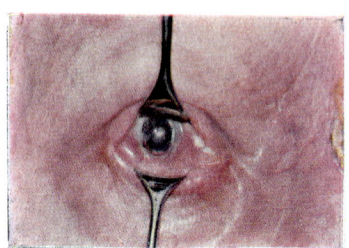

Abb. 257.
Rötung und Schrumpfung der Bindehaut, Röntgenschädigung

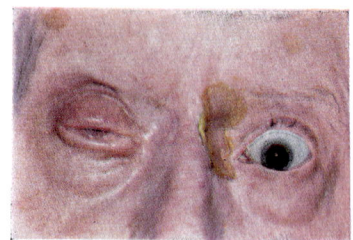

Abb. 258. Verengung der Lidspalte durch Schrumpfung der Bindehaut (nach Bestrahlung wegen Oberkieferkarzinoms)

Über die **Schädigungen** des Auges durch **infrarote Strahlen** wurde schon im Kapitel Linsenerkrankungen berichtet; sie können Linsentrübungen verursachen (Feuerstar, Glasbläserstar).

Durch **sichtbare** und **infrarote** Strahlen können auch Schädigungen der Netzhaut hervorgerufen werden. Dies gilt besonders für den Blick direkt in die Sonne ohne Schutz der Augen. Derartige Schädigungen kommen immer wieder bei Sonnenfinsternis vor, wenn diese mit ungeschützten oder ungenügend geschützten Augen beobachtet wird. Es handelt sich dabei zunächst um ein Ödem der Netzhaut mit Zentralskotom. Später entstehen Herdchen in der Macula in Form von kleinen gelblichen Fleckchen und Pigmentverschiebungen. Die Schädigungen sind dauernd und manchmal hochgradig. Die gebräuchlichen Schutzmittel (berußte Gläser, Schutzgläser der üblichen Arten usw.) geben keine volle Sicherheit gegen diese Schädigungen. Die gezielte Verbrennung mit folgender Narbenbildung ist Grundlage der von MEYER-SCHWICKERATH entwickelten Lichtkoagulation, die durch die Pupille vorgenommen wird. Dabei wird eine Xenon-Hochdrucklampe benutzt. Wie schon erwähnt, kann dieses Verfahren in geeigneten Fällen zum narbigen Verschluß von Netzhautlöchern und Heilung der Ablatio wie auch zur Zerstörung maligner Tumoren verwendet werden.

Schließlich muß noch der **Schädigung** durch **Röntgen-** und **Radiumstrahlen** gedacht werden. Sie können auftreten, wenn das Auge oder seine Umgebung mit Strahlen behandelt werden. Bei diagnostischer Anwendung von Röntgenstrahlen ist die Gefahr der Schädigung nicht gegeben. Wegen der Möglichkeit der Strahlenschädigung ist bei therapeutischer Anwendung der Röntgen- oder Radiumstrahlen am Auge stets große Vorsicht geboten. Bei *Bestrahlung* der Umgebung ist für *Schutz des Bulbus* durch Bleischalen zu sorgen. Bei Behandlung des Bulbus selbst dürfen nur kleine Dosen Verwendung finden, die z. B. bei Behandlung der Iridozyklitis auch ausreichend sind. Lediglich bei Bestrahlung maligner Tumoren am letzten Auge ist manchmal die Anwendung hoher Bestrahlungsdosen — der vitalen Indikation wegen —

erlaubt. Die Röntgenschäden zeigen sich zunächst in entzündlichen Reizungen der vorderen Abschnitte. Später treten Veränderungen an den Gefäßen, wie ampullenartige Erweiterung einzelner Abschnitte und Verengung anderer auf. Die Bindehaut wird oft von Schrumpfungserscheinungen befallen, die zur Verengung der Lidspalte führen können (Abb. 257 u. 258). An der Hornhaut kann es zu schweren Keratitiden und degenerativen Prozessen, an der Iris zu Gefäßveränderungen und Atrophie kommen. Degenerationen der Netzhaut und Glaukom treten manchmal hinzu und vollenden die Vernichtung derartiger Augen. Die Schädigungen der Linse wurden bereits im Kapitel „Linsenerkrankungen" besprochen. Wenn auch die Fortschritte der Röntgentechnik die Gefahren der Schädigung des Auges vermindert haben, so sind sie doch immer noch vorhanden.

C. Die sympathische Ophthalmie

Die sympathische Ophthalmie ist eine schwere Erkrankung des zweiten Auges, die sich an eine Entzündung eines verletzten oder operativ eröffneten ersten Auges anschließen kann. *Voraussetzung* für die Entstehung einer sympathischen Ophthalmie ist also *die Eröffnung* und *anschließende Entzündung des ersten Auges.* Demnach ist die Entzündung eines Zweitauges niemals eine sympathische Ophthalmie, wenn das erste Auge zwar entzündlich erkrankt war, aber vorher nicht eine Perforation (auch Skleralruptur) oder bulbuseröffnende Operation erlitten hatte. Eine sehr seltene Ausnahme von dieser Regel bildet die Entwicklung einer sympathischen Ophthalmie im zweiten Auge nach Zerfall eines Sarkomes im ersten Auge.

Die **klinischen Symptome** am ersterkrankten (sympathisierenden) und des zweiten (sympathisch erkrankten) Auges entsprechen dem Bilde einer Entzündung der Uvea, wobei bald die Erscheinungen an der vorderen Uvea (Iridozyklitis) bald die an der hinteren Uvea (Chorioiditis) im Vordergrund oder am Anfang stehen können. Wir finden also ziliare Injektion, Präzipitate, hintere Synechien, Seclusio und Occlusio pupillae, Sekundärglaukom, Cataracta complicata, Glaskörpertrübungen usw. Häufig führen Schrumpfungsvorgänge schließlich zur Phthisis bulbi und Erblindung. Der Prozeß beginnt mit einer schleichenden Uveitis am ersten Auge. Alle Augen, die nach einer perforierenden Verletzung oder einer bulbuseröffnenden Operation unter derartigen Symptomen erkranken, sind also als verdächtig bezüglich der sympathischen Ophthalmie anzusehen. Daß eitrige Infektionen nach Bulbuseröffnungen nicht zur sympathischen Ophthalmie zu führen pflegen, wurde bereits bei Besprechung dieser Infektionen hervorgehoben. Die Erfahrung lehrt, daß die *sympathischen Ophthalmie am zweiten Auge frühestens 14 Tage* nach der Eröffnung des Bulbus auftritt. Eine zeitliche Begrenzung der Erkrankungsgefahr nach der anderen Seite ist nicht möglich. Noch Jahre nach einer Verletzung kann eine sympathische Ophthalmie ausbrechen. Meist gehen allerdings neuerliche Reizzustände am ersterkrankten Auge diesem Geschehen voraus, doch können auch Entzündungen in der Aderhaut, die sich dem Nachweis entziehen, Anlaß zum Auftreten der sympathischen Ophthalmie geben. In diesem Sinne sind auch Augenstümpfe nach Exenteration des Bulbus gefährlich, falls Reste der Uvea in ihnen verblieben sind.

Nach Ablauf der erwähnten Mindestfrist kann die Erkrankung am zweiten Auge ausbrechen. Dies geschieht, wie erwähnt, manchmal unter den Symptomen der Iritis (Präzipitate, Synechien usw.), manchmal auch mit Bildung von Aderhautherden und Glaskörpertrübungen. Im weiteren Verlauf treten andere Symptome der Uveitis hinzu. Der **Verlauf** ist meist schwer und führt oft zur Erblindung oder einem ihr praktisch gleichkommenden Zustand (s. Abb. 122). Wenn demnach die sympathische Ophthalmie stets als sehr ernste Erkrankung anzusehen ist, so bedeutet sie doch nicht in allen

Fällen Erblindung. Der Prozeß kann auch günstiger verlaufen, so daß unter entsprechender Therapie noch ein brauchbares oder gutes Sehen gerettet werden kann.

Zu den günstig verlaufenden Fällen gehören die von sog. *sympathischer Reizung.* Darunter verstehen wir leichte Reizzustände am zweiten Auge, die oft nur in Lichtscheu und Blendungsgefühl bestehen oder auch vermehrte Zellströmung in der Vorderkammer und Zellvermehrung im Glaskörper erkennen lassen. Derartige Zustände können rasch verschwinden oder aber auch Vorboten einer echten sympathischen Entzündung sein. Von diesen sympathischen Reizungen sind jene harmlosen Mitreizungen des zweiten Auges zu unterscheiden, die z. B. bei Hornhautfremdkörpern und anderen oberflächlichen Schädigungen gelegentlich vorkommen und die keine Beziehungen zur sympathischen Ophthalmie haben.

Die **Ursache** der sympathischen Ophthalmie war zu allen Zeiten Gegenstand lebhafter, aber nicht erfolgreicher Diskussion. Als Erklärungsversuche wurden die direkte Überwanderung von Erregern entlang der Sehnerven über das Chiasma (Migrationstheorie), die Vermittlung durch die Ziliarnerven (nervöse Theorie), die Entstehung durch Metastasierung auf dem Blutwege und durch anaphylaktische Erscheinungen zur Erörterung gestellt, um nur die wichtigsten Anschauungen zu nennen. Da die pathologisch-anatomischen Veränderungen den bei bestimmten Formen der Tuberkulose, oder besser für Tuberkulose gehaltenen Zuständen, ähnlich sind, wurde auch diese Erkrankung als Ursache der sympathischen Ophthalmie angesehen. Dabei hat man auch den gelegentlich gelungenen Nachweis von Tuberkelbazillen im Blut als Beweismittel herangezogen, doch sind alle diese Anschauungen entweder erschüttert oder mindestens nicht genügend gestützt worden. In neuester Zeit ist durch die Untersuchungen von SCHRECK die Migrationstheorie wieder sehr in den Vordergrund gerückt worden, während andere Forscher bei ihren Erklärungsversuchen neural-pathologischen Gedankengängen folgen. Eine durch Nachprüfungen genügend gestützte und über alle Zweifel erhabene Lösung der Frage liegt aber bis heute noch nicht vor.

Die hohe Gefahr, die mit der Erkrankung verbunden ist, macht es verständlich, daß der **Prophylaxe** große Bedeutung zukommt. Der allgemein gültige Grundsatz ist, daß Augen, die als sympathiegefährlich gelten, die also nach Eröffnung durch Verletzung oder Operation schwere Entzündungszeichen der Uvea aufweisen und außerdem praktisch oder völlig erblindet sind, unbedingt mittels Enukleation zu entfernen sind, und zwar auch dann, wenn am zweiten Auge keinerlei verdächtige Zeichen bestehen. Als Gradmesser für die praktische Erblindung gilt die Prüfung der Lichtempfindung und Lichtprojektion. Sie gilt als positiv bestanden, wenn der Schein einer Kerze oder ähnlich schwachen Lichtquelle in 6 m erkannt wird und wenn die Einfallsrichtung des Lichtes, also die Lage der Lichtquelle im Verhältnis zum Patienten (Licht von oben, unten, rechts, links) richtig angegeben wird. Bei negativem Ausfall dieser Prüfung ist die Enukleation gerechtfertigt. Ein noch sehendes Auge darf also aus prophylaktischen Gründen nicht geopfert werden. Der strengen Einhaltung dieser Regel ist es wohl zu danken, daß in den beiden großen Kriegen unseres Jahrhunderts trotz der ungeheuren Zahl der Augenverletzungen die sympathische Ophthalmie nur selten aufgetreten ist.

Die **Therapie** der ausgebrochenen Erkrankung besteht zunächst in Anwendung der lokalen Behandlung mit Atropin und Wärme. Cortisonbehandlung ist in einem Teil der Fälle von Erfolg begleitet. Zur Allgemeinbehandlung sind Schmierkuren (Hg), Salvarsan, Tuberkulinkuren und Röntgenbestrahlungen mit geringen Dosen empfohlen worden. Besonders bewährt haben sich bei manchen Autoren lange fortgesetzte Injektionen von Atophanyl oder hohe Salicyldosen. Antibiotika werden auch angewendet. In Anbetracht der Seltenheit der Erkrankung stehen den meisten Beobachtern nur relativ wenige Fälle zur Verfügung, so daß ein sicheres Urteil über den Wert der einzelnen Methoden schwer ist. Wer zufällig gerade eine Reihe günstiger Fälle in die Hand bekommt, wird geneigt sein, seine Methoden hoch einzuschätzen, während ein anderer Therapeut, der ungünstigere Fälle hat, damit scheitert. In Anbetracht des Ernstes der Situation sind aber alle Versuche gerechtfertigt. Wichtig ist, daß man in Augen mit sympathischer Ophthalmie alle Operationen vermeiden soll, da sie zum Aufflackern der Entzündung und damit zur Verschlechterung führen. Erst wenn der Reizzustand mindestens 1½ bis 2 Jahre abgeklungen ist, sind evtl. nötige Eingriffe (Cataracta complicata usw.) mit einiger Aussicht auf Erfolg ausführbar. Eine sehr schwierige Frage ist die, ob bei am zweiten Auge ausgebrochener sympathischer Ophthalmie das erste Auge enukleiert werden soll. Wenn das erste Auge blind ist, ist die Frage klar zu bejahen. Wenn das erste Auge noch sehend ist, ist die Antwort weniger leicht. Vertreter der Migrationstheorie verlangen folgerichtig auch in diesen Fällen die Enukleation des nach ihrer Meinung die Erreger aussendenden ersten Auges. Andere erfahrene Autoren weisen auf die Tatsache hin, daß das Sehen nach Ablauf der Erkrankung am ersten Auge oft noch besser als am zweiten Auge sei. Sie widerraten daher die Entfernung eines noch sehfähigen ersten Auges nach Ausbruch der Erkrankung. Die Entscheidung ist stets vom Facharzt zu treffen; sie stellt auch erfahrenste Ophthalmologen vor schwere Fragen.

XVII. Die augenärztliche Begutachtung

A. Allgemeines

Die moderne Sozialgesetzgebung aller Kulturstaaten hat die Fürsorge für Geschädigte aller Art zum Ziele, um zu verhindern, daß Menschen durch Unfälle, Krankheiten oder angeborene Schäden in eine Notlage geraten. Die Anwendung der entsprechenden Bestimmungen hat die genaue Feststellung der vorhandenen Schäden zur Voraussetzung. Außerdem ist ihr Einfluß auf die Erwerbsfähigkeit für die Festsetzung der zu gewährenden materiellen Leistungen erforderlich. Schließlich muß in vielen Fällen (Unfälle, Kriegsschäden usw.) auch die Zusammenhangsfrage geklärt werden, d. h. es muß geprüft werden, ob der eingetretene Schaden Folge einer bestimmten Verletzung oder berufsbedingten Erkrankung ist.

Diese Aufgaben können von den zuständigen Instanzen (Berufsgenossenschaften, Versicherungsanstalten aller Art, Sozialämtern, Gerichten) nur auf Grund ärztlicher Gutachten gelöst werden. Der große Umfang der sozialen Fürsorge stellt daher an den Arzt erhebliche Anforderungen. Die Fragestellungen, welchen der Arzt begegnet, sind verschieden. Bei den Unfallereignissen und Berufskrankheiten handelt es sich um die Zusammenhangsfrage und den Einfluß des Schadens auf die Erwerbsfähigkeit, die sog. Minderung der Erwerbsfähigkeit, die oft kurz aber falsch als Erwerbsminderung bezeichnet wird. In anderen Fällen steht die Frage der Berufs- oder Arbeitsfähigkeit ohne Rücksicht auf die Ursachen des Schadens zur Debatte, wobei oft auch Fragen nach Arbeitsfähigkeit unter bestimmten Voraussetzungen (ganztägig oder stundenweise, Arbeit in geschlossenen Räumen oder im Freien, im Sitzen, Stehen oder Gehen usw.) gestellt werden.

Vielfach treten an den Augenarzt auch Fragen der Berufseignung heran; hierbei ist besonders an die jetzt so wichtige Verkehrsgesetzgebung, vor allem an die Eignung zur Führung eines Kraftfahrzeuges zu denken.

Die ärztlichen Gutachten erfordern umfangreiche Fachkenntnisse und Erfahrungen; sie sollen daher in Fragen der Augenheilkunde ausschließlich von gewiegten Fachärzten erstellt werden. Daran ändert auch der Umstand nichts, daß manche klare Tatbestände, z. B. glatter Verlust eines Auges bei normalem zweiten Auge auch ohne besonderes Fachwissen festgestellt werden können, denn oft stehen hinter diesen einfachen Befunden aber doch wieder schwierigere Fragen bezüglich des Unfallzusammenhangs usw.

Obwohl also der praktische Arzt kaum je zu augenärztlichen Begutachtungen herangezogen wird, ist doch ein gewisses Wissen um die Grundsätze augenärztlicher Begutachtung notwendig. Vor allem muß sich jeder Arzt über die prinzipielle Stellung des Gutachtens klar sein. Während der praktizierende Arzt die Hilfe für den Kranken bzw. Geschädigten als höchstes Ziel vor Augen hat, ist die Aufgabe des Gutachters eine ganz andere. Er ist, wie RINTELEN sehr richtig formuliert, Treuhänder des Rechtsverhältnisses zwischen Geschädigten und Versicherung, soweit es auf medizinischer Beurteilung beruht. Er ist also niemals Anwalt des Patienten mit der Aufgabe, für diesen „möglichst viel herauszuholen". Er ist aber auch nicht Sachwalter einer Versicherung oder Behörde. Die Aufgabe des Gutachters ist es vielmehr, dafür einzutreten, daß der Patient zu seinem Recht kommt, aber auch die Versicherungsträger und damit die Gemeinschaft vor unberechtigten Forderungen geschützt werden. Es gibt daher nicht wohlwollende und übelwollende Beurteilung, sondern es darf nur streng objektive Gutachten geben. Selbstverständlich darf also das Wohlwollen des Gutachters nicht zu Beurteilungen führen, die im Interesse des Geschädigten den wissenschaftlichen Erkenntnissen und praktischen Erfahrungen Gewalt antun.

Es muß auch nachdrücklich darauf hingewiesen werden, daß der im Strafverfahren gültige Grundsatz „in dubio pro reo" im Gutachten nicht angewendet werden darf, da es keinen Beschuldigten im strafrechtlichen Sinne gibt, sondern gleichberechtigte Parteien. Das sog. „Gefälligkeitsgutachten" oder „Gefälligkeitsattest" ist scharf abzulehnen und es soll nicht verschwiegen werden, daß ein Arzt, der wider besseres Wissen ein unrichtiges Zeugnis abgibt, nach § 278 StGB. bestraft werden kann. Es ist deshalb auch falsch, wenn Nichtfachärzte Atteste über Zusammenhangsfragen u. a. abgeben, die sie nicht beurteilen können, so z. B. über die Entstehung einer Aderhautentzündung durch Erkältung im Kriege oder ähnliches.

Der Arzt muß auch wissen, daß ein Gutachten keine rechtskräftige Entscheidung darstellt, sondern lediglich als Grundlage für eine solche dient. Die Entscheidungen werden von den Versicherungsträgern und in Streitfällen von den zuständigen Gerichten getroffen, die nicht an den Gutachtensinhalt gebunden sind. Deshalb und auch aus anderen Gründen ist es zweckmäßig, dem Begutachteten niemals den Inhalt des Gutachtens bekanntzugeben.

Das Gutachten muß stets auf eingehende ärztliche Untersuchung mit modernen Verfahren, auf genaue Aktenkenntnis und Kenntnis der Fachliteratur aufbauen. In manchen Fällen ist auch Kenntnis bestimmter Berufsarbeiten erforderlich, wenn z. B. über Eignung für einen Beruf oder Berufsunfähigkeit entschieden werden soll.

Wenn somit die Gutachten augenärztliche Aufgabe sind, so ist doch oft die erste Untersuchung des zunächst aufgesuchten Arztes von großer Bedeutung. Es ist daher, vor allem bei Verletzungen sehr wichtig, den erhobenen Befund und die gemachten Angaben genau schriftlich festzuhalten. Sehr oft sind solche Aufzeichnungen von entscheidendem Wert für später tätig werdende Gutachter. Dies gilt auch für anamnestische Angaben. Ich möchte als Beispiel hier die Netzhautablösung erwähnen, die sowohl spontan, als u. a. auch durch Körpererschütterung (Sturz usw.) entstehen kann. Hier erlebt man es oft, daß die Kranken in der Klinik davon erfahren, daß äußere Einwirkungen die Krankheit verursachen können und dann später mit entsprechenden Angaben aufwarten. In solchen Fällen ist oft die erste Angabe von größter Bedeutung. Ähnlich liegen die Dinge z. B. beim Ulcus serpens, das auch durch kleine Fremdkörper oder oberflächliche Verletzungen verursacht werden kann. Im Zuge der Erkrankung tritt oft Fremdkörpergefühl auf. Es kommt den Kranken vor, als ob etwas im Auge wäre, „es muß etwas hineingekommen sein" und schließlich sorgt das Kausalitätsbedürfnis der Menschen und manchmal Rentensucht dafür, daß später ziemlich exakte Unfallsangaben gemacht werden, von welchen bei der ersten Untersuchung keine Rede war. Es ist daher RINTELEN vollkommen beizupflichten, wenn er schreibt, daß „Nachtragsanamnesen" stets mit Skepsis aufzunehmen sind.

Es liegt in der Natur der Sache, daß trotz aller Bemühungen oft wissenschaftlich exakte Entscheidungen nicht zu treffen sind. Das Gesetz verlangt solche auch nicht, es genügt die Wahrscheinlichkeit. Bloße Möglichkeiten scheiden aber als Grundlage einer Anerkennung einer Renten- oder Entschädigungsforderung aus. Die Begutachtung muß nach wissenschaftlicher Exaktheit streben; trotzdem ist sie keine rein wissenschaftliche Tätigkeit. Sie ist vielmehr eine solche praktisch-ärztlichen Handelns. Wie die ärztliche Tätigkeit am Krankenbett muß sie sich aller wissenschaftlichen Erkenntnisse bedienen, wie diese kann sie aber nicht dort stehen bleiben, wo eine exakte wissenschaftliche Entscheidung nicht möglich ist, wie diese muß sie sich bemühen, den Anforderungen des Lebens gerecht zu werden. Es muß ja auch dort, wo wissenschaftliche Entscheidungen nicht möglich sind, über den Anspruch entschieden werden. Dabei muß die Wahrscheinlichkeit leiten.

Der Begriff Wahrscheinlichkeit läßt natürlich einen gewissen Spielraum für subjektive Anschauungen. Es kann selbstverständlich vorkommen, daß gute und gewissenhafte Gutachter zu verschiedenen Anschauungen gelangen. Die Entscheidung liegt dann bei der rechtlich dazu berufenen Instanz. Der Begriff der Wahrscheinlichkeit ist nicht ganz leicht zu definieren. Als Richtlinie kann dienen, daß Wahrscheinlichkeit gegeben ist, wenn die für eine Anerkennung sprechenden Gründe zahlreicher sind oder schwerer wiegen als die Gegengründe, wobei die anerkannte wissenschaftliche Lehrmeinung zu berücksichtigen ist. Es ist natürlich wichtig, die Begriffe Möglichkeit und Wahrscheinlichkeit zu trennen. Nach den gültigen Definitionen ist Möglichkeit immer gegeben, wenn etwas formal denkbar ist, also den gegebenen Kenntnissen nicht widerspricht. Es ist aber lange nicht alles, was dieser Bestimmung gerecht wird, was sich also denken läßt, ohne Denkfehler zu begehen, auch schon wahrscheinlich. Der Begriff der Wahrscheinlichkeit kann in diesem Sinne nur wohl aus der relativen Häufigkeit abgeleitet werden, das heißt, das, was wir als wahrscheinlich angehen, muß durch die Häufigkeit der Beobachtungen oder der histologischen Befunde oder auch durch Reproduzierbarkeit im Experiment eben als häufig vorkommend und damit als wahrscheinlich gesichert werden. Es ist Aufgabe des Gutachters, seine diesbezüglichen Erwägungen, besonders in schwierigen Fällen, klar zum Ausdruck zu bringen, um der entscheidenden Instanz ihre Würdigung zu ermöglichen. Daß dabei eine auch dem Nichtmediziner verständliche Ausdrucksweise zu wählen ist, braucht kaum betont zu werden.

Nach diesen allgemeinen Ausführungen sollen nun einzelne wichtige Fragen ohne Anspruch auf Vollständigkeit kurz gestreift werden.

B. Unfallzusammenhang

Die klare Beantwortung der Zusammenhangsfrage ist selbstverständlich in manchen Fällen leicht. Man denke an eine ärztlich festgestellte frische *perforierende Verletzung* mit ihren Folgeerscheinungen, wie traumatische Katarakt, Iriskolobom nach Prolapsabtragung oder Vereiterung. Während in solchen Fällen Zweifel nicht auftreten können, gibt es andere Erkrankungen, bei welchen die Klärung der Zusammenhangsfrage oft erhebliche Schwierigkeiten bereitet. Naturgemäß handelt es sich dabei hauptsächlich um jene Erkrankungen, die sowohl durch einen Unfall ausgelöst, als auch als spontane, schicksalsmäßige Erkrankungen in Erscheinung treten können. Als typisches Beispiel für eine solche Erkrankung möchte ich die *Netzhautablösung* anführen. Wie schon im entsprechenden Kapitel klargestellt wurde, kann diese nach perforierenden Verletzungen, schweren Prellungen des Augapfels als direkte Unfallfolge entstehen. Es ist aber auch möglich, daß schwere Erschütterungen des Körpers oder Prellungen des Kopfes eine Netzhautablösung hervorrufen. Ebenso wird unter Umständen eine übermäßig schwere, das Ausmaß der üblichen Berufsarbeit wesentlich übersteigende Arbeit als Ursache einer Netzhautablösung in Betracht gezogen werden müssen. Neben diesen unfallsbedingten Entstehungen steht aber die spontane Netzhautablösung, die nach eigenen Erfahrungen unverhältnismäßig häufiger ist als die unfallbedingte Erkrankung. Die Schwierigkeiten werden noch dadurch erhöht, daß bestimmte anatomische Vorbedingungen für die Entstehung der Netzhautablösung, nämlich Veränderungen in der Netzhautperipherie, sowohl bei hochgradig kurzsichtigen als auch bei alten Personen häufig auftreten. Manche Gutachter halten daher Kurzsichtige und alte Personen für zur Netzhautablösung disponiert. Es ist auch nicht zu bestreiten, daß Personen dieser Gruppen häufiger von Netzhautablösung befallen werden als junge Personen ohne Kurzsichtigkeit. Auf der anderen Seite steht aber auch fest, daß die übergroße Mehrzahl der sog. Disponierten niemals, auch bei Unfällen nicht an Netzhautablösung erkrankt. Es ist also nicht ohne weiteres erlaubt, bei einer Kurzsichtigkeit oder bei höherem Alter automatisch den Zusammenhang mit einem erlittenen Unfall abzulehnen. Disposition bedeutet ja, daß ein Organ oder Organteil der Gefahr einer bestimmten Erkrankung in erhöhtem Maße ausgesetzt ist. Eine Disposition ist also bestenfalls eine potentielle Erkrankung, aber keine reale. Es bedarf einer Auslösung zu ihrer Realisierung. Im allgemeinen wird man immer dann, wenn ein Ereignis vorliegt, das nach ärztlicher Erfahrung auch in gesunden, jugendlichen, also sicher nicht disponierten Augen eine Netzhautablösung hervorzurufen vermag, den Zusammenhang anerkennen. Voraussetzung ist natürlich auch ein gewisser zeitlicher Zusammenhang, der allerdings kein ganz kurzfristiger zu sein braucht. Auch eine Frist von mehreren Wochen schließt den zeitlichen Zusammenhang nicht aus. Gerade in diesen Fällen ist aber eine kritische Beurteilung der Situation außerordentlich wichtig und vor allem gilt hier das, was über die Nachtragsanamnesen gesagt wurde. Später auftauchende Angaben über weder durch Zeugen noch durch direkte Verletzungen gesicherte Unfälle sind mit äußerster Skepsis zu beurteilen. Man darf weder kritiklos alle, vor allem nachträglich angegebenen Unfallanamnesen annehmen und zur Grundlage der Beurteilung machen noch darf man auf Grund einer angeblichen, im Einzelfall nicht zu beweisenden Disposition einfach ohne weitere intensive Prüfung zur Ablehnung gelangen. Außerdem ist zu vermerken, daß wenigstens in der Unfallversicherung das Individuum mit seiner gesamten körperlichen Konstitution, also einschließlich der sog. Disposition, versichert ist. Bei Privatversicherungen ist dies bekanntlich anders. Diese pflegen vor Eintritt in die Versicherung eine ärztliche Untersuchung zu verlangen und auf Grund dieser Untersuchung bestimmte Erkrankungen von der Versicherung auszuschließen oder erhöhte Prämien zu verlangen. Bei der Arbeiterunfallversicherung gilt dies alles nicht, die sog. Disposition hat keine ausschließende Wirkung.

Die oben gemachten Ausführungen über die Disposition und ihre Bewertung gelten auch für andere, sog. anlagebedingte Unfallerkrankungen, also für Zustände, bei welchen die Entstehung der Erkrankung in manchen Fällen durch ein Zusammenwirken von äußeren Einwirkungen und vorhandener Anlage in Betracht kommt. Die schweizerische Gesetzgebung kennt den Begriff des Teilunfalles, also Fälle, in welchen ein Teil der Schädigung als Unfallfolge anerkannt, ein anderer dem vorbestehenden Zu-

stand zugeschrieben wird. Dieser Begriff des Teilunfalles ist aber in der deutschen
Rechtsprechung nicht bekannt. Viel seltener als die Netzhautablösung werden z. B.
Fälle von *Thrombosen der Zentralvene* auf ihren Zusammenhang mit dem Unfall zu überprüfen sein. Auch hier ist kritische Stellungnahme unbedingt erforderlich und hier
muß wohl ein unmittelbarer zeitlicher Zusammenhang gefordert werden, wenn man
sich überhaupt zu einer Anerkennung entschließen will. Ähnliches gilt auch für andere
Gefäßerkrankungen, z. B. die *Periphlebitis retinae*, die bekanntlich sehr oft spontan zu
schweren Veränderungen und auch zur Netzhautablösung führt. In solchen Fällen
handelt es sich natürlich nicht nur um eine nicht nachweisbare Disposition, sondern
um eine Erkrankung, deren übler Ausgang mit Netzhautablösung sehr wohl bekannt
ist und bei mehrfachen Rezidiven stets befürchtet werden muß. Hier wird man mit der
Anerkennung außerordentlich zurückhaltend sein müssen.

Schließlich sei auch noch erwähnt, daß auch oberflächliche Hornhauterkrankungen,
wie der *Herpes corneae* und das *Ulcus serpens* durch Traumen hervorgerufen werden
können. Beide Erkrankungen können aber auch ohne die Mitwirkung eines Traumas
entstehen. Es kommt daher auch sehr auf richtige Angaben bei der ersten Untersuchung
sowohl bezüglich des Befundes als auch bezüglich der Anamnese an. In beiden Fällen
ist ein klares, durch augenärztlichen Befund nachgewiesenes Trauma Voraussetzung
für die Anerkennung. Spätere Angaben können nicht als ausreichend bewertet werden.
Es ist z. B. bezeichnend, daß nach Angaben von RINTELEN bei versicherten Ulcus
serpens-Patienten 93% eine Verletzung des Auges angeben, während bei Nichtver-
sicherten, bei welchen keine Entschädigung in Betracht kommt, die Angabe nur in
50% erfolgt. Bei derartigen infektiösen Hornhauterkrankungen wird abgesehen vom
wirklichen Nachweis der Verletzung ein kurzer zeitlicher Abstand gefordert werden
müssen. Beim Herpes dürfte ein Zeitraum von 5—7 Tagen als ungefähre Richtlinie in
Betracht kommen.

Wesentlich schwieriger ist der Zusammenhang bei Entzündungen zu beurteilen,
z. B. bei Erkrankungen der Uvea. Es wird gelegentlich angegeben, daß diese Erkrankung als Folge durchgemachter Strapazen, z.B. im Kriege, in der Gefangenschaft usw.
entstanden seien. Abgesehen davon, daß ein eigentliches Unfallereignis — ein zeitlich
abgegrenztes einmaliges Geschehen — nicht vorliegt, ist der Beginn solcher Leiden
fast nie mit Sicherheit nachzuweisen. Man wird in diesen Fällen allergrößte Zurückhaltung üben müssen und nach Anschauung erfahrenster Gutachter wird ein Zusammenhang nur in ganz seltenen Fällen bejaht werden können. Unbedingt ist die Zusammenhangsfrage in allen jenen Fällen zu verneinen, in welchen erst Jahre nach den
stattgehabten Ereignissen über Beschwerden geklagt und entsprechende Forderungen
angemeldet werden. Bei Auftreten und Feststellung ähnlicher Erkrankungen, z. B.
während der Kriegsdienstleistung, wird eine eingehende Überprüfung erforderlich sein,
doch wird man hier gewöhnlich nicht darüber hinauskommen, einen solchen Zusammenhang als möglich anzusehen.

Gelegentlich spielt auch das *Glaukom* für den Gutachter eine Rolle. Es ist bekannt,
daß akute Glaukomanfälle durch Aufregungen aller Art ausgelöst werden können. Es
handelt sich aber dabei immer um eine Auslösung bei vorher bestehender Disposition.
Ein wirklich gesundes Auge erkrankt wegen einer Aufregung nicht an einem akuten
Glaukom. Immerhin wird man, wenn ein solcher Glaukomanfall unmittelbar — und
zwar auch zeitlich unmittelbar — als Folge einer schweren Aufregung oder einer schweren
Inanspruchnahme auftritt, unter Umständen den Zusammenhang anerkennen können.
Dies gilt aber nur für das akute Glaukom. Das Glaucoma simplex, das häufig auch
Gegenstand von Begutachtungen ist, ist eine schicksalsbedingte Erkrankung, wir
wissen nichts über seine Bedingtheit durch körperliche Anstrengungen, schlechte

Lebensverhältnisse, seelische Aufregungen usw. Alle diesbezüglichen Angaben sind
reine Hypothesen. Es ist bisher nichts bekannt, was eine Entstehung des Glaucoma
simplex auf der Basis der eben erwähnten Schädigungen wahrscheinlich machen
könnte. Es sind daher alle entsprechenden Behauptungen, vor allem wenn sie erst Jahre
nach den Schädigungen geltend gemacht werden und wenn sie in einem Alter auftreten, in der das Glaucoma simplex eine häufige Erkrankung ist, immer mit allergrößter Zurückhaltung aufzunehmen. Eine Entstehung eines Glaucoma simplex
auf Grund der früher angegebenen schlechten Lebensbedingungen und Schädigungen
ist abzulehnen. Natürlich kann unter Umständen bei bereits bestehender Erkrankung
eine Verschlimmerung angenommen werden, wenn die erwähnten äußeren Umstände
(Gefangenschaft und ähnliches) die regelmäßige ärztliche Behandlung verhindern.
Auch hier wird aber ein exakter Nachweis zu fordern sein. Die wenigen angeführten
Beispiele mögen die Schwierigkeiten, die sich der augenärztlichen Begutachtung
oft entgegenstellen, dartun. Sie ließen sich noch beliebig vermehren. Die Mitteilung
der Beispiele sei mit dem nochmaligen Hinweis auf die Wichtigkeit genauer Befunde
und genauer anamnestischer Angaben und Aufzeichnungen durch den zuerst aufgesuchten Arzt abgeschlossen.

C. Berufskrankheiten

Die Beurteilung von Berufserkrankungen ist, soweit die Augen betroffen sind, selbstverständlich auch Sache des Augenarztes. In Anbetracht der geringen Zahl der augenärztlich wichtigen, anerkannten Berufserkrankungen treten aber entsprechende Fragen
relativ selten an den einzelnen Augenarzt heran. Trotzdem ist es wichtig zu wissen, daß
überall dort, wo ein Verdacht auf Berufserkrankung besteht, eine Meldung an den
Gewerbearzt vorgeschrieben ist. Im allgemeinen wird es sich als zweckmäßig erweisen,
mit den zuständigen Gewerbeärzten eng zusammenzuarbeiten, die gewöhnlich eine
wesentlich größere Erfahrung auf diesem Gebiet besitzen als sie dem Facharzt zur Verfügung steht.

Es ist hier nicht möglich, alle in Betracht kommenden Berufserkrankungen im einzelnen anzuführen, vielmehr wollen wir uns darauf beschränken, die zu nennen, die
für den Augenarzt von besonderem Interesse sind.

Ich erwähne hier in erster Linie den sog. *Feuerstar*, der bei Glasbläsern und Hochofenarbeitern auftritt. Seine Symptome sind bereits im Kapitel Linsenerkrankungen
beschrieben worden. Er verdankt seine Entstehung der sehr langfristigen Einwirkung
ultraroter Strahlen. In bestimmten Stadien ist auf Grund der charakteristischen
Symptome die Diagnose eines Feuerstars oft einfach. Wenn später eine Totaltrübung
der Linse eingetreten ist, kann aber die Diagnose manchmal auf erhebliche Schwierigkeiten stoßen. Es ist daher wichtig, daß alle einschlägigen Erkrankungen möglichst
frühzeitig erfaßt werden. Die Prognose ist, wie schon erwähnt, bei Operation eines
Feuerstars genau so gut wie bei den übrigen Starformen. Für die Feststellung eines
Feuerstars ist besonders in Fällen, in welchen die klinischen Symptome nicht eindeutig
sind, die Tatsache wichtig, daß nur nach langjährigen Beschäftigungen mit einschlägigen Arbeiten Feuerstar entsteht. Es kommen also im allgemeinen nur die unter großer
Hitze Arbeitenden in Betracht. Gelegentliche Angaben von älteren Personen, die in
einschlägigen Betrieben im Büro arbeiten oder als aufsichtführende Ingenieure usw.
beschäftigt sind, müssen mit Skepsis beurteilt werden, da gelegentliche Besuche in den
Werken, auch wenn solche häufig erfolgen, im allgemeinen nicht den Feuerstar hervorrufen können.

Eine weitere, für den Augenarzt wichtige Berufserkrankung sind *Röntgen- und
Radiumschädigungen* der Linse. Auch hier wurden die entsprechenden Symptome bereits

im Kapitel Linsenerkrankungen erwähnt. Die Anerkennung als Berufskrankheit kommt nur in jenen Fällen in Frage, in welchen der Betreffende als Arbeiter im Betrieb (Röntgenröhrenarbeiter, Röntgentechniker, ärztliches Hilfspersonal usw.) tätig ist. Eine Linsenschädigung durch Röntgenstrahlen, die bei einem Patienten bei Bestrahlung auftritt, fällt also selbstverständlich nicht unter das Kapitel Berufskrankheiten. Die Schädigung tritt hier durch Summierung kleinerer oder größerer Strahlendosen auf. Durch entsprechende Schutzmaßnahmen kann heute derartigen Schäden weitgehendst vorgebeugt werden.

Zu den augenärztlich interessanten Berufskrankheiten gehört auch der *Bergarbeadernystagmus*. Er wurde bereits bei Besprechung der Augenmuskelstörungen erwähnt. Bei Entfernung der Betroffenen von der Arbeit unter Tage pflegt der Nystagmus, allerdings nach längerer Zeit wieder zu verschwinden. Der Bergarbeadernystagmus ist noch ein Gegenstand eifriger wissenschaftlicher Forschung bezüglich seiner Entstehung. Auf diese Probleme kann hier nicht eingegangen werden.

Außerdem kommt die Beteiligung des Auges auch noch bei verschiedenen anderen Berufserkrankungen vor, die hier im einzelnen nicht besprochen werden können. In diesen Fällen wird der Augenarzt gewöhnlich als Konsiliarius zugezogen. Es kann nur ganz kurz erwähnt werden, daß es sich meist um *Vergiftungen* handelt. In Betracht kommen: Blei, Phosphor, Quecksilber, Arsen, Mangan, Benzol und seine Verbindungen, Schwefelkohlenstoff, Schwefelwasserstoff, Kohlenoxyd und andere. Außerdem kann gelegentlich auch *Hautkrebs* an den Lidern als Berufskrankheiten auftreten. Bei Arbeit in Druckluft *(Caisson- oder Taucherkrankheit)* kann es ebenfalls zu Augenveränderungen kommen. Schließlich kommen noch Hornhautschädigungen durch *Benzochinon* in Betracht. Die bei den erwähnten Vergiftungen vorkommenden Augenkomplikationen betreffen teils die äußeren Abschnitte, wie Exophthalmus, Augenmuskelstörungen, Lid- und Bindehautentzündungen, Hornhautgeschwüre, teils die tieferliegenden Teile, wie Atrophia Fasciculi optici, Neuritis nervi optici, Neuritis retrobulbaris, Retinopathien mit Blutungen usw. Einzelheiten müssen in ausführlicheren Werken über Berufskrankheiten nachgelesen werden.

Die Aufgabe des Augenarztes ist oft sehr einfach, wenn vom Gewerbearzt bereits die Tatsache der Berufskrankheit anerkannt ist und es sich bloß um Feststellung der entsprechenden Komplikationen handelt. Schwierig kann die Sache sein, wenn die Tatsache der Berufskrankheit noch nicht feststeht und es hierbei auf augenärztliche Entscheidungen ankommt, siehe z. B. beim Feuerstar, Röntgenstar usw. Die Einschätzung der als Berufserkrankung anerkannten Schädigungen erfolgt nach denselben Grundsätzen wie die Bewertung der Schädigungen durch Unfallereignisse. Es sei nochmals erwähnt, daß auch der erfahrene Augenarzt guttut, in allen Fragen, bei welchen Verdacht auf Berufskrankheit besteht, enge Zusammenarbeit mit dem Gewerbearzt zu pflegen.

D. Die Einschätzung der Minderung der Erwerbsfähigkeit

Eine der wichtigsten Entscheidungen im Gutachten ist die Festsetzung der durch Verletzungsfolgen oder eine Erkrankung gegebene Minderung der Erwerbsfähigkeit. Sie ist nicht nur bei Unfällen, bei Entscheidungen über den Kausalzusammenhang, sondern auch bei Invalidisierungen wegen spontaner Erkrankungen nötig. Die Richtschnur für die Einschätzung gibt selbstverständlich die verbliebene Funktion des Auges ab. Es ist nicht so sehr entscheidend, ob da oder dort eine Narbe besteht oder eine Synechie, entscheidend ist, wie weit die Funktion des Auges erhalten oder geschädigt ist. Das wichtigste Kriterium bei der Bestimmung der Funktion ist selbstverständlich die *Sehschärfenprüfung*, die in der in dem entsprechenden Abschnitt geschilderten Art und Weise vorgenommen wird. In diesem Zusammenhang sei darauf hingewiesen, daß aus Gründen der evtl. späteren Begutachtung auch bei leichten Verletzungen immer unmittelbar nach der Verletzung, d. h. bei der ersten Untersuchung die Sehschärfe bestimmt werden soll. Selbst bei kleinen Hornhautfremdkörpern, die ja gelegentlich auch zu einer Geschwürsbildung und damit zu stärkerer Narbenbildung führen können, ist die Festsetzung der unmittelbar nach der Verletzung vorhandenen Sehschärfe stets wichtig. Zu dieser Zeit beeinflussen im allgemeinen Rentenwünsche die Angaben noch nicht, was späterhin doch nicht ganz selten vorkommt. Durch Vornahme dieser einfachen Sehprüfung kann auch der Nichtfacharzt einen wesentlichen Beitrag für später anfallende Rentenverfahren leisten.

Die wichtigsten Eckpfeiler für die Begutachtung sind die Einschätzung des *einseitigen Augenverlustes* bzw. der einseitigen Erblindung mit 25% und der *doppelseitigen Erblindung* mit 100%. Es sei aber beigefügt, daß die in Deutschland übliche Einschätzung der einseitigen Erblindung mit 25% nicht allgemein üblich ist. In anderen Ländern (Frankreich, Italien, manche überseeische Staaten) werden wesentlich höhere Einschätzungen getroffen. Es ist aber durch zahlreiche Nachprüfungen der Erwerbsverhältnisse und sonstige gründliche Untersuchungen wirklich sichergestellt, daß die Einschätzung der Einäugigkeit mit 25% als ausreichend, ja als wohlwollend anzusehen ist. Diese gilt natürlich nur unter der Voraussetzung, daß das erhaltene Auge gesund und voll leistungsfähig ist. Um die verschiedenen Grade der Sehschärfenherabsetzung richtig zu bewerten, sind verschiedentlich Tabellen ausgearbeitet worden, welche es erlauben, auf Grund der an beiden Augen vorhandenen Sehschärfe eine bestimmte Zahl zu ermitteln, die der Einschätzung zugrunde gelegt wird. Es sind im Laufe der Zeit verschiedene Tabellen ausgearbeitet worden, auch in verschiedenen Staaten bestehen verschiedene Rententarife. In Deutschland hat sich der von der Deutschen Ophthalmologischen Gesellschaft ausgearbeitete Rententarif besonders bewährt und ist heute wohl allgemein anerkannt (Abb. 259). Aus diesen Tabellen lassen sich unter

Abb. 259. Neue Rententabelle der D.O.G.[1]

A/B		5/5 —5/7	5/10	5/12	5/15	5/20	5/25	5/35	5/50	1/20	1/50	0
1,0 0,6	5/5 5/7	0	0	5	5	5+	10	15	15	20	25	25
0,5	5/10	0	5	5+	10	10	15	15	20	20+	25	25
0,4	5/12	5	5+	10	15	15	20	20	25	25	30	35
0,3	5/15	5	10	15	20	20	20+	25	25+	30	35	40
0,25	5/20	5+	10	15	20	30	30	30	35	40	45	45+
0,2	5/25	10	15	20	20+	30	40	40	45	50	55	55
0,14	5/35	15	15	20	25	30	40	50	50	50+	55	65
0,1	5/50	15	20	25	25+	35	45	50	60	70	80	80
0,05	1/20	20	20+	25	30	40	50	50+	70	80	85	90
0,02	1/50	25	25	30	35	45	55	55	80	85	95	95+
0	0	25	25	35	40	45+	55	65	80	90	95+	100

[1] Die mit + versehenen Werte können gegebenenfalls um 5% erhöht werden.

Berücksichtigung der Sehschärfe der beiden Augen die entsprechenden Werte leicht ablesen. Dabei ist natürlich zu sagen, daß die Tabellen keine Gesetzeskraft haben, daß sie auf Grund augenärztlicher Erfahrungen und eines Übereinkommens erarbeitet worden sind, aber lediglich ungefähre Richtlinien darstellen. Kein Gutachter ist in seiner freien Entscheidung eingeengt. Eine Verpflichtung, sich unter allen Umständen genau an eine bestimmte Tabelle zu halten, besteht nicht. Besonderheiten, die in einzelnen Fällen gegeben sind, können ohne weiteres in Abweichung von der Tabelle berücksichtigt werden. Auf der anderen Seite empfiehlt es sich, diese Freiheit des Gutachters nicht allzuweit auszunützen. Im Interesse der Geschädigten und der gesamten Sozialfürsorge ist eine möglichst einheitliche Beurteilung wünschenswert. Es erweckt in Kreisen der Betroffenen selbstverständlich Unwillen, wenn dieselbe Schädigung von verschiedenen Ärzten ganz verschieden eingeschätzt wird. Aus diesen Gründen pflegen sich die Gutachter im allgemeinen ungefähr an die Tabelle zu halten. Die Einheitlichkeit der Beurteilung ist entschieden im Interesse der Sache und im Interesse des ärztlichen Ansehens wichtiger als die Durchsetzung irgendwelcher Sonderwünsche oder abweichender Ansichten des einen oder anderen Gutachters. Die Tabellen bewerten die Fernsehschärfe. Selbstverständlich ist es in vielen Fällen, die sehr auf *Naharbeit* angewiesen sind, erforderlich, auch die Nahsehschärfe zu berücksichtigen und bei sehr starker Störung der Nahsehschärfe unter Umständen eine höhere Einschätzung zu treffen. Von manchen Autoren ist auch vorgeschlagen worden, für die durch die Augenveränderungen bei hoher Kurzsichtigkeit hervorgerufenen Störungen andere Tabellen zu verwenden. Diese Bestrebungen haben sich aber nicht allgemein durchgesetzt. Mit der angeführten Tabelle der Deutschen Ophthalmologischen Gesellschaft kann man bei entsprechender Handhabung allen Anforderungen gerecht werden.

Es sei noch bemerkt, daß praktische Erblindung gutachtlich etwa der vollen Erblindung gleichzusetzen ist. Erblindung in wissenschaftlichem Sinne besteht ja nur bei Erlöschen jeder Lichtempfindung, praktische Blindheit, d. h. Blindheit im Erwerbssinne ist aber schon bei einer hochgradigen Herabsetzung der Sehschärfe auf etwa $1/50$ anzunehmen. Neben der Bewertung der zentralen Sehschärfe ist auch die Prüfung des *Gesichtsfeldes* für die Begutachtung wichtig. Die Tabellenwerte setzen immer das Vorliegen eines normalen oder annähernd normalen Gesichtsfeldes voraus. Bei hochgradigen Gesichtsfeldstörungen ergeben sich aber, wie schon mehrfach ausgeführt wurde, doch erhebliche Störungen. So kann z. B. jemand mit einem allseitig auf 5° eingeengten Gesichtsfeld (röhrenförmiges Gesichtsfeld) praktisch hilflos sein, auch wenn innerhalb dieses engen Gesichtsfeldes eine volle oder fast volle Sehschärfe besteht. Es kann also eine hochgradige Gesichtsfeldeinschränkung beiderseits allein eine Einschätzung mit 100% erfordern. Auch für die Beurteilung der Gesichtsfeldschäden stehen dem Augenarzt gewisse Anhaltspunkte und Tabellen zur Verfügung. Als Beispiel sei hier nur angeführt, daß homonyme Hemianopsien mit 40—50% bewertet werden, wobei die rechtsseitige homonyme Hemianopsie als stärker störend beurteilt wird. Die bitemporale Hemianopsie wird in der Regel mit 20% eingeschätzt. Bei Quadrantenausfällen werden im allgemeinen etwa 20% angenommen. Bei konzentrischen Einengungen, die übrigens bei geringen Graden für die Begutachtung belanglos sind, wird, wie schon erwähnt, nach Tabellen vorgegangen. Dabei ist im allgemeinen bei hochgradigen Einschränkungen eine großzügige Beurteilung geboten, während geringfügige und mittlere Einschränkungen für die Minderung der Erwerbsfähigkeit keine so bedeutende Rolle spielen.

Ein typischer und häufig zu beurteilender Zustand ist auch die *Linsenlosigkeit,* die Aphakie. Die einseitige Linsenlosigkeit bei gutem zweiten Auge wurde früher im allmeinenge mit 15% bewertet. In Anbetracht dessen, daß Renten erst ab 20% aus-

16*

Richtlinien der D. O. G. für die Beurteilung

(Mindest-

Führerscheinklasse		1 Sehschärfe mit Korrektur (zugelassene Brillenglasstärke)	
		bei Zweiäugigen	bei praktisch Einäugigen[1])
1		0,5/0,2 (+5,0 sph = +2,0 cyl) (−7,0 sph = −2,0 cyl)	0,8 (+2,0 sph = +1,0 cyl) (−3,0 sph = −1,0 cyl)
2			
3	a) Beförderung fremder Personen (gewerblich oder im Auftrag) b) Lkw (zulässiges Gesamtgewicht mehr als 3,5 t) c) Kraftfahrzeuge mit mehr als 170 km/h Höchstgeschwindigkeit	1,0/0,8 (+2,0 sph = +1,0 cyl) (−3,0 sph = −1,0 cyl)	untauglich
	sonstige Kraftfahrzeuge der Klasse 3	0,5/0,2 (+ 8,0 sph = +3,0 cyl) (−10,0 sph = −3,0 cyl)	0,8 (+5,0 sph = +2,0 cyl) (−7,0 sph = −2,0 cyl)
4	Traktor bis zu 20 km/h	0,4/0,1 (+12,0 sph = +3,0 cyl) (−15,0 sph = −3,0 cyl)	0,5 (+8,0 sph = +2,0 cyl) (−10,0 sph = −2,0 cyl)
5	sonstige Kraftfahrzeuge der Klasse 4	0,5/0,2 (+ 8,0 sph = +3,0 cyl) (−10,0 sph = −3,0 cyl)	0,8 (+5,0 sph = +2,0 cyl) (−7,0 sph = −2,0 cyl)

Anmerkungen

[1]) Vor der Ersterteilung oder Wiedererteilung einer Fahrerlaubnis soll 1 Jahr Gewöhnung verstrichen sein.

[2]) „Gleichwertiges beidäugiges Gesichtsfeld" bedeutet hier, daß die Gesamtausdehnung mindestens der eines normalen einäugigen Gesichtsfeldes entspricht und daß bei Gewährleistung einer ständigen Fusion kleinere parazentrale Ausfälle an einem Auge vom Gesichtsfeld des anderen Auges gedeckt sind.

[3]) Deuteranomalie mit geringer Einstellbreite ist zuzulassen.

bezahlt werden, sind zahlreiche Stimmen laut geworden, die für die Einschätzung dieses Zustandes mit 20% plädierten. Es wird daher heute die einseitige Aphakie im allgemeinen mit 20% bewertet. Wenn natürlich mit Haftglas oder durch eine künstliche Vorderkammerlinse ein gutes oder ein brauchbares binokulares Sehen erzielt wird, kann sich eine Verminderung dieser Einschätzung ergeben. Die doppelseitige Linsen-

der Fahrtauglichkeit durch den Augenarzt

anforderungen)

2	3	4	5	6
Erforderliche Gesichtsfeldgröße	stereoskopisches Sehen	Farbsehen	Nachtsehen	Empfindlichkeit gegen Blendung
normales Gesichtsfeld *eines* Auges oder gleichwertiges beidäugiges Gesichtsfeld[2])				
normales Gesichtsfeld *beider Augen*	normales stereoskopisches Sehen erforderlich	normaler[3] Farbsinn erforderlich	normale Adaptation erforderlich	darf nicht erhöht sein
normales Gesichtsfeld *eines* Auges oder gleichwertiges beidäugiges Gesichtsfeld[2])				
normales Gesichtsfeld *eines* Auges oder gleichwertiges beidäugiges Gesichtsfeld[2])				
normales Gesichtsfeld *eines* Auges oder gleichwertiges beidäugiges Gesichtsfeld[2])				

Allgemeine Bemerkungen

Bei der Beurteilung der Fahrtauglichkeit muß der Augenarzt den Zustand der optischen Medien und des Augenhintergrundes sowie die Motilität berücksichtigen. Außerdem muß er sich davon überzeugen, daß die benutzten Brillen eine zweckmäßige Form und einen richtigen Sitz haben.

Eine Anleitung zur Bewertung der verschiedenen krankhaften Befunde wird in einem besonderen Merkblatt gegeben.

Fahrlehrer sind nach den Anforderungen an die Führerscheinklasse 2 zu beurteilen.

Diese Richtlinien gelten nur für den Ersterwerb einer Fahrerlaubnis. Bei späteren Nachuntersuchungen der Fahrtauglichkeit sind die Verhältnisse des Einzelfalles zu berücksichtigen.

losigkeit gestattet mit beiderseitigem Starglas binokulares Sehen und bedarf keiner höheren Einschätzung als die einseitige Linsenlosigkeit, nämlich 20%. Einzelne Gutachter gehen auch etwas über diese Einschätzung hinaus.

Ein weiteres interessantes Kapitel ist die Einschätzung der Augenmuskellähmungen.

Wenn die dadurch hervorgerufenen Doppelbilder so störend sind, daß das eine
Auge dauernd durch eine Klappe verschlossen bleiben muß, ist eine Einschätzung
wie bei Einäugigkeit mit 25% gerechtfertigt. Meist wird man mit 20%, bei geringfügigen Störungen auch mit geringeren Einschätzungen auskommen.

Auf einen Punkt sei noch besonders hingewiesen. Wenn jemand ein Auge durch
einen Unfall verliert und sein zweites Auge schon *vor* diesem Ereignis aus irgendeinem
Grunde durch eine Erkrankung oder einen anderen nicht entschädigungspflichtigen
Unfall, z. B. in der Kindheit, eingebüßt hat, so erhält er, da er ja nach dem unfall-
bedingten Verlust des einzigen Auges nunmehr völlig blind ist, im allgemeinen eine
Rente von 100% zugebilligt. Wenn aber jemand, der ein Auge durch entschädigungspflichtigen Unfall verloren hat, sein zweites Auge *später* durch eine nicht entschä-
digungspflichtige Ursache, z. B. durch ein Glaukom oder eine Netzhautablösung einbüßt,
so kann nach der üblichen Rechtsprechung die Rente von 25% nicht erhöht werden.
Gegen diese Auffassung der Gerichte ist von augenärztlicher Seite immer Sturm ge-
laufen worden, ohne daß bis jetzt eine Änderung erzielt werden konnte. Es sei hier
zum Schluß noch beigefügt, daß natürlich auch in allen Fragen der Einschätzung
genauso wie bezüglich der Kausalität die entscheidenden Instanzen nicht an die Gutachten gebunden sind und selbstverantwortlich nach Anhören der Gutachter entscheiden können.

Schließlich sei noch erwähnt, daß bei einer Einschätzung mit 100% die Rente $^2/_3$ des
durchschnittlichen Arbeitseinkommens der letzten 3 Jahre beträgt. Ein entsprechender
Prozentsatz dieser Vollrente wird bei geringeren Schädigungen gewährt.

E. Duldung ärztlicher Eingriffe

Selbstverständlich kann niemand mit Gewalt dazu gezwungen werden, an sich eine
Operation vornehmen zu lassen, auch dann nicht, wenn dadurch aller Voraussicht nach
eine wesentliche Besserung seines Zustandes herbeigeführt werden kann. Immerhin
ist wiederholt dahin entschieden worden, daß die Versicherungen berechtigt sind, die
Renten zu streichen oder zu kürzen, wenn jemand sich notwendigen ärztlichen Maßnahmen, die mit großer Wahrscheinlichkeit eine Besserung seines Zustandes herbeiführen würden, nicht unterzieht. Es muß von jedem, der einen Unfall erlitten hat, verlangt werden, daß er selbst zur Heilung und Besserung der Verletzungs- oder Krank-
heitsfolgen beiträgt, soweit die medizinische Wissenschaft Möglichkeiten hierfür bietet.
Es kann von jedem erwartet werden, daß er im Verletzungsfalle nicht anders handelt,
als es bei gleicher Gesundheitsstörung ein verständiger Mensch täte, der nicht in
der Lage ist, Vermögensnachteile, die die Fortdauer seines Zustandes bringt, auf andere
abzuwälzen. Wenn demnach die Duldungspflicht an sich nicht bestritten ist, so ist
doch ihre Abgrenzung außerordentlich schwierig. Das letzte Wort haben selbstverständlich auch hier die Gerichte. Im allgemeinen wird man sagen können, daß eine
Operation dann als duldungspflichtig angesehen werden kann, wenn sie nicht lebensgefährlich ist, wenn sie keine beträchtlichen Schmerzen verursacht und mit großer
Wahrscheinlichkeit zu einer wesentlichen Besserung führt, wenn ferner anzunehmen
ist, daß ohne Eingriff eine weitere Verschlechterung droht und wenn zur Ausführung
des Eingriffes ein operativ erfahrener Arzt zur Verfügung steht. Es wird also die weitgehende Schmerzlosigkeit, das Fehlen von erheblichen Gefahren und die gute Opera-
tionsprognose als Voraussetzung anzusehen sein. Demnach wird man nach überein-
stimmender Meinung Splitterentfernungen aus dem Auge, antiglaukomatöse Eingriffe,
Wundstar- und Nachstaroperationen, Enukleationen bei drohender sympathischer
Ophthalmie und ähnliches als duldungspflichtig ansehen. Hingegen wird die Operation

einer Netzhautablösung oder eine Hornhautüberpflanzung wegen der geringeren Erfolgschancen nicht ohne weiteres als duldungspflichtig angesehen werden können. Daß die unmittelbare operative Wundversorgung zu den duldungspflichtigen Eingriffen gehört, braucht wohl kaum hinzugefügt zu werden.

F. Verkehrsmedizinische Probleme

Im modernen Kraftfahrzeugverkehr greifen körperliche, geistige und moralische Eignung mit das Fahrzeug und die Verkehrsregeln betreffenden Faktoren ineinander. Unter den körperlichen Faktoren spielt die Leistungsfähigkeit des Sehapparates eine bedeutende Rolle. Es ist selbstverständlich, daß erhebliche Sehbehinderung Fahrtüchtigkeit ausschließt. Dazu gehören nicht nur *Herabsetzungen der zentralen Sehschärfe*, sondern auch *Gesichtsfeldstörungen*. Wieweit auch leichtere Störungen als Ursache von Verkehrsunfällen in Frage kommen, läßt sich infolge des Mangels ausreichender Statistiken nicht sicher sagen. Auf jeden Fall ist zu fordern, daß von Fehlsichtigen unter allen Umständen die bestmögliche Glaskorrektion getragen wird. Ärztliche Gremien haben mehrfach versucht, Vorschläge für die Anforderungen an das Sehen der Kraftfahrer auszuarbeiten. In Deutschland wurden von der Deutschen Ophthalmologischen Gesellschaft Richtlinien geschaffen, die auf S. 244 u. 245 wiedergegeben sind.

Die Richtlinien zeigen, daß für die verschiedenen Klassen der Führerscheine verschiedene Anforderungen gestellt werden. So werden an Berufsfahrer und Fahrer schwerer Fahrzeuge mit Recht höhere Anforderungen gestellt; dies gilt nicht nur für die geforderte Sehschärfe, sondern auch für die zulässige Stärke des erforderlichen Korrektionsglases. Diese Richtlinien geben die Möglichkeit einer einheitlichen Beurteilung. Sie sind von dem Gedanken getragen, die notwendige Sicherheit im Verkehr zu gewährleisten, aber auf der anderen Seite nicht mehr Menschen vom Erwerb des Führerscheins auszuschließen, als unbedingt nötig ist. Da aber in Deutschland keine augenärztliche Untersuchung vor dem Erwerb des Führerscheins vorgeschrieben ist, bleiben noch genügend Lücken offen. Zur Zeit wird lediglich dann ein ärztliches Attest verlangt, wenn Fahrlehrer oder Prüfer Verdacht auf Vorliegen einer Sehstörung gewinnen.

Weitere Lücken ergeben sich dadurch, daß oft nach dem Erwerb des Führerscheins Erkrankungen auftreten, die das Sehen beeinträchtigen. Jeder Augenarzt kennt Patienten, bei welchen dies zutrifft. Die ärztliche Schweigepflicht zwingt ihn aber in solchen Fällen, sich auf ernste Vorstellungen zu beschränken, die oft nicht beachtet werden. Es muß noch viel organisatorische und wissenschaftliche Arbeit geleistet werden, um restlos befriedigende Verhältnisse zu schaffen. Dazu wird es vor allem nötig sein, sich mit Hilfe der Behörden darüber ein statistisch gesichertes Urteil zu verschaffen, welche der geringeren Störungen wirklich als Unfallursachen eine Rolle spielen. Im physiologischen Laboratorium allein können diese Fragen nicht gelöst werden. Die praktischen Verhältnisse im Verkehr müssen entscheidend berücksichtigt werden.

Es wird bei Betrachtung der Richtlinien auffallen, daß der *Farbensinnstörung* nicht dieselbe absolut ausschließende Bedeutung eingeräumt wird, wie dies z. B. bei Eisenbahn, Marine und Luftfahrt der Fall ist. Diese Einstellung, die auch von der Weltgesundheits-Organisation geteilt wird, entspricht praktischen Erfahrungen, die zeigen, daß die Gefahr, die sich aus Farbensinnstörung ergibt, durch die Anordnung der Ampeln (rot oben usw.) und andere Faktoren weitgehend ausgeschaltet ist. Allerdings müssen Protanope und Protanomale als Berufsfahrer ferngehalten werden, wie sich aus den Richtlinien ergibt. Alle diese Fragen, die noch weiter diskutiert werden, fallen in das fachärztliche Arbeitsgebiet. Hier kam es nur darauf an, auch den praktischen Arzt über die Grundzüge und den derzeitigen Stand des Gegenstandes zu informieren.

XVIII. Brechungszustände, Farben- und Lichtsinn

A. Die Refraktionszustände

1. Untersuchungsmethoden

Zur Bestimmung der Brechkraft stehen uns subjektive und objektive Methoden zur Verfügung. Zur exakten Untersuchung gehört die Anwendung beider Verfahren. Die subjektiven Methoden allein reichen nicht aus, weil sie mit zuviel Fehlerquellen behaftet sind; diese ergeben sich daraus, daß die subjektiven Angaben der Untersuchten nicht immer zuverlässig sind und Veränderungen des Brechungszustandes durch Akkommodation vorgetäuscht werden können. Nur bei Fehlen der Linse und völligem Erlöschen der Akkommodation im höheren Alter entspricht die subjektive

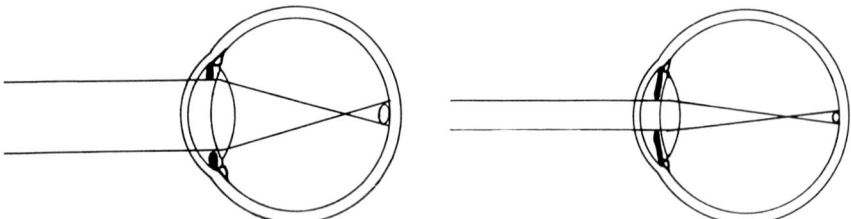

Abb. 260. Beziehungen zwischen Pupillenweite und Größe der Zerstreuungskreise im myopischen Auge

Bestimmung der Refraktion annähernd den objektiven Verhältnissen. Die objektiven Verfahren geben zwar genauen Aufschluß über den Refraktionszustand, sind aber als Grundlage für die Brillenkorrektion nicht ohne weiteres verwertbar, da die Vollkorrektion nicht immer erforderlich ist und auch nicht immer vertragen wird. Nur die Anwendung subjektiver und objektiver Verfahren erlauben eine praktisch brauchbare Brillenkorrektion.

Die **subjektive Prüfung** beginnt mit Feststellung der Rohsehschärfe (ohne Glas und sonstige künstliche Hilfsmittel). Dabei und bei der folgenden Glasprüfung ist darauf zu achten, daß der Untersuchte seine Augen nicht zukneift, da dadurch eine Veränderung des natürlichen Visus herbeigeführt werden kann. Dies geschieht durch Verkleinerung der Eintrittspupille, die bei gleicher Objektgröße und gleicher Entfernung eine Verkleinerung der Zerstreuungskreise zur Folge hat. Verkleinerung der auf der Netzhaut bei unscharfem Sehen entstehenden Zerstreuungskreise bedingt aber Verbesserung des Sehens. Daher kneifen unkorrigierte Myope oft die Augen zusammen, wenn sie schärfer sehen wollen (Abb. 260). Natürlich muß jedes Auge getrennt geprüft werden, was durch Abdecken des Partnerauges erreicht wird.

Die Bestimmung der Sehschärfe erfolgt meist mittels der bekannten SNELLENschen **Tafeln,** die Buchstaben oder Zahlen in verschiedener Größe enthalten. Diese Tafeln sind so angefertigt, daß jedes Sehzeichen in einer bestimmten Entfernung unter dem Gesichtswinkel von 5 Bogenminuten erscheint, wobei die Strichdicke unter 1 Bogenminute dargeboten ist (Abb. 261). Die Entfernung, in welcher das Sehzeichen gesehen werden soll, ist über, unter oder seitlich von denselben in kleinem Druck angegeben. Diese Anordnung beruht darauf, daß vom ideal gebauten menschlichen Auge 2 Punkte dann als getrennt wahrgenommen werden, wenn sie unter dem Gesichtswinkel von mindestens 1 Bogenminute erscheinen; bei kleinerem Winkel fließen die beiden Punkte zusammen und werden nicht mehr als getrennte Punkte erkannt. Wir nennen diesen Wert *minimum separabile* oder *Angulus visorius*. Er ist darin begründet, daß bei diesem Winkel zwischen zwei gereizten Netzhautelementen ein nichtgereiztes liegt, was Voraussetzung für die getrennte Erkennung ist. Die meisten Tafeln enthalten mehrere Reihen von Sehzeichen und sind für die üblichen Prüfungsdistanzen von 5 oder 6 m konstruiert. Es enthält meist die für 5 m bestimmte Tafel Zeichen für 50, 35, 25, 15, 10, 7,5, 5, 4 und manchmal auch 3 m, die für 6 m bestimmte solche für 60, 36, 24, 18, 12, 9, 6, 5 und 4 m. Die Anbringung von kleineren, unter die Prüfungsdistanz hinabreichenden Zeichen ist zweckmäßig, da in der Regel bei normalen Verhältnissen, besonders von jungen Prüflingen, noch mehr gesehen wird, als der durch die Prüfungsdistanz

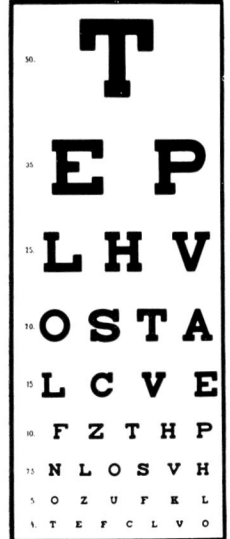

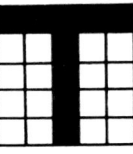

Abb. 261. Sehprobentafel

Abb. 262. Buchstaben der SNELLENschen Sehprobentafel, die unter 5 Bogenminuten dargeboten werden

Abb. 263. Internationale Sehprobe nach HESS mit Zahlen und LANDOLTschen Ringen

gekennzeichneten Mindestforderung entspricht. Wir finden ferner oft, daß die Zeichen derselben Größe nicht gleich leicht erkannt werden; so werden z. B. bei Zahlenanwendung die Ziffern 7, 4, 2 leichter erkannt als 9, 6, 3 und bei Buchstaben U, T, L leichter als R, B, S. Dies erklärt sich u. a. daraus, daß es bei der Erkennbarkeit nicht nur auf die schwarzen Striche, sondern auch auf die weißen Zwischenräume innerhalb des Gebietes von 5 Min. ankommt; je mehr Weiß innerhalb dieses Quadrates, desto leichter werden die Zeichen erkannt (Abb. 262). Das sind selbstverständlich Nachteile der Sehproben, die zu dem Versuch geführt haben, einheitliche Zeichen, z. B. Ringe mit einer Öffnung, deren Richtung (oben, unten usw.) anzugeben ist (LANDOLTsche Ringe) (Abb. 263), oder PFLÜGERsche Haken (Abb. 264) mit Öffnung nach verschiedenen Seiten, einzuführen. Diese Versuche, die auch die Ausarbeitung internationaler Tafeln veranlaßten, haben sich aber nicht durchgesetzt. Für die Zwecke der täglichen Praxis können die üblichen Tafeln auch als ausreichend angesehen werden. Für Analphabeten und Kinder kommen diese Tafeln oder auch entsprechend große Abbildungen von

Gegenständen des kindlichen Interesses zur Verwendung (Abb. 265). Für gute und gleichmäßige Beleuchtung der Sehproben muß in allen Fällen gesorgt werden.

Die schriftliche Festlegung der Prüfungsergebnisse geschieht meist in Form eines Bruches, wobei über dem Bruchstrich die Entfernung in Meter angegeben wird, in welcher geprüft wird, und unter dem Bruchstrich die, welche die Entfernung angibt, in der die gelesenen Zeichen erkannt werden sollen. Wenn also bei Prüfung in 6 m das Zeichen erkannt wird, das in dieser Entfernung erkannt werden soll, wird angeschrieben 6/6; wenn in 6 m nur das für 60 m Distanz bestimmte Sehzeichen gesehen wird, beträgt die Sehschärfe 6/60. Natürlich lassen sich die für bestimmte Entfernung erstellten Tafeln im Notfall auch für andere Entfernungen verwenden, was bei der Anschreibung

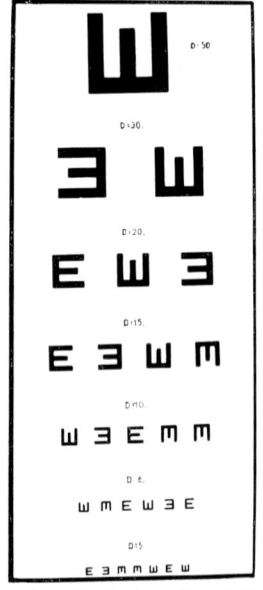

Abb. 264. Tafel mit PFLÜ-
GERschen Haken

Abb. 265. Sehprobe für Kinder

ersichtlich gemacht wird. Wenn man z. B. aus irgendwelchen Gründen in 8 m oder 4 m prüft und eine Tafel für 6 m zur Verfügung hat, so erscheint die Prüfungsdistanz über dem Bruchstrich. Werden in dieser Entfernung die für 36 m bestimmten Zeichen erkannt, so schreibt man an 8/36 oder 4/36. Manche Sehproben sind auch nach dem Dezimalsystem geordnet; die angegebenen Werte sind also 0,1 ... 1,0. Ein Vergleich zwischen den so festgestellten Werten mit den in Bruchform geschriebenen ist leicht möglich, z. B. 0,1 = 6/60, 1,0 = 6/6 usw. Wenn man diese Tafeln in einer anderen als der an der Tafel angegebenen Entfernung benützt, muß man umrechnen.

Die früher benutzten, beleuchteten Papptafeln für 5 oder 6 m Entfernung sind heute meist und zweckmäßig durch von rückwärts gleichmäßig beleuchtete Tafeln (Abb. 266) oder durch Spiegelsehproben ersetzt. Bei letzteren wird die Sehprobe in einem Spiegel dargeboten; dieser befindet sich 3 m vom Prüfling entfernt, der unter der Tafel sitzt, deren Sehzeichen natürlich in Spiegelschrift angebracht sind. Auf diese Weise wird Raum gespart, da der Spiegelabstand von 3 m einem wirklichen Abstand von 6 m entspricht. Außerdem kann der Arzt, neben Prüfling und Brillenkasten stehend, auf die zu lesenden Zeichen weisen, ohne erst zur Tafel zurückgehen zu müssen.

Mit dieser Tafelprobe wird also zunächst die Sehschärfe bestimmt; es gibt aber natürlich Fälle, in welchen in 6 m Entfernung auch nicht das oberste Sehzeichen (also 6/60) erkannt wird. In diesen Fällen hilft man sich, indem man entweder eine Tafel in geringerer Entfernung darbietet und feststellt, welche Zeichen gesehen werden; wenn das für 60 m bestimmte Zeichen z. B. in 1 m gesehen wird, würde man auf Grund des früher Gesagten einen Visus von 1/60 notieren. Eine andere Möglichkeit besteht in solchen Fällen darin, daß man feststellt, in welcher Entfernung Finger, die auf dunkler Unterlage (z. B. einem dunkel eingebundenen Buch) dargeboten werden, richtig gezählt werden. Die Notiz würde z. B. lauten: Fingerzählen in 2 m. Werden keine Finger gezählt, so prüft man das Erkennen von Handbewegungen und notiert z. B. Erkennen von Handbewegungen in ½ m. Wenn auch dies nicht erkannt wird,

Abb. 266. Von rückwärts beleuchtete Sehprobentafel, oberste Zeile beleuchtet. Distanz 5 m

so erfolgt die Prüfung auf Lichtempfindung und Projektion, wie sie bei Besprechung der Cataracta senilis und der sympathischen Ophthalmie geschildert wurde (S. 234). Diese Prüfung soll auch bei schlechten Sehschärfen, wie Erkennen von Handbewegungen und Fingerzählen in wenigen Metern, zusätzlich ausgeführt werden. Fehlt jede Lichtempfindung, so sprechen wir von Blindheit im wissenschaftlichen Sinne (Amaurose).

Wenn diese Sehprüfung einen Visus von 6/6 (oder 1,0) oder mehr ergibt, so spricht dies ganz grob für normale Refraktion (Emmetropie). Es besteht dabei aber die Möglichkeit, daß eine latente Hypermetropie oder ein geringer Astigmatismus unentdeckt bleibt (siehe in den entsprechenden Abschnitten).

Wenn sich eine Herabsetzung des Visus ergibt, so kann dies verschiedene Ursachen haben:

1. Trübungen in den brechenden Medien (Hornhaut, Linse, Glaskörper);
2. Störungen im lichtempfindlichen Apparat und seiner Ernährungsbasis (Netzhaut, Aderhaut);
3. Störung im leitenden und zentralen Apparat (Sehnerv, Sehbahn, Sehzentren);
4. Störungen der Brechungsverhältnisse (Refraktionsanomalien).

Die unter 1. bis 3. genannten Ursachen können aber auch mit Refraktionsfehlern verbunden sein. Die subjektive Feststellung solcher Refraktionsfehler erfolgt nun

auf die Weise, daß allmählich steigend Gläser vorgesetzt werden, um die Sehschärfe
zu bessern und zur Norm zu heben. Jenes Glas, mit welchem dieser Zustand erreicht
wird, gibt den subjektiv geprüften Refraktionszustand an. Sofern gleichzeitig andere
Ursachen für eine Sehstörung vorhanden sind (z. B. Hornhautnarben, Linsentrübungen,
Fundusveränderungen), ist jenes Glas maßgebend, mit welchem zwar nicht volle, aber
die bestmögliche Sehschärfe erzielt wird. Aus Gründen, die noch erörtert werden
(Akkommodation), soll die Prüfung stets mit Plusgläsern begonnen werden; werden
diese als verschlechternd abgelehnt, nimmt man Minusgläser. Ferner gilt die Regel,
daß das höchste Plusglas, aber das geringste Minusglas, mit welchem voller Visus besteht, die Refraktion am richtigsten wiedergibt. Wenn die Korrektion mit sphärischen
Gläsern ohne ersichtlichen Grund nicht gelingt, tritt die Prüfung mit Zylindergläsern
in ihr Recht (siehe unter Astigmatismus).

Diese subjektive Refraktionsbestimmung ist, wie erwähnt, stets durch **objektive
Verfahren** zu ergänzen. Es werden hier jene Verfahren angeführt, welche die objektive
Bestimmung der Gesamtrefraktion zum Ziele haben. Verfahren zur objektiven Er-
mittlung der Hornhautrefraktion allein werden unter Astigmatismus besprochen.

1. Die Untersuchung mit dem Augenspiegel im aufrechten Bild. Voraussetzung für
diese Methode ist, daß der Untersucher seine eigene Refraktion genau kennt und unter
Ausschaltung der eigenen Akkommodation zu spiegeln gelernt hat, was für den Anfänger nicht leicht ist. Außerdem muß die Akkommodation des Prüflings entspannt
sein, d. h. er muß ins Weite sehen und nicht auf den Untersucher oder sein Instrument,
was leicht geschieht. Am sichersten ist es, besonders bei jungen Personen, die Akkommodation durch Atropin auszuschalten. Eine sichere Ausschaltung verlangt allerdings
ein Atropinisieren (1%ige Lösung) durch eine Reihe von Tagen.

Unter Einhaltung dieser Voraussetzung wird die Methode in der Weise ausgeübt,
daß der Untersucher einen Spiegel benutzt, bei welchem die Vorschaltung von Gläsern
möglich ist, eine Voraussetzung, die alle modernen Augenspiegel erfüllen. Er schaltet
nun jenes Glas vor, mit welchem er den Fundus des Untersuchten scharf sieht. Nach
Abrechnung evtl. Refraktionsfehler des Untersuchers ergibt dies die objektive Refraktion des Untersuchten. Bei Astigmatismus muß sowohl die Brechkraft des einen, wie
des anderen Meridians bestimmt werden. Dies geschieht, indem man erst auf ein in der
einen Meridianrichtung und dann auf ein in der anderen Meridianrichtung verlaufendes
Gefäß scharf einstellt. Diese Methode beruht darauf, daß die vom Untersucher in das
Auge geworfenen Strahlen aus dem Auge des Untersuchten je nach dessen Refraktion
verschieden austreten. Bei Emmetropie erfolgt paralleler Austritt und somit Vereinigung auf der Netzhaut des (emmetropen oder auskorrigierten) Untersuchers zu
einem scharfen Bild. Bei Hypermetropie geschieht der Strahlenaustritt aus dem Auge
des Untersuchten divergent, bei Myopie konvergent. In diesen beiden Fällen erhält
der Untersucher erst dann ein scharfes Bild, wenn er den Brechungsfehler des Untersuchten durch Vorschalten von Gläsern ausgeglichen, also parallelen Strahleneintritt
in sein Auge erzielt hat.

2. Die Skiaskopie (Schattenprobe). Diese Probe beruht auf der Beobachtung eines
Schattens, der bei Beleuchtung des untersuchten Auges mit einem Spiegel und Drehung
desselben über die Pupille des untersuchten Auges wandert. Man bedient sich dazu
in der Regel eines Planspiegels. Diese Schattenwanderung ist dadurch zu erklären, daß
im Auge des Untersuchten bei Eintritt von Licht durch die Pupille ein Bild der Lichtquelle entsteht, welches bei Spiegeldrehung wandert. Dieses Bild wirkt aber nun selbst
als wandernde Lichtquelle. Die aus dem untersuchten Auge austretenden Strahlen
wandern dabei infolge der Drehung des Spiegels über das Untersucherauge. Wenn das

untersuchte Auge genau auf die Entfernung des Untersuchers eingestellt ist, so wird das aus dem untersuchten Auge austretende Lichtbüschel gerade in der Pupillenebene des Untersuchers vereinigt werden. Wenn infolge der Spiegeldrehung dieses Lichtbüschel über das Untersucherauge gleitet und dort die Pupille erreicht, so wird die ganze Pupille plötzlich hell aufleuchten, und sie wird sofort wieder dunkel, wenn das wandernde Lichtbüschel über die Pupille hinweggeht und auf die Iris gelangt. Wir nennen den Punkt, in welchem dieses plötzliche Aufleuchten und Verschwinden des Lichtes besteht, den neutralen Punkt. Er würde bei Emmetropie des untersuchten Auges in großer Entfernung liegen. Wenn sich der Untersucher aber, wie gewöhnlich, in 1 m Entfernung vom Patienten befindet, so wird dieser Zustand eintreten, wenn eine Myopie von 1 dptr. besteht, da dann die aus dem untersuchten Auge kommenden Lichtstrahlen gerade in der Ebene des Untersucherauges vereinigt werden. Wenn das untersuchte Auge nicht auf die Untersuchungsentfernung eingestellt ist, so wandert ein Licht über die Pupille, welches von einem Schatten gefolgt ist. Ist das untersuchte Auge auf größere Entfernung eingestellt als die Untersuchungsdistanz beträgt, so erfolgt die Wanderung des Schattens, auf welchen wir unsere Beobachtung abstellen, im gleichen Sinne wie die Spiegeldrehung. Besteht Einstellung des untersuchten Auges auf geringere Entfernung, so würde, da die Vereinigung der aus diesem Auge tretenden Strahlen vor dem Untersucher erfolgt und die Strahlen dann divergent auf das Untersucherauge weiterlaufen, die Schattenbewegung entgegengesetzt zur Richtung der Spiegeldrehung erfolgen. Es ist Aufgabe der Untersuchung, durch Vorhalten von Gläsern den neutralen Punkt zu erreichen bzw. den Umschlag des Schattens von Mitbewegung zur Gegenbewegung oder umgekehrt. Im letzteren Fall (bei Umschlag) weiß man, daß der neutrale Punkt zwischen dem Glas, bei welchem die geänderte Schattenbewegung bemerkt wird, und dem letzten, bei welchem die ursprünglich vorhandene gesehen wurde, liegt. Wenn man in 1 m skiaskopiert, weiß man dann, daß in diesem Augenblick eine Myopie von 1 dptr. vorhanden ist und muß also — 1 zufügen. Wenn z. B. der Schatten gleichsinnig verläuft, so besteht Emmetropie oder Hypermetropie. Ergibt sich der neutrale Punkt bei Vorschalten von $+1,0$, so liegt Emmetropie vor. Ergibt er sich bei $+6,0$, so würde die Refraktion $+6 + (-1) = 5$ dptr. Hypermetropie betragen. Bei gegensinnig laufenden Schatten liegt Myopie vor. Neutraler Punkt bei Vorhalten von -5 würde eine Refraktion von $-5 + (-1)$ also Myopie von 6 dptr. bedeuten.

Bei Verwendung eines Konkavspiegels erfolgen die Bewegungen umgekehrt wie beim Planspiegel. Besonders gute Resultate ergeben elektrische Skiaskope (Retinoskope), die an Stelle der Planspiegel mit seitlicher Lichtquelle (Lampe) benutzt werden können. Bei Astigmatismus ist es möglich, jeden Meridian für sich zu skiaskopieren und so dessen Brechkraft zu bestimmen. Besser ist es, sich der sog. Zylinderskiaskopie nach LINDNER zu bedienen, die die vollendetste und sicherste Methode der Skiaskopie überhaupt darstellt. Die Anwendung dieser Methode, ja der Skiaskopie überhaupt, gehört in das Arbeitsgebiet des Facharztes, weshalb hier nur die wichtigsten Grundlagen erwähnt werden konnten.

Bei der Skiaskopie fällt die Fehlerquelle durch Akkommodation des Untersuchers weg, die durch Akkommodation des Untersuchten besteht aber, sofern diese nicht ausgeschaltet wird.

3. Dem Facharzt stehen außerdem noch **Refraktometer** zur Verfügung, das sind komplizierte Apparate, die von verschiedenen Firmen (Zeiß, Busch, Rodenstock) hergestellt wurden und welche eine einfache Ablesung der Refraktionswerte gestatten. Die Fehlerquelle der Akkommodation des Patienten besteht auch hier.

Bei allen Methoden zur objektiven Refraktionsbestimmung wirken Trübungen der brechenden Medien störend, bei starken Trübungen absolut verhindernd.

Zu den Untersuchungsmethoden, die stets anzuwenden sind, gehört auch **die Prüfung der Sehschärfe in der Nähe.** Streng genommen läßt sich die Sehschärfe in der Nähe genau so bestimmen wie für die Ferne, indem man nämlich Tafeln herstellt, deren Zeichen in der Nähe, z. B. in 25 cm unter dem gegebenen Gesichtswinkel, erscheinen. In der Praxis handelt es sich bei der Prüfung des Nahsehens meist darum, einer Abnahme der Lesefähigkeit zu steuern, d. h. diese durch Gläser zu korrigieren. Dazu stehen eine Reihe von Leseprobentafeln zur Verfügung, die Drucke verschiedener Größe enthalten. Da es sich dabei um das Lesen von Texten handelt, spielen natürlich Intelligenz, Übung

Nr. 1.

D S 0,4 = (Jäger Nr. 2; Snellen 1½; Schweigger 0,4)

Ein Felsen ist der Mann, der nur erglüht, wenn trotzig er gen Himmel sich erhoben, zurück ihm schleudernd se Wonne Strahlen; ein stiller See des Weibes weich Gemüt, das still empfängt das Licht von oben, drin sich die Himmel himmlischer noch malen. — Der aber ist der beste, der der Hoffnung sich vertraut allzeit! Verzagtheit kennt der Feige nur

7 4 3 0 9 7 8 1 4 5 7 6 3 8 1 9 3 6 7 2 0 3 7 8

Nr. 2.

D S 0,5 = (Jäger Nr. 3; Snellen 2; Schweigger 0,5)

Bleibe nicht am Boden haften, frisch gewagt und frisch hinaus! Kopf und Arm mit heitern Kräften, überall sind sie zu Haus. Wo wir uns der Sonne freuen, sind wir jeder Sorge los; dass wir uns in ihr zerstreuen, darum ist die Welt so gross. — Zuflucht im Unglück ist den Sterblichen die Kunst

8 1 6 5 9 0 3 2 1 5 3 7 6 8 1 2 5 3

Nr. 3.

D S 0,6 = (Jäger Nr. 4; Snellen 2½; Schweigger 0,6)

Wenn du gestorben bist, wer denkt noch deiner? Im ersten Jahr vielleicht ein Heer, in zehn Jahren wohl noch einer, in zwanzig Jahren keiner mehr. — Kein Weiser setzt sich hin, Verlornes zu bejammern; nein, er sucht mit frischem Mut es wieder einzubringen.

9 1 3 6 2 5 7 0 8 4 3 0 5 7 8 3

Nr. 4.

D S 0,7 = (Jäger Nr. 5; Snellen 3; Schweigger ca. 0,75)

Ein Held ist, wer das Leben Grossem opfert; wer's für ein Nichts vergeudet, ist ein Tor. — Von allem das Best' ist ein Herz, heiter und fest, ein gesunder Leib, ein liebes Weib und ein kleines Eigen! Wer das hat, mag sich freu'n und schweigen.

7 6 8 4 9 3 0 5 2 7 1 6 2 9

Nr. 5.

D S 0,8 = (Jäger Nr. 6; Schweigger ca. 0,8)

Kannst du nicht wie ein Adler fliegen, klett're nur Schritt für Schritt bergan! Wer mit Mühe den Gipfel gewann, hat auch die Welt zu Füssen liegen. — Die Erinnerung reinen Glücks bleibt so schön wie Gegenwart.

0 1 9 7 5 3 6 8 2 4 7 3 5 0 7

Nr. 6.

D S 0,9 = (Jäger Nr. 8; Snellen 3½; Schweigger 0,9)

Beklage dich nicht auf deinem Pfad, dass dir's an Raum zum Handeln fehle! Ein jeder Klang aus voller Seele ist eine wirkungsvolle Tat. — Wahre Einfachheit ist gross, wahre Grösse einfach.

1 3 5 9 0 8 4 7 2 6 1 6 5

Nr. 7.

D S 1,0 = (Jäger Nr. 9; Snellen 4; Schweigger 1,0)

Der tief vor dir sich krümmt, dem sieh doch auf die Hand: er greift vielleicht nach Sand, der für dein Aug' bestimmt. — Festes Aug' und sichere Hand preisen allwärts Leut' und Land.

2 8 0 1 4 3 7 5 7 0 8 9 3 7

Abb. 267. Leseproben nach NIEDEN

Nr. 8

D S 1,1 = (Jäger Nr. 10; Snellen 4½; Schweigger 1,1)

Sprich nie etwas Böses von einem Menschen, wenn du es nicht weisst; und wenn du es auch gewiss weisst, so frage dich, warum erzähle ich es?

8 3 0 1 2 7 6 4 9 5 1 7 6

Nr. 9

D S 1,25 = (Jäger Nr. 12; Snellen 5½; Schweigger 1,25)

Vorwärts, mein Geist, den scharfen Pfad, nicht träg' umhergeschauet! Dort oben winkt die Ruhestatt; wohlauf, dir selbst vertrauet!

2 5 1 6 0 2 9 4 7 8 1 5 4

Nr. 10

D S 2,25 = (Jäger Nr. 14; Snellen 7½; Schweigger 2,25)

Ein Mann kann der öffentlichen Meinung Trotz bieten; eine Frau muss sich derselben unterwerfen.

6 1 5 8 9 0 3 2 7 4 0 1 5

Nr. 11

D S 3,5 = (Jäger Nr. 16; Snellen 12; Schweigger 3,5)

Vollkommen ist kein Glück auf dieser Erde!

0 4 7 6 1 3 8 9 5 2

Abb. 268. Leseproben nach NIEDEN

im Lesen usw. mit eine Rolle, so daß es sich nicht um Sehschärfenprüfung im strengen Sinne handelt. Es gibt u. a. Tafeln von SNELLEN, JÄGER, BIRKHÄUSER und NIEDEN (Abb. 267, 268). Letztere ist bei uns die gebräuchlichste. Man pflegt dabei darauf abzustellen, daß der kleinste Druck (NIEDEN 1) in der üblichen Lesedistanz von 30 cm ohne Beschwerden leicht gelesen wird. Wenn vom Prüfling eine andere Distanz (als 30 cm) gewünscht wird (z. B. für Notenabstand beim Klavierspiel) kann natürlich auch eine Prüfung und Korrektion für diese Entfernung ausgeführt werden.

2. Emmetropie

Unter Emmetropie verstehen wir jenen Zustand, bei welchem auf der Netzhaut des Auges im Ruhezustand scharfe Bilder von fernen Gegenständen entstehen. Dies geschieht, wenn parallel einfallende Strahlen vom optischen Apparat des Auges auf der Netzhaut vereinigt werden (Abb. 269a). Theoretisch erfolgt dies bei Strahlen, die von Objekten im Unendlichen ausgehen; wir sagen deshalb, der Fernpunkt des emmetropischen Auges liegt im Unendlichen. Praktisch können schon Strahlen, die von einem Objekt in 5—6 m kommen (der üblichen Prüfungsdistanz) als parallel einfallend betrachtet werden.

Wir können das Auge mit einer photographischen Kamera vergleichen, bei welcher durch das optische System ein scharfes Bild auf der Platte (in unserem Falle der Netzhaut) erzeugt werden muß. Die Notwendigkeit eines optischen Systems ist gegeben, weil sonst die das Auge treffenden, von Objekten ausgehenden Strahlen nicht zu einem scharfen Bilde vereinigt, sondern nur einen diffusen Lichteindruck ergeben würden. In unserem Auge ist nicht ein optischer Körper (Linse) maßgebend, sondern mehrere, also ein optisches System. Es ist daher nötig, daß diese optisch wirkenden Teile (brechende Medien des Auges) nicht nur durchsichtig und sphärisch gekrümmt, sondern daß sie auch zentriert sind, d. h. daß ihre optischen Mittelpunkte auf einer Geraden liegen. Außerdem ist eine Abblendung der störenden Randstrahlen erforderlich, die durch die Iris gegeben ist. Die Voraussetzungen sind beim menschlichen Auge zwar nicht in mathematisch idealer, aber doch in praktisch ausreichender Weise erfüllt.

Um die Brechkraft eines Auges auszudrücken, bedienen wir uns der **Dioptrie.** Wir verstehen unter einer Linse von einer Dioptrie eine solche, die parallel einfallende Strahlen so bricht, daß sie in 1 m hinter der Linse vereinigt werden, der Brennpunkt also in 1 m liegt. Eine Linse von 2 dptr. würde also eine Brennweite von $^1/_2$ m haben,

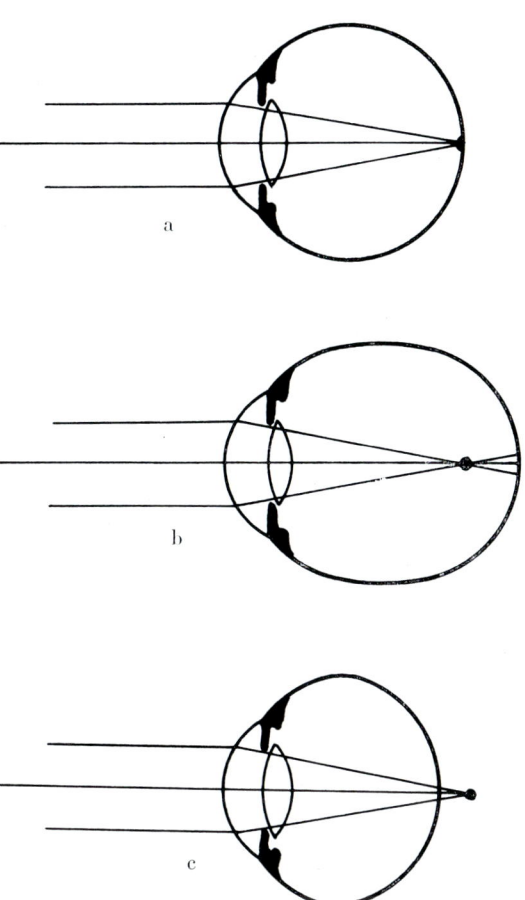

Abb. 269. Strahlengang bei den verschiedenen Refraktionszuständen. a) Emmetropie; b) Myopie; c) Hypermetropie

eine solche von 10 dptr. eine solche von 10 cm usw. Es besteht somit ein reziprokes Verhältnis zwischen Linsenbrechkraft und Brennweite.

Bei dem emmetropen Auge werden bei Ruhelage des Auges (also ohne Betätigung der Akkommodation) parallel einfallende Strahlen auf der Netzhaut vereinigt. Dies setzt voraus, daß die Brechkraft des optischen Systems und die Länge des Auges in einem bestimmten Verhältnis zueinander stehen. Abweichungen von der optischen Normalrefraktion können somit zwei Gründe haben: eine Änderung der Achsenlänge des Auges bei annähernd normaler Brechkraft oder eine Änderung der Brechkraft bei annähernd normaler Augenlänge. Natürlich können auch Abwei-

chungen beider Faktoren im gegenteiligen Sinne, z. B. längere Augenachse und geringere Brechkraft, sich so aufheben, daß Emmetropie entsteht. Das Vorliegen einer
Emmetropie sagt also nichts Genaues über Brechkraft und Achsenlänge aus, sondern
nur, daß diese im richtigen Verhältnis zueinander stehen. Wie verhalten sich nun
Augenlänge und Brechkraft im emmetropen Auge durchschnittlich? Die hier an-
zuführenden Werte können natürlich nur ungefähre Durchschnittswerte sein, die in
gewissen Grenzen schwanken. Die Augenlänge wird mit 23,5—24 mm angegeben, die
Brechkraft der Hornhaut mit 43 dptr., die der Linse mit 17 dptr. Brechkraft von
Glaskörper und Kammerwasser sind gering (etwa je 1,3 dptr.). Die angegebenen
Zahlen geben die Brechkraft in den zentralen Teilen der Hornhaut und Linse wieder.
Die peripheren Teile weichen hiervon ab. Dies spielt aber praktisch keine Rolle, weil
infolge der Pupillenweite nur die Strahlen zur Netzhaut gelangen, die diese zentralen
Teile passieren. In diesen ungünstigeren Brechungsverhältnissen der peripheren Teile
der Medien liegt aber ein wichtiger Grund dafür, daß in Fällen von zentralen Medien-
trübungen, in welchen wir eine optische Iridektomie anlegen, d. h. ein Irisstück ausschneiden, um den Lichtstrahlen Zutritt zur Netzhaut zu verschaffen, wohl eine gewisse
Verbesserung des Sehens erzielt, aber volle Sehschärfe nicht hergestellt werden kann.
Auch die bei starker künstlicher Pupillenerweiterung oft geklagte Verschlechterung
des Sehens kann darauf zurückzuführen sein.

Der geschilderte Bau des Auges bedingt also, daß das emmetrope Auge bei Ruhelage in größerer Entfernung befindliche Gegenstände scharf sieht. Sobald aber die
Gegenstände in die Nähe rücken, z. B. 30 cm vor dem Auge geboten werden, fallen
die Strahlen divergent auf das Auge und werden bei gleichbleibender Brechkraft und
Augenlänge nicht mehr zu Bildern auf der Netzhaut vereinigt; der Vereinigungspunkt
würde erst hinter dem Auge liegen. Um trotzdem scharf zu sehen, muß, da das Auge
nicht zu diesem Zweck verlängert werden kann, eine Erhöhung der Brechkraft erfolgen. Dies geschieht unter Aufgabe der Ruhelage durch Einsetzen der Akkommodation, die später besprochen wird. Sofern diese nicht in der Lage ist, ihre Aufgabe
zu erfüllen, muß die Korrektion durch Gläser erfolgen.

3. Die Myopie

Der Brechungszustand Myopie ist dadurch gekennzeichnet, daß die *Brechkraft des
Auges* im Verhältnis zur Achsenlänge *zu stark* ist. Dies kann durch zu starke Brechkraft bei normaler Achsenlänge (Brechungsmyopie) oder häufiger durch zu große
Achsenlänge (Achsenmyopie) bedingt sein (Abb. 269b). Parallel einfallende Strahlen
werden daher im myopischen Auge vor der Netzhaut vereinigt, und zwar desto weiter
vor derselben, je höher die Myopie ist. Auf der Netzhaut werden im myopischen Auge
solche Strahlen vereinigt, die von einem nahe gelegenen Punkt ausgehen, die also
divergent auf das Auge treffen. Der Fernpunkt des myopischen Auges liegt somit im
Endlichen, und zwar dem Auge desto näher, je höher die Myopie ist (Abb. 270). Nach
dem Grundsatz der Reziprozität zwischen Dioptrienzahl und Brennweite liegt demnach bei einer Myopie von 2 dptr. der Fernpunkt in 50 cm, bei einer solchen von
4 dptr. in 25 cm und bei 10 dptr. in 10 cm vor dem Auge. Auf diesen Fernpunkt ist
das Auge bei Ruhelage eingestellt, es sieht nur in dieser Entfernung und im Raume
zwischen Fernpunkt und Auge scharf. Fernere Gegenstände erscheinen unscharf, verschwommen und werden schließlich gar nicht mehr erkannt.

Diese **Verlängerung der Augenachse,** die bei hohen Graden der Myopie meist vorhanden ist, läßt sich schon beim Vergleich enukleierter emmetropischer und myopischer Augen leicht feststellen. Die Verlängerung der Augenachsen myopischer Augen

gegenüber emmetropischen kann 1 cm und mehr betragen. Abgesehen von der Verlängerung zeigt sich eine Verdünnung der Sklera im hinteren Bulbusabschnitt, so daß manchmal die dunkle Uvea durchschimmert. Am hinteren Pol stark myopischer

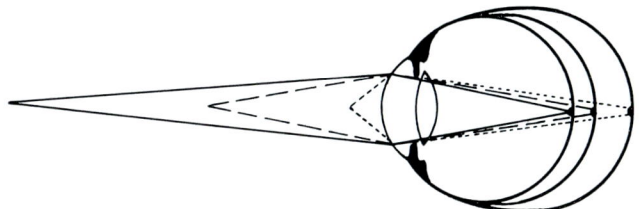

Abb. 270. Fernpunkt bei verschiedenen Graden von Myopie
———— geringe Myopie; — — — mittlere Myopie; ···· hohe Myopie

Augen kommt es oft zu ektatischen Ausbuchtungen dieser Gegend, dem sog. Staphyloma posticum verum.

Auch die Untersuchung mit dem Augenspiegel deckt Veränderungen verschiedenen Grades auf, die bei höheren Myopien häufiger und schwerer sind als bei mittleren und geringen, aber trotzdem der Höhe der Myopie nicht streng parallel gehen. Während manchmal bei mittleren Myopien schwere Veränderungen vorkommen, gibt es gelegentlich Fälle von recht hoher Myopie mit normalem Befund am Fundus. Die einfachste Form der Hintergrundsveränderung ist der **myopische Konus** (Abb. 271). Er findet sich meist an der temporalen Seite der Papille in Form einer mehr oder minder schmalen Sichel. Der Konus entsteht infolge der Dehnung, die mit der Verlängerung des Bulbus zusammenhängt. Dabei entfernen sich Aderhaut- und Pigmentepithel vom Sehnervengebiet bzw. atrophieren, und die weiße Sklera wird sichtbar. Bei vollständigem Untergang dieser Häute erscheint der Konus rein weiß. Wenn Reste der Häute vorhanden sind, ist der Konus je nach deren Zustand gelblich bis rötlich, wobei meist Pigmentierungen zu sehen sind. Manchmal greift der Konus auch nach oben und unten über oder es kommt zur Ausbildung eines ringförmigen Konus, auch peripapilläre Aderhautatrophie genannt. Der gelegentlich vorkommende Konus (nur) nach unten ist keine Folge

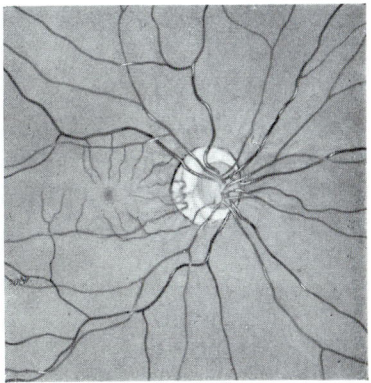

Abb. 271. Conus temporalis bei Myopie, nach oben und unten übergreifend

der Myopie, sondern gehört in das Gebiet der Fehlbildungen. In manchen Fällen sieht man eine Unschärfe der nasalen Papillenbegrenzung; sie kommt dadurch zustande, daß die Netzhaut infolge des bei myopen Augen häufigen, schrägen Sehnerveneintrittes etwas auf die Papille gezogen wird — Supertraktion. Dieser schräge Eintritt des Opticus kann auch manchmal das Bild eines (weißen) Konus hervorrufen, ohne daß eine Aderhautatrophie besteht. Dies geschieht dann, wenn beim Einblick in den Fundus infolge dieses schrägen Eintrittes ein Teil des Sehnervenkanales der Sklera sichtbar wird. Beim Staphyloma posticum verum ist die Ausbuchtung der Sklera an dem Abknicken der Gefäße am Rande derselben und an der tieferen Lage der Papille erkennbar; manchmal vollzieht sich diese Ausbuchtung auch in Form mehrerer Stufen, über welche die Gefäße in die Tiefe ziehen.

Neben der Umgebung der Papille ist besonders häufig die **Macula Sitz myopischer Veränderungen.** Begreiflicherweise sind Herde in diesem Gebiet von besonderer Bedeutung für das Sehen, während die geschilderten Konusbildungen den Visus nicht beeinträchtigen. Die Maculaveränderungen bestehen in Anfangsstadien in kleinen, fleckigen Herdchen von heller oder dunkler Farbe, die manchmal stark an ältere entzündliche Herde erinnern. Oft sieht man auch vereinzelte oder zahlreiche feine, linienartige, gelbliche Streifen, oft in Netzform verbunden, sog. Lacksprünge. Sie sind Folgen von Veränderungen im Bereiche der Glashaut der Chorioidea. Auch eiförmige, scharf begrenzte, weiße, oft mit Pigment besetzte Herde sind häufig zu beobachten. Die Degenerationsprozesse, die allen diesen Vorgängen zugrunde liegen, führen manchmal zum Einreißen von kleinen Gefäßen und damit zu Blutungen, die später in pigmentierte Herde übergehen. Eine besondere, allerdings seltenere Form ist der sog. schwarze Fleck (FUCHS). Wir verstehen darunter einen meist runden, fast papillengroßen schwarzen Fleck, der sich später oft teilweise aufhellt und immer mit vollständiger Zerstörung der Macula verbunden ist. Auch ausgedehnte, landkartenartige, weiße, mit Pigmentklumpen besetzte Degenerationsherde, die weit über das Maculagebiet hinausgreifen und mit dem zirkulären Konus um die Papille in Verbindung stehen können, werden nicht selten gesehen (Abb. 272). In besonders schweren Fällen kommt es sogar zum vollständigen Schwund der Aderhaut mit anschließender Atrophie der Netzhaut und des Opticus. Maculaveränderungen sind stets mit Sehstörungen, bei schweren Formen mit sehr hochgradigen Visusherabsetzungen verbunden. Wir

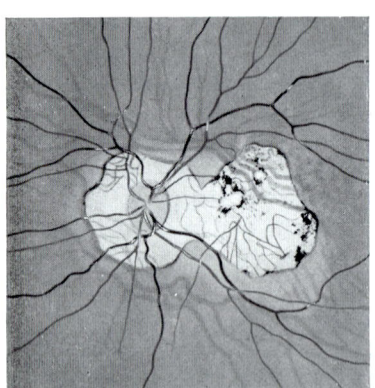

Abb. 272. Ausgedehnte myopische Dehnungsveränderungen um die Papille und im Maculagebiet

finden in sehr schweren Fällen oft einen Visus von nur 1/50 oder Fingerzählen vor dem Auge. Eine weitere Gefahr, die bei hoher oder mittlerer Myopie droht, ist die Netzhautablösung. Diese Ablösung entsteht, wie schon erwähnt wurde (siehe Netzhauterkrankungen), meist auf Grund von Rissen. Diese entwickeln sich besonders leicht in Augen, in welchen die Netzhaut in der Peripherie degenerativ verändert ist, wie das für myopische und alte Augen zutrifft. Auch die Netzhautablösung bedeutet eine hochgradige Sehstörung. Sie muß in der Regel operativ behandelt werden. Bei gutem Operationserfolg kann das Sehen erhalten bzw. wiederhergestellt werden.

Zu den anatomischen Veränderungen im myopischen Auge, besonders bei höherer Myopie, gehört auch das Auftreten von **Glaskörpertrübungen,** die auf Verflüssigung des Glaskörpers oder Glaskörperabhebung zu beziehen sind. Die feinste Form (Mouches volantes) wird nur subjektiv wahrgenommen, gröbere Trübungen sind mit dem Spiegel oder der Spaltlampe sichtbar.

Wie schon erwähnt, tritt uns die Myopie in verschiedenen Formen entgegen. Am häufigsten ist die **schwache Myopie** (etwa 1—6 dptr.). Sie ist mit normalem Fundus oder mit Konusbildung verbunden. Schwerere Veränderungen pflegen zu fehlen. Ablatio ist in diesen Fällen selten.

Die **mittlere Myopie** (etwa 7—12 dptr.) zeigt Veränderungen am Augenhintergrund schon in erheblichem Prozentsatz. Auch sehr schwere Maculaveränderungen können in dieser Gruppe vorkommen.

Die **hohe Myopie** (über 12 dptr.) ist mit schweren Veränderungen und Komplikationen noch mehr belastet, doch kommt, wie erwähnt, auch in solchen Fällen guter Visus mit Korrektion bei geringfügigen (Konus) oder fehlenden Fundusveränderungen vor.

Ebenso sicher, wie es nicht erlaubt ist, die schwache Myopie als krankhaften Zustand zu betrachten, ist die hohe Myopie doch als solcher anzusprechen. Eine genaue Grenzziehung, etwa bei einer bestimmten Dioptrienzahl, ist nicht möglich. Umfang der Fundusveränderungen und Progredienz der Kurzsichtigkeit geben den Ausschlag bei der Bewertung. Die Myopie entwickelt sich gewöhnlich im Schulalter und pflegt etwa bis zur Beendigung des Körperwachstums zuzunehmen, wobei sie sich in der Mehrzahl der Fälle in den Grenzen der schwachen Myopie hält. In selteneren Fällen bleibt die Myopie dauernd progredient. Sie kann manchmal Werte von 30 dptr. und mehr erreichen. Diese Fälle sind in der Regel mit ernsten Fundusveränderungen verknüpft. Man spricht dann auch von maligner Myopie. Wenn schon im frühen Kindesalter relativ hohe Myopien auftreten, ist mit der Entwicklung einer progredienten Myopie zu rechnen (z. B. Myopie von 6 dptr. bei einem Kind von 6 Jahren).

Die **Ursache und Entstehung der Myopie** ist Gegenstand vieler Erörterungen und Theorien geworden, die im einzelnen nicht geschildert werden können. Im wesentlichen stehen sich zwei grundsätzlich wichtige Anschauungen gegenüber: die auf COHN zurückgehende Lehre von der Entstehung der Myopie durch Naharbeit und die auf die Untersuchung von STEIGER aufgebaute Lehre von der überragenden Bedeutung der Erbfaktoren. Es ist zweifellos ein bleibendes Verdienst STEIGERs, gezeigt zu haben, daß es eine „Normalfraktion" bestenfalls im rein optischen Sinne, sicher aber nicht im biologischen Sinne gibt. Ähnlich wie alle biologischen Merkmale zeigen auch die optischen Konstanten (Hornhautrefraktion, Augenlänge usw.) eine ausgesprochene Variabilität. Es ist also nicht erlaubt, ein emmetropisches Auge als „normales" und jedes myopische oder hypermetropische Auge als ein anomales zu bezeichnen. Es liegen vielmehr die so häufigen, mäßigen Abweichungen von der Emmetropie durchaus im Rahmen der biologischen Streuung. Die hochgradigen, mit Hintergrundsveränderungen verbundenen Myopieformen sind allerdings, wie schon erwähnt, als krankhafte Abweichungen anzusehen. Wenn auch viele für die Bedeutung der Erbfaktoren sprechende Tatsachen festgestellt wurden und ein Einfluß derselben bei vielen Fällen von Myopie nicht geleugnet werden kann, so hat sich doch die STEIGERsche Lehre in ihrer ursprünglichen und ausschließlichen Form nicht halten lassen. Neuere Untersuchungen, besonders von LINDNER, vermitteln uns die Erkenntnis, daß die Naharbeit bei der Entstehung der Myopie doch auch eine keineswegs zu unterschätzende Rolle spielt. In neuester Zeit vertritt BADTKE mit gewichtigen Gründen die Ansicht, daß die Myopie Folge eines abnorm gesteigerten Netzhautwachstums ist und somit Beziehungen zu den Mißbildungen besitzt. Auf dieser Basis spielen äußere Faktoren und Einwirkungen eine fördernde Rolle.

Die **Behandlung der Myopie** erfolgt durch Korrektion mit Konkavlinsen, die die parallel einfallenden Strahlen zerstreuen. Sie müssen so gewählt werden, daß die Brechkraft der Linse gerade dem Brechungsfehler des Auges entspricht. Überkorrektionen sind zu vermeiden. Bei der Gläserprobe neigt namentlich der jugendliche Myope dazu, stärkere Gläser anzunehmen, als seinem Brechungsfehler entspricht; er glaubt sogar, damit besser zu sehen. Dies kommt daher, daß sie die Überkorrektion durch Akkommodation ausgleichen, womit immer das Gefühl vom Nähersein des Objektes verbunden ist. Bei längerem Tragen von Überkorrektionen entstehen aber Beschwerden. Daher der schon erwähnte Grundsatz, stets das schwächste Minusglas zu verschreiben, mit welchem der bestmögliche Visus erzielt wird. Bei niederen und mittleren Myopien

17*

wird bei sonst normalen Verhältnissen fast immer volle Sehschärfe (6/6) mit Gläsern zu erzielen sein. Bei höheren und hohen Myopien ist sehr oft auch bei Vollkorrektion und Fehlen von gröberen Maculaveränderungen kein voller Visus zu erreichen, was wohl auf feine, ophthalmoskopisch nicht sichtbare Veränderungen zurückzuführen ist. Daß bei schweren Maculaveränderungen eine ausreichende Korrektur nicht zu erzielen ist, wurde schon erwähnt.

Eine weitere Frage ist. ob Vollkorrektion zu erstreben und ob das Glas ständig zu tragen ist. Das ständige Tragen der Vollkorrektion ist auch bei niederen und mittleren Myopien anzustreben. Man soll schon in der Jugend damit beginnen, um dadurch Akkommodation und Konvergenz unter günstige Bedingungen zu stellen. Wenn erst in höherem Alter mit dem Tragen der Korrektion begonnen wird, ergeben sich oft erhebliche Beschwerden. Im höheren Alter ist natürlich bei der Naharbeit die Presbyopie zu berücksichtigen. Bei höheren und hohen Myopien wird die Vollkorrektion sehr oft nicht vertragen, so daß schwächere Gläser verordnet werden müssen, besonders dann, wenn erst spät mit dem Tragen der Gläser begonnen wurde. Wenn von Jugend an korrigiert wurde. ist manchmal noch bei hohen Refraktionsfehlern volle Korrektion möglich.

Die früher oft geäußerten kosmetischen Bedenken gegen das ständige Tragen von Gläsern fallen heute weitgehend weg, da das Brillentragen auch bei Frauen, im Zusammenhang mit der heute wohl fast allgemein gewordenen Berufstätigkeit der Frau, sehr häufig und damit nicht mehr auffällig geworden ist. Von einer Entstellung durch die Brille kann auch wirklich nicht ernstlich gesprochen werden. Von diesem Standpunkte aus sind jedenfalls die oft unförmigen, in den verschiedensten Farben schillernden „Sonnenbrillen" wesentlich nachteiliger, obwohl sie erfahrungsgemäß widerspruchslos und sehr oft unnotwendigerweise getragen werden.

Die schon bei Besprechung des Keratokonus erwähnten Haftschalen als Ersatz für die Brille kommen bei bestimmten Berufen (Schauspieler usw.) in Betracht; sie werden vielfach nicht oder nur für beschränkte Zeit vertragen und haben daher die Brille bisher nicht zu verdrängen vermocht; wahrscheinlich werden sie das auch in Zukunft nicht tun.

Manchmal wird behauptet, daß das Sehen durch das ständige Tragen der Brille „schlechter" werde. „Seit ich die Brille ständig trage, kann ich ohne Brille schlechter sehen als vorher." Dies erklärt sich, genauso wie die Tatsache, daß von 2 gleichgradig Myopen (z. B. 5 dptr.), von welchen einer nie eine Brille trug, der andere ständig und sie plötzlich verliert, ersterer in diesem Augenblick mehr erkennt. Der Grund liegt darin, daß der Nichtkorrigierte an das Deuten bzw. Erraten der unscharfen Netzhautbilder gewöhnt ist und daher darin dem überlegen ist, der scharfe Netzhautbilder zu erhalten pflegt, und plötzlich ungewohnterweise schlechte, undeutliche Bilder erhält. Auf dieser Basis sind auch die „Erfolge" der sog. Sehschulen nach BATES (nicht zu verwechseln mit den modernen Schulen zur Schielbehandlung) zu erklären. Ziel unseres Handelns kann aber nicht die Gewöhnung an einen unvollkommenen Zustand, sondern ausschließlich die Beseitigung desselben sein: dies erreicht man aber nur durch Glaskorrektion. Die durch Gewöhnung an die schlechten Netzhautbilder zu erreichenden „Verbesserungen" bewegen sich nur in mäßigen Grenzen; oft handelt es sich überhaupt um Selbsttäuschungen. Ebenso ist die schon erwähnte Verbesserung des Visus durch Zusammenkneifen der Lidspalten (Verkleinerung der Eintrittspupille und damit der Zerstreuungskreise auf der Netzhaut) nur geringfügig. Außerdem wirkt dieses Kneifen kosmetisch wesentlich nachteiliger als eine Brille.

Andere Mittel zur Behandlung der Myopie gibt es nicht. Die *operative Behandlung höherer Myopien* durch Entfernung der Linse (um die Brechkraft des Auges zu vermindern) ist wieder aufgegeben worden, da sie mit der Gefahr der später folgenden Netzhautablösung zu sehr belastet war. Wenn hochgradig myope Augen an Star erkranken, kann nach der Extraktion der Linse manchmal ohne Glas oder mit schwachem Glas gute Sehschärfe erzielt werden, wenn nämlich die Brechkraft der entfernten Linse ungefähr der Höhe der Myopie entspricht.

Die **Prophylaxe der Myopie** geht verschiedene Wege. Zunächst wird vor Ehen zwischen Partnern aus mit hoher Myopie belasteten Familien zu warnen sein. Bei Kindern mit Neigung zu Myopie ist auf Einschaltung von Spiel- und Sportpausen zwischen Naharbeitszeiten zu achten. Bei hoher Myopie im Kindesalter kann Ausbildung in sog. Sehschwachenschulen nötig werden. Ferner sind hier allgemein-schulhygienische Maßnahmen, wie zweckmäßige Schulbänke, gute Beleuchtung, Einhaltung eines richtigen Leseabstandes, frühzeitige Erfassung der Kinder mit Sehfehlern durch Schulärzte usw. zu nennen.

4. Die Hypermetropie

Bei Hypermetropie besteht eine im Verhältnis zur Länge der Augenachse zu *geringe Brechkraft* (Abb. 269 c). Dies kann entweder durch eine abnorm niedrige Brechkraft (Brechungshypermetropie) oder durch Kurzbau des Auges (Achsenhypermetropie) bedingt sein. Parallel einfallende Strahlen werden daher nicht auf der Netzhaut, sondern hinter derselben zu einem scharfen Bild vereinigt. Auf der Netzhaut entsteht bei Ruhelage (ohne Akkommodation) ein unscharfes Bild durch Zerstreuungskreise. Der Fernpunkt des hypermetropischen Auges liegt eigentlich im „Überunendlichen", d. h. hinter dem Auge, da kein Punkt existiert, der koenvrgente Lichtstrahlen aussendet, welche allein auf der Netzhaut des hypermetropischen Auges vereinigt werden. Dieser Zustand und nicht ein besonders gutes Sehen wird also mit dem Ausdruck Hypermetropie oder Übersichtigkeit gekennzeichnet. Ein solches Auge sieht in Ruhelage weder in der Ferne noch in der Nähe gut.

Die **Achse des hypermetropischen** Auges ist in der Regel **kürzer** als die eines emmetropischen. In extremen Fällen kann eine Verkleinerung des Bulbus bis zum Bilde des unkomplizierten *Mikrophthalmus* beobachtet werden. Am vorderen Augenabschnitt fällt manchmal eine flache Vorderkammer auf; aus diesem Grunde ist bei Hypermetropie eine gewisse Disposition zum Glaukom angenommen worden. Veränderungen im Augenhintergrund sind bei Hypermetropie selten. Manchmal findet man einen auffallend geschlängelten Verlauf der Netzhautgefäße *(Tortuositas vasorum)*, in anderen besteht eine Unschärfe der Papillengrenzen, die mit leichter Prominenz derselben verbunden sein kann *(Pseudoneuritis)*.

Die Hypermetropie ist ein sehr häufiger Brechungszustand; im Kindesalter ist die Mehrzahl der Augen hypermetrop. Mit fortschreitendem Wachstum verliert sich die Übersichtigkeit oft. Die Hypermetropie ist somit stets angeboren; sie kann im Leben nicht zu-, sondern nur abnehmen. Die einzige Ausnahme bildet die Entfernung der Linse (Staroperation); in diesem Falle bedingt die Entfernung der Linse eine starke Verminderung der Brechkraft. Allerdings handelt es sich dabei nicht mehr um eine Hypermetropie im echten Sinne, sondern um eine Aphakie.

Aber auch in Fällen, in welchen die Hypermetropie bestehen bleibt, wird sie meist nicht bemerkt, da sie zunächst keine Sehstörungen verursacht. Das *jugendliche Auge*, welches über eine große Akkommodationsbreite verfügt, vermag nämlich die *Hypermetropie* durch Betätigung der *Akkommodation auszugleichen*, d. h. die Brechkraft zu erhöhen (Abb. 273). Erst im späteren Leben, wenn die Akkommodation nachläßt, stellen sich Sehstörungen ein, die dann korrigiert werden müssen. Wir bezeichnen den Anteil der Hypermetropie, welcher unbemerkt und unbewußt durch Akkommodation korri-

giert wird, als **latente Hypermetropie.** Der Anteil des Brechungsfehlers, der Beschwerden verursacht und durch Gläser ausgeglichen werden muß, heißt **manifeste Hyper-
metropie;** beide zusammen bilden die totale Hypermetropie. Entsprechend der Abnahme der Akkommodation verschiebt sich das Verhältnis zwischen latenter und manifester Hypermetropie im Laufe des Lebens in der Weise, daß die latente Hypermetropie ab- und die manifeste zunimmt. Während im Kindesalter und in der Jugend meist die gesamte Hypermetropie latent ist, wird im Alter nach Erlöschen der Akkommodation stets die gesamte Hypermetropie manifest. Da das Manifestwerden der Hypermetropie auf Abnahme der Akkommodation zurückzuführen ist, so erscheint es verständlich, daß die Beschwerden zuerst bei jenen Verrichtungen bemerkbar werden, bei welchen die Akkommodation besonders benötigt wird, nämlich bei der Naharbeit. *Der Hypermetrope* muß bei *Naharbeit* immer mehr *Akkommodationsleistung* aufbringen *als* der gleichaltrige *Emmetrope.* Diese Leistung des Hypermetropen setzt sich zusammen aus dem Akkommodationsaufwand, der zum Ausgleich der Hypermetropie benötigt wird, und dem, welcher für die Leseentfernung erforderlich ist, während der gleichaltrige Emmetrope nur die letztere Leistung aufzubringen braucht. Wenn also relativ junge Personen über Nahbe-

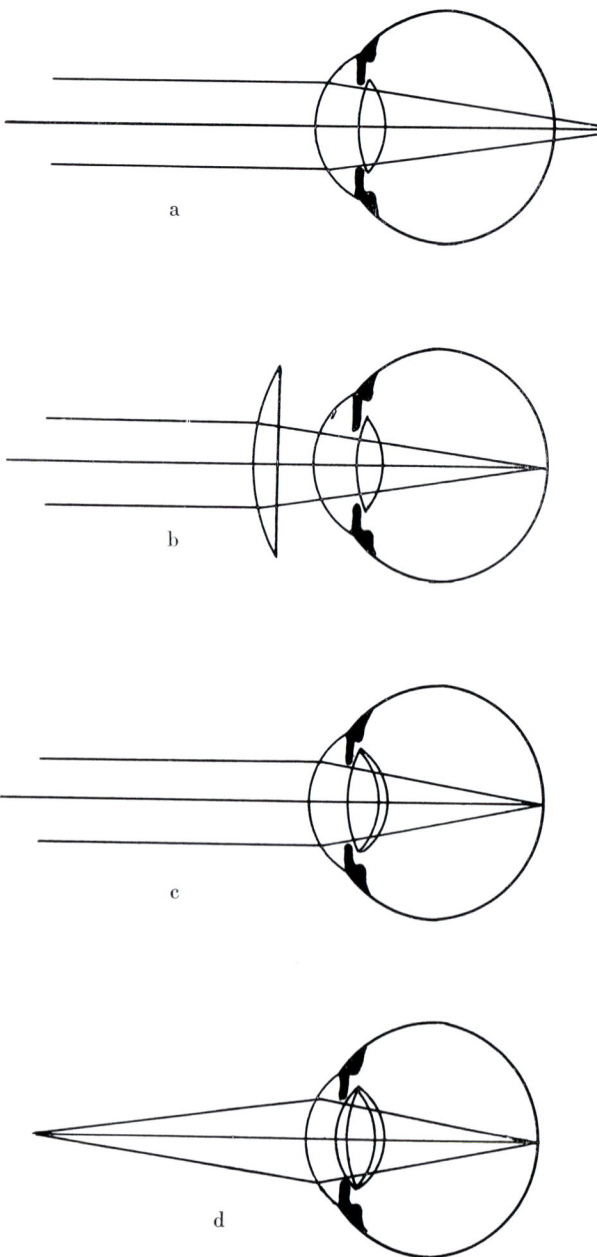

Abb. 273. Hypermetropie. a unkorrigierte Hypermetropie; b Hypermetropie, durch Konvexglas ausgeglichen; c Hypermetropie durch Zunahme der Linsenbrechung (Akkommodation) ausgeglichen; d hypermetropes Auge beim Nahsehen

schwerden klagen, so ist stets an Hypermetropie zu denken. Die Störungen bestehen im Verschwimmen der Buchstaben und Zeilen bei längerem Lesen und Auftreten von Kopfschmerzen *(akkommodative Asthenopie)*. Auch chronische Konjunktivitiden und Blepharitiden können oft durch Überanstrengungen der Akkommodation bedingt sein. Es ist selbstverständlich, daß sehr hohe Hypermetropien schon frühzeitig Beschwerden machen und schon in der Jugend manifest werden, während geringe sich erst spät bemerkbar machen. Hohe Hypermetropien sind viel seltener als hohe Myopien, auch erreicht die absolute Höhe der Hypermetropie nie die Dioptrienzahlen, die bei Myopie beobachtet werden. Die Höhe der Hypermetropie beträgt gewöhnlich nur wenige Dioptrien. Eine Hypermetropie von 6—7 dptr. gilt schon als hohe Übersichtigkeit; solche über 10—12 dptr. kommen kaum vor, außer bei Mikrophthalmus.

Die **Behandlung der Hypermetropie** hat die Beseitigung der Beschwerden zum Ziel. Demnach bedarf nur der manifeste Teil der Übersichtigkeit der Korrektur durch Konvexgläser. Wie schon erwähnt, gilt der Grundsatz, daß das höchste Konvexglas (Plusglas) verordnet werden soll, mit dem gute Sehschärfe erzielt wird. Dies geschieht deshalb, weil die Akkommodation möglichst entlastet werden soll. Der Teil der Hypermetropie aber, der beschwerdelos durch die Akkommodation ausgeglichen wird, bleibt unkorrigiert. Wenn also ein Prüfling mit objektiv bestimmter Hypermetropie von 4 dptr. nur ein Glas von +2,5 sph. annimmt und bei Verstärkung der Gläser Verschlechterung angibt, so ist +2,5 sph. zu verordnen. Eine Ausnahme von dieser Regel besteht nur beim Strabismus convergens (s. d.), wo die totale Hypermetropie ausgeglichen werden soll. Oft genügt daher bei Hypermetropen geringeren Alters eine Nahbrille.

Da der Hypermetrope in jüngeren Jahren nicht die volle Korrektion annimmt, ja diese ablehnt, ist die subjektive Bestimmung der Hypermetropie durch Vorsetzen von Gläsern ungenau. Nur nach Ausschaltung der Akkommodation (Atropin) oder im Alter kann sie einigermaßen richtige Werte ergeben.

Manchmal beobachtet man, daß stark Hypermetrope bei Naharbeit ganz nahe an das Objekt herangehen, obwohl sie eigentlich bei größerer Entfernung besser sehen müßten (geringerer Akkommodationsaufwand). Diese Beobachtung erklärt sich daraus, daß sie auf scharfe Netzhautbilder, die sie auch bei maximaler Akkommodationsanstrengung nicht erreichen, ganz verzichten und durch Annähern zwar unscharfe, aber große Netzhautbilder anstreben. Selbstverständlich ist dies eine ganz unzureichende Maßnahme, die nur großen Druck erkennen läßt. Bei Hypermetropien geringen Grades wird in der Jugend ohne, im Alter mit Glas meist volle Sehschärfe erreicht; bei höheren Graden ist dies oft, trotz optisch bester Korrektion, nicht zu erzielen. Wir sprechen in solchen Fällen von Amblyopie und verstehen darunter eine funktionelle Schwäche, für die anatomische Ursachen nicht zu finden sind. Man sollte diesen Ausdruck „Amblyopie" für diese Fälle von Herabsetzung des Visus reservieren und nicht wie es oft geschieht, für Sehstörungen auf Grund faßbarer Veränderungen, z. B. Hornhautnarben oder Netzhautveränderungen, benutzen.

5. Astigmatismus

Bei den bisher besprochenen Refraktionsabweichungen war unausgesprochen stets die Annahme Voraussetzung, daß die Brechkraft des optischen Systems bzw., wie schon ausgeführt wurde, seiner zentralen, für das Sehen wichtigen Teile im Bereiche aller Meridiane gleich ist, daß eine sphärische Refraktion besteht. Es gibt aber häufig Fälle, in welchen die Hornhaut nicht in allen Meridianen gleich gewölbt ist und somit nicht gleiche Brechkraft hat. Wir bezeichnen diese Fälle als *Astigmatismus* (Stabsichtigkeit). Er ist in geringem Grade physiologisch. Der physiologische Astigmatismus besteht darin, daß der vertikale Meridian um etwa $\frac{1}{2}$ dptr. stärker bricht als der horizontale. Dieser geringe Astigmatismus wird meist durch einen, ebenso physiologischen, gegenteiligen Linsenastigmatismus ausgeglichen.

Wir können zunächst unterscheiden zwischen **regulärem** und **irregulärem Astigmatismus.** Während bei ersterem nur aufeinander senkrecht stehende Meridiane voneinander in der Brechkraft abweichen (Hauptmeridiane), finden wir beim irregulären Astigmatismus der Hornhaut nicht nur in den verschiedensten Meridianen voneinander abweichende Brechkraft, sondern auch innerhalb desselben Meridians. Dadurch entsteht eine völlig unregelmäßige Brechung, die die Entstehung scharfer Netzhautbilder ausschließt (Abb. 274). Die häufigste Ursache des irregulären Astigmatismus sind umfangreiche Narbenbildungen der Hornhaut, doch kann in seltenen Fällen auch die Linse Ursache dieses Zustandes sein.

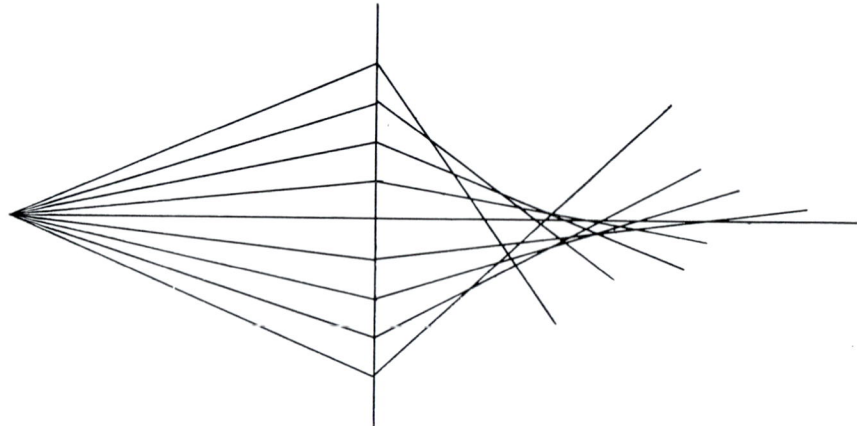

Abb. 274. Brechung bei irregulärem Astigmatismus

Beim **regulären** Astigmatismus haben wir 2 Hauptmeridiane, in der Regel den vertikalen und horizontalen Meridian. Es kommt aber auch vor, daß die Hauptmeridiane schräg gestellt sind; wir sprechen dann von einem Astigmatismus mit schrägen oder schiefen Achsen. Bei diesen Formen des Astigmatismus werden auf das Auge treffende Strahlen nie zu einem Bildpunkt vereinigt, sondern es ergeben sich mehrere hintereinander gelegene Vereinigungspunkte. Hierbei liegen die Vereinigungspunkte der vom stärker brechenden Meridian vereinigten Strahlen vor (näher der Cornea) den vom schwächeren Meridian erzeugten Bildpunkten. Es ergibt sich also kein scharfes Bild und somit schlechtes Sehen (Abb. 275).

In der Regel besitzt der vertikale Hauptmeridian eine stärkere Brechkraft als der horizontale; wir bezeichnen dies als **Astigmatismus nach der Regel.** Im umgekehrten Falle (stärkere Brechkraft des horizontalen Hauptmeridianes) sprechen wir von **Astigmatismus gegen die Regel.** Weitere Einteilungen des Astigmatismus ergeben sich aus der Art der dabei vorliegenden Refraktionszustände. Es bestehen folgende Möglichkeiten.

1. In einem Meridian findet sich Emmetropie, im anderen eine myopische oder hypermetropische Brechkraft. Es handelt sich dann um einen **einfachen Astigmatismus** (Astigmatismus simplex), und zwar entweder um einen einfachen myopischen oder einfachen hypermetropischen Astigmatismus. Je nachdem, welcher Meridian stärker bricht, wird außerdem die Bezeichnung nach oder gegen die Regel angebracht sein.

Wenn z. B. im horizontalen Meridian Emmetropie, im vertikalen Myopie besteht, so liegt, da die Myopie gegenüber der Emmetropie der stärker brechende Zustand ist, ein einfacher myopischer Astigmatismus nach der Regel vor. Wäre der horizontale Meridian myopisch brechend, der vertikale emmetropisch, so würde ein einfacher myopischer Astigmatismus gegen die Regel gegeben sein. Bei Hypermetropie (zu schwache Brechung) liegen die Dinge umgekehrt, also Emmetropie im horizontalen Meridian und

Hypermetropie im vertikalen wäre ein einfacher hypermetropischer Astigmatismus gegen die Regel usw.

2. Beide Meridiane weichen von der Emmetropie ab, und zwar in demselben Sinne, also entweder im Sinne der Myopie oder Hypermetropie. Natürlich muß die Brechungsabweichung in beiden Meridianen verschiedene Grade zeigen, sonst läge ja kein Astigmatismus, sondern eine sphärische Myopie oder Hypermetropie vor. In solchen Fällen liegt ein **zusammengesetzter Astigmatismus** vor (Astigmatismus compositus). Er kann wieder nach oder gegen die Regel sein. Bei Myopie von 6 dptr. im vertikalen und 4 dptr. im horizontalen Meridian z. B. liegt ein zusammengesetzter myopischer Astigmatismus nach der Regel vor. (Je höher die Myopie, desto stärker die Brechung.) Bei Hypermetropie von 6 dptr. im vertikalen und 4 dptr. im horizontalen Meridian muß ein zusammengesetzter hypermetropischer Astigmatismus gegen die Regel festgestellt werden (Je höher die Hypermetropie, desto geringer die Brechkraft.)

3. Beide Meridiane weichen von der Emmetropie

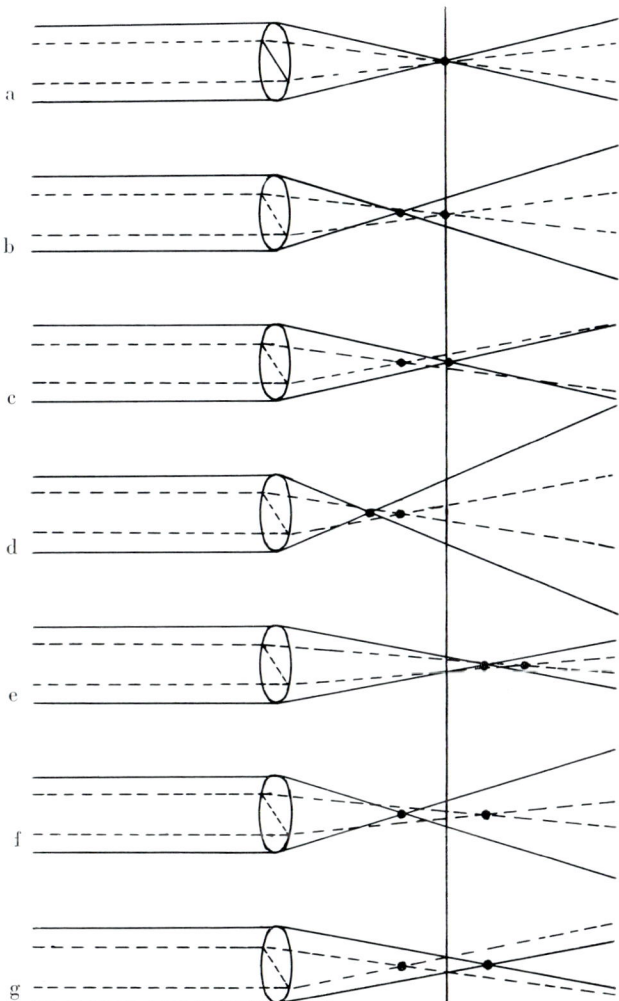

Abb. 275. Brechungsverhältnisse bei den verschiedenen Formen des Astigmatismus. a) Emmetropie; b) einfacher myopischer Astigmatismus nach der Regel; c) einfacher myopischer Astigmatismus gegen die Regel; d) zusammengesetzter myopischer Astigmatismus nach der Regel; e) zusammengesetzter hypermetropischer Astigmatismus nach der Regel; f) gemischter Astigmatismus nach der Regel; g) gemischter Astigmatismus gegen die Regel

ab, aber im entgegengesetzten Sinne, d. h. ein Meridian im Sinne der Myopie, der andere im Sinne der Hypermetropie. Wir bezeichnen diese Form als **gemischten Astigmatismus** (Astigmatismus mixtus). Besteht Myopie im vertikalen Meridian (also stärkere Brechung) und Hypermetropie (schwächere Brechkraft) im horizontalen Meridian, so handelt es sich um einen gemischten Astigmatismus nach der Regel, im umgekehrten Falle um einen solchen gegen die Regel.

Besondere Veränderungen am äußeren Auge und am Augenhintergrund sind dem Astigmatismus als solchem nicht eigen. Wenn die Stabsichtigkeit aber mit höheren Brechungsabweichungen im Sinne der Myopie oder Hypermetropie verbunden ist, können die für diese Brechungszustände charakteristischen Befunde vorkommen.

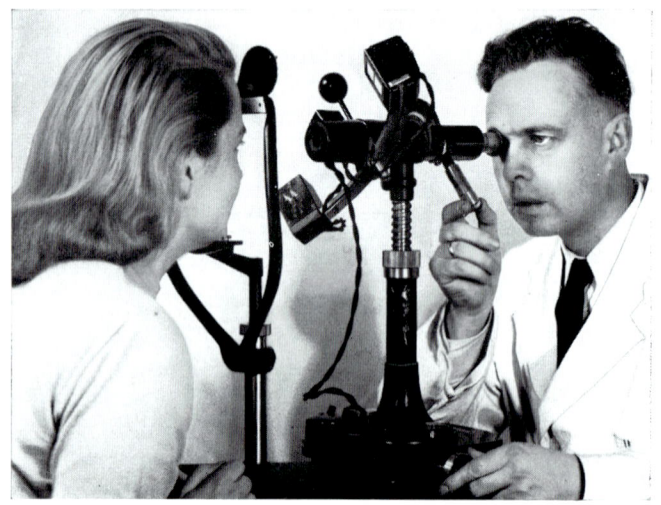

Abb. 276. Ophthalmometer nach JAVAL und SCHIÖTZ

Sehstörungen werden bei geringerem Astigmatismus oft vermißt, bei mittleren und höheren Graden sind sie vorhanden und können erheblichen Umfang aufweisen. Bei Astigmatismus gegen die Regel sind die Sehstörungen meist stärker als bei gleichgradigem Astigmatismus nach der Regel. Bei unkorrigiertem Astigmatismus höheren Grades finden wir oft die schon bei der Hypermetropie erwähnte Gewohnheit, die Gegenstände bei Naharbeit dem Auge stark anzunähern, um möglichst große Netzhautbilder zu erhalten, die die mangelnde Schärfe ersetzen sollen. Man soll besonders bei Kindern in der Schule stets eine Augenuntersuchung veranlassen, wenn derartige Beobachtungen gemacht werden. Auch die Akkommodation wird von Astigmatikern stark beansprucht, ohne allerdings einen zweckmäßigen Ausgleich herbeizuführen, da die Akkommodation in einem Meridian, die erforderlich wäre, wenn überhaupt, so nur in geringem Umfang möglich ist. Daraus ergeben sich die schon bei Hypermetropie geschilderten Beschwerden der akkommodativen Asthenopie, die bei Naharbeit besonders hervortritt.

Bei **Entstehung** des Astigmatismus spielen Erbfaktoren eine wesentliche Rolle. Veränderungen desselben während des Lebens kommen vor, und zwar in der Regel im Sinne einer Verbesserung. Im Alter tritt oft eine Abflachung des vertikalen Meridians und damit eine Brechkraftverminderung desselben ein. Wir finden daher oft im Alter bei früher emmetropen Personen (mit physiologischem Astigmatismus nach

der Regel von 0,5 dptr.) einen geringen Astigmatismus gegen die Regel. Ein Astigmatismus gegen die Regel pflegt sich nach einer Staroperation zu entwickeln; er ist Folge
einer mit der Wundheilung zusammenhängenden Abflachung des vertikalen Meridians. Die Höhe des Astigmatismus schwankt zwischen 1—6 dptr.; höhere Abweichungen sind selten. Natürlich kann aber jeder Astigmatismus mit sphärischen Abweichungen beliebiger Höhe verbunden sein.

Die **objektive Bestimmung** des Gesamtastigmatismus kann, wie schon erwähnt,
am besten durch Zylinderskiaskopie erfolgen. Zur Feststellung des praktisch immer
im Vordergrund stehenden Hornhautastigmatismus dient das Ophthalmometer von
Javal und Schiötz, an welchem man auch die Brechkraft der Hornhautmeridiane
in Dioptrien und den Hornhautradius ablesen kann (Abb. 276). Das Prinzip besteht
darin, daß auf der Hornhaut Bildchen von 2 Testobjekten entworfen werden, wovon

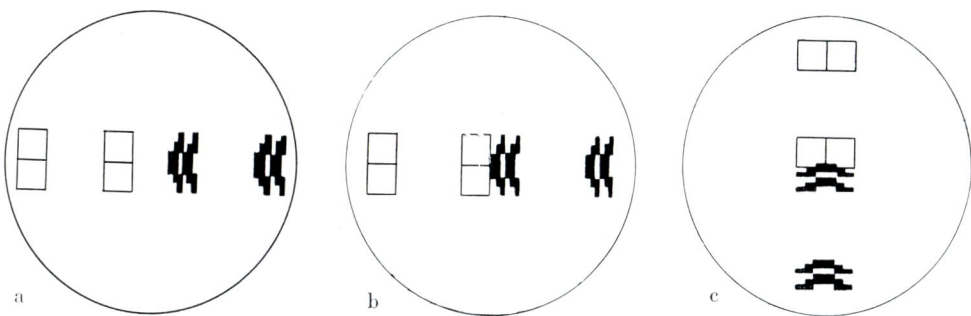

Abb. 277 a—c. Einstellung der Testfiguren am Ophthalmometer nach Javal-Schiötz

eines die Form einer Treppe, das andere die eines aufrechtstehenden Rechteckes hat.
Durch Einbau eines doppelt brechenden Prismas in der Apparatur wird erreicht, daß
der Untersucher jedes Bild doppelt sieht. Dabei werden aber nur die beiden zentralen
Bilder verwertet. Man verfährt so, daß man das Beobachtungsfernrohr so auf das
Auge einstellt, daß die Bilder scharf erscheinen (Abb. 277 a). Darauf bringt man die
beiden zentralen Bilder zur Berührung (Abb. 277 b), wobei sie gleich hoch stehen,
d. h. ihre Grundlinien eine Gerade bilden müssen. Wenn dies nicht der Fall ist, muß
der die Objekte tragende Bogen so lange gedreht werden, bis dies erreicht ist. Die
Bogenstellung gibt uns dann die Achsenlage an. Damit ist auch die Brechkraft in
einem Hauptmeridian bestimmt und kann abgelesen werden. Darauf wird der Bogen,
der die Objekte trägt, um 90° gedreht (Abb. 277 c). Ist die Brechung dieses Meridianes
stärker, so werden sich die Bilder überlagern. Da dabei jede Stufe der Treppe des
Objektes eine Dioptrie bedeutet, so kann in diesem Falle gleich der Hornhautastigmatismus in dptr. abgelesen werden. Wenn der nach Schwenkung neu eingestellte Meridian schwächer bricht, so erfolgt keine Überlagerung der Bilder, diese weichen vielmehr voneinander ab. Man muß sie dann in diesem Meridian wieder zur Berührung
bringen und neuerlich um 90° zurückdrehen. Die dabei erfolgende Überschneidung
ergibt nun den Astigmatismus der Cornea. Es gibt in neuer Zeit auch andere Formen
von Ophthalmometern. Bei irregulärem Astigmatismus ergeben sich an den Ophthalmometern völlig unregelmäßige, verzerrte Bilder der Testobjekte, die keine exakte
Auswertung gestatten.

Ausgleich des Astigmatismus muß immer dann erfolgen, wenn Sehstörungen oder
asthenopische Beschwerden vorliegen. Es empfiehlt sich dann, die Gläser ständig zu

tragen, sofern es sich nicht um geringe hypermetropische Astigmatismen handelt, die nur Nahbeschwerden verursachen. Es ist auch richtig, frühzeitig mit der Korrektion des Astigmatismus zu beginnen. Wir machen immer wieder die Beobachtung, daß, besonders bei höheren Astigmatismen, die Korrektion in vorgeschrittenem Alter oft sehr schwierig ist, da die Gewöhnung an die Gläser nur schwer erzielt wird. Zum Ausgleich des Astigmatismus dienen Gläser, die nur in einer Richtung brechen, Zylindergläser. Dies sind Abschnitte eines Zylinders (Abb. 278) oder seines Negativs (Abb. 279). Diese Zylinder üben in Richtung ihrer Achse keine Brechung aus; diese Achse ist an den Probiergläsern der üblichen Brillenkästen bezeichnet. Senkrecht zu dieser Achse besteht Brechung der Strahlen. Wir unterscheiden Zylinder mit Konvexglaswirkung und solche mit Konkavglaswirkung. Bei Bestimmung der Zylindergläser ist besonders auf genaue Bestimmung der Achse Wert zu legen, da auch geringe Fehler der Achsenstellung das Glas unerträglich machen. Die Achsenlage läßt sich mit dem Ophthalmometer von JAVAL-SCHIÖTZ oder durch Skiaskopie bestimmen, soll jedoch subjektiv überprüft werden, wozu sich der Augenarzt mit Vorteil der sog. Kreuzzylinder von JACKSON bedient. Die am Probierbrillengestell, welches eine Gradeinteilung trägt, genau ermittelte Achsenlage muß bei der Verschreibung angegeben werden. Bei einem einfachen myo-

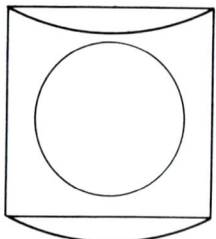

Abb. 278. Zylinderglas
mit Konvexglaswirkung

Abb. 279. Zylinderglas mit
Konkavglaswirkung

pischen Astigmatismus mit stärker brechendem vertikalen Meridian (z. B. —2,0) lautet die Verordnung: —2,0 cyl. A. 0° oder 180°. Natürlich müssen auch gleichzeitig in beiden Meridianen bestehende Fehler sphärisch korrigiert werden. Wenn z. B. im vertikalen Meridian eine Myopie von 6 dptr., im horizontalen von 4 dptr. besteht, so korrigiert man mit — 4,0 dptr. sph. kombiniert mit —2,0 dptr. cyl. Achse horizontal (180° oder 0°). Bei einem hypermetropischen zusammengesetzten Astigmatismus mit 4 dptr. Hypermetropie vertikal und 2 dptr. Hypermetropie horizontal würde die Korrektion lauten: + 2,0 dptr. sph. kombiniert + 2,0 dptr. cyl. A. 180°, da es sich um einen Astigmatismus gegen die Regel handelt und daher im vertikalen Meridian eine weitere Stärkung der Brechung erzielt werden muß. Als weiteres Beispiel: ein gemischter Astigmatismus mit Myopie von 2,0 dptr. im vertikalen und Hypermetropie von 3,0 dptr. im horizontalen Meridian könnte korrigiert werden durch: —2,0 dptr. cyl. A. 180° kombiniert mit +3,0 dptr. cyl. A. 90°. In der Praxis wird meist ein sphärisches Glas verwendet, welches einen Meridian richtig ausgleicht, den anderen aber überkorrigiert. Diese Überkorrektion muß bei der Wahl des Zylinders wieder ausgeglichen werden. Also: +3,0 dptr. sph. kombiniert —5,0 dptr. cyl. A. 180° oder —2,0 dptr. sph. kombiniert +5,0 dptr. cyl. A. 90°. Bei schrägen Astigmatismen wird die Achsenlage entsprechend angegeben. z. B. Achse 30° oder 145° usw. Meist ist es nicht angezeigt, die volle Höhe der astigmatischen Abweichung auszugleichen (entgegengesetzter Linsenastigmatismus u. a.). Die Korrektion des Astigmatismus erfordert Erfahrung und Sorgfalt; sie soll dem Facharzt überlassen bleiben.

Bei irregulärem Astigmatismus ist mit Gläsern meist kein oder nur sehr beschränkter Erfolg zu erzielen. Mit Haftgläsern kann manchmal wesentlich geholfen werden. In geeigneten Fällen kann auch die Hornhauttransplantation gute Erfolge bringen.

6. Anisometropie, Asthenopie

Bisher wurde stets angenommen, daß der Brechungszustand beider Augen gleich ist. Es kommt aber nicht selten vor, daß beide Augen bezüglich der Brechkraft voneinander abweichen. Wir bezeichnen diesen Zustand als **Anisometropie.** Dabei sind alle möglichen Kombinationen denkbar. Zum Beispiel kann ein Auge emmetrop, das andere myop sein, oder ein Auge myop, das andere hypermetrop usw. Auch astigmatische Fehler können dabei vorkommen, ebenso wie Unterschiede im Grade eines an sich gleichartigen Refraktionsfehlers, z. B. geringe Myopie einerseits, hohe Myopie am Partnerauge. Häufig, doch keinesfalls regelmäßig, findet sich dabei an einem Auge, meist an dem mit stärkeren Fehlern behafteten, Amblyopie.

Die Korrektion der Anisometropie ist bei geringen Brechungsunterschieden einfach und besteht in entsprechender Korrektion beider Augen. Bei höheren Unterschieden werden allerdings die richtig korrigierenden Gläser an beiden Augen nicht vertragen. Die Ursache liegt in der ungleichen Größe der in beiden Augen entstehenden Netzhautbilder. Im allgemeinen werden Korrektionsunterschiede von mehr als 3—4 dptr. nicht leicht angenommen. Aus diesem Grunde wird auch das Korrektionsglas bei einseitiger Aphakie meist nicht vertragen. Man muß sich in solchen Fällen oft auf die Vollkorrektion des besseren Auges beschränken, während am schlechteren Auge ein nicht voll korrigierendes Glas, entweder das dem anderen Auge entsprechende oder ein etwas höheres, verordnet werden muß. Bei hochgradiger Amblyopie des einen Auges ist oftmals dessen Korrektion überhaupt zwecklos. Behandlung einer Amblyopie ist nur im Kindesalter erfolgversprechend (siehe unter Strabismus convergens).

Eine andere oft mit Refraktionsfehlern verbundene Erscheinung ist die schon erwähnte **Asthenopie.** Wir verstehen darunter Beschwerden subjektiver Art, die vor allem beim Nahsehen auftreten; sie bestehen in Ermüdungs- und Druckgefühl, in den Augen, Verschwimmen der Objekte, Kopfschmerzen, Brechreiz usw. Nach Aufgabe der Naharbeit verschwinden die Beschwerden, um sich kurze Zeit nach Wiederaufnahme derselben wieder einzustellen. Sehr oft werden solche Patienten lange Zeit vergeblich unter der Diagnose allgemein nervöser Beschwerden usw. erfolglos behandelt. Die augenärztliche Untersuchung und Behandlung kann dann schlagartig die oft sehr quälenden Beschwerden beseitigen. Die wichtigsten Ursachen asthenopischer Beschwerden sind die schon erwähnten akkommodativen Beschwerden, die wir bei der Hypermetropie und dem Astigmatismus kennengelernt haben und denen wir auch als Zeichen der beginnenden Presbyopie noch begegnen werden. Außerdem spielen muskuläre Störungen (latente Divergenz, latente Höhenabweichungen) eine wichtige Rolle als Ursache derartiger Störungen (muskuläre Asthenopie). Weiterhin kennen wir noch eine nervöse Asthenopie bei Hysterie und Neurasthenie und eine symptomatische Asthenopie bei chronischen Augenerkrankungen (z. B. chronische Bindehautentzündungen) sowie bei Affektionen der Nasennebenhöhlen. Schließlich sei noch erwähnt, daß wir manchmal auch bei günstigen Refraktionsverhältnissen ungleiche Größe der Netzhautbilder finden — **Aniseikonie** —, die sich ebenfalls durch ähnliche Beschwerden kundgeben.

7. Einiges zur Brillenlehre

Wie schon erwähnt, benützen wir zur Korrektion der Brechungsfehler **Sammellinsen** (Konvexgläser) mit dem Vorzeichen + und **Zerstreuungslinsen** (Konkavgläser) mit dem Vorzeichen —. Zum Ausgleich des Astigmatismus dienen Zylindergläser, die ebenfalls, je nach der Wirkung, mit + oder — bezeichnet werden. Der Grad der Brechung wird in Dioptrien angegeben, deren Grundlage schon erörtert wurde. Die Anfertigung von Gläsern hat heute einen hohen Grad von Vollkommenheit erreicht. In früheren Jahr-

zehnten wurden die einfachen Bikonvex- oder Bikonkavlinsen gebraucht. Sie hatten
den Nachteil, daß nur bei gerader Durchsicht scharf gesehen wurde, während durch die
peripheren Linsenteile nur undeutliche Bilder vermittelt wurden. Hauptursache dieses
Zustandes ist der Astigmatismus schiefer Bündel, das ist die Tatsache, daß schräg auf
das Glas fallende Strahlenbündel zu einer astigmatischen Verzerrung des Bildes führen.
Diese Fehler werden bei den heute üblichen, durch entsprechende Durchbiegung punk-
tuell abbildenden Gläsern vermieden. So wird ein gutes Sehen durch alle Teile des Glases
ermöglicht. Ihre Konstruktion erfolgte auf Grund komplizierter Berechnungen, die
zuerst von der Firma Carl Zeiss in Jena durchgeführt wurden, heute aber bei allen
modernen Brillengläsern weitgehend erfüllt sind.

Bei Brillenbestimmungen und Untersuchungen ist es oft wichtig, die Stärke und
Art eines bisher getragenen Glases zu kennen. Diese kann ermittelt werden, indem man
zunächst feststellt, ob es sich um ein Plus- oder Minusglas handelt. Man verfährt dabei
in der Weise, daß man durch das zu bestimmende Glas ein Objekt fixiert und nun das
Glas bewegt. Dabei tritt eine Scheinbewegung des Objektes ein. Erfolgt diese gleichsinnig mit der Bewegung des Glases, so handelt es sich um ein Minusglas, erfolgt sie
gegensinnig, um ein Plusglas (prismatische Wirkung). Bei **Zylindergläsern** erfolgt die
Bewegung nur in einer Richtung, nämlich in der zur Achse senkrechten, während in
Achsenrichtung Planglaswirkung gegeben ist und Bewegung ausbleibt. In der Be-
wegungsrichtung wird auch beim Zylinderglas Konkav- oder Konvexglaswirkung festzustellen sein. Wenn somit die Art des Glases ermittelt ist, kann man durch Vorhalten
in ihrer Stärke bekannter Gläser aus dem Brillenkasten auch die Brechkraft annähernd
bestimmen. Dies geschieht, indem man bei Konkavgläsern so lange bekannte Konvexgläser und bei Konvexgläsern Konkavgläser vor das zu prüfende Glas hält, bis keine
Bewegung auftritt. Das Glas, welches diesen Effekt herbeiführt, gibt praktisch mit ausreichender Genauigkeit die Brechkraft des zu prüfenden Glases an. Bei Zylindergläsern
muß das zu prüfende Glas mit dem Prüfglas auch bezüglich der Achse übereinstimmen,
um ein scharfes Bild des fixierten Objektes zu erhalten. Es kann also auch die Achsenlage annähernd bestimmt werden. Bei kombinierten Gläsern (Kombination von sphärischen und zylindrischen Gläsern) ist die Bestimmung etwas schwieriger. Man sucht
zuerst die sphärische Komponente in der geschilderten Weise zu ermitteln und dann
den Zylinderwert mit Achse zu bestimmen. Dabei muß natürlich vor das zu prüfende
Glas ein sphärisches und ein zylindrisches Glas von bekannter Wirkung gehalten werden.

Die Augenärzte und Optiker haben zur genauen Feststellung der Brechkraft eines
Glases bestimmte Geräte, die sog. Sphärometer und die wesentlich besseren und heute
vorherrschenden Scheitelbrechwertmesser. Letztere gestatten eine genaue Bestimmung der Brechkraft in den verschiedenen Achsen und auch eine ebensolche Ermitt-
lung der Achsenstellung.

Da das Brillenglas in einiger Entfernung vor dem Auge seinen Ort hat, entspricht
seine Stärke nicht ganz genau der objektiven Refraktion des Auges; es muß bei Minus-
gläsern etwas stärker, bei Plusgläsern etwas schwächer sein, damit die Vereinigung
paralleler Strahlen auf der Netzhaut erzielt wird. Bei geringen Brechungsfehlern spielt
dies keine Rolle, wohl aber bei starken Gläsern, z. B. bei Starbrillen. In solchen Fällen
soll der Abstand der augennahen Glasfläche vom Hornhautscheitel bestimmt und vom
Optiker berücksichtigt werden. Wichtig ist bei Brillenverschreibung auch die Bestimmung des Pupillenabstandes, der mit eigenen Geräten, aber annähernd auch mit jedem
Maßstab gemessen werden kann. Bei Nahgläsern kann der Pupillenabstand wegen der
Konvergenz etwas verkleinert angegeben werden.

Eine Brille hat den Zweck, gutes Fernsehen und gutes Nahsehen herbeizuführen.
Dies ist nur bei jüngeren Individuen mit noch guter Akkommodation möglich. Bei

älteren Personen, die auch für die Ferne eines Glases bedürfen, ergibt sich die Notwendigkeit, zwei Brillen (Fern- und Nahbrille) zu benutzen. Die sich daraus ergebenden Nachteile (ständiger Wechsel der Gläser) können durch sog. Bifokalgläser beseitigt werden. Es sind dies Gläser, die im unteren Teil einen Nahteil eingeschliffen haben, während der Hauptteil die Fernkorrektion bewerkstelligt. Bei manchen Personen ist eine gewisse Gewöhnung an die Bifokalgläser nötig, die aber meist rasch erzielt wird. Man hat auch Trifokalgläser für drei Entfernungen (z. B. Ferne, Notendistanz für Musiker, Lesedistanz) hergestellt, doch haben sie keine allgemeine Verbreitung gefunden, obwohl sie sich oft gut bewähren.

Über die Haftschalen und ihre Anwendung wurde schon unter Korrektion der Myopie und des irregulären Astigmatismus sowie bei Besprechung des Keratokonus berichtet.

Bei hochgradigen Sehstörungen (Netzhaut- oder Sehnervenveränderungen, Amblyopien) leisten manchmal die sog. **Fernrohrbrillen** und **Fernrohrlupen** Gutes. Es sind dies aus mehreren Linsen zusammengesetzte, nach Fernrohrart gebaute optische Systeme, durch welche starke Vergrößerungen erzielt (1,8fach bei Fernrohrbrillen, 3- bis 6fach bei Fernrohrlupen) und damit den Betroffenen wesentliche Hilfe und Arbeitsfähigkeit geschaffen werden kann. Allerdings wird dabei eine Verkleinerung des Gesichtsfeldes in Kauf genommen. Die Verordnung derartiger Geräte erfordert von Arzt und Patient viel Mühe und Geduld und ist ausschließlich fachärztliche Angelegenheit.

B. Die Akkommodation

Es wurde schon darauf hingewiesen, daß das emmetropische Auge in Ruhelage für die Ferne eingestellt ist. Um von einem nahegelegenen Punkt ausgehende, das Auge divergent treffende Strahlen zu einem scharfen Bilde zu vereinigen, bedarf es einer Erhöhung der Brechkraft, die durch die Akkommodation herbeigeführt wird.

Dieser Vorgang spielt sich in der Weise ab, daß eine *Kontraktion des Ziliarmuskels* erfolgt, welcher ringförmig die Linse umgibt. Bei dieser Kontraktion rückt der Ziliarmuskel nach vorne. Diese Tätigkeit des Muskels **(aktiver Teil der Akkommodation)** hat eine Lockerung des mit dem Ziliarmuskel einerseits und der Linse andererseits in Verbindung stehenden Aufhängebandes der Linse (Apparatus suspensorius lentis — Zonula Zinni) zur Folge. Das im Ruhezustand gespannte Aufhängeband hält die Linse abgeflacht. Wenn es sich lockert, kann die *Linse* entsprechend der ihr innewohnenden Elastizität sich *stärker wölben* und damit ihre *Brechkraft erhöhen*. Die Linse des jugendlichen Auges macht von dieser Möglichkeit stets Gebrauch **(passiver Teil der Akkommodation)** und bewirkt damit die für die Naheinstellung erforderliche Erhöhung der Brechkraft. Die Wölbungszunahme macht sich vor allem an der vorderen Linsenfläche bemerkbar. Neben diesem **äußeren Akkommodationsmechanismus** gibt es auch einen **inneren.** Dessen Wesen besteht in einer Verschiebung der Linsenteile innerhalb der Linsenkapsel, wobei stärker brechende, in Ruhelage exzentrisch gelagerte Teile in die optisch wirksame Zone gelangen. Unsere heute gültige Vorstellung von dem Akkommodationsvorgang verdanken wir HELMHOLTZ, das Wissen um den inneren Akkommodationsmechanismus GULLSTRAND. Die Akkommodation erfolgt vollkommen unwillkürlich. Bei genauer Beobachtung kann man erkennen, daß mit ihr auch Veränderungen am äußeren Auge verbunden sind. Diese bestehen in einer Abflachung der Vorderkammer und einem geringen Absinken der gelockerten Linse nach unten (Schwere), was Linsenschlottern zur Folge hat. Darüber hinaus sind durch geeignete Versuche und Beobachtungen an kolobomatösen Augen mit sichtbarer Zonula Beweise für die HELMHOLTZsche Anschauung erbracht worden (COMBERG).

Die Verstärkung der Brechkraft, die durch die Akkommodation möglich ist, wird in dptr. ausgedrückt und heißt **Akkommodationsbreite.** Sie nimmt während des Lebens infolge der Sklerosierung und dem damit verbundenen Elastizitätsverlust der Linse ab. Ihr Umfang beträgt im Alter von 10 Jahren etwa 15 dptr., mit 20 Jahren 10 dptr., mit 30 Jahren 5 dptr. und mit 65 Jahren 0 dptr. Die Akkommodation ist dann erloschen. Diese Akkommodationsabnahme wurde von DONDERS kurvenmäßig dargestellt (Abb. 280), wobei es sich natürlich um Mittelwerte handelt, die in gewissen Grenzen schwanken. Der dem Auge nächstgelegene Punkt, der bei maximaler Akkommodation scharf erkannt werden kann, heißt der **Nahpunkt** des Auges. Er liegt bei einer Akkommodationsbreite von 20 dptr. in 5 cm vor

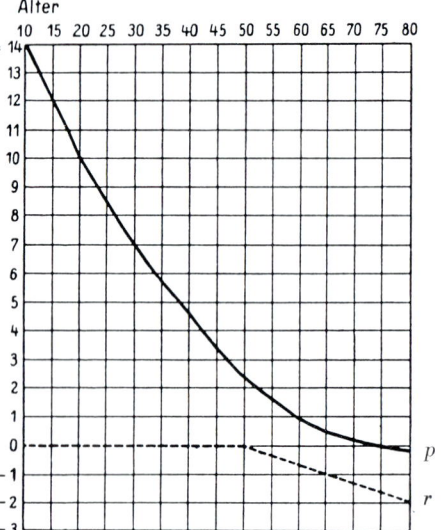

Abb. 280. Akkommodation — Kurve nach DONDERS. p = Kurve der Lage des Nahpunktes; r = Kurve der Lage des Fernpunktes. Auf der Abszisse die Lebensjahre, auf der Ordinate Zahl der Dioptrien

dem Auge, bei einer solchen von 4 dptr. in 25 cm usw. Der Raum, in welchem ein Auge unter Benutzung der Akkommodation scharf zu sehen vermag, ist das **Akkommodationsgebiet.** Es umfaßt also die Entfernung zwischen Fernpunkt und Nahpunkt. Dementsprechend ist das Akkommodationsgebiet des Emmetropen sehr groß, das des Myopen klein (Fernpunkt nahe dem Auge).

Wenn ein Auge sich auf einen nahen Punkt einstellt, auf ihn akkommodiert, so wird neben einer bestimmten Akkommodationsleistung auch eine bestimmte Konvergenz eintreten. Da Konvergenz und Akkommodation in der Regel gleichzeitig arbeiten, besteht eine Koppelung zwischen diesen beiden Vorgängen, sie arbeiten synergisch. Diese Koppelung ist aber nicht ganz starr, sonst müßte jeder Akkommodation ein ganz bestimmter Konvergenzgrad entsprechen, was nicht der Fall ist. Es besteht vielmehr eine gewisse, nicht allzu weitgehende Lockerung dieser Verbindung, die durch Übung vergrößert werden kann. Wir nennen die Akkommodationsänderungen, die ohne Aufgabe einer bestimmten Konvergenz durchgeführt werden kann, **relative Akkommodation.** Relativ stark ist durch Übung diese Fähigkeit bei Myopen mittleren Grades ausgeprägt. Diese können ohne Schwierigkeit auf 25 oder 30 cm konvergieren, ohne ihre Akkommodation zu betätigen. Wenn man die Größe der relativen Akkommodation prüfen will, so verfährt man in folgender Weise: Man läßt die Augen auf eine bestimmte Distanz, z. B. auf einen Lesetext in 30 cm, einstellen und setzt dann Gläser so lange vor, als wie Konvergenz beibehalten werden kann, ohne daß Beschwerden (Verschwimmen, Doppelbilder) auftreten. Das stärkste Konkavglas, welches noch angenommen wird, gibt den Grad der möglichen Verstärkung der Akkommodation unter Beibehaltung der Konvergenz an (positive relative Akkommodation). Durch Vorsetzen von Konvexgläsern wird die mögliche Verminderung der Akkommodation unter Beibehaltung der Konvergenz geprüft (negative relative Akkommodation). Bei Annahme von −3,0 dptr. und +2,0 dptr. unter Einhaltung der Konvergenz würde die positive relative Akkommodation 3 dptr., die negative 2 dptr. betragen. Um ein beschwerdefreies Lesen durch längere Zeit zu ermöglichen, muß bei jugendlichen Augen eine gewisse

Reserve an positiver relativer Akkommodation vorhanden sein. Bei maximaler Akkommodationsanstrengung tritt rasch Ermüdung ein; maximale Anspannung des Ziliarmuskels ist genauso, wie die anderer Muskelgruppen, nur durch kurze Zeit möglich. In höherem Alter verhält es sich anders, da bei maximalem Akkommodationsaufwand infolge Linsenkernsklerose keine maximale Ziliarmuskelkontraktion erforderlich ist.

Die praktische **Prüfung der Akkommodation** erfolgt durch Bestimmung des Nahpunktes. Dies geschieht, indem man ein Objekt, meist den üblichen Lesetext (Nieden usw.), dem Auge so lange annähert, bis der kleinste Druck nicht mehr scharf erkannt werden kann. Der dem Auge nächstgelegene Punkt, an dem dies noch möglich ist, entspricht dem Nahpunkt; sein Abstand vom Auge wird gemessen. Bei einem Emmetropen mit Nahpunkt in 10 cm Entfernung beträgt die Akommodationsbreite somit 10 dptr., bei Nahpunkt in 5 cm umfaßt sie 20 dptr. usw.

Wie schon erwähnt, nimmt die Akkommodation im Laufe des Lebens ab; diese Abnahme bleibt so lange praktisch bedeutungslos, wie die Akkommodationsbreite noch genügend groß ist, um ein gutes Sehen in der üblichen Leseentfernung zu gestatten (25—33 cm). Dies ist dann der Fall, wenn noch etwas mehr an Akkommodation vorhanden ist, als die Einstellung auf diese Distanz erfordert. Die Inanspruchnahme des gesamten Akkommodationsrestes ist für längere Zeit nicht möglich. Wenn der Nahpunkt weiter hinausrückt, mit anderen Worten die Akkommodation weiter abnimmt, treten jene Beschwerden auf, die wir als asthenopische kennengelernt haben. Zunächst versucht sich der Betroffene zu helfen, indem er den Text weiter von sich hält. Selbstverständlich sind dieser „Selbstkorrektur" enge Grenzen gesetzt. Wir bezeichnen diese physiologische Abnahme der Akkommodation, sobald sie Beschwerden macht, als **Presbyopie** (Alterssichtigkeit). Sie tritt bei Emmetropen in der Regel zwischen dem 40. und 45. Lebensjahr ein und nimmt mit fortschreitender Abnahme der Akkommodation zu. Die Presbyopie muß durch Konvexgläser korrigiert werden. Man gibt in diesem Alter etwa +1,0 dptr., nach einigen Jahren ergeben sich mit diesem Glas dieselben Beschwerden; es muß verstärkt werden. Im allgemeinen werden mit 45 Jahren +1,5 dptr., mit 50 Jahren etwa +2,0 dptr., mit 55 etwa +2,5 bis 3,0 dptr. und mit 60 Jahren ungefähr +3,0 bis 3,5 dptr. benötigt. Dies sind Mittelwerte, die im Einzelfall natürlich etwas schwanken können. Es gibt Personen, bei welchen presbyopische Beschwerden relativ früh, und solche, bei welchen sie relativ spät auftreten. Diese Schwankungen sind aber nicht sehr wesentlich und umfassen nur jeweils wenige Jahre. Von der Abnahme der Akkommodation bleibt niemand verschont. Die oft gehörten Erzählungen, jemand habe bis ins hohe Alter ohne Glas gut gelesen, erklären sich aus einer Myopie, oft auch aus einer Anisometropie. So kann z. B. ein Mensch mit Emmetropie an einem Auge und Myopie von 3,5 bis 4,0 dptr. am anderen Auge zeitlebens ohne Glas in Ferne und Nähe gut sehen. Er benützt für die Ferne das emmetrope, für die Nähe das myope Auge, oft ohne es zu wissen. Bei Verordnung von Brillen für die Nähe ist stets darauf zu achten, daß bei der Prüfung die Sehprobe wirklich in der gewünschten Arbeitsdistanz gehalten wird. Manche Prüflinge neigen dazu, die Probe nahe zu halten und nehmen dann stärkere Gläser an. Bei längerem Tragen ergeben sich aber Beschwerden und die Brille muß geändert werden.

Die durch Abnahme der Akkommodation bedingten Beschwerden treten bei Hypermetropen früher auf, da diese einen Teil ihrer Akkommodationsbreite zum Ausgleich der Hypermetropie für das Fernsehen verbrauchen. Sie bedürfen daher eines stärkeren Korrektionsglases als der Emmetrope gleichen Alters. Wer zum Ausgleich seiner Hypermetropie bereits 2,0 dptr. seiner Akkommodation verausgabt, wird z. B. mit 50 Jahren an Stelle von +2,0 dptr. etwa +4,0 dptr. benötigen usw. Stets müssen aber die Gläser praktisch erprobt werden. Schematisches Addieren ist zu vermeiden.

Anders liegen die Dinge bei der Myopie. Sofern der Myope korrigiert ist, befindet er sich im gleichen Zustand wie der Emmetrope. Wenn er mit Glas in der Nähe liest oder arbeitet, so wird seine Akkommodation in gleicher Weise in Anspruch genommen. Dies kann aber nur der jugendliche Myope und mit Abnahme der Akkommodation schwindet auch allmählich die Fähigkeit, mit der Korrektion in der Nähe zu lesen. Beim unkorrigierten Myopen besteht keine Notwendigkeit zu akkommodieren, falls sich sein Fernpunkt innerhalb der Lesedistanz befindet. Da dieser bei Myopie von 3 dptr. in 33,3 cm und bei 4 dptr. in 25 cm usw. liegt, sind Myope dieser und höherer Grade bis in das höchste Alter in der Lage, in der Nähe scharf zu sehen, da sie nicht akkommodieren. Bei Myopien geringeren Grades, z. B. 1 oder 2 dptr., ist es anders. Bei Myopie von 2 dptr. liegt der Fernpunkt in 50 cm. Um in 25 cm lesen zu können, muß also akkommodiert werden, allerdings weniger als bei Emmetropie. Der für diese Lesedistanz notwendige Akkommodationsaufwand beträgt nur 2 dptr. Daraus folgt, daß die Presbyopie bei diesen niederen Myopiegraden später bemerkbar wird als bei Emmetropie, nämlich erst mit etwa 50 Jahren. Selbstverständlich vollzieht sich die Abnahme der Akkommodationsbreite auch bei Myopie gesetzmäßig, sie wird bloß später oder nicht bemerkt. Wieder anders ist es bei hohen Myopien. Bei 20 dptr. Myopie besteht z. B. die Möglichkeit, in 5 cm scharf zu sehen; ein Lesen bei so starker Annäherung an das Auge ist aber praktisch nicht möglich, da Beschwerden auftreten (Konvergenz u. a.). Man muß also hochgradig Myope auch für die Nähe korrigieren, damit sie in der üblichen Distanz bequem lesen können. Das dazu erforderliche Glas ist um etwa ebensoviel Dioptrien schwächer als der Emmetrope zur Einstellung auf die Lesedistanz benötigt. Bei einer Myopie von 10 dptr. wird also im höheren Alter ein Leseglas von 6 bis 7 dptr. konkav angezeigt sein.

Auch beim Astigmatiker muß bei Eintreten der Presbyopie eine von der Fernbrille abweichende Nahkorrektur gegeben werden. Es muß je nach dem Vorerwähnten +1,0 sph., +2,0 sph. usw. zugesetzt werden. Dies bedeutet bei hypermetropischen Astigmatismen eine Erhöhung des Plusglaswertes, bei myopischen Astigmatismen eine zahlenmäßige Minderung des Konkavglaswertes.

Neben dieser physiologischen Störung der Akkommodation kennen wir auch pathologische Zustände dieses Vorganges. Besonders wichtig ist die **Akkommodationslähmung.** Ihre unmittelbare Ursache ist eine Lähmung der Muskulatur im Ziliarkörper, die vollständig (Paralyse) oder unvollständig (Parese) sein kann. Die Symptome dieses Zustandes bestehen in Wegfall oder Verminderung aller der Leistungen, die durch Akkommodation hervorgerufen werden. Der jugendliche Emmetrope verliert also die Fähigkeit zur Naheinstellung, er kann nicht mehr lesen. Der Hypermetrope kann seine Übersichtigkeit nicht mehr durch Akkommodation korrigieren, er erleidet also zusätzlich eine Beeinträchtigung des Fernsehens. Bei Myopen jüngeren Alters geht die Fähigkeit, mit Brille auch in der Nähe zu sehen, verloren, während er ohne Korrektion entsprechend seiner Fernpunktslage noch gut in der Nähe sehen kann. Diese Störungen werden aber geringer und damit die Diagnose der Akkommodationslähmung schwieriger, je weniger die Akkommodation infolge Sklerosierung der Linse betätigt werden kann. Die Leistungsfähigkeit der Ziliarmuskulatur kann in diesen Fällen nicht mehr voll ausgenutzt werden, und eine Schwächung derselben bleibt daher oft unbemerkt. Im hohen Alter (z. B. 70 Jahre), wenn infolge Linsensklerose jede Akkommodation erloschen ist, wird eine Akkommodationsparese gar keine Symptome machen und sich daher der Diagnose entziehen. Es ist in diesen Fällen eben gleichgültig, ob der Ziliarmuskel sich kontrahiert oder nicht, da die Linse doch keinen Gebrauch mehr davon machen kann.

Zur Diagnose einer Akkommodationsparese gehört zunächst eine genaue Bestimmung und Korrektion der Refraktion. Außerdem ist der dem Alter entsprechende Grad der Presbyopie zu berücksichtigen. Wenn die dem Alter entsprechende, nach Ausgleich der Refraktion zu erwartende Akkommodationsleistung nicht erzielt wird, so ist eine Akkommodationsparese zu diagnostizieren.

Die Akkommodationslähmungen kommen einseitig oder doppelseitig vor. Einseitige Lähmungen oder Paresen können traumatisch bedingt sein; sie entstehen gelegentlich nach schweren Kontusionen. Dabei ist meist auch die Pupille starr und weit und oft die Linse luxiert oder das Auge von sonstigen Veränderungen befallen. Einseitig können ferner auch jene Lähmungen auftreten, die Teilerscheinung einer Oculomotoriuslähmung sind. Solche Lähmungen können durch Lues, Tumoren, Schädelbasisbrüche u. a. verursacht werden. Bei entsprechendem Sitz der Schädigungen können diese Faktoren auch doppelseitige Störungen hervorrufen. Bei peripherem Sitz überwiegt Einseitigkeit, bei Schädigungen im Kerngebiet Doppelseitigkeit. Selbstverständlich können Akkommodationslähmungen durch Eintropfen von Medikamenten (Atropin, Scopolamin, Homatropin u. a.), je nach Anwendung des Mittels, einseitig oder doppelseitig auftreten. Bei ätiologisch unklaren Zuständen ist immer an medikamentöse Einwirkung zu denken; gelegentlich werden solche Eintropfungen auch von den Patienten selbst zum Zwecke der Simulation oder um Interesse zu erregen (hysterische Zustände) ausgeführt.

Stets doppelseitig ist die **postdiphtherische Akkommodationslähmung.** Sie tritt meist einige Wochen nach Abklingen einer Rachendiphtherie auf und pflegt eine Reihe von Wochen anzuhalten, um dann wieder zu verschwinden. Sie ist nicht an besonders schweren Ablauf des Grundleidens gebunden, sondern kommt oft auch nach sehr leichten, gelegentlich als einfache Halsentzündung diagnostizierten Fällen vor. Störungen der Pupille und anderer Muskel gehören nicht zu diesem Bild.

Auch bei Botulismus, Lues cerebri, Infektionskrankheiten und Enzephalitis kommen doppelseitige Akkommodationsparesen vor. Sie können mit Pupillenstörungen oder Lähmungen äußerer Augenmuskeln verbunden sein.

Die Behandlung der Akkommodationslähmung richtet sich nach dem Grundleiden. Die postdiphtherische Lähmung bedarf keiner Therapie; Schonung ist anzuraten. Zur Beseitigung der Beschwerden kann für kürzere oder längere Dauer die Verordnung von Konvexgläsern zum Ausgleich der ausgefallenen Akkommodation erfolgen.

Der sog. **Akkommodationskrampf** — besser **Spasmus der Akkommodation** — entsteht oft durch Überbeanspruchung der Akkommodation, z. B. bei Hypermetropen. Die Akkommodation schießt dabei über das Ziel hinaus und täuscht eine Myopie vor. Auch bei Myopie kann es zu diesem Zustand kommen, wobei dann eine höhere Myopie vorgetäuscht wird als wirklich besteht. Bei latenter Divergenz kann ein derartiger Zustand dadurch ausgelöst werden, daß die Konvergenz stark beansprucht wird, die infolge ihrer Koppelung mit der Akkommodation nun zu einem Überschießen derselben führt; Durch Atropinisieren lassen sich diese Zustände meist leicht beheben. Echte Krampfzustände der Akkommodation kommen selten vor; ihre Ursache sind Kernschädigungen bei Vergiftungen.

Eine andere Akkommodationsstörung ist die **tonische Akkommodation.** Dieser Zustand ist dadurch gekennzeichnet, daß die Einstellung für die Nähe und auch der Übergang vom Nahsehen zum Fernsehen, der sich normalerweise sehr rasch vollzieht, verzögert wird und oft mehrere Sekunden in Anspruch nimmt. Der Umfang der Akkommodationsleistung ist dabei dem Alter entsprechend. Es dauert aber einige Sekunden, bis bei Vorhalten einer Nahleseprobe scharf gesehen wird. Bei Umschaltung auf das Fernsehen dauert es ebenfalls einige Zeit, bis in der Ferne wieder scharf gesehen wird. Manchmal ist die Naheinstellung mehr betroffen, manchmal steht die Störung bei der

18*

Ferneinstellung im Vordergrund. Oft ist dieser Zustand mit der schon besprochenen Pupillotonie und dem ADIEschen Syndrom verbunden (s. S. 196). Die Ursachen dieser Zustände sind noch nicht endgültig geklärt.

C. Das Gesichtsfeld

Unter **Gesichtsfeld** eines Auges versteht man das gesamte Gebiet, in welchem bei unbewegtem Auge gesehen wird. Dieses Gesichtsfeld besitzt eine erhebliche Ausdehnung; es reicht gegen temporal bis zu 90°, nach nasal bis etwa 60°, nach oben bis zu 60° und nach unten bis zu 70°. Diese verschiedene Ausdehnung ist nicht nur durch

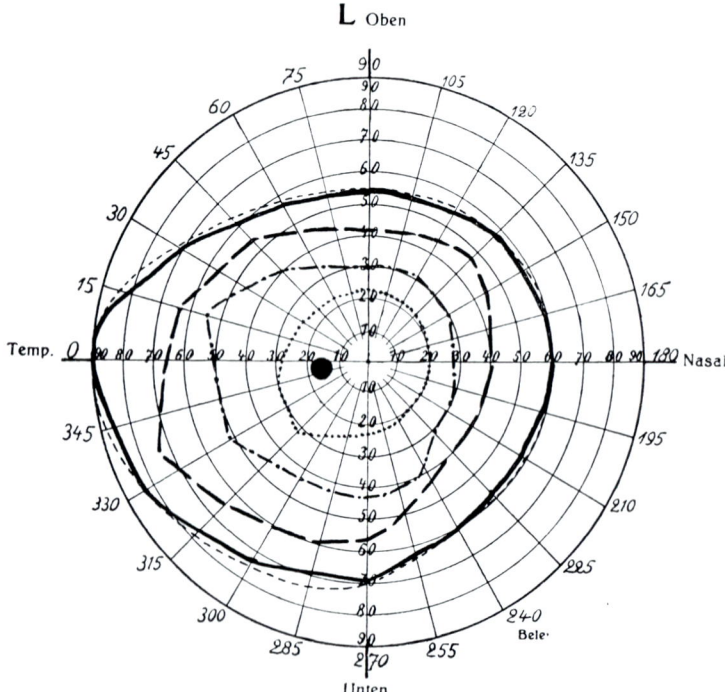

Abb. 281. Normales Gesichtsfeld. Grenzen für weiß (—), blau (— — —), rot (—. —.—) und grün (. . .

Stirne und Nase, die nach oben und nasal natürlich eine Beschränkung ergeben, sondern auch durch die Funktion der Retina selbst bedingt. Das Sehen innerhalb dieses Gebietes ist aber nicht gleichwertig. Die mit den zentralen Teilen (Maculagebiet) gesehenen Dinge erscheinen besonders scharf und deutlich; mit diesem Gebiet fixieren wir, mit diesem Gebiet erreichen wir die volle (zentrale) Sehschärfe für Ferne und Nähe. Gegen die Peripherie nimmt die Qualität der Sehleistung rasch ab. Trotzdem sind diese peripheren Teile außerordentlich wichtig. Mit ihnen erkennen wir alle abseits vom Fixationspunkt gelegenen festen und bewegten Objekte, mit ihnen orientieren wir uns im Raume und im Verkehr. Wenn jemand nur ein kleines, zentrales Gesichtsfeld (Röhrengesichtsfeld (s. Abb. 186, S. 164) besitzt, so sieht er wie durch eine enge Röhre nur das, was er gerade einstellt, fixiert. Obwohl er dies ganz scharf erkennt, ist er doch nicht in der Lage, sich allein zu bewegen, da ihm alles entgeht, was sich außerhalb des Fixierpunktes und seiner allernächsten Umgebung abspielt. Er ist im Praktischen viel hilfloser als jemand, der sein zentrales Sehen verloren, aber das periphere Sehen erhalten hat. Innerhalb des Gesichtsfeldes bestehen Unterschiede bezüglich der Wahrnehmung von Farben. Während in den periphersten Zonen nur Bewegung und weiß erkannt werden, folgt dann eine Zone, in welcher auch gelb und blau erkannt, und schließlich nach zentral zu eine Zone, in welcher auch rot und grün, somit also alle Farben, gesehen werden (Abb. 281). Die Grenzen für rot und grün fallen bei Einhaltung gleicher Bedingungen (Helligkeit, Sättigung der Farbe) praktisch zusammen, ebenso die für blau und gelb. Wenn man in der Praxis z. B. die Grenzen für grün meist etwas enger findet als die für rot, so liegt dies daran, daß keine strenge Gleichheit der Bedingungen vorliegt, die unter praktischen Verhältnissen schwer herzustellen ist.

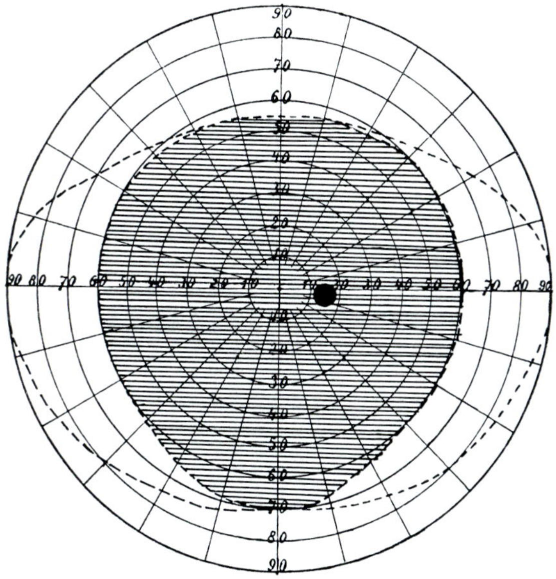

Wenn man das Gesichtsfeld beider Augen gleichzeitig prüft, so ergibt sich, daß dieses erheblich weiter ist als das monokulare Feld. Innerhalb dieses binokularen Gesichtsfeldes ist der größte Teil gemeinsames, d. h. von beiden Augen überblicktes Gesichtsfeld, während die temporalen Teile nur jeweils von einem Auge gesehen werden. Dies kann durch Übereinanderlegen der beiden Gesichtsfelder gut dargestellt werden (Abb. 282).

Abb. 282. Binokulares Gesichtsfeld

Zur Prüfung des Gesichtsfeldes stehen verschiedene Methoden zur Verfügung. Die wichtigste ist die Prüfung mit dem Perimeter. Das Wesen des Apparates besteht aus einem um den Fixierpunkt drehbaren Bogen, der eine Gradeinteilung trägt. Diese Einteilung reicht von 0° bis 90°, wobei 0° dem Fixierpunkt entspricht. Das nicht untersuchte Auge wird dabei durch eine Binde verdeckt, der Kopf durch eine Kinnstütze fixiert, und zwar so, daß das fixierende Auge genau dem Zentrum des Bogens (0°) gegenüber liegt (Distanz 33 cm). Diese Fixation muß während der Untersuchung beibehalten werden, da sonst Fehlresultate entstehen. Der Untersucher muß sich von der richtigen Erfüllung dieser Bedingung während der Prüfung überzeugen. Die Untersuchung geht in der Weise vor sich, daß man Marken verschiedener Größe von außen (also von 90° an) langsam gegen das Zentrum führt. Der Untersuchte hat anzugeben, wann er die Marke bemerkt bzw. bei Farbenperimetrie die Farbe zu benennen. Man liest nun ab, bei welchem Punkt der Gradeinteilung dies geschieht und überträgt dies auf ein Schema. Als Objekte dienen Quadrate von 0,5—0,3 mm Länge oder runde Marken vom gleichen Durchmesser; für den Nachweis feiner Defekte können auch kleinere Marken Verwendung finden. Größere (10 mm) sind nur selten nötig. Auf diese Weise wird in mindestens 8 Meridianen geprüft. Die alten Perimeter nach FÖRSTER, bei welchen die Marken an Stäbchen mit der Hand geführt werden, sind heute vielfach durch moderne, selbstregistrierende Perimeter (MAGGIORE, GOLDMANN) ersetzt. Besonders das Projektionsperimeter von GOLDMANN, bei dem mit nach Größe und Helligkeit genau abstufbaren Lichtmarken gearbeitet wird, gibt dem Facharzt sichere Resultate.

Bei Fehlen eines Perimeters kann eine einfache, wenn auch weniger genaue Prüfung in der Weise, wie das im Abschnitt „Glaukom" geschildert wurde, erfolgen.

Diese Methoden dienen der Prüfung der Außengrenzen. Um feine Ausfälle, besonders in den zentralen Teilen, nachzuweisen, bedient sich der Augenarzt der Methoden von BJERRUM (Campimetrie). Der Patient sitzt dabei in 1 m Entfernung vor einer schwarzen Wand und fixiert deren Zentrum. Auch diese Wand trägt eine Gradeinteilung. Durch Führung feiner Marken entlang dieser Wand können nicht nur der etwa 12—15° temporal vom Fixierpunkt liegende blinde Fleck (der Papille entsprechende, nicht lichtempfindliche Stelle im Gesichtsfeld) sondern auch sonstige Ausfälle (Skotome) nachgewiesen werden. Sie geben sich dadurch zu erkennen, daß die Marken in ihrem Bereich nicht erkannt werden, sondern bei Erreichung des Skotomgebietes verschwinden und nach Durchquerung desselben wieder in Erscheinung treten. Zentrale Skotome können auch mit der stereoskopischen Methode von HAITZ nachgewiesen werden. Dabei werden in einem gewöhnlichen Stereoskop zwei Gesichtsfeldschemata dargeboten. Durch Darbietung feinster Marken in allen Farben, die jeweils einem Auge gezeigt werden, können auch kleine Zentralskotome nachgewiesen werden. Die richtige Fixation ist durch die stereoskopische Darbietung der Gesichtsfeldskizzen mit dem Fixierpunkt gewährleistet. Der Untersuchung des zentralen Gesichtsfeldes dient auch die Tafel von AMSLER.

Bei sehr schlechtem Visus, z. B. bei Katarakt, gibt die Prüfung von Lichtempfindung und Projektion, wie sie im Abschnitt „sympathische Ophthalmie" beschrieben wurde, eine ganz grobe Orientierung über die Gesichtsfeldverhältnisse. Eine genaue Orientierung ist aber mit dieser Methode nicht möglich.

Unter den Störungen des Gesichtsfeldes sind die Hemianopsien die markantesten. Bei diesen Zuständen fehlt auf jeder Seite eine Hälfte des Gesichtsfeldes, daher wird auch von Halbseitenblindheit gesprochen. Die temporalen Gesichtsfeldhälften sind infolge der größeren Ausdehnung der Gesichtsfelder größer als die nasalen. Wir unterscheiden homonyme und heteronyme Hemianopsien. Bei **homonymen Hemianopsien** besteht ein Ausfall der gleichseitigen Netzhaut- bzw. Gesichtsfeldhälften. Wie schon ausgeführt, ist Ursache solcher Ausfälle stets eine Störung, die hinter dem Chiasma angreift. Sitzt eine derartige Sehstörung rechts, also im rechten Tractus opticus, der rechten Sehstrahlung oder der Sehrinde rechts, so werden die beiden rechten Netzhaut- und damit die linken Gesichtsfeldhälften ausfallen. Wir sprechen von einer linksseitigen homonymen Hemianopsie. Im umgekehrten Falle (Herd links) liegt eine rechtsseitige homonyme Hemianopsie vor (Abb. 283).

Hemianopsien sind nicht immer vollständig, so kann z. B. eine Hemianopsie für Farben schon zu einer Zeit nachweisbar sein, in welcher sie bei Verwendung weißer Marken noch nicht erkennbar ist. Weiterhin kommen manchmal Ausfälle vor, die nicht die ganzen Gesichtsfeldhälften, sondern nur einen Quadranten jeder Seite betreffen (Abb. 284). Gelegentlich finden wir auch noch kleinere, gleichartige, beiderseitige, also hemianopische Ausfälle. Ferner wird bei der Hemianopsie wiederholt eine sog. **Aussparung der Macula** beobachtet. Dabei bleibt in der ausgefallenen Seite ein ganz kleiner, um das Zentrum gelegener Bezirk erhalten. Die verschiedenen Formen der Ausfälle lassen sich manchmal bezüglich der Lokalisation auswerten. So finden wir bei Traktushemianopsien keine Aussparungen der Macula, sie reichen überall bis an die Trennungslinie heran, auch bei Quadrantenausfällen. Außerdem pflegen sich in diesen Fällen auch Abblassungen des Opticus, und zwar beiderseits, zu finden, die nicht zum Bilde weiter

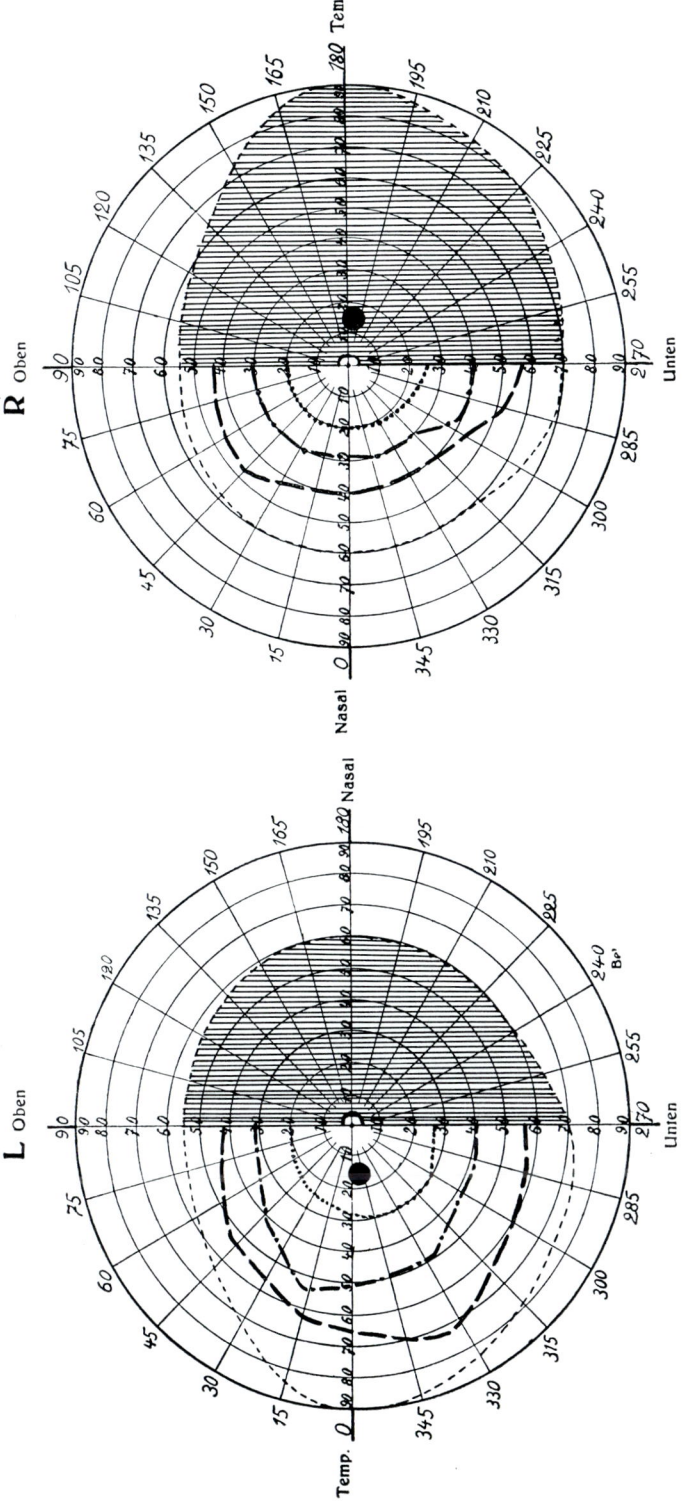

Abb. 283. Rechtsseitige homonyme Hemianopsie mit Aussparung der Macula

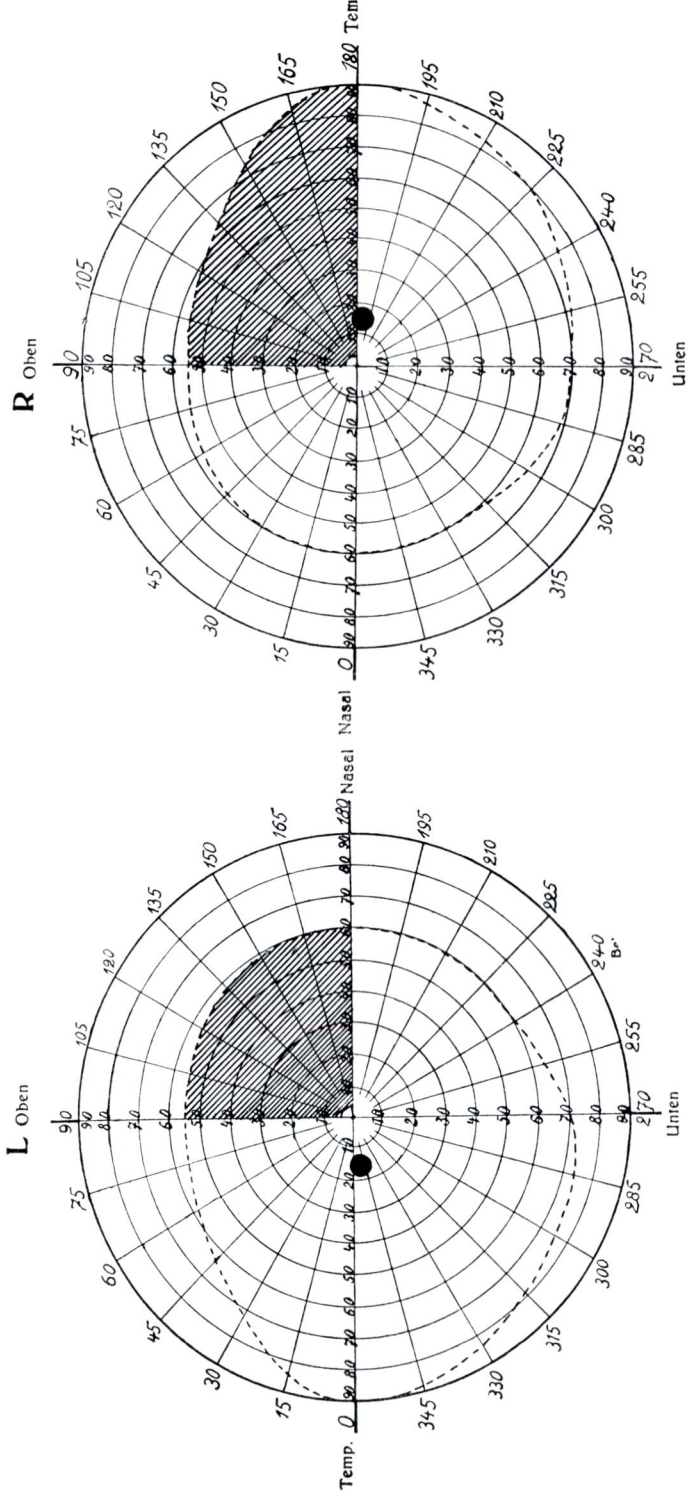

Abb. 284. Rechtsseitige obere Quadrantenhemianopsie mit Aussparung der Macula

zentral gelegener Störungen gehören. Aussparungen der Macula sprechen für weiter
hinten gelegene Schädigungen; zu ihrer Erklärung wurde eine Doppelversorgung der
Macula, d. h. eine Vertretung derselben in beiden Seiten der Hirnrinde, vermutet.
Bei doppelseitiger Schädigung mit Aussparung der Macula sehen wir doppelseitige
Hemianopsien, wobei dann ein ganz kleines zentrales Gesichtsfeld erhalten bleibt, das
sich aus den beiderseitigen Aussparungen zusammensetzt, aber, wie schon erwähnt,
praktisch wertlos ist.

Als **Ursache** von hemianopischen Störungen kommen Blutungen, Erweichungsherde,
Schußverletzungen, Tumoren usw. in Betracht. Bei Erweichungsherden und Schußverletzungen im Bereiche des Hinterhauptes kann die Oberlippe des Sulcus calcarinus
allein geschädigt sein; in diesem Falle finden wir einen Ausfall der beiden unteren Netzhauthälften, eine Hemianopsia inferior. Noch viel seltener ist die Hemianopsia superior
die analog zu erklären ist.

Die **heteronyme Hemianopsie** tritt uns in zwei Formen als binasale und **bitemporale
Hemianopsie** entgegen. Die letztere ist wesentlich häufiger. Dabei handelt es sich um
einen Ausfall beider temporaler Gesichtsfeldhälften, dem eine Störung im Bereiche der
nasalen Netzhauthälften und somit der gekreuzten Opticusfasern zugrunde liegt. Auch
hier kommen inkomplette Formen, wie Quadrantenhemianopsien, Farbenhemianop-
sien und umschriebene hemianopische Skotome vor. Die wichtigste Ursache der bitem-
poralen Hemianopsie (Abb. 285) sind **Prozesse** im Bereich des **Chiasmas.** Sie wurden
schon unter Erkrankungen des Opticus beschrieben. Viel seltener sind **binasale Hemianopsien** (Abb. 286), die auf beiderseitige Schädigung der ungekreuzten Fasern zurückgehen. Sie setzen Herde an beiden Seiten des Chiasmas voraus. Doppelseitiges Aneurysma der Arteria carotis interna oder hochgradige Sklerose derselben oder symmetrische
Gummen sind als Ursachen denkbar.

Außer diesen Hemianopsien gibt es auch andere Einschränkungen der Gesichtsfeldaußengrenzen, die verschiedene Formen und Grade, bis zur hochgradigen konzentrischen Einengung (Röhrengesichtsfeld), aufweisen können. Sie wurden bei den sie
hervorrufenden Krankheiten besprochen. Wir finden sie bei Glaukom, bei Netzhautablösung, bei Pigmentdegeneration der Netzhaut, Opticusatrophien (Tabes u. a.) und
ausgedehnten Aderhauterkrankungen.

Neben diesen Einengungen von außen begegnen wir **zentralen Ausfällen** (Skotomen)
bei erhaltenen Außengrenzen, z. B. bei retrobulbärer Neuritis und toxischen Sehnervenschädigungen. Skotome abseits vom Fixierpunkt finden wir bei umschriebenen Entzündungen der Aderhaut oder Netzhaut sowie bei myopischen Degenerationsherden,
angeborenen Kolobomen und anderen Zuständen. Je nach ihrer Art können wir zunächst unterscheiden zwischen positiven und negativen, ferner zwischen absoluten und
relativen Skotomen. Als positiv bezeichnen wir ein Skotom, wenn es als schwarzer
Fleck vom Kranken subjektiv als störend wahrgenommen wird, als negativ, wenn es
bei der Untersuchung objektiv nachzuweisen ist, aber vom Patienten nicht empfunden
wird. Werden Objekte im Bereich eines Skotoms nicht erkannt, so spricht man von
einem absoluten Skotom. Wenn sie jedoch nur abgeschwächt erscheinen bzw. die
Farbe der Objekte nicht erkannt wird, so handelt es sich um ein relatives Skotom.
Zu den pathologischen Skotomen ist auch die Vergrößerung des blinden Fleckes zu
rechnen, wie sie bei Stauungspapille, myopischem Konus, markhaltigen Sehnervenfasern und bei beginnendem Glaukom zu finden ist. Schließlich sei noch besonders
auf die bei Pigmentdegeneration der Netzhaut vorkommenden und dort erwähnten
Ringskotome hingewiesen.

Die **Prognose** aller Gesichtsfeldausfälle hängt vom Grundleiden ab, die **Therapie**
richtet sich nach diesem.

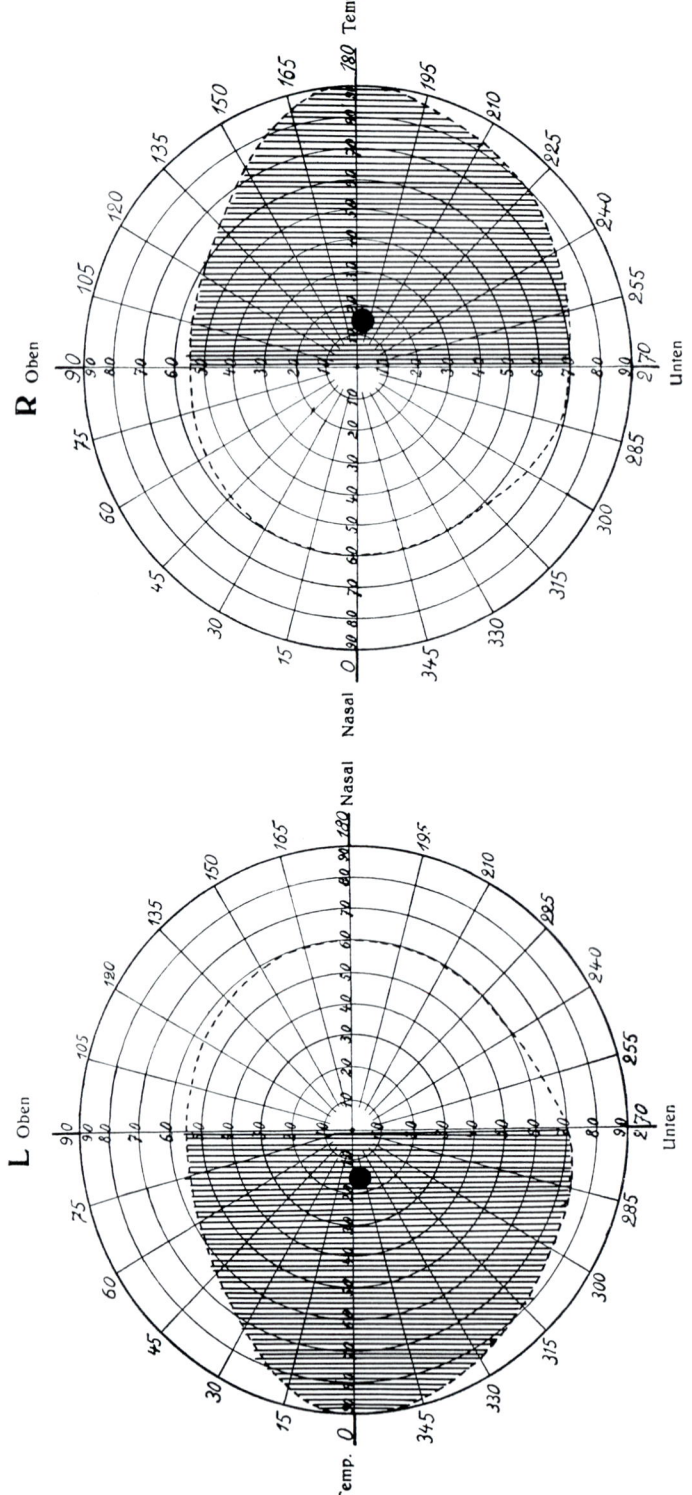

Abb. 285. Bitemporale Hemianopsie

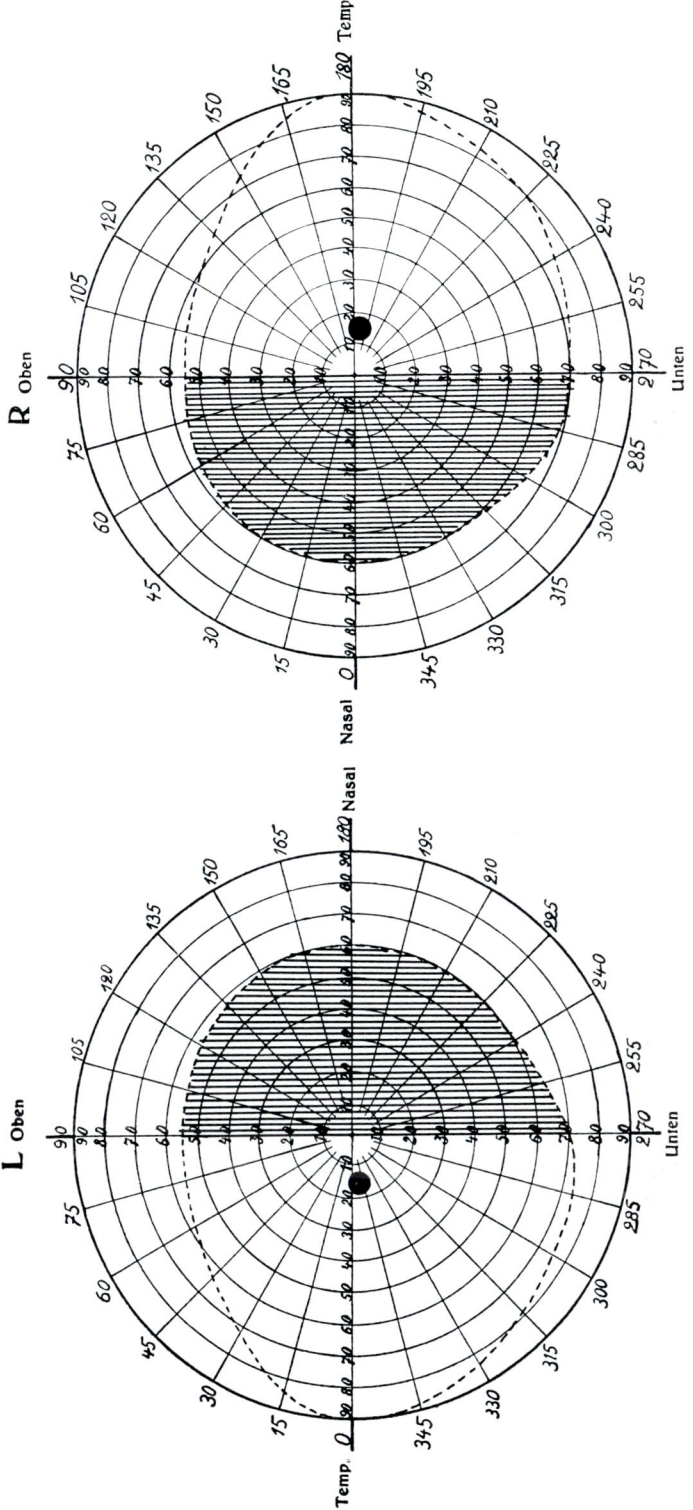

Abb. 286. Binasale Hemianopsie

D. Der Farbensinn

Wenn man mit Hilfe eines Prismas das weiße Sonnenlicht zerlegt, so ergeben sich folgende Hauptfarben: Rot, Orange, Gelb, Gelbgrün, Grün, Blaugrün, Blau, Violett. Nur diese durch die Wellenlängen von $700\,\mu\mu$ bis $360\,\mu\mu$ gekennzeichneten Strahlen werden als Farben wahrgenommen. An diese Strahlen schließen sich am langwelligen Ende die ultraroten, am kurzwelligen Ende die ultravioletten Strahlen an, welche nicht mehr sichtbar sind. Zur Erklärung der beim Farbensehen beobachteten Erscheinung dienten in erster Linie die HERINGsche Gegenfarbentheorie sowie die YOUNG-HELMHOLTZsche Dreifarbenlehre. Die erstere nimmt das Vorhandensein von drei Sehsubstanzen an, die gegenteilige Farbenempfindungen hervorrufen können, eine weiß-schwarz, eine blau-gelb und die dritte rot-grün. Die Farben rot-grün und blau-gelb werden Grundfarben genannt. Die Farben eines jeden Farbenpaares heißen Gegenfarben, sie geben bei Mischung weiß. Die YOUNG-HELMHOLTZsche Theorie nimmt an, daß sich in der Netzhaut drei verschiedene Elemente befinden, welche die Empfindungen rot, grün und violett ermöglichen. Diese Farben werden Grundfarben genannt, die gleichzeitige Erregung aller drei Elemente ergibt weiß. Keine der beiden Theorien befriedigt restlos. Daher nimmt VON KRIES in seiner Zonentheorie Unterschiede in den verschiedenen Zonen der Sehsubstanz an. Einzelheiten über die Farbensinntheorien sind in den Lehrbüchern der Physiologen zu finden.

Zur Erkennung der Farben ist ein intakter Farbensinn erforderlich. Zu seiner **Prüfung** stehen zahlreiche Methoden zur Verfügung, die mehr — minder genaue Resultate geben. Es sollen hier nur die wichtigsten angeführt werden. Eine alte, aber unsichere Methode ist die HOLMGREENsche **Wollprobe.** Dabei werden dem Untersuchten Wollbündel verschiedener Farbe geboten. Man legt ein oder zwei Bündel vor und fordert den Prüfling auf, in der Farbe ähnliche zu suchen. Da der Farbensinngestörte nach Helligkeitsunterschieden urteilt, legt er z. B. zu einem vorgelegten grünen Bündel rotbraune oder graue gleicher Helligkeit, während grüne anderer Helligkeit nicht als gleich erkannt werden. Die Probe läßt aber viel Gestörte durchschlüpfen und genügt daher nicht. Wesentlich besser sind die **pseudoisochromatischen Tafeln** von STILLING, deren neueste Auflage von VELHAGEN bearbeitet ist. Sie beruhen auf dem Prinzip der Verwechslungsfarben. Dabei werden in einem gegebenen Feld Buchstaben, Zahlen oder Figuren dargeboten, die in bestimmten Farben gehalten und aus Punkten zusammengesetzt sind. Diese Farben und der sie umgebende Grund sind so gewählt, daß sie vom Farbentüchtigen leicht auseinandergehalten werden, der daher die Zeichen gut erkennt. Der Farbenblinde aber kann die in verschiedenen Farben gleicher Helligkeit mit dem Grund hergestellten Zeichen nicht erkennen oder liest sie falsch, da sie eben in gleicher Helligkeit — pseudoisochromatisch — erscheinen. Auf diese Weise lassen sich Tafeln zur Feststellung der verschiedenen Formen der Rot-Grün- und Blau-Gelb-Störung herstellen. Diese Proben sind wesentlich besser als die Wollproben und für viele praktische Zwecke ausreichend genau. Unter den verschiedenen Tafeln dieser Art sind neben den STILLING-VELHAGENschen besonders die von dem Japaner ISHIHARA als gut zu erwähnen. Eine wirklich genaue Diagnose der Farbensinnstörungen ergeben die Farbenmischapparate, die für die Praxis in Form des NAGELschen **Anomaloskopes** zur Verfügung stehen. Mit diesem Apparat werden durch geeignete Vorrichtungen, reine Spektralfarben geboten. Der Prüfling sieht durch ein Rohr einen Kreis, dessen eine Hälfte reines spektrales Gelb enthält. Die zweite Hälfte enthält spektrales Rot und Grün. Durch Bedienung von Schrauben kann nun eine Mischung von Rot und Grün hergestellt werden, die genau dem gebotenen Gelb entspricht. Die Einstellung dieser Gleichung (RAYLEIGH-Gleichung) dient zur Feststellung des nor-

malen Farbensinnes. Aus Fehlern bei der Einstellung können die verschiedenen Formen
der Farbensinnstörungen diagnostiziert werden. Es gilt als Regel, bei jeder Farbensinn-
prüfung mindestens zwei Prüfungsverfahren anzuwenden.

Wir unterscheiden **angeborene** und erworbene Störungen des Farbensinnes. Die
häufigste Form der angeborenen Farbensinnstörung ist die **Rot-Grün-Blindheit.** Man
spricht dabei (allerdings theoretisch nicht ganz richtig) von Rotblindheit (**Protanopie**)
und Grünblindheit (**Deuteranopie**). Die Befallenen leiden an mangelhafter Unterscheidung von Rot und Grün. Die Protanopen zeigen also eine starke Schädigung des Rot-
gebietes, die Deuteranopen eine solche des Grüngebietes, die nach der YOUNG-HELM-
HOLTZschen Theorie durch Ausfall der Rot- bzw. Grünempfindung erklärt werden
können. Da bei diesen Personen nur zwei Farbkomponenten vorhanden sind, nennt
man sie auch Dichromaten, zum Unterschied von den Normalen, die Trichromaten
heißen. Neben diesen Dichromaten mit Ausfall der Rot- oder Grünkomponente gibt es
auch geringfügige Störungen der gleichen Art. Dabei sind alle Komponenten vorhanden, aber zum Teil abgeschwächt. Wir sprechen in diesen Fällen von anomalen Trichromaten und unterscheiden eine Rotschwäche (**Protanomalie**) und eine Grünschwäche
(**Deuteranomalie**). Die Rot-Grün-Blindheit ist eine häufige und praktisch wichtige
Störung. Wir finden sie geschlechtsgebunden vererbt bei 4% der Männer und 0,4% der
Frauen. Die praktische Bedeutung liegt darin, daß Rot und Grün als Signale in allen
Zweigen des Verkehrs eine wichtige Rolle spielen. Bei Verkehrsangestellten im Eisen-
bahn- und Schiffsdienst ist sicheres Farbunterscheidungsvermögen unerläßlich. Die
für diese Dienste in Betracht kommenden Personen werden daher eingehenden Prüfungen unterzogen, wobei meist die Prüfung am Anomaloskop vorgeschrieben ist, die in
bestimmten Abständen wiederholt werden muß, um auch erworbene Störungen zu er-
fassen. Die Befallenen sind sich oft — bei Anomalien meist — ihres Fehlers gar nicht
bewußt, da sie von Jugend an gelernt haben, bei Farbenunterscheidungen Sättigung
und Helligkeit zu verwerten. Sie vermögen daher meist auch Farben richtig zu benennen,
weshalb die Prüfung auf Farbensinn nur durch Benennung von Farben unzulässig ist.
Bei ungünstigen Verhältnissen (schlechte Sicht, Nebel) unterliegen solche Personen
folgenschweren Verwechslungen.

Die **Blau-Gelb-Störungen** sind viel seltener und haben keine wesentliche praktische
Bedeutung. Auch die **totale Farbenblindheit** ist selten. Dabei fehlt jede Farbempfindung.
Der Zustand ist vielfach mit Nystagmus, Astigmatismus und Amblyopie verknüpft.
Auch wird in solchen Fällen oft über besondere Herabsetzung des Sehens bei guter
Beleuchtung und über Blendung geklagt, während bei herabgesetzter Beleuchtung
besser gesehen wird (**Nyktalopie**). Die Erklärung dieser Zustände ist in einer Unterentwicklung der Netzhaut, besonders der Zapfen, zu suchen. Vererbung spielt eine
bedeutsame Rolle. Eine wirksame Behandlung der angeborenen Farbensinnstörungen
gibt es nicht.

Erworbene Störungen des Farbensinnes kommen bei Erkrankungen der Netz- und
Aderhaut, des Sehnerven und der Sehbahn vor. Sie treten meist in Form von Einengungen der Farbengesichtsfeldgrenzen und zentralen Farbenskotomen auf und können bis zur totalen Farbenblindheit fortschreiten. Sie sind manchmal einer Besserung
zugänglich; die Behandlung richtet sich nach dem Grundleiden.

E. Der Lichtsinn

Der Lichtsinn gibt uns die Fähigkeit, Helligkeit und Helligkeitsunterschiede wahrzunehmen. Ein gut funktionierender Lichtsinn ermöglicht die rasche Anpassung an
verschiedene Beleuchtung. Wir bezeichnen diese Anpassung als Adaptation und spre-

chen von einer **Helladaptation** (bei Übergang von geringerer zu größerer Helligkeit) und von einer **Dunkeladaptation** (bei Übergang von größerer zu geringerer Helligkeit). Träger des Adaptationsvorganges ist die Netzhaut. Nach der VON KRIESschen Duplizitätstheorie treten bei Helladaptation die Zapfen der Retina in Funktion, die auch das Farbensehen bewirken, während bei Dunkeladaptation der Stäbchenapparat Träger der Wahrnehmungen ist. Bei Dunkelanpassung bildet sich Sehpurpur in den Stäbchen, welcher bei Helladaptation zerstört wird. In neuerer Zeit sind auch in den Zapfen Sehstoffe nachgewiesen worden (VON STUDNITZ). Sicher ist, daß auch bei Dunkelanpassung, wenigstens in den ersten Stadien, der Zapfenapparat mit wirksam ist. Die Wirkung der Adaptationsvorgänge bemerken wir im täglichen Leben oft. Wenn wir z. B. aus dem Hellen kommend, in ein abgedunkeltes Zimmer treten, so erkennen wir zunächst nichts, nach einiger Zeit gewinnen wir aber doch eine gewisse Orientierungsfähigkeit und können uns bewegen ohne anzustoßen usw. Dies ist die Folge der eingetretenen Dunkeladaptation. Wenn wir aus diesem Raum wieder in einen helleren treten, so fühlen wir uns geblendet, und zwar von Helligkeiten, die an sich auf das normale Auge keineswegs blendend wirken. Nach kurzer Zeit schwindet die Blendung, wir haben uns angepaßt, die Helladaptation hat ihre Schuldigkeit getan. Die

Abb. 287. Adaptometer von ENGELKING und HARTUNG

Adaptation schwankt schon physiologisch in erheblichen Grenzen. Klinisch besonders wichtig ist die Dunkeladaptation. Sie beginnt sofort nach Eintritt in ein abgedunkeltes Zimmer. Die Empfindlichkeit steigt in den ersten 25 Minuten rasch, später langsamer an und erreicht nach 45—60 Minuten praktisch ihr Maximum. Die Prüfung der Adaptation erfolgt durch Apparate, die die abgestufte Darbietung von Lichtreizen gestatten. Je höher die Empfindlichkeit steigt, desto geringer wird die Reizschwelle, d. h. ein desto geringerer Reiz genügt zur Auslösung einer Lichtempfindung. Der gebräuchlichste Apparat zur **Prüfung der Dunkeladaptation** ist das Adaptometer von ENGELKING und HARTUNG (Abb. 287). Das Prinzip dieses Apparates und ähnlicher Apparate beruht darauf, daß das Licht einer in einem schwarzen Kasten eingeschlossenen Lichtquelle auf eine Milchglasscheibe fällt, welche in der Stirnwand des Kastens eingesetzt ist. Diese Scheibe wird vom Prüfling beobachtet, und er hat anzugeben, wann die Scheibe wahrgenommen werden kann. Durch Zwischenschaltung verschiedener Blenden, die eine genau meßbare Abstufung des gebotenen Lichtes in sehr weitem Umfang gestatten, wird zu verschiedenen Zeiten nach Eintritt in den Dunkelraum (z. B. im Abstand von 5 Minuten) das Lichtminimum bestimmt, welches zur Auslösung einer Empfindung genügt. Die Ergebnisse lassen sich kurvenmäßig darstellen und festhalten (Abb. 288). Das zentrale Sehen ist bei Dunkelanpassung sehr gering (1 bis 2/60), da die Macula nur Zapfen enthält, die bei Dunkelanpassung außer Funktion sind. Aus demselben Grund fehlt das Farbensehen.

Eine **einfache, vergleichende Prüfung** der **Lichtempfindung** beider Augen läßt sich dadurch bewerkstelligen, daß man beide Augen bei festgeschlossenen Lidern mit dem Lichtkegel einer Taschenlampe oder eines Augenspiegels aus gleicher Entfernung kurz belichtet und fragt, auf welchem Auge das Licht heller erscheint (COMBERG). Wenn

ein Auge normal ist und auch am zweiten, erkrankten Auge das Licht gleich hell empfunden wird, spricht dies für normalen Lichtsinn auch am zweiten Auge. Wenn man
am zweiten Auge die Lichtquelle auf halbe Entfernung des ersten bringen muß, um
einen gleichen Helligkeitseindruck zu erzielen, so spricht dies für eine Herabsetzung

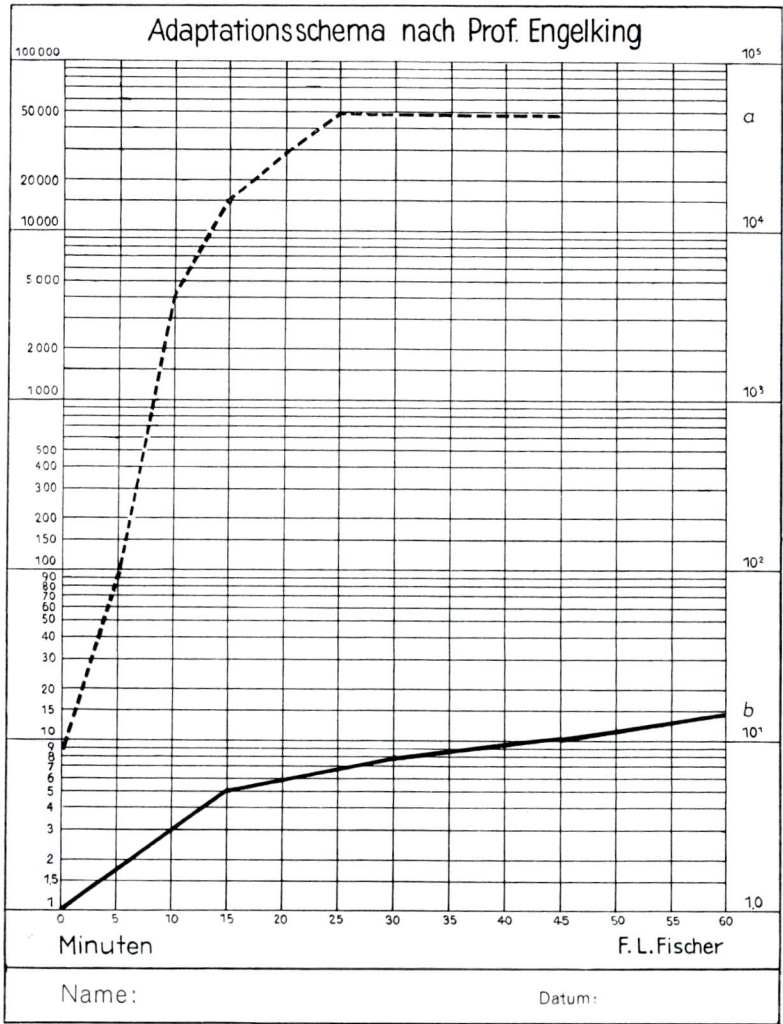

Abb. 288. Adaptationskurve. a) Bei normaler, b) bei stark herabgesetzter Dunkeladaptation

des Lichtsinnes. Der Lichtsinn beider Augen verhält sich wie 1:4, da die Empfind-
lichkeiten sich wie die Quadrate der Entfernung verhalten.

Störung der Dunkeladaptation bezeichnet man als **Hemeralopie.** Diese kommt als
angeborene, erbliche Veränderung vor. Außerdem haben wir sie als Begleiterscheinung
verschiedener Erkrankungen der Netzhaut kennengelernt (Pigmentdegeneration der
Retina und andere Formen der tapetoretinalen Degeneration). Auch bei verschiedenen

Opticuserkrankungen (Neuritis fasciculi optici), bei Ablatio retinae und bei tabischer Opticusatrophie werden Adaptationsstörungen gefunden. Sie sind auch bei höherer Myopie nicht selten, und sie kommen bei Vergiftungen (Alkohol, Chinin, Arsen u. a.) vor. Besonders wichtig ist die Herabsetzung der Dunkelanpassung als Folge von Vitamin-A-Mangel. Sie wurde in Zeiten schlechter Ernährung gehäuft als epidemische Mangelhemeralopie beobachtet. Diese ist meist mit der schon beschriebenen Xerose der Bindehaut (BITÔTsche Flecke) verbunden. Sie ist durch Verbesserung der Ernährung und Zufuhr von Vitamin A zu beheben. Auch die bei Lebererkrankungen vorkommenden Hemeralopien sind als Ernährungsstörungen anzusehen; dabei ist zu bedenken, daß nicht nur Mangel an Vitamin A, sondern auch gestörte Verwertung desselben zur Hemeralopie führen kann.

Zu den Lichtsinnstörungen gehört auch die schon bei Besprechung der totalen Farbenblindheit erwähnte Nyktalopie.

F. Simulation und Aggravation

Die sozialen Fortschritte, die die Unfallentschädigung und das Rentenwesen bedeuten, sind mit der Zunahme der Simulation belastet. Der Arzt steht daher oft vor der Aufgabe, diese aufzudecken bzw. zu verhindern. Grundlage jeder Prüfung auf Simulation ist natürlich eine bis in alle Einzelheiten genaue Erhebung des objektiven Befundes. Stimmt dieser mit den subjektiven Klagen nicht überein, so ist die Möglichkeit falscher Angaben in Betracht zu ziehen. Die Entlarvung der Simulanten ist Sache des Facharztes und stellt auch diesen oft vor schwere Aufgaben. Hier können nur einzelne Grundzüge der dabei in Betracht kommenden Verfahren angedeutet werden.

Oft gibt schon der objektive Befund bestimmte Hinweise; so ist z. B. eine Bindehautentzündung, die sich nur auf die Unterlider beschränkt, während die Bindehaut der Oberlider normal ist, immer verdächtig auf Artefakt. Verband des Auges führt oft zur raschen Abheilung, da die zur Herbeiführung des Zustandes notwendigen Manipulationen des angeblich Kranken dadurch ausgeschaltet werden können.

In den meisten Fällen handelt es sich aber um Simulation von Sehstörungen oder Übertreibung vorhandener Schäden. Relativ leicht ist die Simulation einseitiger Blindheit zu entlarven. Oft gibt hier schon die Prüfung der Pupillenreaktion des angeblich blinden Auges die Entscheidung. Auch die Prüfung der Einstellbewegung kann, da Heterophorien nicht selten sind, manchmal eine Klärung bringen. Ein weiterer Weg ist die Vorschaltung eines Prismas vor das „sehende" Auge; treten dabei Doppelbilder auf, so ist erwiesen, daß auch das zweite Auge sieht, da monokulare Diplopie durch vorgesetzte Prismen normalerweise nicht auszulösen ist. Wenn man das angeblich sehende Auge verbindet und den Untersuchten auffordert, nun mit dem angeblich blinden Auge seinen eigenen Finger zu fixieren, den man in geeignete Stellung bringt, so wird der wirklich Blinde das Auge in diese Richtung einstellen, was er auf Grund seines Lagegefühls kann. Der Simulant wird absichtlich nach einer anderen Richtung sehen; er ist damit überführt. Manche dieser Methoden lassen sich auch bei Simulation doppelseitiger Blindheit anwenden. Bei Simulation einseitiger Schwachsichtigkeit kann man die wahre Sehschärfe dadurch ermitteln, daß man den Untersuchten darüber täuscht, mit welchem Auge er sieht. Dies kann durch Vorsetzen verschiedener Gläser vor beide Augen im raschen Wechsel geschehen; nach verschiedenen belanglosen Versuchen setzt man dann vor das angeblich blinde Auge, die richtige Korrektion (bei Emmetropie ein Planglas) und vor das sehende Auge ein hohes Glas (+ 10,0), welches ein scharfes Sehen ausschließt. Wird nun doch gelesen, so ist das Sehen des „blinden" Auges und auch der Grad seiner Sehleistung erwiesen. Sehr gute Dienste leistet auch die Spiegelprobe. Man läßt dabei z. B. zunächst in 6 m lesen und stellt den Visus, z. B. 6/60, fest. Sodann bietet man eine Sehprobe im Spiegel, den man z. B. in 3 m Entfernung aufstellt, was einer Prüfdistanz von 6 m entspricht. Der Untersuchte glaubt aber, die Sehprobe sei nun näher und er müsse daher mehr lesen. Diese Beispiele ließen sich vermehren. Heute sind alle diese Proben und auch die früher bei Simulanten oft nötige, längere stationäre Aufnahme zur Beobachtung meist unnötig, da die Möglichkeit besteht, die Sehschärfe annähernd genau objektiv zu bestimmen. Diese Methode beruht auf der Auslösung eines optokinetischen Nystagmus durch Darbietung bewegter Streifen und Muster. Tritt Nystagmus auf, so ist das Sehen erwiesen. Aus der Entfernung vom Prüfapparat und der Größe der Muster, die zur Auslösung des Nystagmus nötig sind, kann die wirkliche Sehschärfe mit ziemlicher Genauigkeit errechnet werden.

Bei Simulation von Gesichtsfeldstörungen kann die Aufnahme desselben in verschiedenen Entfernungen benützt werden. Bei größerer Entfernung vom Prüfgerät wird das Gesichtsfeld größer; der Simulant glaubt aber, es bei größerer Entfernung kleiner angeben zu müssen und verrät sich dabei. Heute gibt es auch Methoden zur objektiven Bestimmung der Gesichtsfeldgrenzen.

Dissimulation begegnet uns manchmal bei Farbensinngestörten, die diesen Fehler verbergen wollen, um bestimmte Berufe (Eisenbahn, Seefahrt) ausüben zu können. Genaue Untersuchung unter Anwendung des Anomaloskopes bringt Klarheit, auch dann, wenn der Prüfling, was vorkommt, die pseudoisochromatischen Tafeln (die jeder kaufen kann) auswendig gelernt hat.

Sachverzeichnis

Waldeyer

Anatomie des Menschen

Für Studierende und Ärzte

dargestellt nach systematischen, topographischen
und praktischen Gesichtspunkten

von Prof. Dr. med. et phil. Anton Waldeyer
unter Mitarbeit von Dr. med. Ursula Waldeyer

2 Teile. Groß-Oktav. Ganzleinen

Erster Teil

Allgemeine Anatomie · Rücken · Bauch · Becken · Bein

6., überarbeitete Auflage
mit 335, meist farbigen Abbildungen. XX, 447 Seiten. 1969.
Ganzleinen DM 48,—

Zweiter Teil

Kopf und Hals · Auge · Ohr · Gehirn · Arm · Brust

6., überarbeitete Auflage
mit 447, zum großen Teil farbigen Abbildungen. XVI, 602 Seiten. 1970.
Ganzleinen DM 62,—

Das Lehrbuch hat sich immer mehr Freunde und Benützer unter den Studierenden
erworben, vor allem wohl dank seiner geglückten Konzeption, in welcher die sorgfältig dargestellte Systematik nicht nur vielfach zur Entwicklungsgeschichte und Topo-
graphie, sondern auch zur Physiologie und Klinik in Beziehung gesetzt wird.

Infolge der komplexen Bearbeitung des Stoffes ist die Anatomie von Waldeyer ein
vorzügliches Nachschlagewerk und Repetitorium für Ärzte. *Pro Medico*

Jedem Arzt, der sich nicht nur für das systematische Aufzählen von medizinischen
Tatsachen, sondern auch für die übergeordneten Zusammenhänge interessiert, wird
diese Anatomie große Freude bereiten; dem Studenten das Studium wesentlich erleichtern. *Ärztliche Praxis*

Walter de Gruyter & Co · Berlin

Pschyrembel

Praktische Gynäkologie

Für Studierende und Ärzte

Von Prof. Dr. phil. Dr. med. W. PSCHYREMBEL
4., überarbeitete und erweiterte Auflage
Oktav. Mit 503, teils mehrfarbigen Abbildungen. XXIV, 642 Seiten. 1968.
Plastikeinband DM 54,—

Die Praktische Gynäkologie erlebt nun schon ihre 4. Auflage und zeigt damit deutlich, welche Beliebtheit dieses Werk hat.

In dem Pschyrembel eigenen knappen und doch alles Notwendige umfassenden, klaren und von allem unnötigen Beiwerk befreiten Text werden alle Probleme der Gynäkologie abgehandelt. Besonders die Grundlagen der Hormonbehandlung sind in dieser neuen Auflage weiter ausgearbeitet worden und geben dem Interessierten so einen genauen Überblick über die Endokrinologie in der Gynäkologie. Sogar das in der letzten Zeit erst diskutierte Problem der Behandlung mit Clomiphen mit allen Risiken der Überstimulierung der Eierstöcke wird deutlich dargestellt.

Deutsche Hebammenzeitschrift

Pschyrembel

Praktische Geburtshilfe

Für Studierende und Ärzte

von Prof. Dr. phil. Dr. med. W. PSCHYREMBEL
12./13. Auflage. Oktav. Mit 502, davon 3 mehrfarbige Abbildungen. XXIV, 807 Seiten. 1967.
Plastikeinband DM 65,—

Neben dem großen Lehrbuch besteht immer der Wunsch nach einer knappen, die wesentlichen Gesichtspunkte und Grundregeln eines Fachgebietes hervorhebenden Darstellung. Diese Aufgabe erfüllt dieses Buch, so daß trotz der Fülle des Stoffes und der vielen Anregungen, die es gibt, infolge seiner didaktisch so übersichtlichen und klaren Form nicht nur für den Anfänger und Studierenden, sondern gerade auch für den Praktiker das Wesentliche durch Schrift und Zeichnung einprägsam entgegentritt.

Münchner Medizinische Wochenschrift

Walter de Gruyter & Co · Berlin

Die „Medizinische Mikrobiologie" behandelt in straff gegliederter, visuell-didaktischer Form das gesamte Fachgebiet nach allgemeinen und speziellen Gesichtspunkten unter besonderer Berücksichtigung moderner Forschungsergebnisse.

Schneeweiß

Allgemeine Mikrobiologie

Leitsätze für Studierende und Ärzte

von Prof. Dr. med. ULRICH SCHNEEWEISS
unter Mitarbeit von EVA-MARIA FABRICIUS.
Groß-Oktav. XII, 343 Seiten mit 111 Abbildungen und 46 Tabellen. 1968.
Flexibel DM 20,—

In der „Allgemeinen Mikrobiologie" werden biologische Grundprobleme neben praxisbezogenen Fragen der neuen Seuchengesetze, der Entkeimungs- und Impfverfahren sowie Chemotherapeutika dargestellt.

Schneeweiß

Spezielle Mikrobiologie

Leitsätze für Studierende und Ärzte

von Prof. Dr. med. ULRICH SCHNEEWEISS
unter Mitarbeit von EVA-MARIA FABRICIUS.
Groß-Oktav. XII, 477 Seiten mit 158 Abbildungen und 39 Tabellen. 1968.
Flexibel DM 30,—

Die „Spezielle Mikrobiologie" behandelt die wichtigsten Infektionskrankheiten unter Betonung diagnostischer und seuchenprophylaktischer Überlegungen. Durch Tabellen und Graphiken wird die Synthese zwischen mikrobiologischer, klinischer und epidemiologischer Betrachtungsweise angestrebt, während die durch Umrandungen besonders hervorgehobenen Leitsätze das Verständnis der Grundbegriffe und die Übersicht über die Leitgedanken der Spezialdisziplinen erleichtern sollen.

Der Verfasser hat es verstanden, den umfangreichen Stoff so zu straffen und zu gliedern und durch eingerahmte Leitsätze zu markieren, daß die Übersicht nicht verlorengeht. Das sehr empfehlenswerte Werk wird den Studenten eine verläßliche Hilfe für das Studium, dem Arzt für eine rasche Orientierung sein.

Wissenschaftlicher Literaturanzeiger

Walter de Gruyter & Co · Berlin

Buddecke

Grundriß der Biochemie

für Studierende der Medizin, Zahnmedizin
und Naturwissenschaften

Von Prof. Dr. E. BUDDECKE

Mit mehr als 400 Formeln, Tabellen und Diagrammen
XXXII, 499 Seiten. 1970. Plastik flexibel DM 27,50
(de Gruyter Lehrbuch)

Leuthardt

Lehrbuch der Physiologischen Chemie

begründet von S. Edlbacher

15., neubearbeitete Auflage
von Prof. Dr. FRANZ LEUTHARDT

Groß-Oktav XVI, 912 Seiten. Mit 76 Abbildungen.
1963. Plastikeinband DM 42,—

Siegmund — Schütte — Körber

Praktikum der Physiologischen Chemie

von Dr. PETER SIEGMUND · Dr. Dr. ERNST SCHÜTTE · Dr. FRIEDRICH KÖRBER

2. Auflage
Oktav. Mit 49 Abbildungen. XVI, 287 Seiten. 1969.
Plastik flexibel DM 19,80

Walter de Gruyter & Co · Berlin

Eigler

Ohren-, Nasen-, Rachen- und Kehlkopfkrankheiten

Begründet von A. Knick
35.—36., neu bearbeitete und ergänzte Auflage
von Prof. Dr. Gerhard Eigler
Groß-Oktav. Mit 164, teilw. mehrfarbigen Abbildungen. XVI, 261 Seiten. 1966.
Plastikeinband DM 28,—

Eigler hat das Lehrbuch von Knick zu einem systematischen Lehrbuch seines Faches entwickelt. Es ist besonders geeignet für Studenten, ebenso für den praktischen Arzt, der sich über einzelne Kapitel der HNO-Heilkunde orientieren will. Hervorzuheben ist die didaktisch klare Gliederung des Stoffes, die überwiegend von praktischen Gesichtspunkten ausgeht. Die Abbildungen sind gut gewählt. *Niedersächsisches Ärzteblatt*

Pschyrembel

Klinisches Wörterbuch

Mit klinischen Syndromen

von Prof. Dr. med. Dr. phil. W. Pschyrembel
185.—250., neubearbeitete und erweiterte Auflage.
Mit 2275 Abbildungen. Oktav. XVI, 1348 Seiten. 1969.
Ganzleinen DM 28,—

Man wird kaum ein besseres klinisches Wörterbuch als den Pschyrembel finden, das so schnell, zuverlässig und vollständig orientiert, wie dieses altbewährte Nachschlagewerk. *Berliner Ärztekammer*

Walter de Gruyter & Co · Berlin

Gabka

Die Injektion

Technik · Praxis · Komplikationen

von Priv.-Doz. Dr. med. Dr. med. dent. Joachim Gabka
Groß-Oktav. Mit 73, zum Teil mehrfarbigen Abbildungen.
XII, 205 Seiten. 1968. Plastik flexibel DM 20,—

Die Injektion gehört zweifellos zu den am meisten geübten ärztlichen Verrichtungen, die die körperliche Unversehrtheit eines Menschen beseitigen.

Neben einem geschichtlichen Abriß über die Injektionstechnik führt das Buch von Gabka in prägnanter umfassender Weise alle medizinischen, anatomischen und besonders rechtlichen Imponderabilien im Zusammenhang mit dem Thema auf, so daß von einer erschöpfenden Darstellung gesprochen werden kann.

Neben den geläufigen Injektionsarten wird die Technik der intravenösen Injektion und Infusion beim Säugling geschildert und über die intrakardinale und intraarterielle Verfahrensweise bei Einspritzungen berichtet.

Das Buch ist geschickt angelegt und weist im Kapitel „Die heutige Rechtsprechung" juristische Auffassungen im Zusammenhang mit Gesundheitsschäden nach Injektionszwischenfällen hin.   *Niedersächsisches Ärzteblatt*

Endlich ein hervorragendes Buch über die Technik und Praxis der Injektion in der Humanmedizin! ... Das Buch kann jedem Arzt, jedem Medizinstudenten und jeder Krankenschwester wirklich bestens empfohlen werden.

Mitteilungen der österr. Sanitätsverwaltung

Walter de Gruyter & Co · Berlin